La isla
de las
mariposas

Título original:
DIE SCHMETTERLINGSINSEL

Diseño e imagen de cubierta:
OPALWORKS

Fotografía de la autora:
SABINE FRÖHLICH / FOTOSTUDIO FRÖHLICH

1.ª edición: junio de 2013
2.ª edición: septiembre de 2013

© Ullstein Buchverlage GmbH, Berlín. Publicado en 2012 por Ullstein Taschenbuchverlag
© de la traducción: VALENTÍN UGARTE, 2013
© MAEVA EDICIONES, 2013
  Benito Castro, 6
  28028 MADRID
  emaeva@maeva.es
  www.maeva.es

ISBN: 978-84-15532-76-7
Depósito legal: M-11.639-2013

Fotomecánica: Gráficas 4, S. A.
Impresión y encuadernación: Huertas, S. A.
Impreso en España / Printed in Spain

CORINA BOMANN

La isla
de las
mariposas

¿Qué secretos esconden una antigua mansión
y una plantación de tě heredada?

Traducción:
VALENTÍN UGARTE

MAEVA

Queridísima Grace:

No sé si a estas alturas me habrás perdonado. Supongo que no. Sin embargo, no puedo remediar escribirte.

En mi fuero interno te imagino sentada junto a la ventana de tu habitación, mirando hacia el jardín cubierto por la niebla y disgustada por cómo han salido las cosas. Con razón, y lo único que puedo decir es que lo siento en el alma.

Aquí las cosas han cambiado desde que te fuiste. ¡Cuánto te echo de menos! Y creo que papá también, aunque nunca lo reconozca. Se pasa horas encerrado en su despacho sin querer hablar con nadie. Mamá tiene miedo de que se vuelva salvaje (¡ya sabes lo exagerada que es!). Ella, por su parte, está completamente volcada en organizar una fiesta para animarlo. En realidad, solo quiere saber hasta qué punto ha tenido consecuencias el escándalo.

Probablemente esboces una amarga sonrisa al leer esta carta, si es que no la echas directamente al fuego de la chimenea. Espero de todo corazón que me des una oportunidad, pues tengo una noticia que tal vez te haga abrigar esperanzas.

Poco después de tu partida, él apareció ante mi ventana y me contó que iría a verte pronto. A modo de prenda me dio una cosa que he de guardar para ti, porque ya no tiene domicilio fijo. Seguro que un día te rapta de entre los viejos muros como en los cuentos, y a partir de entonces encontráis la felicidad eterna.

Queridísima hermana, te prometo que siempre, pase lo que pase, estaré a tu disposición y a la de los tuyos. Si alguna vez os halláis en una situación de apuro, siempre tendréis la puerta de mi casa abierta, ya que estoy en deuda con todos vosotros.

Con todo mi afecto
Victoria

Prólogo

TREMAYNE HOUSE

1945

Una lluviosa tarde de octubre, la joven se presentó ante la antigua mansión señorial. La niebla envolvía el jardín y hacía que los sauces llorones, de cuyas ramas caían gotas como lagrimones, parecieran aún más desconsolados. El marchito follaje otoñal ribeteaba los caminos, en otro tiempo tan cuidados, y colgaba formando hilachas en la hierba, que llevaba una eternidad sin que la segaran.

En tensión e ignorando el reflejo de su rostro demacrado, la extraña espió a través del cristal de la puerta de entrada. Ya había tocado dos veces el timbre, pero no se veía a nadie. Sin embargo, se oían perfectamente voces procedentes del interior de la casa. Seguramente estaban tan atareados, que no hacían caso de la puerta.

Después de haber llamado en vano por tercera vez al timbre, la joven ya se disponía a darse la vuelta y marcharse, cuando de repente oyó pasos y, al cabo de un rato, apareció una mujer vestida con un uniforme de criada en el que ponía su nombre: Linda. Esta examinó severamente a la recién llegada, cuyo aspecto era como el de tantas mujeres que habían pasado penurias en la guerra. Pelo negro enmarañado, mejillas pálidas. Las ojeras daban testimonio del hambre y de las privaciones. Los zapatones desgastados, demasiado grandes para sus pies, le sobraban por todos lados. Bajo su ropa sucia y la gabardina agujereada se adivinaba la curva de una barriguita.

—Lo siento, pero estamos al completo —murmuró fríamente Linda.

La pálida mujer le tendió un sobre manoseado y lleno de manchas.

—Déselo, por favor, a la señora de la casa.

Sus palabras sonaban torpes, pues no estaba acostumbrada a hablar en inglés. No obstante, había en su ruego una determinación que no cuadraba con alguien que se había resignado a vivir en la calle. Linda examinó minuciosamente a la mujer, que en cierto modo parecía extraña, pero dado que esta no desistía de su empeño y sostenía la mirada de la criada de un modo casi desafiante, le aceptó el sobre.

–Un momento, por favor.

Aunque el momento se prolongó bastante, la mujer permaneció delante de la puerta como si se hubiera vuelto de piedra. No cambió el peso de una pierna a otra, ni tampoco se sentó, pese a que la barandilla baja le ofrecía esa opción. Tan solo se acariciaba suavemente la tripa, que albergaba su más valioso tesoro. La criatura que crecía en su interior merecía todas las penas y humillaciones.

En lugar de la criada aparecieron dos mujeres, una de unos cincuenta años de pelo castaño claro, y la otra más o menos de su edad, con el pelo rubio rojizo. Aunque la guerra también les había exigido sacrificios, parecía que les iba relativamente bien, a juzgar por el saludable color de sus rostros y sus formas redondeadas.

–¿Es usted Beatrice? ¿Beatrice Jungblut?

La mujer asintió con la cabeza.

–Sí, la hija de Helena. ¿Ustedes son las señoras Stanwick, verdad?

–Yo soy Deidre Stanwick, y esta es mi hija Emmely Woodhouse –respondió la mayor de las dos mujeres, a la que su hija se parecía.

Beatrice las saludó avergonzada porque notaba que no era bien recibida. Pero no le quedaba más remedio. Su propia vida no le interesaba; para entonces había corrido tantos peligros que la muerte ya no le asustaba. Sin embargo, su hijo debía tener la posibilidad de ver el sol y de disfrutar de la paz que reinaba desde hacía unos meses.

Después de que las dos se miraran muy elocuentemente, la mayor preguntó:

—¿Dónde está Helena?

—Murió durante un ataque, igual que mi marido —respondió la mujer.

—¿Y tú? —preguntó Emmely conmovida.

—Yo pude esconderme. —Con un gesto protector, se abrazó la tripa—. Mi madre me dijo que si a ella le pasaba algo, me dirigiera a vosotras.

De nuevo se miraron entre ellas; luego, Deidre preguntó:

—¿Tienes documentos que demuestren tu identidad?

Beatrice negó con la cabeza.

—Ardieron cuando nos dispararon desde los aviones de vuelo rasante.

Ya está, pensó. Ahora me pondrán de patitas en la calle. ¿Qué razón iban a tener para fiarse de mí? Todo es una insensatez, y el papel que he traído no es más que una promesa vana, hace tiempo olvidada.

—Bueno, pasa y hablaremos.

A la embarazada le llegó un olor a fenol y a muerte, mientras seguía a las dos señoras de la casa por un largo pasillo. Allí las heridas ulcerosas parecían afrontar la escasez de medicamentos y la falta de desinfectantes.

—Desde hace más de tres años tenemos un lazareto en casa —le explicó Emmely, a quien parecía incomodarle el silencio—. Las habitaciones están a reventar. Perdona que Linda haya querido echarte; no se lo tomes a mal, por favor. De momento estamos desbordadas por los que vuelven de la guerra y los que padecen hambre.

Beatrice miró tímidamente sus sucios zapatos.

—Cómo lo siento.

—Ya nos las arreglaremos —comentó Emmely con benevolencia, mientras posaba brevemente el brazo en el hombro de Beatrice—. Has venido al sitio adecuado.

Al oír estas palabras, Beatrice sintió un poco de vértigo. ¿Habría algún sitio adecuado para ella y su hijo? Lo que ella llamaba patria estaba en ese momento cubierto de sangre y ruinas…

9

Aunque la cocina era bastante grande, faltaba sitio, pues cada centímetro de suelo libre se aprovechaba para amontonar cajas, armarios y otros muebles. Siempre que no corrieran peligro de caerse, se apilaban unas cosas sobre otras. En el centro únicamente quedaba espacio para el hogar y una mesa con cuatro sillas.

—Uno acaba acostumbrándose incluso a las situaciones más espantosas —suspiró Deidre, mientras alcanzaba tres tazas del estante—. Antes tenía criados para esto, pero la guerra no solo le quita a uno la libertad, sino también todos los privilegios. Ahora comemos en la misma mesa que nuestros sirvientes, que en realidad ya no trabajan para nosotras.

Muy vagamente, Beatrice recordaba que su familia también había tenido una muchacha de servicio. El aspecto de su casa, de su habitación y de los vestidos que solía llevar estaba tan eclipsado por el sufrimiento que había padecido, que ya apenas recordaba cómo era su vida antes de que se instalara la locura de la guerra.

—¿Y la señora que me ha abierto la puerta? —preguntó Beatrice, mientras se sentaba en el sitio que le habían ofrecido.

—Linda es mi criada, pero solo lleva el uniforme por mantener las formas, pues la necesitamos en el lazareto. Mi hija y yo también ayudamos todo lo buenamente que podemos.

La mirada de Deidre se dirigió a su barriga.

—Yo también podría ayudar —se ofreció Beatrice, pero su tía negó con la cabeza.

—Podrías ayudar en la cocina, pero no en la enfermería. Correrías el riesgo de perder al niño si te contagiaran algún germen.

Su tono desmesuradamente enérgico asustó a Beatrice, a la que de nuevo le asaltaron las dudas. Que te hayan permitido sentarte con ellas en una cocina llena de trastos, no significa ni mucho menos que ya pertenezcas a la familia.

Cuando Deidre iba a decir algo más, la olla que había al fuego, detrás de ella, emitió un agudo pitido. Se levantó y trajo una tetera. El olor aromático del té produjo en Beatrice un efecto muy tranquilizador. Siempre le había resultado agradable; incluso

10

en el campamento de refugiados, al que llegó tras cruzar el Oder, solía proporcionarle una sensación hogareña. Gracias a ese aroma, por unos instantes le era posible soñar con su casa, con el rosal de su abuela Grace, con el pequeño invernadero en el que esta se afanaba por cultivar flores exóticas. Y en el que ella, de vez en cuando, pasaba horas contemplando distraídamente un arbusto de franchipán, mientras sostenía en la mano un papelillo del que su madre aseguraba siempre que era un horóscopo.

—Es un mísero té de Assam, pero por desgracia no tenemos otra cosa. —Deidre la sacó de sus pensamientos, al tiempo que le ponía la taza delante.

El color del té hacía visibles las finas estrías del esmalte, de modo que formaban unas venas oscuras en el interior de la taza.

Assam, darjeeling, ceilán. De pronto se le representaron los bonitos letreros de los recipientes de la cocina de la abuela. Con todo primor, esta escribía las letras en un papel y las adornaba con un dibujito que representaba las hojas y las flores del té. A esas alturas ya no quedaba nada de todo aquello, tampoco de la casa del capitán en el mar Báltico, ni del jardín ni del invernadero.

Las mujeres tomaron el té en silencio, cada una sumida en sus pensamientos. De repente, la mirada de Deidre parecía perdida en la lejanía, como si buscara algo; Emmely no le quitaba ojo a Beatrice, que hacía como que la ignoraba mientras, para sus adentros, imaginaba la cara de la abuela.

Qué raro que me acuerde ahora de ella y no de mi madre, pensó, al tiempo que mentalmente repasaba las finas líneas de su cara, paseaba la mirada por el cabello pelirrojo, que era su herencia escocesa, y contemplaba la piel blanca con tendencia a las pecas. Qué envidia le daba de niña la piel blanca y luminosa de la abuela. En cambio, su madre, Helena, y ella eran de tez más bien oscura, con el pelo negro y rizado y unos ojos curiosamente rasgados de los que la abuela solía decir que eran heredados de la familia de su marido. Desgraciadamente su abuelo, el capitán, había muerto antes de que ella naciera.

11

—Por hoy te quedarás aquí —decidió Deidre, cuando regresó de sus remotos pensamientos—. Dormirás en la habitación de mi hija, y Emmely dormirá esta noche conmigo.

—Pero… —empezó Emmely, que sin duda prefería compartir su habitación con la recién llegada.

—No hay «pero» que valga. Nuestra invitada tendrá una habitación para ella sola. —La mirada penetrante de Deidre puso fin a la discusión—. Ve arriba y enséñale la habitación a Beatrice. Luego prepáralo todo. Mientras tanto, yo volveré al hospital.

Dicho esto, se levantó y salió a grandes zancadas. Las dos jóvenes se miraron tímidamente.

—Siento lo que les pasó a tu madre y a tu marido —dijo finalmente Emmely, poniendo suavemente la mano sobre los mugrientos dedos de su interlocutora—. Siempre resulta duro perder a los seres queridos.

—¿Has perdido tú también a alguien en la guerra? —le preguntó Beatrice, viendo que Emmely tenía un aspecto de lo más saludable.

A esta se le congeló la sonrisa.

—Sí —contestó, esforzándose por mirar a su taza de té—. A mi hijo.

—¿Perdió la vida durante algún ataque?

Beatrice había oído que Londres fue bombardeado.

Sin embargo, Emmely negó con la cabeza.

—Aborté al quinto mes. A mi marido acababan de mandarlo al frente. Ni siquiera sé si aún sigue vivo. Seguramente cree que nuestro hijo ya sabe andar.

¡Y aun así me consuela!, pensó Beatrice. La cruz que lleva a cuestas pesa igual que la mía.

—Bueno, ya hablaremos de eso en otra ocasión. —Emmely se levantó y apartó de sí el recuerdo con una sonrisa de amargura—. Ven, te enseñaré tu habitación. Es muy bonita y habríamos cabido perfectamente las dos, pero si mi madre quiere que le ronque un poco esta noche…

Emmely la condujo por un laberinto de pasillos. Pasaron por un antiguo salón de baile que ahora estaba lleno de camas, una al lado de otra, y colchones por el suelo. Luego subieron unas escaleras. En los pasillos de arriba también se apilaban muebles y cajas que habían tenido que ser trasladados de otras habitaciones. Al rozar con el brazo una de las cajas, sonó un agudo tintineo de vidrio o de cristal. Probablemente, todas las cosas empaquetadas y guardadas esperaban, como las personas, a que volviera la paz.

—Ya hemos llegado.

Emmely abrió una puerta ancha de doble batiente. Dentro, la habitación estaba caldeada y parecía bastante recogida. Los dibujos de florecitas del papel de la pared habían palidecido, pero todavía se adivinaba lo bonita que tenía que haber sido la estancia en otro tiempo. Al pie de las altas ventanas, cubiertas por unos visillos que amarilleaban ligeramente, había unos cuadros puestos del revés cuyos marcos dorados resplandecían a la luz.

Lo que más le impresionó a Beatrice fue la cama. Jamás en su vida había visto una cama tan sólida ni tan ancha; ocupaba gran parte de la habitación. De los respaldos de dos sillas colgaban los vestidos que más se ponía Emmely; el armario ropero, cuyas puertas se encontraban un poco desvencijadas, estaba abarrotado de otras prendas.

—Si quieres te regalo un vestido —se ofreció Emmely—. Lo que llevas puesto no tiene arreglo ni con un zurcido.

—Gracias. Yo…

—¡Ven para acá! —Emmely se acercó a una de las cómodas y la abrió. Dentro había diferentes prendas, desde ropa interior, pasando por faldas y blusas, hasta jerséis y chales—. ¿Qué quieres de todo esto?

—Yo…

—Anda, no seas tímida.

—Pero si ni siquiera sé si me puedo quedar. Tu madre…

—Bah, mamá acabará cediendo, te lo aseguro. —Emmely pescó del cajón una blusa de color rosa claro con cuello marinero y un delicado bordado—. Creo que esta te sentará a ti mejor que a mí. Ni siquiera sé por qué me encapriché con ella. Mira mi pelo rojo: ¡con el rosa no pega de ninguna manera…!

Antes de que Beatrice pudiera oponerse, Emmely ya le había puesto la blusa ante el pecho.

—¡Lo sabía! A ti, con tu pelo oscuro y la piel dorada, este color te sienta mucho mejor.

—Pero ¿qué me dices de la tripa? —objetó Beatrice—. Dentro de dos semanas ya no me cabrá.

—Para entonces ya te habré tejido un jersey. Además, de todas formas eres más menuda que yo. ¡A tu lado parezco un elefante!

Las dos mujeres se miraron y luego soltaron una carcajada.

Emmely no se fue de la habitación hasta haber escogido para Beatrice una falda y una chaqueta de punto, así como ropa interior y medias.

—Ya te conseguiré también unos zapatos nuevos. Estamos organizando un acto de beneficencia; si encuentro un par de tu número, lo apartaré para ti.

Conmovida por la amabilidad con la que había sido recibida, Beatrice se desplomó en la cama. El blando colchón cedió bajo su peso, y la sábana desprendió un aroma a jabón de lavanda. Beatrice se estiró sobre la cama y, por vez primera, disfrutó de la sensación de estar cobijada. Y eso que no tenía claro cuánto tiempo podría quedarse.

Antes de que Emmely regresara con el agua, ya se le habían cerrado los ojos, de modo que no la oyó.

Por la noche, sin embargo, Beatrice fue víctima de una horrible pesadilla. De nuevo revivió en sueños cómo la separaban de su madre y de su marido, cómo estuvo a punto de ser aplastada por la multitud, y cómo, luego, unas manos desconocidas tiraban de ella hacia arriba y la llevaban tras un arbusto, mientras por encima atronaban los aviones de vuelo rasante. Llena de impotencia, tuvo que contemplar cómo las balas caían sobre el convoy de refugiados, cómo su madre y su marido, que por culpa del asma no había sido llamado a filas, desaparecían entre un montón de cadáveres.

14

Creyendo que todavía se encontraba en el campamento americano de refugiados, se incorporó asustada, pero enseguida notó el calor y vio los rescoldos de la chimenea. Al otro lado de los ventanales reinaba el silencio. La luna, casi llena, se esforzaba por abrirse paso a través del velo de niebla y de las nubes que amenazaban lluvia.

Oyó unos pasos silenciosos por el pasillo. Un portazo. Al poco rato, unas voces atravesaron, amortiguadas, la pared. Beatrice no entendía lo que decían, pero la inquietud y el desasosiego la obligaron a arrimarse un poco a la pared y pegar el oído al pálido empapelado, que desprendía un olor extraño.

—¿Cómo vamos a saber si es ella realmente? Podría haberse encontrado la carta —dijo Deidre enojada.

¿Se lo habría pensado mejor? Pero entonces, ¿adónde iría Beatrice? En Inglaterra no conocía a nadie.

—No creo que se haya encontrado la carta —la defendió la más joven—. No contenía dinero. ¿Crees que a una vagabunda le puede interesar eso?

—Pues sí, si cree que va a recibir ayuda.

—¡Pero también ha tenido que contar con que conozcamos a la persona! —siguió contradiciéndola Emmely—. ¿Has visto su pelo? ¿Y su cara?

—Hay muchas chicas de pelo negro; a lo mejor se ha aprovechado de esa circunstancia.

—¡Madre! —exclamó Emmely en tono de reproche—. ¿No la has mirado detenidamente? ¡Pero si salta a la vista! Aunque sea la nieta, se ve perfectamente.

¿Qué es lo que salta a la vista?, se preguntó Beatrice, sin hacer caso de la sed y de la sensación de tener la lengua pegada al paladar. De repente, el corazón empezó a palpitarle como si tuviera fiebre; sus propios latidos volvían aún más confusas las voces. Se dio cuenta de que las dos mujeres sabían de ella algo que ella desconocía. Pero ¿qué?

Se hizo un largo silencio, a continuación del cual Deidre dijo:

—Ya sabes que tenemos las provisiones racionadas.

—Y tú sabes lo que decía siempre la abuela Victoria —objetó su hija.

—Ah, sí, aquello... —Daba la impresión de que algo se le había quedado estancado en la garganta; algo que quería salir, pero no podía—. ¡Bah, tonterías!

—De todas maneras, en el lecho de muerte le prometiste que seguirías sus instrucciones y, en caso de necesidad, ayudarías a la descendencia de Grace, tal y como ella se lo había prometido a su hermana —respondió tranquilamente la hija.

—Más le valdría no haberlo hecho... —dijo Deidre en tono de amargura, antes de enmudecer—. Luego se oyeron unos pasos por la habitación—. Bueno, está bien; se quedará hasta que tenga al niño. Luego ya veremos. También cumplimos con nuestra obligación si les buscamos a ella y a su hijo un alojamiento seguro. De todos modos, tampoco pueden quedarse más tiempo con el caos reinante.

—Pero algún día tendrá que acabar el caos...

Deidre debió de decir algo para que su hija se callara.

¿Se habrán dado cuenta de que las estoy escuchando?, se preguntó angustiada Beatrice. No, era imposible, pues a duras penas respiraba y seguía apoyada en la pared como una estatua volcada por el viento.

—Se quedará con nosotras hasta que tenga el hijo y luego ya veremos. Como habrás visto, se nos han desbaratado todos los planes, de modo que en este caso más nos vale no hacer ninguno.

Dicho lo cual, se hizo el silencio. Daba la impresión de que se habían acostado sin darse siquiera las buenas noches y poner así fin a sus desavenencias.

Al desaparecer la tensión de su cuerpo, Beatrice volvió a notar que le ardía la garganta. Agua. Necesito urgentemente algo de agua.

Apretando los dientes, se apartó de la pared. Por la postura tan incómoda en la que había estado le dolía la espalda y los tobillos, que tenía hinchados desde hacía un mes. De no ser por esa urgente necesidad de agua, se habría vuelto a tumbar a la espera de conciliar el sueño. Pero si quería tranquilizarse, antes tenía que beber algo.

Fuera tanteó el interruptor de la luz, pero la lámpara no se encendió. ¿Se habría producido un apagón o es que también racionaban la corriente eléctrica? Beatrice recordó la gran caja de fusibles de su cocina; de vez en cuando había que desconectarlos para interrumpir la corriente.

En cualquier caso, los retazos de la luz de la luna le sirvieron para orientarse. Recorrió el pasillo, bajó las escaleras y luego giró a la derecha por la segunda puerta. De nuevo recorrió un pasillo que aún conservaba el olor a té.

Los escalones crujían pese a lo poco que pesaba, mientras descendía conteniendo la respiración. Al llegar al escalón de más abajo, tuvo que detenerse porque la sed le puso mal cuerpo y la hizo tambalearse. De repente, unas luces inexistentes parpadearon ante su mirada, y ni siquiera cerrando los ojos logró disiparlas.

Con el corazón en un puño, sus manos se aferraron a la barandilla de las escaleras. Con el rabillo del ojo percibió un movimiento. Una silueta ante la difusa luz que salía por las puertas de cristal del salón de baile.

—¿Va todo bien, señorita?

Por un acto reflejo, Beatrice iba a decir que sí, pero no pudo. No le salían las palabras.

—Señorita, soy el doctor Sayers —continuó el hombre, que al instante apareció en su campo de visión—. Yo la ayudaré.

Entonces a Beatrice le flaquearon las rodillas y se desmayó.

LIBRO PRIMERO

EL SECRETO

1

Diana Wagenbach se despertó cuando la luz rojiza del amanecer le acarició la cara. Suspirando, abrió los ojos e intentó orientarse. El enorme tilo del jardín arrojaba su sombra sobre los altos ventanales del invernadero, que lindaba con el cuarto de estar. Unas manchas de luz salpicaban la alfombra granate, que protegía el viejo parqué de los arañazos. El aire estaba impregnado de un extraño olor. ¿Habría vertido alguien alcohol?

Diana tardó un rato en darse cuenta de cómo había ido a parar al sofá de cuero blanco. Aún llevaba puesta la ropa de la noche anterior, y tenía la negra melena rizada empapada en sudor y pegada a la frente y a las mejillas, así como los labios resecos.

—Ay, Dios mío —gimió mientras se incorporaba.

Le dolían los brazos y las piernas, como si la noche anterior hubiera estado arrastrando cajas de mudanza. Además, la mala postura en la que había dormido le había debilitado la espalda.

Al desplomarse en el respaldo, por poco le da un ataque. El cuarto de estar parecía un campo de batalla, no porque se hubiera celebrado una fiesta por todo lo alto, sino porque ella había perdido el control. Asustada, se frotó los ojos y las mejillas.

En realidad, Diana era una persona tranquila y algo más que paciente, en opinión de sus amigos. Pero el día anterior había visto a su marido, Philipp, con esa mujer. Es cierto que formaba parte de su trabajo hablar de negocios una vez concluida la jornada laboral. Pero lo que desde luego no formaba parte de su trabajo era besar apasionadamente a su interlocutora y acariciarle ansiosamente los pechos.

Ojalá me hubiera quedado en casa, pensó Diana, mientras se sentaba y se miraba los moratones de los brazos. Pues no; tuve que ir a nuestro restaurante favorito pensando que, tras un duro día de trabajo, me merecía algo especial.

Mientras se levantaba del sofá e intentaba mover sus doloridos huesos, repasó de nuevo la noche anterior.

Naturalmente, no había tenido el valor de enfrentarse a Philipp allí mismo, en el restaurante. Antes de que él se diera cuenta, se fue corriendo a casa y, después de dar un portazo, se echó a llorar en el sofá. ¡Cómo podía hacerle una cosa así!

Después de la llantina, se había dedicado a recorrer la casa y a torturarse con un sinfín de preguntas. ¿Había habido indicios? ¿Tendría que haberlo intuido? ¿O estaba equivocada y solo se trataba de un beso de lo más inocente?

No, ese beso era de todo menos inocente. Y sinceramente, la nave de su matrimonio llevaba ya mucho tiempo escorada, a la espera de una ráfaga de viento que la hiciera zozobrar.

Le pasaron mil maldiciones por la cabeza. Reproches, amenazas, insultos, exigencias. Pero luego, cuando apareció Philipp con las llaves en la mano, se le había pasado el propósito de montarle un número. A cambio, se limitó a mirarle y a preguntarle imperturbablemente quién era la mujer a la que estaba abrazando tan apasionadamente.

—Cariño, yo… ella…

Cuando le aseguró que solo se trataba de una conocida, no le prestó el menor crédito. Uno de los dones de Diana era reconocer las mentiras. Ya desde pequeña sabía siempre quién no le decía la verdad. A veces, incluso había pillado a su tía abuela Emmely ocultándole algo.

—¡Lárgate! —fue la única palabra que logró decirle.

Lárgate. Luego dio media vuelta y se dirigió al invernadero. Mientras veía su imagen reflejada en el espejo y miraba hacia el jardín iluminado por la luna, oyó a su espalda cómo se cerraba la puerta.

Ese habría sido el momento ideal para irse a la cama y consultar sus penas con la almohada. Pero Diana reaccionó de otra manera.

Ahora a ella misma le escandalizaba su reacción. Hasta entonces nunca había perdido los estribos de aquella forma. Lo primero que hizo fue arrojar un jarrón contra la pared. A continuación, llegó el turno de las sillas del rincón del comedor. Con todas sus fuerzas las lanzó por la habitación, rompiendo a su paso la mesa baja de cristal junto al sofá y la vitrina que albergaba los premios de Philipp. También habían alcanzado a una botella de whisky de malta, cuyo contenido había absorbido la alfombra.

Más me valdría habérmela bebido, pensó sarcásticamente. Así no tendría que explicarles a los del seguro lo que ha pasado aquí.

Los cristales le lanzaban feroces destellos y crujían bajo sus zapatos mientras atravesaba la habitación. Un baño restablecería el equilibrio de su alma y le brindaría la posibilidad de ordenar sus sentimientos.

Después de desnudarse, se miró en el espejo y se sintió ridícula. ¿Era necesario que se preguntara qué tendría la otra que ella no tuviera?

Aunque tenía treinta y seis años, no los aparentaba; los que no la conocían le echaban veintiocho o veintinueve. Aún no le habían salido las canas con las que, según la publicidad, había que contar a partir de los treinta y cinco. Su melena negra e inmaculada le caía por los hombros, que habían adquirido, como los brazos, el tono dorado del verano que tanto envidiaban sus empleadas y sus amigas. El resto de su cuerpo, no en forma pero sí esbelto, ofrecía un tono más claro y reclamaba una estancia en la playa para poder igualarse a los brazos.

Vacaciones, pensó mientras suspiraba, al entrar en la cabina de la ducha. Tal vez debería hacer un viaje para olvidarme de toda esta penuria.

Bajo el chorro templado de la ducha recobró los sentidos, pero por desgracia también el ardor que le producían los nervios en la boca del estómago. Quizá el agua lavara las huellas que la noche pasada había dejado en su piel y en su pelo, pero no las borraba del todo.

Al principio, Diana quiso ignorar los timbrazos del teléfono. Sería Philipp, que le vendría con alguna disculpa tonta. O, en el peor de los casos, quizá le preguntara cómo se sentía. Como había desconectado el móvil, su marido no tenía otra posibilidad de dar con ella.

Al ver que el teléfono no dejaba de sonar, se le pasó por la cabeza que podía ser Eva Menzel, su socia del bufete de abogados, de modo que salió del cuarto de baño envuelta en una suave toalla azul y fue al pasillo, donde descolgó el auricular. Si es Eva, puedo decirle que hoy no apareceré por el despacho.

—Wagenbach —dijo al aparato.

—¿La señora Wagenbach? —preguntó una voz con acento extranjero.

Sorprendida, se quedó sin aire.

—¿Señor Green?

El mayordomo de su tía se lo confirmó en un alemán chapurreado, por lo que Diana empezó a hablar con él en inglés.

—Me alegro de oírle, señor Green. ¿Va todo bien?

¿Cuánto tiempo hacía que no hablaba con su tía? O con el mayordomo, que actuaba como una especie de mediador y le sostenía el auricular a la tía Emmely, cuyos brazos no le respondían bien desde que padeció un ataque de apoplejía.

—Me temo que no tengo noticias demasiado buenas para usted.

A Diana sus palabras le sentaron como un puñetazo en el estómago.

—Por favor, señor Green, no me torture y dígame qué ha pasado.

El mayordomo dudó un momento antes de atreverse a pronunciar lo inevitable.

—Por desgracia, su tía sufrió hace dos días otro ataque de apoplejía. Se encuentra ingresada en el Hospital Saint James de Londres, pero los médicos no saben cuánto tiempo aguantará.

Diana se llevó la mano a la boca y cerró los ojos, como si de esta manera pudiera bloquear la mala noticia. Pero ya se le había grabado la imagen en la memoria: una mujer mayor cuyo pelo rubicundo iba adquiriendo paulatinamente el color de la nieve. Una sonrisa bondadosa en sus labios fruncidos. ¿Cuántos años tenía la tía Emmely? ¿Ochenta y seis u ochenta y siete? La abuela de Diana, prima segunda de Emmely, que había nacido más o menos al mismo tiempo, llevaba ya muchos años muerta.

—¿Señora Wagenbach? —La voz del señor Green disipó como una ventolera los últimos pensamientos de Diana.

—Sí, sigo al aparato. Es que me he quedado de piedra. ¿Cómo pudo pasar?

—Su tía tiene una edad avanzada, señora Wagenbach, y la vida no siempre la ha tratado bien, si se me permite emitir un juicio. Mi madre solía decir que las personas son como los juguetes, que tarde o temprano acaban por romperse. —Hizo una pausa, como si estuviera imaginando a su madre—. Debería venir. La señora me ha encargado que le diga que venga mientras aún esté algo consciente.

—¿De manera que ha hablado con ella?

En Diana brotó una pequeña y absurda chispa de esperanza. A lo mejor los médicos conseguían curarla. ¿No se decía que uno no moría hasta el tercer ataque de apoplejía?

—Sí, pero está muy débil. Si desea cumplir su deseo, debería venir, a ser posible, hoy mismo. Si se decide a hacerlo, la recogeré yo personalmente en el aeropuerto.

—Sí, iré… Solo tengo que mirar a qué hora sale el siguiente avión y si queda una plaza libre.

—De acuerdo —respondió el mayordomo—. ¿Sería usted tan amable de comunicarme por correo electrónico a qué hora llega exactamente? No me gustaría hacerla esperar en mitad de la lluvia.

—Muy amable por su parte, señor Green. En cuanto sepa el número de vuelo, le enviaré un correo.

De nuevo se hizo una breve pausa. Al otro lado de la línea se oyó un chisporroteo. ¿Se habría cortado la comunicación?

—De verdad que lo siento mucho, señora Wagenbach. Lo dispondré todo de modo que tenga aquí una estancia agradable.

—Muy amable, señor Green. Muchas gracias y hasta luego.

Al colgar, antes que nada se sentó. Naturalmente, no en mitad de los cristales rotos, sino en la cocina. En casa de Emmely también se sentaba siempre en la cocina, cuando iba a visitarla con su madre, Johanna.

Johanna había tenido una relación muy especial con Emmely; no en vano, la había criado después de que su propia madre muriera al nacer ella en medio del caos del final de la guerra. A Beatrice solo la conocía por una foto amarillenta, sacada poco antes de que naciera Johanna. Diana nunca había entendido por qué Emmely, que no tenía hijos, no había adoptado a su madre.

Al oír que daba la hora el reloj del salón, un regalo que Philipp le había traído de Chequia y que ella odiaba pero soportaba por él, recordó que el tiempo pasaba y los aviones no esperaban.

Aunque el disgusto se le agarraba al estómago, y pese a la tiritona que le recorría todo el cuerpo, no tardó más de cinco minutos en vestirse. Eligió ropa cómoda: unos vaqueros, una blusa de manga corta y un fino jersey de punto de color granate por si acaso refrescaba. Se recogió la negra melena rizada en una coleta. Por esta vez prescindió del maquillaje. La práctica que había adquirido en sus numerosos viajes de negocios le ayudó a hacer la maleta en un santiamén. Tampoco metió demasiadas cosas: una blusa de muda, una falda y un cepillo de dientes. Y también el portátil, un cuaderno y, naturalmente, cables y cargadores. Cerca de Tremayne House había un pueblo pequeño que ofrecía todo lo que pudieran necesitar los excursionistas de la zona. Mientras llevara consigo el monedero y la documentación, lo demás podría comprarlo.

Al llegar a la puerta, echó un último vistazo al desorden que dejaba atrás. Los pedacitos de cristal brillaban como diamantes a la luz del sol. Que los recoja Philipp, pensó, y en el fondo se alegró de no haber dejado una nota, como hacía cada vez que tenía que irse urgentemente a alguna parte.

Fuera, se montó en su Mini rojo, que tan buen servicio le hacía cuando se atascaba el tráfico en Berlín, y al poco rato enfiló la autovía en dirección al aeropuerto.

Casi al mismo tiempo, el señor Green se dirigía a una estantería de libros que había en el despacho del anterior señor. Su señora le había dado unas instrucciones muy precisas para el caso de que falleciera. Debía encargarse de que Diana lo encontrara. El secreto.

Él no lo conocía. Después de tantos años de servicio en Tremayne House había dejado de sentir curiosidad, si bien tenía que reconocer que desde el primer día había notado que la casa ocultaba algo. Y quién sabe, a lo mejor, pocos años antes de jubilarse, aún podía ser testigo de un descubrimiento revelador.

Hacía un año la señora Woodhouse le había empezado a hablar del rompecabezas de las pistas. En aquella ocasión, ella creyó que el ángel de la muerte se hallaba ya ante su puerta. Pero Dios le había concedido más tiempo, el suficiente para ir dejando rastros. Una foto aquí, una carta allá… Esta última, dentro de un libro que naturalmente, a ojos de la interesada, debía pasar desapercibido entre los que lo rodeaban. Eso la ayudará a superar mi muerte, opinaba la señora. Aunque Diana llevaba años sin dejarse ver, la señora Woodhouse nunca dudó del amor y de la lealtad de la chica, que ocupaba en su corazón el lugar de una nieta.

El señor Green buscaba en la estantería un título muy concreto. Desde la muerte de la anciana señora Deidre, la madre de Emmely Woodhouse, no se había alterado el orden de los libros. Ni siquiera durante la guerra, que lo dejó todo patas arriba, se cambió de sitio ningún libro.

¡Ah, ahí estaba! Encuadernación verde, letra dorada desgastada. Un libro que parecía haber sido colocado allí al azar. Pero, para quien conociera el ejemplar, saltaba claramente a la vista. Por si acaso la visitante estaba demasiado triste como para pensar con claridad, el mayordomo lo extrajo un poco, un tro-cito que no llegaba a un dedo. El ruido que hizo sonó como el suspiro de alivio de un moribundo que por fin puede pasar a mejor vida.

El señor Green retiró la mano y contempló satisfecho su obra. Cuando la luz vespertina entrara por los ventanales, aun-que el cielo estuviera nublado, este libro llamaría sin duda la atención de la interesada.

2

La previsión climática del señor Green cuando le dijo que no quería dejarla plantada en medio de la lluvia parecía cumplirse al pie de la letra, pues cuando el avión procedente de Berlín aterrizó en Heathrow, Londres estaba completamente encapotado por unos nubarrones que convertían el día en noche. La llovizna dio paso a un chaparrón; grandes gotas de agua azotaban el aeropuerto y las ventanas del autobús que llevaba a los pasajeros hasta la terminal.

Después de recoger su maleta de la cinta transportadora, Diana se apresuró a la sala de espera, donde debía encontrarse con el señor Green. Aunque este había recibido a tiempo su correo, el intenso tráfico de las horas punta podía gastarle una mala jugada incluso al más concienzudo de los mayordomos.

Era tal la muchedumbre, que al principio no logró verlo, pero finalmente lo localizó junto a la puerta. En ese mismo momento se cruzaron sus miradas, y él alzó la mano para saludarla.

Diana aceleró el paso, se disculpó al tropezar con el carrito de un hombre y se abrió paso a través de un grupo de japoneses que alegremente enfocaban sus cámaras hacia un tablón de anuncios.

Cuanto más se acercaba, más le parecía que el señor Green apenas había cambiado desde la última vez que lo vio hacía cinco años. Ahora ya tenía cincuenta y muchos, pero su pelo perfectamente peinado tan solo presentaba unos hilillos de plata, y además no le sobraba un gramo de grasa en el cuerpo. El abrigo loden que llevaba encima del traje tenía un corte tan impecable, que se le podría confundir perfectamente con un adinerado hombre de negocios.

Así es tía Emmely, pensó Diana apesadumbrada. La perfección en todo. En el señor Green, que llevaba ya casi treinta años a su servicio, había encontrado al mayordomo perfecto.

—Bienvenida a Londres, señora Wagenbach. Me alegro de volver a verla.

Su apretón de manos era tan cálido y efusivo como su sonrisa. Sin querer, Diana se preguntó si tendría novia de nuevo, después de que la última se largara hacía unos años con un marinero.

—Yo también me alegro de verlo, señor Green —respondió Diana con sinceridad, pues el mayordomo irradiaba algo que la tranquilizaba. Ella aún sigue viva, le susurraba una voz. Todavía llegamos a tiempo—. ¿Ha conseguido sortear el tráfico?

—Estupendamente, señora —contestó él con cortesía, mientras se colgaba del brazo un paraguas de enormes dimensiones—. He tenido la fortuna de hallar aparcamiento un poco más adelante, de modo que se nos brinde la posibilidad de llegar hasta allí, en cierto modo, secos.

Una sonrisa iluminó el rostro de Diana. Era inútil intentar entablar una conversación cercana con el señor Green. Tendrían que pasar unos cuantos días hasta poder arrancar del mayordomo, tan consciente de su deber, algunas palabras personales.

Fuera, los recibió un fuerte aguacero que impulsaba a algunos pasajeros, pese al equipaje, a correr como si les fuera la vida en ello. Imperturbable, el señor Green abrió el paraguas y tapó a Diana.

—¿Vamos, señora?

A Diana le costaba trabajo andar al mismo paso que el hombre, cuyas piernas medirían unos veinte centímetros más que las suyas, y evitar a la vez los charcos que se formaban en el suelo a la velocidad del viento.

Por fin se detuvieron ante una limusina negra, un Bentley Brooklands del 98. A pesar de tener ya diez años a sus espaldas, el coche parecía muy cuidado. Seguramente Emmely lo habría usado solo de tarde en tarde. Y Diana dudaba que el señor Green lo utilizara para sus viajes privados. Era demasiado correcto como para hacer una cosa así.

Con una sonrisa, el mayordomo le sostuvo la maleta y abrió la puerta. Mientras ella subía, él metió su equipaje en el maletero.

—Supongo que querrá ir directamente al hospital —dijo, después de sentarse con elegancia en el asiento del conductor del Bentley, y volviéndose hacia ella con unas cuantas gotas de lluvia en un hombro y en el pelo.

—Sí, me gustaría —respondió Diana—. ¿Ha podido usted enterarse de alguna cosa más?

—Lamentablemente no, puesto que no soy un familiar. De todos modos, el médico de urgencias, que me tomó por el hijo de la señora, me dijo que sospecha que se trata de un ataque de apoplejía que no solo le ha paralizado definitivamente los dos brazos, sino también las piernas. De no haber sido porque noté que no podía levantarse del sillón, probablemente hubiera muerto anoche mismo.

—Usted siempre tan atento y cuidadoso —dijo Diana sin saber qué añadir.

Después de que Diana se abrochara el cinturón, el señor Green arrancó el motor y puso en marcha el limpiaparabrisas. Poco después se adentraron en el intenso tráfico urbano londinense.

El Hospital Saint James desprendía esa frialdad estéril que inevitablemente pellizca el estómago del visitante en cuanto cruza la puerta. Diana siempre se había preguntado por qué un sitio en el que comenzaban las vidas humanas, se salvaban o terminaban, tenía que ser tan inhóspito y desagradable.

Tampoco cambió mucho las cosas que la enfermera de la recepción le pidiera amablemente que anunciara su visita ante la unidad de cuidados intensivos. El olor a desinfectante que inundaba el edificio parecía destinado a dejar exhausto a todo el que estuviera allí ingresado.

Le habría encantado pedirle al señor Green que la acompañara, pero el mayordomo se despidió de ella hasta dentro de media hora porque se disponía a hacer un recado. Al fin y al cabo, ahora tenía una invitada y debía cumplir una promesa, le explicó a Diana.

—Cuando regrese, la espero abajo, en el vestíbulo.

Diana lo dejó marchar y se abrió paso entre el ajetreado personal médico, diferenciado por el color de la vestimenta, hacia la gran puerta batiente de cristal con el letrero de «Emergency Room». Antes de que Diana hubiera llegado, la puerta se abrió ante la cama de un paciente, que empujaban dos enfermeros desde el pasillo. Al hombre de pelo blanco apenas se le veía entre los almohadones y las mantas; a sus pies llevaba un respirador artificial portátil. Aunque Diana saludó a los enfermeros, estos no se dieron cuenta y siguieron hablando del partido de fútbol del fin de semana.

Al ver la puerta abierta y el pasillo vacío, le entraron ganas de colarse, pero algo la retuvo. Tras una de esas puertas estará ella, pensó con el corazón palpitante y el estómago encogido, mientras paseaba la mirada por las paredes de azulejos, interrumpidas a intervalos regulares por las puertas y por los mostradores de las enfermeras. ¿Me reconocerá?

—¿Puedo ayudarle?

Diana se volvió asustada. Mientras miraba las puertas, no se había dado cuenta de que a su espalda había aparecido un médico. Tendría unos cuarenta años y parecía paquistaní, aunque hablaba sin acento. De su bata llevaba prendido un letrero en el que ponía «Doctor Hunter».

—Sí, perdone. Me llamo Diana Wagenbach. Quisiera ver a Emmely Woodhouse, a la que ingresaron ayer.

—¿Es usted pariente suya? —preguntó el médico, a lo que Diana contestó afirmativamente—. Venga conmigo.

El médico la condujo al mostrador de las enfermeras y dio instrucciones a una mujer vestida de rosa para que acompañara a Diana a la habitación número nueve.

La enfermera asintió con la cabeza, dejó el sujetapapeles y luego se acercó a ella mientras el médico se apresuraba pasillo arriba.

—¿Es usted la nieta? —preguntó.

Para abreviar, Diana dijo que sí. Además, no sabía si se la podía considerar un familiar ni si la enfermera entendería los complicados enredos de la historia de su familia.

—Bien; pues sígame.

Pasaron al lado de puertas tras las cuales se oían los pitidos de los monitores y se dirigieron hacia el fondo del pasillo por el que había desaparecido el médico. Se detuvieron ante una puerta cerrada. La enfermera abrió un armarito que había junto al archivo del historial clínico del paciente. Antes de que Diana pudiera echarle un vistazo, la enfermera le entregó una bata de color azul claro.

—Póngasela por encima, por favor. Su abuela ha de estar a salvo de posibles gérmenes. Además del ataque de apoplejía, ha contraído también una pulmonía.

—¿Tan pronto? —respondió Diana, a la que enseguida se le pasaron por la cabeza terroríficas historias sobre bacterias hospitalarias.

—Probablemente arrastrara una gripe. Cuando la ingresaron tenía claros síntomas gripales. Si no llega a ser por el ataque de apoplejía, seguramente no se le habría descubierto la pulmonía.

La enfermera parecía contrariada. Tú también lo estarías si te reprocharan disimuladamente que no haces bien tu trabajo, pensó Diana.

—Cuando termine de vestirse, desinféctese las manos. Y si sale un rato de la habitación, al volver ha de repetir todo el proceso.

Diana no tenía intención de hacerlo.

—Puede permanecer media hora, nada más —le siguió explicando la enfermera, mientras ella intentaba cerrar por detrás la fina bata azul, lo que no resultaba tan fácil—. Y, por favor, hable en voz baja y procure no ponerla nerviosa.

¡A lo mejor se cree que voy a irrumpir en la habitación tocando el timbal y la trompeta! Reprimiendo el enfado, Diana le dio las gracias por la pequeña cofia que le entregó y le aseguró que se atendría a las normas. Una vez con la cofia en la cabeza, se protegió la boca con una mascarilla y, al fin, pudo entrar.

Aunque ya estaba mentalizada, y además tenía experiencia en el aspecto que ofrece una persona gravemente enferma –su madre había muerto de cáncer hacía nueve años–, al ver a Emmely se asustó mucho.

Su pelo rubio rojizo había empalidecido como la lana que se deja demasiado tiempo al sol. Tenía la cara arrugada y flaca, con unas ojeras muy oscuras. De la boca entreabierta le salía una especie de estertor. Los brazos, ya completamente paralizados, se los habían atado para que no se colaran entre los barrotes de la cama. Diana comprobó asustada lo mucho que había adelgazado. Se notaba claramente que, además del ataque de apoplejía, había padecido otras dolencias.

Luchando por contener las lágrimas y con un nudo en la garganta, se acercó silenciosamente a la cama, rodeada de al menos media docena de aparatos que emitían regularmente diferentes pitidos.

–¿Tía Emmely? –preguntó Diana en voz baja, mientras se inclinaba sobre el rostro de la enferma.

Ninguna reacción. ¿Estaría en condiciones de oírla? Como para entonces la enfermera ya se había ido, no podía preguntárselo.

–¿Tía Emmely? –repitió Diana, esta vez un poco más alto y dominándose para no echarse a llorar.

–¿Diana?

Aunque Emmely hablaba muy bajito, se la entendía bien. Con una lentitud pasmosa, giró la cabeza hacia el lado desde el que había oído su nombre y, luego, abrió los ojos.

–Sí, estoy aquí, tía.

Diana iba a tomar sus manos entre las suyas, pero al caer en la cuenta de que no tenía sensibilidad en ellas, le acarició suavemente el pelo y comprobó que le ardía la frente.

–Menos mal que puedo volver a verte –susurró Emmely, mirándola fijamente–. Estos últimos años aún te has puesto más guapa, casi tanto como tu abuela Beatrice. Ella también era preciosa cuando se recuperó un poco de las calamidades padecidas.

Diana reprimió un sollozo, pero no pudo evitar que una lágrima se le deslizara por la mejilla y goteara sobre la colcha de la cama.

—Tú también eres guapísima, tía.

—Por una vez, te creo —respondió Emmely en un estallido de su habitual humor, tan popular entre los que la conocían—. Pero entonces ¿por qué lloras? ¿Tan mala pinta tengo?

Diana negó con la cabeza.

—No, es solo que…

—¿Porque ha llegado el fin para mí? —Una sonrisa iluminó fugazmente su cara—. Ay, mi niña; tarde o temprano todos tenemos que despedirnos. Yo ya he vivido mucho tiempo, y aunque no siempre he sido feliz, como sabrás, sí me ha dado tiempo de redimir parte de la culpa que pesa sobre nuestra familia.

¿Culpa? Diana arqueó extrañada las cejas. ¿Con qué culpa habría tenido que cargar esta mujer tan amable y cariñosa, o su familia?

—En el más allá quizá conozca por fin a Grace, la mujer que en cierto modo determinó mi vida, aunque yo no la conociera personalmente —continuó Emmely, mientras la frente se le perlaba de sudor.

A Diana le habría gustado decirle que descansara y ahorrara fuerzas, pero desde muy joven Emmely se caracterizaba por no dejar que la interrumpieran. Seguro que en eso no había cambiado.

—Le contaré que su amor aún sigue trayendo frutos y que he hecho todo lo posible para conseguir el perdón para Victoria. Los muertos saben con qué culpa han cargado los vivos…

Un ataque de tos hizo que saltaran las alarmas de los aparatos. Diana retrocedió asustada, y cuando se disponía a llamar a la enfermera, todo se normalizó por sí solo.

Emmely se recostó con un gemido en los almohadones.

—Un secreto ensombrece a nuestra familia. Uno que Grace no conocía. —Cuando abrió de nuevo los ojos, parecía ensimismada, como si todavía pudiera ver a lo lejos a los fallecidos antes de la guerra–. A mi abuela ese secreto le provocaba muy mala conciencia.

Tenía la respiración entrecortada, como si le costara muchísimo pronunciar las palabras.

A Diana le dieron ganas de aconsejarle que primero descansara, que ya se lo contaría más tarde. Pero Emmely no permitiría que nadie le dijera lo que tenía que hacer.

–Por desgracia, no puedo decirte de qué se trata exactamente. Siempre he sospechado que mi madre sabía algo más concreto, pero a mí no me inició en el secreto. Lo único que me reveló en el lecho de muerte fue que el secreto de la abuela Victoria solo debía desvelarse cuando únicamente quedara una de nosotras. Tú eres el último vástago de nuestra familia, porque desgraciadamente yo no tuve hijos. Ahora ha llegado ese momento.

A Diana se le encogió el estómago. Cierto; ella era la última. La descendencia de los Tremayne había sido limitada y, sin excepción, femenina, de modo que el apellido originario había desaparecido hacía tiempo de los anales.

–En el viejo despacho, en la estantería del medio, hay un cajón secreto. La llave desapareció ya en época de mi madre, pero no costará ningún trabajo mandar que te hagan una. Quédate con lo que hay dentro y sácale el mejor partido posible. Une los hilos de la historia hasta formar un todo.

Unos pasos se acercaban a la habitación. Al parecer, se había terminado el tiempo, y la enfermera venía a recordárselo.

Emmely la miró con los ojos abiertos de par en par. Por el rabillo del ojo izquierdo le cayó una lágrima. Una lágrima del corazón, como decía siempre su madre.

–Prométeme que lo averiguarás todo y atarás todos los cabos sueltos. Grace y Victoria…

–¿Señorita Wagenbach?

Junto a la puerta, la enfermera se mostró tan implacable como el guardián de un preso.

–Falta poco para que se cumpla la media hora. Despídase, por favor, que vamos a trasladar a su abuela.

Diana hizo un gesto de asentimiento y esperó a que se marchara. Luego se inclinó otra vez sobre Emmely y le dio un beso en la frente.

—Te prometo que ataré todos los cabos.

Ahora la tía le sonrió más tranquila.

—Eres una chica realmente buena y te mereces toda la suerte del mundo. Cuando resuelvas nuestro secreto, tú misma hallarás la paz; de eso estoy segura.

Somnolienta, se volvió a hundir en los almohadones.

—Volveré mañana —le prometió Diana, acariciándole otra vez el pelo.

No sabía si su tía habría oído estas últimas palabras porque cuando se alejó de la cama, Emmely ya se había dormido.

Cumpliendo con lo prometido, el señor Green la esperaba en el vestíbulo. Diana se enjugó rápidamente las lágrimas a las que había dado rienda suelta por el camino. Aunque las mejillas le ardían delatoramente, más valía eso que llorar en presencia de otro como una niña pequeña.

—¡Ah, señora Wagenbach! —El señor Green dobló el periódico con el que había entretenido la espera y se levantó—. ¿Puedo preguntarle qué tal se encuentra la señora?

—He hablado con ella —le informó Diana con valentía—. Pero está muy mal. La enfermera opina que además tiene una pulmonía que llevaba arrastrando desde hace días.

—Cómo lo siento. Si su tía estaba ya enferma, a mí desde luego no me lo dijo.

El señor Green parecía compungido. Como mayordomo, su tarea era la de administrar la casa, pero lo relativo al estado de salud de su señora no le incumbía, a no ser que esta le dijera o comentara que se sentía mal. Y Emmely había sido siempre una maestra en el arte del disimulo.

—Sí, ella es así —dijo Diana, soltando una breve risa que más bien parecía un sollozo.

—Como puede comprobar, hoy Inglaterra muestra su mejor cara en lo que se refiere a la humedad del aire —observó irónicamente el señor Green, mientras alcanzaba con un gesto elegante el paraguas del paragüero. Aunque ya llovía menos, el sol brillaba por su ausencia—. ¿Desea comer algo por el camino, señora?

—No, gracias; prefiero ir directamente a casa.

A casa. Cuando cruzó la puerta del hospital, se dio cuenta de lo natural que le resultaba esa expresión referida a Tremayne House. Era como si nunca hubiera vivido en Berlín.

3

Mientras las autovías, atestadas de coches, daban paulatinamente paso a las carreteras secundarias, ribeteadas de arbustos de rosas silvestres y alamedas, Diana pugnaba por ahuyentar las imágenes que le venían a la cabeza provocadas por el rugido del motor.

Veía a Emmely a los cincuenta años, agachándose sobre su camita y acariciándole cariñosamente el pelo. Un par de años más tarde, pasaba muy atareada junto a Diana, que se hallaba sentada en la mesa de la cocina mientras dibujaba. Diana iba todas las vacaciones a Tremayne House porque su madre, que se había marchado a Alemania con dieciocho años, volvía una y otra vez al lugar en el que había nacido.

La imagen cambiaba: ahora Emmely tenía sesenta años y asistía toda orgullosa y elegantemente vestida a la confirmación de Diana en la iglesia. ¡Con qué curiosidad y admiración la miraban los otros invitados! Con más de setenta años, viajó por segunda vez a Berlín para felicitar a Diana por haberse licenciado. Entonces todavía no se le notaba que el tiempo, poco a poco, la iba debilitando.

Durante la última visita de Diana, ya había sufrido un ataque de apoplejía, pero no había perdido el buen humor. Fue entonces cuando Diana le contó con orgullo que iba a abrir un despacho de abogados junto con su compañera de carrera, Eva. Después de que su padre perdiera la vida en un accidente de coche y su madre muriera de cáncer, Emmely la había ayudado en todo momento. Al ver que la tristeza amenazaba con vencerla, la invitó a Tremayne House, donde Diana pasó un verano entero y tuvo tiempo para ocuparse de sí misma.

Luego Philipp entró en su vida, y durante los siguientes años él y el bufete fueron las razones por las que Diana aparecía poco por casa de Emmely, de lo que ahora se arrepentía profundamente. Ella siempre estaba dispuesta a echarme una mano, pensó. Y yo la he dejado en la estacada.

La tristeza se mezcló con cierto rencor hacia Philipp. Sin él, a lo mejor habría ido con más frecuencia…

Pero Diana sabía perfectamente que, de no haber sido Philipp, otro hombre habría entrado en su vida. Uno mejor, tal vez, pero seguro que también se habría ocupado más de él que de su tía de Inglaterra.

—Enseguida llegamos, señora —anunció el señor Green, como si quisiera evitar a todo trance que Diana se perdiera la visión de la casa.

Desde la pequeña loma a la que se acercaban se divisaba casi toda la finca, que constaba de una elegante mansión señorial de dos pisos, unos aposentos accesorios y las cuadras.

Construida cerca del Támesis, en su día la finca debió de pertenecer a un noble tristemente célebre que estuvo implicado en una conspiración contra Isabel I. Al parecer, cerca vivía el jefe de espionaje de Isabel, *sir* Francis Walsingham. En el siglo XVII, la familia Tremayne había obtenido la propiedad de Carlos II, rey de la Restauración. Desde entonces, los descendientes habían mantenido la casa habitada, logrando asimismo que no la convirtieran en un museo.

A esa última hora de la tarde, Tremayne House parecía un perro calado que se tumba arrepentido de su escarceo a los pies de su amo y lo mira implorando perdón con los ojos muy abiertos. De todos los torreones, del tejado y de las gárgolas caían goteras sin cesar; el desagüe, junto a las escaleras, se esforzaba en vano por recoger el incesante flujo de agua.

Después de detener el Bentley en la rotonda, adornada con una fuente, el señor Green echó mano del paraguas que había dejado en el suelo de la parte trasera.

—Espere, señora. La acompañaré hasta la puerta.

Antes de que Diana se diera cuenta de que podía perfectamente recorrer el pequeño tramo que la separaba de la puerta, sin empaparse como un terrón de azúcar, apareció a su lado el señor Green con el paraguas y le abrió la puerta. Sobre el hombro llevaba su maleta, de la que Diana casi se había olvidado.

En el hall se imaginó por un momento el aspecto que habría tenido la casa en época de Grace y Victoria. A esa hora seguro que había un ejército de criadas atareadas por satisfacer cualquier deseo de sus señores. El mayordomo de entonces estaría trajinando de acá para allá para que todo estuviera en orden y preguntando por los deseos de su señor, mientras en la cocina se oiría el borboteo de las cacerolas y el tintineo de los cubiertos.

Los muros de la casa debían de haber absorbido y guardado algo del ajetreo de aquellos tiempos. De lo contrario, ¿por qué le venía ahora todo eso a la cabeza?

—Ya he preparado su habitación —anunció el señor Green, después de meter silenciosamente el paraguas en el paragüero metálico de la entrada—. Acompáñeme, por favor.

Diana iba a objetar que podía subir ella sola la maleta, pero el señor Green ya se hallaba junto a las escaleras. Quizá deba abandonarme a la sensación de vivir despreocupada, pensó mientras subía los peldaños de mármol delicadamente veteado, que no habían perdido un ápice de su solidez. Después de todos esos meses de abandono por parte de Philipp, allí se sentiría por fin a gusto.

Los familiares adornos de estuco, los cuadros de personas hacía tiempo desaparecidas y de paisajes, el crujido de la tarima del suelo del segundo piso y el olor a empapelado antiguo, hicieron que se remontara inmediatamente a su juventud, cuando los problemas de los adultos todavía no le afectaban. Acarició amorosamente el grueso marco dorado que encuadraba una escena del jardín de la casa. Bajo los pesados sauces llorones que rodeaban un pequeño lago, unas niñas sentadas junto a su madre en una manta se disponían a hacer un pequeño picnic.

Teniendo en cuenta el año en que había sido pintado el cuadro, en torno a 1878, las niñas debían de ser Grace y Victoria, las últimas que desde su nacimiento llevaron el apellido de Tremayne. La menor, Victoria, la abuela de Emmely, estaba sentada ante un caballete diminuto, mientras la mayor tejía una corona de flores. La madre, ataviada con un vestido verde pálido adornado de puntillas y flores de seda, se hallaba entronizada como una reina entre las dos.

Ese cuadro, que gracias a su realismo era como una ventana hacia el pasado remoto, siempre le había gustado a Diana. Y también ahora le habría encantado detenerse a contemplar un ratito a las niñas y a su madre. Pero el señor Green ya la esperaba junto a la puerta.

Diana olió enseguida que el cuarto había sido reformado. El aroma a modernidad se mezclaba como un intruso con el olor a moho de tiempos pasados. Afortunadamente, las reformas habían quedado muy discretas. Al empapelado de flores, bastante pálido pero todavía en buen estado, le habían dado una mano de barniz para que durara otros cuantos años. Una de las patas de la cama era nueva, pero la diferencia no estribaba en el color marrón rojizo, sino en la estructura de la madera: a la nueva pata de la cama le faltaban sencillamente los agujeritos de la carcoma. Una novedad agradable era la suave alfombra, cuyo espesor invitaba a recorrerla descalzo. En cuanto al color, armonizaba perfectamente con los muebles, pero estaba demasiado limpia como para pertenecer a otra época.

Diana se acercó a la chimenea casi con devoción. La lumbre quitaba la humedad del aire y mitigaba un poco el frío del día lluvioso que se colaba por las viejas ventanas. De niña le encantaba sentarse allí a observar el centelleo de las llamas y a contar las chispas que saltaban cada vez que se partía un leño.

—Si lo desea, le subo el té. —La voz del mayordomo se inmiscuyó suavemente en los retazos de sus recuerdos.

Diana negó con la cabeza. Después de todos los sucesos del día, no le apetecía nada quedarse sola en esa habitación en la que los espíritus de los Tremayne hablaban en susurros en cuanto desaparecía el mayordomo.

—Voy a deshacer la maleta y enseguida bajo a la cocina. Supongo que mi tía ya no tiene cocinera.

—No, desde hace unos años ha prescindido de ella. Ahora yo he asumido ese papel.

Una sonrisa se deslizó brevemente por el rostro del mayordomo. ¿Le dará vergüenza admitirlo?, pensó Diana. ¿Se extrañará de que una señora tan exigente como Emmely Woodhouse se conforme con sus artes culinarias?

—Si quiere, puedo ayudarle —se ofreció Diana—. Al fin y al cabo, hoy tiene una invitada.

—Por eso mismo no preciso ninguna ayuda —respondió cortésmente el mayordomo—. Le he prometido a la señora Woodhouse hacerle a usted la estancia lo más agradable posible, y me atendré a la promesa.

Después de deshacer la maleta en pocos minutos, Diana decidió refrescar su memoria haciendo una pequeña ronda por la casa. Antes, echó un vistazo a su Blackberry y a los correos de Eva y de un cliente al que ella defendía. Leyó rápidamente las noticias, pero dejó pendiente la respuesta para más tarde. Eva estaba al tanto de lo ocurrido desde esa mañana. Que Philipp no hubiera dado señales de vida, en cierto modo, la desilusionó, pero no le extrañó lo más mínimo. Probablemente todavía no se hubiera dado cuenta de su desaparición.

Reprimiendo la ira que de nuevo la invadió al acordarse de él, salió al pasillo, que en otro tiempo le parecía un lugar encantado. El crujido de la tarima, que tanto le molestaba de las casas nuevas, sonaba ahora como las voces de viejos amigos que la invitaban a visitarlos.

En el piso de arriba, además de su habitación y otra parecida para invitados, había una pequeña biblioteca a la que Diana, en los días lluviosos de las vacaciones, solía retirarse con un viejo candelabro, pese a que hubiera electricidad. Ignoraba las advertencias de Emmely cuando le decía que se iba a estropear la vista con tan poca luz, pues nada le resultaba tan romántico como hojear a la luz de las velas un libro viejo, casi siempre con ilustraciones e imaginar que vivía en otra época.

El dormitorio de Emmely lo habían trasladado a la planta baja cuando la enfermedad la obligó a ir en silla de ruedas. Por aquel entonces, el señor Green le envió a Diana una extensa carta en la que le explicaba qué medidas se habían tomado para hacerle la vida lo más agradable posible a su tía.

De repente, le vino a la memoria la voz de Emmely.

En el viejo despacho hay un cajón secreto en la estantería del medio…

Como si un soplo de viento helado le hubiera rozado la nuca, Diana se estremeció, antes de que su mirada fuera de nuevo atraída por el cuadro de las niñas pelirrojas y su majestuosa madre.

El secreto. ¿Habría realmente un secreto?

Emmely podía estar débil y enferma, pero a Diana le pareció que razonaba con claridad. Ninguna mente confusa le daba a una visita el encargo de explorar en la historia familiar en busca de un secreto.

Al llegar abajo, aplazó la búsqueda en el viejo despacho y, atraída por el exquisito aroma del té, enfiló hacia la cocina. Cuando entró, el señor Green estaba cortando con un cuchillo de plata un trozo de la tarta que acababa de sacar del horno.

Desde luego, este hombre vale para todo, pensó Diana sonriendo. Lástima que tenga veinte años más que yo; de lo contrario, quizá hubiera probado suerte a su lado.

Tan concentrado estaba en su tarea, que al principio el mayordomo no se dio cuenta de que ella lo observaba desde la puerta. No la vio hasta que se incorporó para colocar la tarta en la bandeja.

—Ah, señora Wagenbach —dijo, sin interrumpir la tarea—. Acabo de terminar de preparar el té.

—¿Se acuerda de cuando me llamaba señorita Diana? —dijo ella, al sentarse en una de las toscas sillas de la cocina.

Aunque los muebles estaban relativamente nuevos, aún conservaban el encanto de principios del siglo XIX, cuando Tremayne House vivió sus días de máximo esplendor.

El mayordomo sonrió.

—Por aquel entonces, usted siempre quería saber por qué no me llamaban James, como a los mayordomos de las series de televisión.

—Usted siempre ha guardado en secreto su nombre de pila.

—Lo sigo guardando. Si quiere saberlo, tendrá que preguntárselo a su tía.

Con unos diestros movimientos de manos, que delataban años de práctica, le sirvió el té y un trozo de tarta.

—¿Por qué lo hace? —preguntó Diana, mientras aspiraba el exquisito aroma del té, que le mitigaba un poco el dolor de estómago que arrastraba desde la visita a la clínica.

—Todas las personas necesitan tener un secreto, ¿no cree? El mío es mi nombre de pila, que solo lo conocen mi señora y mi novia. Y, naturalmente, los de la oficina de empadronamiento.

A Diana le pareció demasiado sencillo indagar acerca de su novia, de la que normalmente también hacía un secreto.

—¿Sabe usted algo de un secreto de los Tremayne, señor Green? —preguntó, después de dar un sorbo de té que, inmediatamente, reconoció como procedente de Ceilán.

Que el mayordomo se estremeciera durante una fracción de segundo, le pareció un buen síntoma.

—Seguro que la casa guarda muchos secretos —contestó evasivamente—. Yo solo soy el hombre que cuida de su envoltorio. Quién sabe lo que encierran sus muros.

—Mi tía me ha hablado de un secreto cuando he ido a verla —continuó Diana, pues Emmely no le había dicho que no se lo contara a nadie—. Me ha encargado que mire en el viejo despacho. Si he de ser sincera, le diré que desde niña me ha dado un poco de miedo ese sitio, como si todos los hombres de la familia me estuvieran observando a la vez y preguntándose cómo se atrevía a entrar allí una mujer.

Esta vez, el señor Green conservó su cara de póker.

—Las mujeres trabajan en esa habitación desde la época de la señora Victoria. Por lo que sé, sus descendientes tampoco han permitido que ningún hombre pusiera los pies en ella. La actual señora tampoco.

—Pero el marido de tía Emmely murió en la guerra.

A Diana siempre le había extrañado que no se hubiera vuelto a casar, pero probablemente aún existían amores que sobrevivían a la muerte y que no desaparecían con el viento como la hojarasca en otoño.

—Aunque hubiera habido otro hombre en su vida, no se le habría permitido entrar en esa habitación —respondió el señor Green, sin duda un poco orgulloso de que él sí podía entrar y salir de allí cuando se le antojara—. En el extranjero, a la familia debió de pasarle algo que transformó el patriarcado en un matriarcado.

—Quizá el hecho de que solo nacieran niñas —observó Diana con un poco de sorna, mientras daba un bocado a la tarta, que provocó una auténtica explosión de aromas en su paladar.

—Seguro.

Una sonrisa sibilina se deslizó fugazmente por el rostro del señor Green, mientras se quitaba los guantes.

Aquí hay gato encerrado, pensó Diana mientras masticaba. Él sabe algo de lo que Emmely le ha prohibido hablar conmigo.

—Venga a sentarse conmigo, señor Green —dijo Diana, al ver que el mayordomo hacía amago de volver al trabajo—. Son más de las cinco, me ha estado llevando de acá para allá en coche, ha dejado la casa como los chorros del oro y ha hecho todo lo posible para que me sienta cómoda. Creo que se ha merecido un descanso.

Por un momento, los ojos del señor Green hicieron un gesto de rechazo, pero luego hizo un esfuerzo y se sentó en una silla de la cocina.

Después del té, cuando la luz crepuscular empezaba a disipar la del nebuloso atardecer, Diana hizo acopio de valor y recorrió las

46

baldosas ajedrezadas del pasillo hacia la gran puerta de alas batientes, que inducía al visitante a esperar una habitación más grande que el despacho, de dimensiones más bien modestas, de la familia Tremayne.

Aunque para entonces todas las lámparas que bordeaban las paredes ya eran eléctricas, habían conservado el aspecto de las antiguas luces de gas, por lo que Diana tuvo la sensación de que efectivamente retrocedía al pasado. De niña le asustaba un poco ese cuarto; por eso solo entraba cuando no encontraba a Emmely por ninguna otra parte. En tales ocasiones, su tía solía estar sentada tras el escritorio anotando alguna cosa.

Se detuvo ante la puerta, agarró los dos pomos con las manos y notó los adornos que embellecían el frío metal. Luego los abrió… y de repente se sintió trasladada a la Tremayne House de finales del siglo XIX. Tras el escritorio de caoba, tan sólido como solían serlo en aquella época, había una silla a juego cuyo asiento acolchado estaba sujeto a la madera con toscos remaches. La pantalla verde de la lámpara ovalada se hallaba tan impoluta como la gruesa placa de cristal, algo arañada por los bordes, que protegía del desgaste y de las manchas las valiosas incrustaciones de taracea.

Creyendo que el tintero plateado se habría secado hacía tiempo, Diana le quitó la tapa y se sorprendió al ver la brillante superficie de tinta negra. Una sonrisa iluminó brevemente su cara. El señor Green, como siempre, había pensado en todo. Gracias a su previsión, también disponía de un cuaderno que parecía de tiempos inmemoriales. Probablemente, el mayordomo contaba con que ella quisiera anotar algo.

Al volverse hacia el estante del centro, Diana notó un extraño cosquilleo en la tripa. El secreto, pensó.

¿Quiero conocerlo en realidad?

Sí, sí quería. Ya desde niña le molestaba que tras la muerte de su abuela hubiera una especie de muro que ocultaba el pasado remoto. Naturalmente, conocía los nombres de los antepasados: unas letras escritas en papel amarillento, brevemente ilustradas con fechas, que no revelaban nada sobre la vida de la persona en cuestión.

Ahora se me brinda la oportunidad única de saber algo acerca de nuestra familia. Así podré resarcir a Emmely de los años perdidos.

Con sumo cuidado, Diana fue sacando un libro tras otro de la estantería y colocándolos sobre el escritorio, procurando que los volúmenes no quedaran demasiado cerca del tintero.

Después de no haber encontrado nada en la primera hilera del estante que consideró el central, descubrió en la segunda, bajo el empapelado, una puertecita cuya existencia solo la revelaban el ojo de una cerradura y una muesca oscura.

Gracias a los libros, que los habían protegido de la luz, los colores del dibujo de cachemira se distinguían aquí con la misma claridad que el día en que empapelaron la pared. A Diana se le ocurrió que ese dibujo, en su día, tuvo que haber sido el último grito, pues lo había importado de la India nada menos que la reina Victoria. Luego pasó el dedo por la muesca e intentó abrir la portezuela con un imperdible que siempre llevaba enganchado a alguna prenda de ropa.

Tal y como le había anunciado Emmely, el cajón estaba cerrado con llave. Los arañazos que tenía en el borde indicaban que alguien había intentado forzarlo, pero esa caja de caudales empotrada era un trabajo de extraordinaria calidad y seguramente no se dejaría arrebatar su secreto ni siquiera el día en que la casa fuera demolida.

¿Por qué nadie ha intentado hacer una segunda llave?, se preguntó. Los arañazos los debían de haber hecho los ladrones, al intentar dar con el contenido de la caja de caudales, pensando que allí estarían guardadas las joyas de la familia.

Cuando Diana se volvió con un suspiro, intentando recordar el número de algún cerrajero, le saltó a la vista un libro que sobresalía de los demás en la hilera… como un soldado que había olvidado alinearse. Se trataba de algo casi inconcebible, dado el orden tan minucioso que guardaban todos los libros. ¿O sería buscado? ¿Y si Emmely le había dejado esa pista? Pero ¿cómo iba a hacerlo ella misma, con los brazos paralizados? ¿Estaría el señor Green iniciado en el secreto?

Con el corazón en un puño, sacó el volumen encuadernado en verde y con letras de oro desgastado. *David Copperfield*, de Charles Dickens. Una edición del año 1869. Al abrirlo, no solo le vino un olor a moho, sino que además de repente le llamó la atención algo que, evidentemente, había sido escondido hacía poco entre las páginas (de lo contrario, no se habría desprendido con tanta facilidad de un libro tan bien conservado). Lo que fue a parar a la alfombra no era un papel nuevo.

Cuando Diana lo recogió, comprobó que se trataba de un telegrama emitido el 15 de octubre de 1886. Lo desplegó y, mientras lo leía, sintió que la habitación que la rodeaba cambiaba por completo, transportándola, como observadora silenciosa, hasta la época de sus antepasados…

Con un suspiro, Henry Tremayne miró por la ventana y vio su imagen reflejada en ella y desfigurada por las gotas de la lluvia. Llevaba días lloviendo a cántaros, y el diluvio no tenía trazas de terminar. En los charcos del camino los goterones formaban burbujas, lo que, según un antiguo refrán, anunciaba aún más lluvia.

Aun así, la lluvia armonizaba perfectamente con su estado de ánimo. Recientemente, había comprendido que solo podría quedarse con una de las fincas de la familia. En realidad, la decisión no tenía por qué resultarle difícil, ya que, a decir verdad, el castillo escocés nunca le había gustado demasiado. Como mucho se habían alojado en él dos o tres veces desde la boda. Su única relación con el castillo eran las cartas del administrador, que le llegaban todos los meses informándolo del estado de la finca.

Sin embargo, a su mujer le encantaba, y como él la amaba y no quería contrariarla, le costaba trabajo decirle que, dada la penuria económica en la que se encontraban, tendrían que sacrificar el castillo. Por otra parte, separarse de Tremayne House, la residencia de sus propios antepasados, le resultaba completamente imposible, y por eso se hallaba en una disyuntiva que lo atormentaba cada día más, a medida que iba aplazando la decisión.

Alguien golpeó la puerta con los nudillos y lo sacó de sus pensamientos. «¡Adelante!», dijo irguiéndose y apartándose de la ventana.

El mayordomo, un hombre flaco de unos cincuenta y cinco años, entró portando en su mano enguantada una bandejita de plata con un sobre. «Este telegrama acaba de llegar para usted, señor.»

¿Otro acreedor?, pensó Henry preocupado, mientras agarraba el sobre y le hacía un gesto al mayordomo para que se quedara, por si acaso era necesaria una respuesta inmediata.

Disimulando el temblor de manos, tomó su abrecartas plateado y rasgó el sobre. El telegrama era tan solo un papelillo doblado por la mitad, para evitar que alguien intentara leerlo al trasluz. Las letras mecanografiadas dejaron a Henry paralizado. El telegrama había recorrido un largo camino. Colombo, Ceilán, ponía en la esquina de la derecha.

«Mi hermano ha sufrido un accidente», dijo con la voz ronca, aterrorizado. «Dicen que se ha despeñado desde el Pico de Adán.» Aunque no solía manifestar sus sentimientos en público, se llevó la mano a la boca mientras seguía leyendo. No le cabía en la cabeza. Richard estaba muerto. ¡Qué lejos de la patria le había alcanzado el destino!

«¿Debo dar alguna respuesta, señor?», preguntó el mayordomo con gesto imperturbable. Era su deber no mostrar las emociones, pese a que conocía al señor Richard y estaba asimismo afectado por la noticia.

Sin decir nada, Henry salió corriendo del despacho y desapareció por el pasillo. De repente, ya no importaba qué finca tuviera que vender…

Una llamada a la puerta disipó a Henry Tremayne del pensamiento de Diana.

—¿Sí? —preguntó, mientras dejaba el telegrama y el libro en la mesa.

—Disculpe la molestia, señora. Solo quería preguntarle a qué hora desea que le sirva la cena.

—Cuando esté terminada —respondió Diana algo perpleja, pues no estaba acostumbrada a que le hicieran ese tipo de preguntas—. No tengo ni idea; ¿a qué hora puede estar?

—¿Le parece bien a las siete?

—Sí, claro.

Una leve sonrisa iluminó el rostro del señor Green cuando abandonó de nuevo el despacho.

Seguramente le extrañe mi inseguridad, pensó Diana, mientras volvía a leer el telegrama.

4

A la mañana siguiente, el señor Green insistió en volver a llevar a Diana en coche al hospital. Rechazó de lleno la sugerencia de ella de tomar el autobús.

—¿Y en qué voy a ocupar toda la mañana? Además, tengo que hacer un recado.

Diana se dio cuenta de que aquello no era cierto. El señor Green quería, sencillamente, una nueva ocasión para velar por su comodidad. Aunque a ella no le hubiera importado ir en autobús; estaba acostumbrada a usar el transporte público en Berlín.

Después de dejarla frente a la entrada principal del hospital, se marchó a saber dónde, haciendo rugir el motor. Como el día anterior, Diana emprendió el camino hacia la unidad de cuidados intensivos. El endeble papel amarillento que llevaba en el bolsillo del pantalón le pesaba como una piedra, y a cada paso que daba hacia la habitación parecía volverse aún más pesado. Llevaba toda la noche dándole vueltas al asunto, pensando en las consecuencias que traería el telegrama. Hasta entonces, había desconocido la existencia del hermano de Henry Tremayne, así como su trágica muerte. ¿Había empezado todo con aquello?

Al preguntar en el mostrador de las enfermeras, Diana notó algo extraño. El médico que la abordó no era el doctor Hunter, sino un rubio esbelto de treinta y muchos que llevaba un estetoscopio reluciente sobre su bata de quirófano.

—Es usted la nieta, ¿verdad?

Al parecer, la enfermera del día anterior, que ese día también tenía turno, ya le había dicho que iría.

—Soy el doctor Blake —se presentó tras el gesto de asentimiento de Diana y le tendió la mano—. Lamentablemente, su abuela no está muy bien. Su estado ha empeorado y nos hemos visto obligados a conectarla a un respirador artificial. Su circulación arterial es muy inestable, pero estamos haciendo todo lo que está en nuestras manos.

Diana volvió a asentir, conmocionada. No había contado con que hubiera una mejoría, pero tampoco imaginaba que empeorara tan deprisa.

—Naturalmente, puede entrar a verla, si así lo desea, pero la hemos sedado para ayudar a su recuperación, y no podrá oírla. Pensé que debería saberlo.

Aturdida, Diana le dio las gracias y, sin saber cómo, consiguió llegar hasta la puerta de la habitación de Emmely y ponerse el atuendo preceptivo. Al encontrarse ante el pitido de las máquinas, recuperó algo de serenidad. El rostro de Emmely era casi invisible bajo los tubos que la ayudaban a respirar y alimentarse; tenía los ojos hundidos en sus cuencas, y su pecho subía y bajaba al ritmo del respirador. En ese momento, Diana sintió tanta lástima por ella que se echó a llorar. Una tensión intensa comenzó a oprimirle el pecho; ni siquiera el descubrimiento de la infidelidad de Philipp le había causado un dolor semejante.

Se sentó en el pequeño taburete junto a la cama y rompió a llorar de nuevo. Por suerte, nadie entró a preguntar lo que le pasaba ni a ofrecerle ayuda. En esos momentos, nadie podía ayudarle.

Cuando, tras un cuarto de hora, sus lágrimas se secaron, se acercó a la cama y le acarició el pelo a Emmely. Seguía sollozando, pero se sentía como si tuviera a su tía al lado, tomándola del brazo a modo de consuelo.

«Ay, mi niña, tarde o temprano, todos tenemos que despedirnos...» Volvía a ver la esperanza en los ojos de Emmely cuando hablaba de reencontrarse, tal vez, con sus antepasados en el más allá. Y pensó en los reportajes sobre pacientes en coma que afirmaban haber oído las voces de sus familiares mientras estaban inconscientes.

—Encontré el telegrama —dijo en voz baja, una vez superada la vergüenza de hablar a alguien que dormía—. No sé si fuiste tú quien lo guardó dentro de *David Copperfield,* pero te lo agradezco. —Aunque la desconcertaba un poco, Diana estaba convencida de que aquel pedazo de papel que ahora no podía mostrar a Emmely formaba parte del secreto.

—Y también encontré la puerta secreta. Cerrada, como dijiste. Pero hoy llamaré a un cerrajero. Te prometo que lo encontraré.

Al oír pasos, alzó la vista, sobresaltada. Una enfermera de uniforme dobló la esquina. ¿Habría oído sus palabras y la tomaba por loca? Si tal era el caso, no lo dejó ver.

—Sabe que solo puede quedarse media hora, ¿verdad? —preguntó, y Diana asintió.

—Sí, ya me iba.

Esta vez se ahorró añadir que regresaría al día siguiente. No quería llamar la atención, ni que volvieran a detenerla en el mostrador para que un médico hablara con ella.

Se despidió de Emmely dándole un beso en la frente a través de la mascarilla, salió de la habitación y se quitó la bata y lo demás.

Antes de llegar a la recepción, su móvil vibró. Tendría que haberlo apagado, pero el sentido del deber con el bufete se lo había impedido. Mientras lo sacaba del bolso para leer el mensaje, se preguntó cuánto tiempo se quedaría. A Eva le había dicho que solo se ausentaría dos o tres días, pero el estado de Emmely, el secreto, y el hecho de que alguien tenía que estar allí si ocurría lo peor la hacían dudar de que pudiera regresar pronto a Berlín.

¿Podía permitirse una ausencia tan larga? Era cierto que su equipo merecía toda su confianza, y Eva era una abogada muy competente, pero siempre había clientes que querían hablar con ella personalmente...

De un vistazo rápido al teléfono vio que el mensaje era de Philipp.

«No te he encontrado en casa. Llámame y dime dónde estás. Tenemos que hablar. Philipp.»

Hablar, pensó Diana con amargura mientras borraba el mensaje sin titubear. ¿Hablar de qué? ¿Del engaño? ¿O de que lo sientes? No, cariño, ahora sufre un rato.

El mensaje de Philipp la ayudó a tomar una decisión. Cuando volviera a Tremayne House, le mandaría un correo a Eva para decirle que no contaran con ella en unas dos semanas, y que le enviaran todo lo importante por correo electrónico.

Igual que el día anterior, el señor Green la estaba esperando en el vestíbulo del hospital. Hablaba con un hombre mayor, y llevaba un pequeño paquete bajo el brazo.

¿Por qué no lo ha dejado en el coche?, se preguntó Diana mientras le hacía una seña y cruzaba la puerta de cristal.

—¿Cómo se encuentra la señora Woodhouse? —preguntó él después de despedirse de su interlocutor.

—Mal. Han tenido que ponerle respiración artificial. —Diana no quiso decir más. El señor Green asintió, compasivo.

—Lo siento. Esto es para usted.

Diana lo miró sorprendida y tragó saliva.

—¿Me ha comprado algo?

—No, he recogido algo que su tía compró. Para el paquetito de todos los años.

Diana perdió todo el dominio de sí. Las lágrimas le resbalaron por el rostro. A pesar de encontrarse mal durante las últimas semanas, Emmely había pensado en algo tan trivial como el paquetito que le mandaba todos los años, sin que hubiera una ocasión especial para ello. El «paquete de provisiones», lo había llamado siempre Diana; su madre ya lo recibía desde que se estableció en Alemania.

—Bueno, señorita Diana, sea usted valiente. Su tía es una luchadora, no nos dirá adiós tan deprisa.

El señor Green se sacó un pañuelo limpio del abrigo, y fue entonces cuando pareció darse cuenta de que había vuelto a dirigirse a ella por su apelativo infantil. Un rubor repentino encendió sus mejillas.

—Gracias, señor Green —dijo después de sonarse—. Y siga llamándome señorita Diana, ¿de acuerdo? Creo que no seré la señora Wagenbach por mucho tiempo.

El mayordomo la miró confuso, pero optó por conducirla al coche.

—Es probable que mi marido y yo nos separemos —le confesó al señor Green, una vez se alejaron un poco de Londres.

El mayordomo se quedó sin palabras ante esta revelación que, como empleado, no le incumbía en absoluto. Luego carraspeó y replicó:

—Piénselo bien. Hoy en día las personas deshacen las relaciones con mucha ligereza.

En otra época, tal vez viniendo de Emmely o de Deidre, una observación así la hubiera herido. Pero Diana pensó que el señor Green tenía razón. Había personas que echaban por la borda largas y excelentes relaciones por una aventura pasajera, por ejemplo.

—Me engañó —repuso ella, sabiendo que, en otra época, ese motivo hubiera resultado absurdo.

—Vaya, eso es otra cosa. —¿Oía Diana una cierta sorna en su voz?—. No entiendo a algunos hombres. ¿Por qué se lanzan a tener aventuras creyendo que sus mujeres, hoy en día, no se enterarán? Ni siquiera ocurría en otros tiempos. Las mujeres notan esas cosas.

—Y hoy en día ya no están dispuestas a tragarse las penas —añadió Diana.

—¡Así es! Y, sin embargo, los hombres creen que podrán salirse con la suya. Y aguantan los enfados y las peleas solo por sentir un rato la piel de otra.

Por como hablaba, parecía tener la relación más feliz de todos los tiempos. Pero Diana sabía perfectamente que no era el caso. ¿Se habría hecho más lúcido con la edad?

—¿Puedo hacerle una pregunta personal, señor Green?

Diana vio cómo el mayordomo enarcaba las cejas. Al parecer, veía venir lo que iba a preguntarle.

—¡Adelante! Excepto mi nombre de pila, no tengo secretos.

—¿Ha estado usted casado?

Green titubeó un instante.

—No.

—¿Y a punto de estarlo?

—A punto, algunas veces. Hubo mujeres con las que creía que podría funcionar.

—¿Qué se lo impidió?

—Pues, ¿qué le impide a uno dar el paso? A veces había poco amor, a veces demasiado. A veces hay impedimentos, a veces tonterías.

¿Y el servicio?, se preguntó Diana. ¿Sería como antaño, cuando un mayordomo pertenecía a la familia a la que servía, y al casarse debía dejar el trabajo?

—Estoy seguro de que algún día encontraré a una mujer junto a la que merezca la pena quedarse. Pero por ahora tenemos otras preocupaciones, ¿verdad?

Diana asintió. Su curiosidad no había complacido al señor Green, y se dio cuenta de que no le diría nada más.

Una vez de vuelta en Tremayne House, Diana se retiró con el paquetito aún por abrir al comedor que la noche anterior había convertido en una especie de cuartel general. Siempre había adorado el enorme sofá colonial de cuero. Gracias a minuciosos cuidados, no se notaba que había sido fabricado a principios del siglo pasado. Su ordenador estaba conectado con un cable a la clavija del teléfono sobre la mesa baja de madera maciza encima de la cual normalmente reposaba un frutero. Había recogido el cuaderno del despacho, aunque había dejado el tintero, porque no quería manchar la alfombra, cosa que podía pasar fácilmente cuando se escribía con pluma o portaplumas.

En el cuaderno no anotó nada del supuesto secreto, sino una lista de cosas para hacer ese día. Llevaba años utilizando ese sistema, y gracias a él había conseguido poner algo de orden en su vida. La lista, cuyo primer punto era llamar a un cerrajero, funcionaba como una especie de ancla para Diana. Se sentó en el sofá para examinar el telegrama; lo había guardado en un sobre nuevo para protegerlo.

El día anterior ya buscó en Google a Richard Tremayne, sin obtener resultados. La visita a un archivo local también estaba en su lista.

Diana descolgó el teléfono; junto con la estufa eléctrica era el aparato más moderno de toda la casa. No vio ni rastro de un televisor durante su incursión por las austeras habitaciones.

Una operadora le proporcionó tres números de cerrajeros. De los tres, uno estaba de vacaciones, y el segundo tenía la línea constantemente ocupada, lo que avalaba la calidad del servicio, pero no quería esperar. A la tercera llamada respondió un amable caballero entrado en años que le explicó que estaba a punto de jubilarse. Aunque, tratándose de Tremayne House, se pasaría la tarde siguiente y echaría un vistazo al cerrojo en cuestión.

Nada más colgar, vio al señor Green junto a la puerta. Cuánto tiempo llevaba ahí esperando pacientemente a que ella terminara su llamada, no lo sabía. Pero de algún lugar llegaba un aroma delicioso.

—La cena estará lista sobre las cinco, ¿le va bien, señorita Diana? —preguntó.

—Depende de lo que haya —replicó ella en tono de broma, aunque, por dentro se estremecía de pena.

—Una especialidad inglesa. ¡Déjese sorprender! —resonó su voz en el pasillo por el que acababa de desaparecer.

Diana no estaba segura de si aún le gustaban las sorpresas. Su mirada se posó en el paquetito, cuidadosamente envuelto, que no daba ninguna pista sobre su contenido ni tampoco sobre el lugar en el que lo habían comprado. En el papel de estraza no había ningún sello, al contrario de lo habitual, y estaba cerrado con un cordel normal y corriente que se podía comprar en cualquier parte. Bueno, pues dejémonos sorprender, pensó desenvolviéndolo.

Al abrirlo, las yemas de sus dedos tocaron algo increíblemente suave. Dio un grito ahogado de sorpresa al darse cuenta de lo que se trataba. Un pañuelo de seda naranja bordado con un hermoso dibujo en rojo y dorado. Lo especial era que debía de ser bastante antiguo. Los bordes estaban ligeramente deshilachados, y el bordado se parecía al de los tapices que colgaban en los museos. Aunque no era ninguna experta en moda, creyó recordar haber leído en algún sitio que los pañuelos con un auténtico bordado de Cachemira eran muy caros, y que por eso se había empezado a reproducir el estampado en un pueblo escocés llamado Paisley.

Los paquetitos de la tía Emmely eran famosos por su generosidad, pero jamás habían contenido nada tan bonito. ¿Sería de su propio armario? Entonces, ¿por qué tuvo que ir a recogerlo a alguna parte el señor Green? ¿Lo habrían llevado a arreglar?

En ese caso, la costurera no había hecho un gran trabajo.

De repente, se acordó del estampado de la parte trasera del tapiz. ¿Sería también una de las pistas de Emmely?

No quería encararse con el señor Green para preguntarle si había sido el cómplice de Emmely. Seguro que se limitaría a sonreír y a responder con evasivas. No, yo misma lo averiguaré, se dijo mientras acariciaba el pañuelo y descubría arañazos en el estampado.

5

La especialidad inglesa anunciada por el señor Green consistía en un jugoso asado de cordero con patatas y una salsa deliciosa con un ligero sabor a menta. Diana no tenía hambre, pero las habilidades culinarias del señor Green la invitaron a comer tanto que al terminar sentía que podría desplazarse por la casa rodando.

Por la tarde llamaron al timbre. Un sonido estridente que desentonaba con la casa, pero que se oía hasta en el último rincón.

El señor Green había salido a hacer recados, así que era Diana quien tenía que abrir la puerta. Abandonando su ordenador, se levantó del cómodo sofá de cuero y se apresuró por el laberinto de pasillos hasta llegar al recibidor.

El visitante parecía acostumbrado a esperar. Cuando Diana llegó a la puerta acristalada, aún estaba allí, con la cabeza gacha en señal de paciencia y el sombrero en la mano. El dibujo modernista de la vidriera ocultaba su aspecto, pero cuando Diana abrió la puerta se encontró frente a un caballero de unos ochenta años y de espeso cabello gris que llevaba una gabardina negra.

—¿Doctor Sayers? —se le escapó.

Él abrió los ojos como si hubiera visto un fantasma, y asintió. Un segundo después pareció comprender quién era.

—Usted es la nieta de Beatrice, ¿verdad?

—Sí, soy yo. —Diana sonrió. ¿Cuánto hacía que no veía a ese hombre? Cuando era niña, el doctor era un visitante habitual de Tremayne House; gracias a sus servicios había construido una amistosa relación con la familia de Emmely. Cuando Diana empezó a vivir por su cuenta y sus visitas se espaciaron, había dejado de verlo. De vez en cuando, la tía Emmely le hablaba de él, pero para ella se había convertido casi en un fantasma. Y ahora sus rasgos se le iban perfilando en su memoria.

—Dios mío, ¿cuándo nos vimos por última vez? —Una sonrisa suavizó su rostro serio—. ¿Cuando tenía usted catorce años? Debe de hacer más de veinte...

—Puede ser. Pero no ha cambiado usted nada, doctor.

Sayers esbozó una sonrisa socarrona. Se había roto el hielo. Le palmeó el brazo afectuosamente.

—No adule a un anciano, o hará que acabe pensando lo que no debe.

—Ha venido por la tía Emmely, ¿verdad?

—Sí, hace días que no sé nada de ella. ¿Se encuentra bien? Debe de estar contenta de tener aquí a su sobrina. Para ella era usted casi como una nieta.

Diana agachó la cabeza con tristeza. Era evidente que aún no lo sabía.

—Entre, por favor, doctor Sayers. Ahora se lo cuento todo.

En un silencio aprensivo, el médico la siguió hasta la cocina, que estaba inundada por un resplandeciente sol vespertino que se abría paso a través de las nubes. Aunque el señor Green era muy minucioso en su trabajo, diminutas motas de polvo bailaban en los haces de luz. Las casas viejas se llenan solas de polvo, decía siempre su madre. Ahí tenía la prueba.

—Siéntese, por favor, y perdóneme por hacerle pasar a la cocina. Tengo el salón algo desordenado. Documentos, y eso.

El médico asintió comprensivo, mientras tomaba asiento en un taburete.

—Sí, el papeleo nunca lo deja a uno en paz. Seguro que Emmely está contenta de tenerla aquí para echarle una mano.

Diana se tragó el nudo que se le había formado en la garganta. En algún momento tendré que decírselo.

—La tía Emmely está en el hospital, ingresó anteayer. Tuvo otro ataque.

—¡Dios mío! —El doctor Sayers alzó las manos con impotencia—. ¿Dónde está?

61

–En el Saint James. Como además tiene pulmonía, está conectada a un respirador, y no puede hablar. La he visto esta tarde.

Sayers necesitó un rato para recomponerse.

–Es terrible. Lo siento mucho, Diana.

–Se lo agradezco. –Diana inspiró profundamente mientras se miraba las manos, incapaz de reaccionar. El señor Green nunca salía de casa sin dejar una tetera hecha, así que Diana se levantó y sirvió sendas tazas para ella y el doctor Sayers. Esta vez, el aroma del té no le resultó tranquilizador, pero se recompuso en presencia de su invitado.

–Es una lástima que esté retirado y ya no pueda meterme en cualquier hospital en calidad de médico de la familia. Iría a visitarla de inmediato a decirle que aún no puede apearse de este mundo. Si no, ¿con quién voy a charlar yo todos los miércoles por la tarde? –Una sonrisa amarga recorrió su rostro.

Diana se preguntó sin quererlo si el doctor habría intentado cortejar a su tía. Cuando enviudó, seguía siendo lo bastante joven como para, por lo menos, tener un amante.

–Recuerdo bien a su abuela, señorita Diana –dijo el médico, y después dio un sorbo de su taza y cerró los ojos en señal de placer–. ¡Qué té más maravilloso! ¿Cree que tengo posibilidades de que el señor Green me revele su fuente?

–Tendrá que preguntarle usted mismo.

Sayers rio con incredulidad.

–Dudo mucho que lo haga, el viejo conspirador. Suena extraño que lo diga yo, que le llevo treinta años. –Rio de nuevo y dio otro sorbo–. Ay sí, su abuela... –prosiguió el médico–. ¡Qué bonita era! La conocí la noche siguiente de su llegada.

Diana conocía una parte muy pequeña de la historia de su familia. Su tatarabuela Grace y su marido construyeron una casa a orillas del mar Báltico, en la parte de Prusia Oriental perteneciente a Polonia, a finales del siglo XIX. Durante su huida en 1945, el marido de Beatrice y su madre, Helena, la hija de Grace, perdieron la vida. La abuela de Diana logró milagrosamente llegar a Inglaterra, embarazada y muerta de hambre. La madre de Emmely la acogió cuando la casa se había convertido en hospital de campaña.

—Aunque no podía ayudar mucho en la clínica a causa de su estado, se esforzaba en contribuir y apoyarnos en todo lo que podía. A pesar de que Deidre no lo veía con buenos ojos.

La mirada del doctor parecía vuelta hacia el pasado, hacia un tiempo en el que era joven y, probablemente, objeto de deseo de muchas jovencitas.

—Debía tomar precauciones a causa del embarazo, supongo.

—Eso por un lado. Por otro, Deidre parecía no confiar en ella. Después de todo, no había pruebas de que fuera quien decía ser. Solo una carta.

Diana aguzó el oído.

—¿Una carta?

—Sí, la llevaba encima. Una carta que le había dado su madre. Yo nunca la vi, pero oí a Deidre y Emmely hablar de ella. Era lo único que tenía Beatrice. Sin ella, Deidre la hubiera echado.

—¿Y Emmely?

—Oh, Emmely idolatró a Beatrice desde el principio, la veía como a una hermana mayor.

El patriarcado se convirtió en un matriarcado. Diana recordó las palabras del señor Green.

—En cualquier caso, Emmely y Beatrice se convirtieron en inseparables, aunque eso se debió en un primer momento al deseo de Emmely de hacer algo por ella. Beatrice era muy introvertida, es muy probable que estuviera atormentada por los recuerdos de su periplo. Tardó algunos meses en abrirse un poco. Lo que había sufrido no se lo contó a nadie, pero le daba una fuerza que la hacía aún más hermosa, más radiante.

Por un instante, se le iluminó la mirada, pero enseguida volvió a ensombrecerse.

—A todos nos afectó la muerte de Beatrice tras el nacimiento de su hija Johanna. Estaba débil, pero nosotros lo achacamos a las penurias de su viaje y a su embarazo. Aunque aquí tenía una buena alimentación, no lográbamos que engordara.

Diana se rodeó el cuerpo con los brazos. La historia de la muerte de su abuela era tabú en su familia. Emmely no se lo había contado a nadie, y su madre nunca la conoció. Para Diana era una sorpresa escucharla ahora.

—Durante el parto, inesperadamente empezó a sangrar mucho. La comadrona y yo no sabíamos qué hacer. Temíamos que hubiera un desgarro interno, y esperábamos poder detener la hemorragia con una operación. Después de que naciera la niña, estuve luchando una hora por salvarle la vida, pero fue en vano. Había perdido demasiada sangre. —Los hombros de Sayers, que se habían enderezado, como si aún se encontrara en el quirófano, volvieron a hundirse—. Cuando le hice la autopsia, descubrí que tenía un trozo de metralla de granada dentro. Imagino que nadie advirtió su presencia, y se fue introduciendo poco a poco en su cuerpo hasta llegar a la aorta abdominal.

—Entonces, la suya no fue más que una muerte postergada —observó Diana, con un temblor en la voz, mientras comprendía lo cerca que había estado su familia de extinguirse.

—Así es. Hubiera podido morir durante el embarazo. Pero Dios, o quien sea, quiso que tu madre naciera. Visto retrospectivamente, podría decirse incluso que, por una vez, el destino tuvo clemencia con los Tremayne. Emmely no pudo tener más hijos después de que el primero muriera.

El silencio que siguió a sus palabras contenía el sonido de un eco de tiempos lejanos. Las imágenes del pasado los rondaban, como soldados en formación que no dejaban más alternativa a Diana y al médico que pasarles revista.

—¿Aún está ahí la tumba? Quiero decir, la de su abuela Beatrice. —La voz de Sayers quebró el silencio como un martillo golpeando un cristal, y Diana se sobresaltó—. Hace mucho que no voy al cementerio. Ahora que se acerca mi hora, lo evito como la peste. Tengo miedo a que si entro ya no pueda salir.

Mientras el pasado se recogía hacia las sombras de la casa, Diana se encogió de hombros, algo confusa, y pasó por alto la broma del médico.

La tumba de su abuela no era más que una imagen desdibujada en sus recuerdos infantiles. Una imagen alada, puesto que Emmely había mandado erigir un ángel de mármol para proteger el lugar.

—Aún no he ido a verla. La tía Emmely enviaba a un jardinero para que la cuidara.

—Tal vez debería hacerle una visita a su abuela. Al contrario que yo, usted no debe temer a la muerte. Seguro que a Beatrice le gustaría ver la mujer en la que se ha convertido su nieta. Es usted clavada a ella, si me permite la observación.

De repente, a Diana la invadió la mala conciencia. ¿Sería verdad que los muertos podían ver? De ser así, tanto su madre como su abuela estarían escandalizadas por lo que le había hecho Philipp, y por su reacción, por supuesto. Seguro que ninguna de sus antepasadas había destrozado un salón.

—Iré en cuanto haya acabado con el papeleo.

Sayers la contempló como si quisiera asegurarse de que pensaba mantener su palabra. Entonces asintió, y rebuscó en el bolsillo interior de su chaqueta.

—Le dejo mi tarjeta, por si pasa algo, o por si a Emmely le permiten tener visitas. Llámeme cuando quiera, aunque solo sea para hablar, o si necesita ayuda con la casa.

Después de que Diana le diera las gracias, se reclinó en su asiento, miró al techo y sonrió como si acabara de descubrir algo conocido.

—¡Ay, esta casa! Es casi como si fuera mía. Aún me parece ver el caos que reinaba por aquí cuando yo era joven. El trabajo en el hospital de campaña era terrible; las estrecheces, tremendas, y el hambre, feroz, pero no querría por nada del mundo renunciar a aquellos años. A pesar de todo, fueron hermosos.

Tras charlar un rato sobre temas más ligeros, el doctor Sayers se despidió con la promesa de regresar la semana siguiente para comprobar que todo seguía en orden. A Diana no se le escapó su verdadera intención —no quería pasar solo el miércoles por la tarde–, pero la presencia del doctor no le había resultado desagradable, por más que hubiera sacado a la luz recuerdos poco placenteros.

Al volver al salón, Diana se dejó caer en el sofá. De repente, las piernas le pesaban como si fueran de plomo. El relato del doctor Sayers había conjurado imágenes tan vívidas en su mente que se sentía como si su abuela acabara de morir. La hermosa Beatrice, a la que solo conocía por fotografías, y con la que nunca pudo tener una relación. Su imagen se mezcló con la de Emmely, que ahora se encontraba también a las puertas de la muerte.

Quizá debería ir a ver la tumba y asegurarme de que todo está bien, ahora que Emmely no puede. Además, susurró una vocecita en su cabeza, tendrías que empezar a pensar dónde será enterrada Emmely si sucede lo peor.

Poco después, enfiló el camino al cementerio del pueblo, con una camiseta térmica bajo la blusa para combatir el frío. El crujido de las piedras bajo sus pies tenía algo de hipnótico que le aclaraba las ideas y le permitía poner en orden todo lo que acababa de oír.

Cuando ya había recorrido la mitad del camino, el sol por fin se impuso al manto de nubes. De repente, el lugar parecía completamente distinto, las moras relucían en los matorrales perladas de agua de lluvia, igual que la hierba; los trinos de los pájaros se oían con más nitidez y, en algún lugar, un cuco anunciaba la llegada del verano.

Justo ahora sale el sol, pensó Diana. ¿Será una señal? Aunque no creía en esas cosas, la luminosidad inesperada le alivió el corazón cuando vio el cementerio, cercado por un muro de piedra. Estaba rodeado de tilos y castaños, y el rumor de sus hojas hacía que pareciera más ventoso que sus alrededores. Entre cruces de hierro se alzaba una pequeña capilla, el panteón de la familia Tremayne. Diana nunca se había parado a pensar por qué a su abuela no la enterraron allí, pero ahora la pregunta le taladraba la mente. ¿Estaba lleno? ¿Había sido cosa de Deidre que se quedara fuera? ¿O fue deseo de la propia Beatrice?

No tardó mucho en localizar la tumba de Beatrice Jungblut. El ángel que la custodiaba, sosteniendo una corona sobre la lápida cubierta de hiedra, la saludaba desde la distancia.

En el pasado, el panteón debía de haber sido el punto central del camposanto, pero el tiempo y las sucesivas ampliaciones habían desplazado el centro unos cincuenta metros. Ahora era el ángel, algo más alto que la capilla gracias a sus alas extendidas, quien dominaba el cementerio.

Era imposible saber si el efecto de la sombra de la corona bajo la luz del sol rodeando las fechas de nacimiento y muerte sobre la lápida había sido intencionado, pero era hermoso, e hizo sonreír a Diana.

—Hola, abuela —susurró, mientras se agachaba y recorría con los dedos la inscripción sobre la piedra.

Beatrice Jungblut Feldmann
1918-1945

Quienquiera que cuidara de la tumba, hacía un buen trabajo.

Siempre le había parecido una bobada hablar a los muertos, puesto que desde niña había tenido el convencimiento de que no había nada más allá de la muerte. Pero ahora sentía la necesidad imperiosa de contarle a aquella mujer, cuyo legado Diana solo conservaba en una fotografía y en sus genes, lo que había sido de ella desde la última vez que visitó su tumba. Empezó con su carrera, continuó con cómo conoció a Philipp y fundó su bufete, y terminó su relato con el engaño de Philipp, y la noticia de que Emmely se estaba muriendo, mientras ella tenía la sensación de que su mundo se venía abajo.

Cuando alzó los ojos hacia la corona que sostenía el ángel, advirtió que había algo raro en las hojas. En sus viajes y negocios había visto muchas coronas de laurel, algunas realistas, otras más estilizadas, pero nunca con unas hojas como esas. Aquello no era laurel. Con un ligero cosquilleo en la barriga, Diana se levantó y se fijó bien en la corona. Era la estatua más peculiar que había visto nunca. Las hojas eran muy detalladas, como si se hubieran dado instrucciones muy precisas para su elaboración. Con un suspiro, Diana acarició el mármol, tan pulido que ni siquiera el musgo había podido adherirse a él. Ay, Emmely, cuántas preguntas quisiera hacerte.

Entonces se dio cuenta de que ya había visto hojas como aquellas. No recordaba dónde, pero le resultaban terriblemente familiares. El cosquilleo en la boca del estómago se intensificó, y la necesidad de refrescar sus recuerdos la sobrevino de tal forma que giró sobre sus talones y echó a correr de repente hacia el portón; en su carrera, casi chocó contra dos ancianas que se dirigían a las tumbas de sus parientes pertrechadas de regaderas y rastrillos. Diana no percibió sus gestos de desaprobación, pues corría a toda velocidad por el camino arenoso.

El deporte nunca había sido su fuerte, y se dio cuenta cuando subió jadeando la escalinata de Tremayne House. El señor Green ya había vuelto, y el Bentley estaba en el garaje, que tenía la puerta abierta por si había que salir de urgencia.

Tras una breve pausa para recuperar el aliento, e ignorando el flato, Diana se precipitó como un rayo a la cocina y le pegó un susto tal al señor Green que a este casi se le cae la tetera de las manos.

—Señorita Diana, ¿pasa algo?

Diana no lo escuchaba. Abrió las puertecitas de la alacena. ¡Ahí estaba! Con un ¡ja! triunfal, sacó un paquetito. Fue entonces cuando se dio cuenta de que el señor Green la miraba como si hubiera perdido la razón.

—Por favor, discúlpeme, señor Green —se disculpó Diana con timidez, mientras acunaba el paquete contra su pecho como si fuera algo de valor incalculable—. No pretendía asustarle. Solo quería comprobar algo.

El mayordomo enarcó las cejas.

—¿Comprobar algo? ¿Que aún nos queda suficiente té?

Diana rio.

—No, señor Green. Lo que ocurre es que la tía Emmely se permitió una pequeña extravagancia en la tumba de mi abuela.

—¿Qué quiere decir? —preguntó el mayordomo con el ceño fruncido.

Diana le contó su conversación con el doctor Sayers, que había provocado en ella el deseo de visitar la tumba de su abuela.

—Seguramente ha sido porque hacía mucho tiempo que no la veía, y nunca me había fijado en los detalles —añadió, para después dar la vuelta al paquete que había sacado del armario y sostenerlo en alto como si fuera el hallazgo del año—. La corona que el ángel sostiene sobre la tumba, y cuya sombra enmarca la fecha de nacimiento y muerte de mi abuela, está hecha de hojas de té.

—Una corona de hojas de té —murmuró el señor Green pensativamente poco después, cuando los dos se sentaban a la mesa de la cocina frente a un pastel y una taza de té—. ¿Está usted segura?

—Completamente —insistió Diana, después de tragar un trozo de pastel con un sorbo de té—. Las hojas son idénticas a las de este paquete. Algo más artísticas, pero estoy segura de que la corona del ángel no es de laurel.

El señor Green contempló la bandeja del pastel, con marcas de muchos cuchillos.

—¿Por qué iba la señora a hacer eso?

—A mí no me lo pregunte —replicó Diana—. En cualquier caso, es muy extraño.

—¿Tal vez su abuela tenía una preferencia especial por el té? ¿O será algo místico? Después de todo, en las hojas de té se puede leer el porvenir.

Diana negó con la cabeza. Esas explicaciones no la satisfacían. Emmely no era supersticiosa. Se hubiera reído si alguien quisiera leerle el futuro en las hojas de té. Que a la abuela de Diana le gustara el té era más plausible, después de todo, venía de una familia de marinos y se había criado en la costa. ¿Pero era esa preferencia motivo suficiente para decorar su tumba de aquella manera?

—¿Me permite llevarme este paquete y guardarlo junto a mis otros hallazgos? —preguntó, para sorpresa del señor Green.

—Por supuesto que no, tenemos de sobra. Además, ahora es usted la señora de la casa, al menos hasta que su tía regrese.

A Diana la conmovió que el mayordomo aún no hubiera renunciado a su señora, y sintió casi vergüenza porque el corazón le decía que los días de Emmely estaban contados.

Después del té regresó al salón, donde colocó el paquete, que desprendía un aroma especiado, junto al chal y el telegrama.

Tendré que conseguir una caja, si sigo así.

Se puso a trabajar hasta que cayó la noche, respondiendo correos del bufete e ignorando uno de Philipp. ¿Qué otra cosa iba a querer, aparte de justificarse? ¿Y de qué quería hablar? Su corazón colérico no estaba interesado en saberlo.

Cansada, se echó en el sofá y pensó que la reconstrucción de la historia familiar se parecía a un juego al que jugaba con Emmely cuando era niña. La búsqueda del tesoro, lo llamaban; su tía era toda una maestra escondiendo pistas. Qué lástima que estuviera en el hospital y no pudiera darle ninguna.

6

Por la noche, bajo la colcha de la vieja cama que olía un poco a moho, Diana regresó en sueños al cementerio. Esta vez estaba cubierto por la niebla matinal, tras la cual le parecía oír voces. Cuando miró hacia el suelo, se dio cuenta de que iba en camisón. Sus pies desnudos dejaban leves pisadas sobre el camino de arena, y su pelo suelto, más largo de lo que lo llevaba en realidad, flotaba a su espalda como un velo.

Aparte de los extraños susurros, cuya procedencia no podía distinguir a causa de los retazos rosados de niebla, nada parecía haber cambiado desde su visita. El ángel seguía sosteniendo la corona sobre la tumba. Como el sol estaba engullido por la niebla, ninguna sombra caía sobre la inscripción, pero aun así, era una imagen imponente.

De pronto algo le acarició la mejilla. Dando un respingo, vio que se trataba de una mariposa que había aparecido de entre la bruma, una pequeña criatura de aspecto exótico que revoloteó a su alrededor y se acercó al ángel, para finalmente posarse sobre la corona.

Bajo su contacto, las hojas de té cobraron vida, recuperaron su verdor y su brillo, el brazo que las sostenía también recobró el color. Ahora Diana ocupaba el lugar del ángel y frente a ella había una mujer de cabello rojo como el fuego vestida con una camisola blanca. Tenía el rostro surcado de lágrimas, lágrimas doradas como el té. Alzó la vista y suplicó:

—Tráemelo de vuelta.

Estas palabras, llenas de una pena indecible, la despertaron con un sobresalto. Perpleja, sin saber dónde estaba, Diana miró a su alrededor y, poco después, vio que se encontraba en su habitación y que se había zafado de las mantas a patadas.

Jadeando, se dejó caer de nuevo sobre el colchón. Solo ha sido un sueño, se dijo, pero la idea de que su antepasada se le había aparecido para transmitirle una petición le puso la piel de gallina.

Incapaz de volver a conciliar el sueño, se quedó mirando el techo, mientras pensaba en qué clase de mariposa sería la que había visto, y cómo habría llegado hasta la fría Inglaterra. ¿En barco? ¿Volando? ¿Dentro de un avión cuyo personal de limpieza no había advertido su presencia?

Volvió a cerrar los ojos a primera hora de la mañana, y durmió sin sueños hasta que la despertó el timbre de su teléfono. Como si hubiera sospechado que pasaría una mala noche, Diana había programado una alarma, puesto que quería visitar a Emmely por la mañana para tener tiempo para recibir al cerrajero, que había anunciado que se pasaría por la tarde.

Tras una ducha refrescante —el agua caliente parecía tener pocas ganas de pasearse por las tuberías— y un desayuno de té y tostadas con mermelada, fue al salón, donde fantaseó por un momento con la idea de contarle su descubrimiento a Emmely. Pero entonces cayó en la cuenta de que Emmely aún no habría despertado del coma inducido.

Diana acababa de echarse el bolso al hombro, cuando sonó el teléfono de la casa. Al igual que el señor Green, que la esperaba en la puerta, se quedó petrificada.

No sabía por qué, pero de repente la invadió un mal presentimiento. ¿Quién sería?

—Será uno de los conocidos de la señora —aventuró el señor Green, aunque no parecía muy seguro.

—Yo contesto —decidió Diana, y descolgó el teléfono al tercer timbre—. Hola, residencia de los Woodhouse —anunció, por si de verdad se tratara de un amigo de Emmely. El doctor Sayers, tal vez, interesándose por su estado.

—Soy el doctor Hunter, del Hospital Saint James. —El paquistaní, recordó Diana—. ¿Es usted la nieta de la señora Woodhouse?

—Sí, al habla Diana Wagenbach —respondió ella, mientras sentía un nudo en el estómago.

—Lo siento mucho, señora Wagenbach —prosiguió el médico tras una breve pausa—. Su abuela ha fallecido hace una hora. Hemos hecho todo lo que estaba en nuestras manos, pero no ha sido suficiente.

Diana dejó caer el auricular. De repente, su brazo no tenía fuerzas para sostenerlo.

—¿Hola? —oyó decir débilmente—. ¿Va todo bien?

Tras un breve instante con la mirada fija en el vacío, Diana colgó el teléfono y regresó al pasillo aturdida.

El rostro del señor Green se ensombreció.

—¿Va todo bien, señorita Diana?

Diana negó con la cabeza, mientras sus ojos se llenaban de lágrimas.

—Ha muerto hace una hora.

Pasados unos instantes, Diana solo fue consciente de que el señor Green la conducía hasta el sofá del comedor. A su pregunta de si podía hacer algo por ella respondió negando con la cabeza. Aun así, reapareció poco después con una caja de pañuelos de papel y una taza de té antes de retirarse a la cocina.

Tras un largo rato mirando la chimenea cubierta de fotografías de gente que llevaba mucho tiempo muerta, pasó la sorpresa inicial y Diana se entregó a su pena.

El señor Green estaba de pie frente a la ventana de la cocina, desde donde tenía una buena vista del jardín y parte del parque, que después de la guerra nunca volvió a recuperar su antiguo esplendor.

Aunque no era un hombre particularmente sentimental, las lágrimas le caían por las mejillas en silencio, pues nunca se hubiera permitido llorar a lágrima viva. Después de todo, estaba trabajando.

Pero la muerte de su señora le afectaba no solo porque hubiera sido una buena jefa, sino porque ahora la responsabilidad de conducir a la señorita Diana hasta el secreto recaía enteramente sobre sus espaldas. Ya no podría hacerle preguntas, y tendría que atenerse a las pocas instrucciones que le había dado.

Se dirigió a la cómoda que había junto a la puerta y sacó el grueso libro que tanto tiempo llevaba sin que nadie lo abriera. Colocó el sobre que había dentro en el bolsillo de su chaqueta. La señora nunca le había dicho qué contenía, pero, al parecer, era muy valioso. Según sus órdenes, debía ponerlo muy discretamente en manos de su sobrina. Y hacer que lo encontrara como por casualidad. La confianza en que la señora aún estaría con ellos un tiempo lo había llevado a no pensar mucho en el asunto. Pero quizá se le ocurriría alguna idea durante el trayecto al hospital. Seguro que la señorita Diana querría ir inmediatamente allí después de dar parte a la funeraria.

Con la guía telefónica en la mano, subió apresuradamente las escaleras hasta el salón.

Diana agradeció mucho que el señor Green regresara con la guía telefónica, abierta por la página de las funerarias, con todas las empresas de la región marcadas.

De repente recordó el entierro de su madre, la montaña de formalidades de las que había que encargarse, pero por suerte tenía al señor Green a su lado, y eso hacía que las obligaciones parecieran más llevaderas.

—Norton & Fenwick tienen muy buena reputación en esta zona, sus trabajadores son muy discretos, y no importan ataúdes baratos de Europa del Este, explicó mientras señalaba una de las empresas. El nombre aparecía escrito en letra muy pequeña, y estaba enmarcado dentro de una simple línea negra. Al lado de otros nombres decorados con hojas de palma, rosas ostentosas, cruces y coronas, casi pasaba desapercibido.

—¿Es lo que hubiera querido la tía Emmely?

—En cualquier caso, querría un entierro elegante, y estoy seguro de que esta empresa se lo proporcionará. ¿Quiere que los llame?

—No, lo haré de camino. Tendríamos que salir lo antes posible.

—Por supuesto, señorita Diana.

Mientras el señor Green salía, Diana subió la escalera. Una vez superada la conmoción inicial, tenía la absurda esperanza de que el médico se hubiera equivocado. Que quizá hubiera ocurrido un milagro y Emmely había cambiado de opinión.

Pero la realidad volvió a darle alcance en su habitación, y cayó sobre sus hombros como un gran peso.

No tenía ropa negra limpia, así que se abrochó la chaqueta negra que había llevado y agarró el bolso. Mientras volvía a bajar, se fijó de nuevo en la marina. Por un momento le pareció reconocer en la cara infantil de Victoria el rostro de su tía. Luchando por mantener el control, subió finalmente al Bentley, que la esperaba en el camino de grava con el motor ronroneando.

El rugido del motor la tranquilizaba y protegía como una manta; Diana habló por teléfono con una mujer algo mayor que la trató con mucha delicadeza y prometió mandar un coche fúnebre al hospital lo antes posible.

—Tenía usted razón, señor Green, esta funeraria parece de lo más competente.

—Me alegra haber podido ayudarle.

—Llegaremos al hospital en media hora —suspiró—. A decir verdad, no sé si estoy preparada para verla.

—No habrá cambiado mucho —replicó el señor Green—. Yo también tuve miedo cuando imaginé lo que la muerte le habría hecho a mi madre. Pero no fue tan grave. Parecía que dormía. Quizá el hospital ya ha llevado a la señora Woodhouse al depósito para prepararla para el tanatorio.

Al advertir el pragmatismo que desprendían sus palabras, el señor Green enmudeció.

Diana ni se dio cuenta. Miraba fijamente el paisaje que pasaba por su ventana a toda velocidad, y entonces dijo:

—Pensará que estoy loca pero, a pesar del miedo, quisiera verla una vez más. Ahora solo tengo en la cabeza la imagen de ella rodeada de tubos y cables. Quisiera verla dormida, como si fuera a despertar en cualquier momento y a preguntarme lo que estoy haciendo ahí.

—Eso suena de todo menos loco —contestó el mayordomo, para después acelerar, ignorando la señal de límite de velocidad junto a la que acababa de pasar.

Afortunadamente, en el mostrador de las enfermeras reinaba tanto bullicio que nadie tuvo tiempo de dedicarle a Diana miradas compasivas. La enfermera que la atendió le indicó que tomara asiento en las sillas del pasillo. Mientras, aturdida, seguía con la mirada una camilla que pasaba frente a ella, se sintió curiosamente tranquila. Estaba muy triste, pero el miedo había desaparecido. Ya no tenía que preocuparse por Emmely. Si el cielo existía, ahora estaba con los suyos, y podía contarles todo lo que había vivido desde que la dejaron.

El doctor Hunter apareció de repente a su lado y la asustó.

—¡Ay, doctor, perdóneme! —Diana se llevó la mano al pecho—. Estaba abstraída.

—No pasa nada. —El médico le tendió la mano—. La acompaño en el sentimiento.

Diana asintió, y después se levantó, suponiendo que el doctor Hunter no querría mantener una conversación en el pasillo.

—La hemos cambiado a otra habitación. Sabiendo que estaba usted aquí, no hemos querido bajarla al depósito todavía. ¿Ha hablado con la funeraria?

—Sí. —De repente, Diana se sentía como si el suelo se moviera bajo sus pies, como si estuviera sufriendo un ataque de pánico. Estás junto a un médico, se dijo. Te socorrerá si caes redonda.

—Bien, entonces, ¿vamos? Supongo que querrá verla.

Debió de asentir, puesto que el doctor Hunter la condujo a una habitación al fondo del corredor en la que nunca había estado.

Inmediatamente se le hizo un nudo en la garganta, y estuvo a punto de decirle al médico que se lo había pensado mejor. Que le bastaba con la galería de imágenes de Emmely que llevaba en el corazón.

Pero entonces abrió la puerta, y la vio.

Bajo las sábanas, el cuerpo de Emmely se veía frágil como el de una muñeca de porcelana. Libre de cables y tubos, realmente parecía dormida. Solo las oscuras sombras bajo sus ojos hundidos revelaban el sufrimiento que había padecido.

Su cabello, que alguien había extendido cuidadosamente sobre la almohada, era como un velo de novia salpicado de hilos cobrizos.

—Ha muerto en paz —dijo el doctor Hunter—. Sencillamente, se durmió. Cuando saltaron las alarmas, intentamos revivirla, pero ella ya había decidido irse.

¿Era la muerte realmente una cuestión de decisión? ¿Hubiera regresado Emmely de haber querido? ¿O pensó que ya podía irse, ahora que le había revelado a su sobrina la existencia del secreto?

Diana se cubrió la boca con la mano mientras las lágrimas le caían por el rabillo del ojo. A pesar del ardor que sentía en el pecho, no se veía capaz de romper a llorar. No dejaba de pensar que Emmely había aguantado tanto porque quería dejarle el encargo de esclarecer el secreto familiar.

Por eso no escuchó las palabras del médico sobre la causa de la muerte. Solo cuando este le puso la mano en el brazo compasivamente volvió en sí.

—Ahora la dejaré sola. Salga cuando quiera. Cuando lleguen los de la funeraria, les diré que pasen.

Diana le dio las gracias con un gesto, y poco después oyó cómo se cerraba la puerta.

Tras estar unos momentos de pie junto a la cama, acercó una silla y se sentó.

—He encontrado las primeras pistas —susurró, mientras acariciaba el cabello de Emmely y sentía el frío de su piel—. Pero ¿cómo encaja todo? No sabes lo que desearía tenerte aquí para pedirte ayuda.

Diana enmudeció. Esperaba una respuesta que sabía que no obtendría. Al poco, llamaron a la puerta, y dos hombres vestidos de traje negro entraron. Diana los recibió con un breve saludo y se retiró tras mirar por última vez a Emmely. Cumpliré mi promesa, pensó, mientras se apoyaba en la pared del pasillo y lloraba en silencio.

Según lo prometido, el cerrajero se presentó por la tarde. Su timbrazo despertó a Diana.

Después de regresar a casa completamente exhausta, se había tumbado en el sofá, pero aún sentía los huesos como si fueran de plomo. Se le pasó por la cabeza no abrir, pero desechó la idea y se apresuró hacia la puerta. Se lo prometí a la tía Emmely.

El cerrajero, un hombre de pelo blanco vestido con un mono azul que pasaba de largo de los sesenta, se enderezó cuando abrió la puerta y la miró sorprendido.

—¿Va todo bien, señorita? ¿Quiere que vuelva más tarde? Era evidente que había llorado.

—No pasa nada —respondió Diana, mientras se secaba una lágrima que le resbaló del ojo izquierdo—. Mi tía ha fallecido.

—Lo siento mucho. La señora Woodhouse era una mujer encantadora que me encargaba llaves de vez en cuando.

—Gracias, es usted muy amable —replicó Diana, mientras parpadeaba bajo la luz del día, que se le antojaba demasiado fuerte a sus ojos irritados por las lágrimas.

—¿Está segura de que no quiere que vuelva en otro momento?

—No, entre, por favor, señor Talbott.

Mientras se apartaba para dejar entrar al cerrajero, vio pasar al señor Green por el jardín empujando una carretilla llena de ramas de los setos.

Cada uno se enfrenta al dolor a su manera, pensó Diana, y deseó en su fuero interno tener también una forma física de expresarlo. Tal vez tendría que salir a dar un paseo. O una vuelta en bicicleta.

Con la indiferencia de alguien que ha estado en el mismo sitio las veces suficientes como para no sentir curiosidad, el señor Talbott la siguió por los pasillos sin levantar la mirada.

—No sabía que ya había trabajado para mi tía —comentó Diana, que se sentía obligada a darle conversación. Era como estar en la peluquería. Aunque uno no tuviera ganas de charlar con un extraño, se ponía a hablar del tiempo solo para distraer su atención del rostro malhumorado del espejo.

—Sí, aunque la señora Woodhouse no era muy habladora. Pero era un encanto de mujer. Mientras todo sucediera acorde a sus deseos, dejaba hacer. Es una lástima que no encontrara a un hombre. Pretendientes no le faltaron, o eso dice la gente del pueblo.

¿Había sido la tía Emmely sujeto de las habladurías del pueblo?, se preguntó Diana. De niña, no se había enterado de nada, puesto que apenas abandonaba la protección del parque de Tremayne House, y se relacionaba poco con los niños del lugar.

Una vez en el despacho, renunció a hacer más preguntas. Lo que había más allá de la puerta doble no pareció impresionar al cerrajero. Pero el compartimento secreto detrás de la estantería le arrancó una exclamación de asombro.

—¡Qué sería de Tremayne House sin compartimentos ni pasadizos secretos! Ninguna casa solariega inglesa que se precie se construyó sin ellos. Yo siempre se lo decía a la señora Woodhouse, pero ella nunca quiso oír hablar del tema.

¿Habría pasadizos secretos en la casa? ¿O un sótano lleno de secretos?

Diana se hizo a un lado y observó cómo el cerrajero palpaba los bordes de la puertecita, como si esperara la aparición de signos mágicos. Después de hacer un concienzudo examen del compartimento y su cerradura, sacó una especie de arcilla de la bolsa.

—Hoy en día, los cerrajeros prefieren la pistola de silicona —explicó—. Pero a mí no me gusta, porque a veces se pega a la cerradura. Prefiero trabajar con métodos tradicionales.

Diana no podía añadir nada, puesto que, en cuestiones de cerrajería, estaba completamente perdida.

Dejó que el señor Talbott hiciera lo que creyera correcto, y asintió cortésmente cuando este le mostró el molde de la cerradura.

—¡Mire! Creo que será una de las llaves más bonitas que he hecho nunca. Deme un par de días y se la traeré.

Diana asintió y acompañó al cerrajero a la puerta. Regresó al despacho de Henry Tremayne en lugar de volver al salón. Una extraña paz se había adueñado de ella en presencia del señor Talbott. Pensativa, acarició la superficie de la mesa con las puntas de los dedos, y entonces tomó asiento en el sillón, que emitió un leve crujido. Tras contemplar brevemente el compartimento secreto y los libros que lo rodeaban, se volvió hacia la ventana.

¡Qué suntuoso debía de haber sido el jardín! El señor Green hacía lo que podía para mantenerlo limpio y ordenado, pero las imágenes de los opulentos jardines ingleses tenían otro aspecto. Aun así, el paisaje tenía algo de tranquilizador. Al menos, Diana comprendía por qué sus antepasados eligieron esa habitación para trabajar. Esa habitación que, de niña, le ponía la piel de gallina. Pero ahora que Emmely ya no estaba, esa sensación había desaparecido, comprobó, perpleja. Era como si la casa la hubiera aceptado por completo como la nueva señora.

La pena por su tía se había calmado un poco, y decidió instalar su «base de operaciones» en esa habitación. En varios viajes, recogió su ordenador, el teléfono inalámbrico, el pañuelo, el paquete de té y el viejo telegrama del salón y los colocó en el despacho.

Al terminar, cayó en la cuenta de que aún tenía mucho de qué ocuparse. Había que avisar a un pastor, encargar la lápida y lidiar con los trámites burocráticos. Acarició la suave seda del pañuelo, y emitiendo un suspiro empezó a hacer una lista.

7

Durante los días siguientes, los preparativos para el entierro le exigieron a Diana tanto tiempo, que se olvidó de su bufete y de resolver el misterio.

Después de elegir el ataúd, hablar con el pastor y solucionar los trámites, compró en una pequeña tienda cerca del hospital un traje negro de corte clásico y una blusa negra de seda, además de unas medias negras con brillo y unos zapatos de tacón del mismo color. Ahora solo faltaba ocuparse de la lápida.

El señor Green iba como siempre un paso por delante, y ya tenía preparada la llave del mausoleo antes de que se la pidiera.

—¡Qué haría sin usted! —exclamó Diana, mientras el mayordomo insinuaba una reverencia.

—Es mi deber echarle una mano, señorita Diana, nada más.

—Es usted demasiado modesto, señor Green —replicó ella, divertida por el gesto pasado de moda—. Cuando haya heredado la fortuna de mi tía, voy a subirle el sueldo. Y entonces tal vez me diga cuál es su nombre de pila.

Ante esa afirmación, el señor Green solo reaccionó con una sonrisa discreta.

Esta vez fueron hasta el cementerio en coche, despertando las miradas de asombro de algunos de los vecinos. Aunque la época en la que un pueblo le rendía pleitesía a sus familias más pudientes había pasado, la gente no podía evitar mirar con respeto a cualquier miembro de la familia Tremayne que se cruzara en su camino. Especialmente, en un lugar como el cementerio, y después de una noticia como la muerte de Emmely.

Mientras esas miradas le aguijoneaban la piel, Diana entró por primera vez en el panteón de los Tremayne, sus antepasados lejanos.

Incluso ahí el trabajo del jardinero del cementerio era impecable. Debía de tener una copia de la llave, puesto que, al abrir la puerta de madera, no le salió al encuentro una nube de polvo, ni encontró bajo sus pies una pila de hojarasca.

Se había preguntado cómo iba un mausoleo tan pequeño a albergar tantos ataúdes. Y ahora que estaba dentro, se puso a buscar ataúdes y urnas en vano.

Como siempre, el señor Green tenía la respuesta. Armado con una linterna halógena, iluminó una puertecita de reja, tras la cual no parecía haber más que negrura.

—El panteón está bajo tierra. La llave delgada y plateada abre la puerta.

Para Diana fue una experiencia muy peculiar adentrarse en la pequeña necrópolis. La estancia le recordaba una cámara funeraria egipcia que había visto en un reportaje de *National Geographic*. No era algo nuevo para ella que las familias ricas se construyeran monumentos como aquel, pero nunca había estado en uno. Y en ese, además, reposaban los restos de sus antepasados. De niña, se había preguntado alguna vez cómo sería encontrarse con todos los que estaban allí, ir con ellos de paseo o preguntarles por la época en la que habían vivido.

Pero ahora, en lugar de curiosidad, sentía congoja. Aquella habitación, llena de estantes repletos de ataúdes, y con dos sarcófagos dominando en el centro, mostraba muy claramente lo que acababa pasando con todas las personas.

—Los sarcófagos pertenecen al fundador del clan Tremayne y a su esposa, ¿no es así? —preguntó Diana, mientras dirigía su linterna a los letreros clavados en los imponentes monumentos de piedra.

—Sí, hasta donde yo sé —replicó el mayordomo, que, aprensivo, se había quedado junto a las escaleras, por las que se colaba un poco de la luz del exterior. El resto de familiares ha ido ocupando distintos estantes. En algunos mausoleos incluso hace falta excavar nichos en las paredes.

Diana comenzó a dar la vuelta por la estancia en el sentido de las agujas del reloj. Uno tras otro, los distintos nombres se ordenaron en su mente, que intentaba, con ayuda de las fechas, construir un árbol genealógico imaginario con una copa repleta de nombres.

Se detuvo finalmente frente a uno de los ataúdes. La lujosa madera de roble estaba lustrosa, decorada con una maravillosa marquetería que apenas acusaba el paso del tiempo. Cuando Diana frotó el polvo del letrero, leyó: «Aquí descansa en paz Victoria Princeton Tremayne, 12 de septiembre de 1873 – 15 de agosto de 1929».

La famosa Victoria, la abuela de Emmely, quien apenas hablaba de ella, cosa que no era de extrañar, pues solo tenía nueve años cuando murió.

Si había comprendido bien el sistema en el que estaban ordenados los ataúdes, delante o detrás de Victoria debería encontrarse su hermana Grace. Pero su féretro faltaba, comprobó Diana tras inspeccionar los más cercanos. Estaba el de Henry Tremayne, el de Claudia, su esposa, el de Deidre y su marido. Ninguno de los Tremayne había sido muy longevo. Por lo que Diana sabía, lo mismo podía decirse de su familia. Ninguno había llegado a los setenta. Emmely era la gran excepción.

La ausencia de Grace podía explicarse porque tal vez su esposo hubiera insistido en que fuera enterrada junto a él. Había sido capitán de barco, y probablemente sus restos descansaban en Prusia Oriental, o eso le había contado a Diana su madre. ¿Y por qué no estaba Beatrice, que se había quedado sola en el mundo, pero, aun así, era descendiente de los Tremayne? ¿Por qué tenía su propia tumba, custodiada por un ángel que sostenía una corona de hojas de té?

—¿Sabe usted por qué a mi abuela la enterraron fuera del mausoleo, señor Green?

—No, lo siento —respondió el señor Green, que seguía junto a la puerta—. Es uno de esos temas que no se tocaban. Pero tal vez su abuela lo quiso así.

Diana se preguntó si Beatrice, moribunda tras el parto, habría estado en condiciones de expresar preferencias acerca de su entierro. En su estado, debía de haberle dado igual dónde la enterraran.

¿O fue Deidre, que todavía desconfiaba de ella, quien lo decidió?

Cuando Diana iba a inspeccionar el espacio libre bajo el ataúd de Deidre, el haz de luz de su linterna iluminó un objeto debajo del féretro.

—¿Qué es eso? —murmuró sorprendida, mientras acercaba el foco de la linterna. Era un trozo de papel amarillento y algo arrugado, cubierto por una capa de polvo bajo los pies del féretro, a un brazo de distancia. Al principio creyó que el jardinero se había deshecho del envoltorio de su bocadillo en el mausoleo, pero, al tirar de él, vio que se trataba de un sobre.

—¿Señor Green?

Su voz resonó por el panteón sin respuesta. Hacía rato que el mayordomo había subido.

—Perdone, señorita Diana, ¿me llamaba? —preguntó tras unos instantes, bajando las escaleras apresuradamente—. Solo quería cerciorarme de que aún estaba el jardinero.

Diana se volvió, la mirada aún fija en el sobre que sostenía.

—He encontrado esto bajo el féretro de Deidre. Un sobre. —Lo giró en sus manos. Estaba dirigido a Grace Tremayne, pero no llevaba ni fecha ni remitente. Aunque no estaba bien cerrado, Diana decidió que lo abriría más tarde. A cada momento que pasaba, el panteón se le hacía más desagradable, se sentía observada por todos sus antepasados.

—¿Ha mirado lo que hay dentro?

—No, lo haré luego. —Diana guardó el sobre en el bolso—. Creo que este es el lugar adecuado para mi tía, ¿no le parece? Debajo de su madre.

—Estoy segura de que la señora Woodhouse estará contenta con eso.

Diana contempló la oquedad oscura debajo del ataúd de Deidre, y se estremeció. Quizá la abuela no quería reposar ahí, sino al aire libre, donde pudiera ver las estrellas. O la corona de hojas de té.

Arriba los esperaba el jardinero del cementerio. Tras una breve conversación sobre las modalidades de sepelio, mandó al señor Green de vuelta a casa. Ella prefirió ir a pie. Por el camino se cruzó con un par de personas, a quienes saludó amablemente, aunque ese gesto solo le mereció miradas de asombro. En un momento dado, fue a sacar la carta del bolso, pero se arrepintió. Decidió en cambio pensar en quién habría dejado la carta bajo el ataúd. ¿Emmely, tal vez? ¿La había robado alguien y, atormentado por la mala conciencia, no había sabido dónde devolverla? ¿Pero quién había podido entrar en el mausoleo?

De nuevo en Tremayne House, fue directa al despacho y se dejó caer en el sillón. Las extremidades le pesaban. El estrés de los últimos días se dejaba notar.

En realidad le hubiera gustado tumbarse en el sofá, pero no dejaba de pensar en la carta. ¿Que habría dentro? ¿Era posible que hubiera estado allí durante décadas desde el entierro de Deidre? Estaba lo bastante polvorienta, y además como no entraba la luz, tampoco era de extrañar que no hubiera amarilleado ni la hubiera cubierto el moho. En cualquier caso, el sobre estaba manchado de numerosas huellas, y tenía los bordes sucios. Cuando Diana le dio la vuelta, le pareció ver incluso un par de salpicaduras de sangre.

Con cuidado, alisó el sobre encima de la bandeja de cristal. Lo más probable es que lo hubieran estrujado en algún momento para después desdoblarlo de nuevo cuidadosamente, quizá incluso prensándolo entre las páginas de un libro. Había conservado las finas arrugas, como una camisa planchada a baja temperatura.

Escrita a máquina, la carta estaba dirigida a Grace Tremayne de Tremayne House. La bisabuela de Diana. ¿Sería la carta de un pretendiente? No llevaba remite.

Con un ligero temblor en las manos, Diana sacó una hoja de papel. No estaba menos sucia que el sobre, pero no parecía estar manchada de sangre. La tinta corrida insinuaba que la carta se había mojado en algún momento. Las líneas de las dobleces del papel parecían muy frágiles, como si las fibras del papel fueran a desintegrarse si las tocaba.

La carta era muy breve, pero las escasas líneas hicieron sentarse a Diana por la sorpresa que le provocaron. La abuela de Emmely, Victoria, se disculpaba con su hermana, hablaba de un escándalo y anunciaba la visita de un hombre de quien Grace había estado enamorada. Además, Victoria prometía ayudar siempre a la familia de Grace.

¿Qué había pasado? ¿Y por qué no estaban Grace y Victoria en el mismo lugar? Diana le dio la vuelta a la hoja, pero no encontró señas del remitente. Solo la fecha: 15 de febrero de 1888.

Hacía un año y medio escaso que Henry había recibido el telegrama anunciando la muerte de su hermano. Y ahora esta carta. ¿Qué relación existía entre ambas cosas?

Diana miró el compartimento secreto con pesar. ¿Estaba allí dentro la respuesta? Qué lástima que la llave aún fuera a tardar un poco. Estaban a jueves y el entierro era inminente.

Después de contemplar la carta una vez más, recordó lo que le había dicho el doctor Sayers. Que Beatrice llevaba una carta consigo cuando llegó a pedir ayuda. ¿Se trataba de aquella carta? ¿La vieja promesa de ayudar?

Por el contexto de la misiva, podía creerse que sí.

Perpleja, Diana reflexionó un rato más, pero no se le ocurría ninguna respuesta. Finalmente, decidió que lo mejor sería meterse en la cama. Después de guardar la carta cuidadosamente dentro del sobre, la dejó junto al telegrama y el paquete de té, después apagó la luz y se fue a la planta de arriba.

8

El día del entierro, el tiempo se sumó al luto por Emmely. La claridad no llegaba del todo. La luz eléctrica parecía escaparse por las ventanas y no dejaba más que una penumbra turbia.

—¿No tendríamos que haber cubierto los espejos? —preguntó Diana pensativa mientras se arreglaba el pelo en el espejito de la cocina que antaño había permitido a la cocinera supervisar al personal incluso cuando estaba de espaldas. Raras veces se hacía moños tan estrictos, pero era adecuado para la ocasión y para el atuendo que llevaba.

—Es una tradición pasada de moda —replicó el señor Green con un gesto de desdén—. A la señora Woodhouse le hubiera parecido una tontería. —Contempló a Diana detenidamente—. Tiene usted un aspecto majestuoso, señorita Diana. Su tía hubiera estado orgullosa.

—Gracias, señor Green —respondió ella, mientras se apretaba el puente de la nariz con el pulgar y el índice para evitar que se le saltaran las lágrimas—. Pero he de pedirle que se contenga con estos piropos, o acabaré con el rímel corrido como el cantante de Alice Cooper.

El señor Green le lanzó una amplia sonrisa.

—Me alegro de ver que no ha perdido el sentido del humor.

—Creo que los alemanes no tenemos sentido del humor.

Un chispazo de picardía iluminó los ojos del mayordomo.

—Usted no es del todo alemana, señorita Diana. Por sus venas corre una buena parte de sangre inglesa.

—Eso me tranquiliza.

Seguida por el señor Green, Diana salió de la casa poco después. El sepelio de su tía iba a tener lugar en la pequeña iglesia del pueblo. Diana contaba con que mucha gente iría a presentar sus últimos respetos, así que se armó con un buen número de pañuelos de papel para contener explosiones sentimentales. Tal vez tuviera genes ingleses, pero estaba a años luz de la flema británica.

Ante la pequeña iglesia había aparcados una multitud de coches.

—Se ve que han venido todos, tanto los que estaban invitados como los que no. —El señor Green parecía contento. Llevaba desde el día anterior ocupado con los preparativos del funeral. Haber hecho todos aquellos pasteles en balde le hubiera fastidiado.

Algo intranquila, Diana contempló el grupo de gente vestida de negro que, en su mayor parte, llevaba pequeños ramos de flores. Una gran responsabilidad reposaba sobre sus hombros. Todas esas personas, que habían querido o por lo menos apreciado a su tía, esperaban un funeral a la altura de las circunstancias. Y eso tendrían, se dijo Diana, pero, desafortunadamente, el diablo se oculta en los detalles, y tenía que admitir que sus pensamientos no dejaban de revolotear alrededor del secreto. La noche anterior incluso había soñado con Emmely, que le había ordenado que no perdiera el tiempo. De lo contrario, las pistas desaparecerían como pisadas en la arena borradas por las olas. Aún creía sentir el sudor frío que la cubría cuando despertó sobresaltada.

—¿Vamos? —preguntó el señor Green ofreciéndole el brazo. Diana lo tomó y, junto a él, pasó por delante de los invitados por el pasillo central. El ataúd reposaba sobre el altar, cerrado, como pedían las indicaciones que Diana había encontrado en los documentos de Emmely.

«No quisiera que me miraran cuando ya no pueda defenderme», había dejado escrito con su característica caligrafía en un mensaje que hizo sonreír a Diana.

¿Les parecería extraño a los asistentes?, se preguntaba ahora. Pero los invitados entraron en fila ordenadamente detrás de ella, en silencio, y algunos hombres se inclinaron frente al ataúd de su tía.

Para su gran alivio, la ceremonia fue tal y como la había imaginado, y como hubiera deseado Emmely. El pastor pasó revista a su vida con palabras cálidas, alabó el servicio que prestó durante la guerra y habló de su matrimonio y del hijo que perdió. La familia de Diana solo se mencionó de paso, por expreso deseo de Diana, y entonces el coro de señoras de la comunidad cantó dos canciones.

Cuando los porteadores se llevaron el féretro, Diana logró, para su sorpresa, no estallar en lágrimas. Llorando en silencio y con dignidad como una dama inglesa, siguió el ataúd hasta el panteón, donde ya se habían depositado coronas y ramos de flores, bajo la mirada de los presentes.

Después de asegurarse de que Emmely había ocupado el lugar que le correspondía entre sus antepasados, Diana salió del mausoleo.

—Que duermas bien, tía Emmely —susurró, mientras cerraba la puerta y se colgaba al cuello la cadena de la que pendía la llave. Entonces dio las gracias a los porteadores, hombres del pueblo apenas más jóvenes que la propia Emmely, pero que no habían querido dejar de rendir un último homenaje a la señora de Tremayne House.

Los invitados al funeral se habían congregado a la puerta del cementerio, y algunos conversaban en voz baja con el reverendo Thorpe, a quien Diana quería dar las gracias.

De camino al coche, alzó la vista hacia el ángel, que, con mirada indiferente, sostenía la corona sobre la tumba de Beatrice. Al recordar su extraño sueño, se fijó en la cara de la estatua. Pero no era un rostro de mujer lo que vio. Sus rasgos eran claramente masculinos, y extrañamente exóticos.

Diana ladeó la cabeza mientras intentaba determinar la nacionalidad del ángel. ¿Tenían los ángeles nacionalidad? ¿O se trataba simplemente del gusto del escultor? ¿Sería alguien a quien conocía y cuya efigie había querido preservar?

Un discreto toque en el codo la sacó de sus elucubraciones. Sin que ella se diera cuenta, el señor Green se había colocado a su lado.

—¿Va todo bien, señorita Diana? —Su voz era apenas un susurro.

—Sí, creo que sí. Solo estaba mirando el ángel. Su cara...

El señor Green alzó la cabeza y frunció el ceño.

—Es un hombre —afirmó—. Supongo que uno de los arcángeles.

—¿No le parece que hay algo exótico en sus rasgos?

—Nunca lo había pensado... —El mayordomo titubeó, y después asintió—. Tiene usted razón, no tiene cara de europeo. Tal vez sea un detalle personal del escultor.

—Puede ser. —Una idea relampagueó en la mente de Diana, pero no fue capaz de retenerla—. Será mejor que no hagamos esperar a los demás.

Casi todos los presentes los siguieron hasta Tremayne House. El señor Green se había procurado un par de ayudantes, mujeres del pueblo a quienes ya había dado instrucciones de cortar los pasteles y servirlos.

Después de que Diana se dirigiera a los presentes, dando las gracias por venir, un murmullo quedo llenó la antigua mansión, devolviéndole, paradójicamente, el aliento de vida que hacía muchos años que había perdido.

Diana se alegró al reconocer al doctor Sayers entre la marea de caras desconocidas.

—Qué bien que haya venido —dijo tendiéndole la mano.

El médico sonrió con tristeza.

—Era lo menos que podía hacer por una vieja amiga. Es una tragedia que ya no esté en este mundo, pero así son las cosas. Seguramente, yo seré el próximo.

Diana no quiso replicar, pues ¿quién era ella para saber el tiempo de vida de las personas? En lugar de eso, le vino otra cosa a la cabeza.

—Habrá podido comprobar que la tumba de mi abuela está en buenas condiciones.

—Así es. Y la verdad es que me he alegrado de verlo. Me sabe mal no haber ido en tanto tiempo, pero ya le expliqué cómo le gusta a la muerte coquetear con hombres de mi edad.

Diana tenía un dilema. ¿Se lo pregunto?

—Inspeccioné la tumba poco después de su visita, y me fijé en algunas cosas extrañas.

Un chispazo de reconocimiento iluminó el rostro del médico.

—Se preguntará por qué no está enterrada en el mausoleo.

—Entre otras cosas.

—Bueno, ese es uno de los muchos secretos que la señora Deidre se llevó a la tumba. En su momento también nos lo preguntamos.

—¿Es porque aún creía que mi abuela era una impostora?

—No, seguro que no. Creo que el motivo es algo que tiene que ver con el pasado, pero nadie de aquí lo sabe. Lo único cierto es que hubo algún tipo de discusión entre la tía de Deidre, Grace y su padre que causó que desheredara a Grace.

Diana enarcó las cejas. Eso no lo sabía.

—¿En serio?

El doctor Sayers asintió:

—Después de la muerte del viejo Henry Tremayne fue Victoria, la hermana pequeña, quien heredó la casa y el título, que después pasaron a su hija Deidre.

—Tal vez Grace Tremayne no quisiera la casa. Mi madre me contó que debió de casarse en 1888. Tenía su propia casa en el mar Báltico.

—Como le digo, nadie lo sabe a ciencia cierta. En cualquier caso, Deidre recibió a Beatrice con frialdad y con reservas, como si aún tuviera en mente lo sucedido. Beatrice no sabía nada de todo aquello. Se mantenía apartada de Deidre, pero pasaba casi todo el tiempo con Emmely. Eran como hermanas. No es de extrañar, ya que eran casi de la misma edad. Su muerte le rompió el corazón a Emmely, y probablemente fue la causa de que se volviera tan retraída.

La tristeza en la voz del médico era imposible de ignorar, y alimentó las sospechas de Diana acerca de que el médico había estado enamorado de Emmely.

Como no creía haberse acercado a la resolución del misterio del ángel, siguió con su interrogatorio:

91

—¿Y el ángel? ¿Representa a alguna persona en concreto?

—No, por lo que yo sé. Emmely lo encargó después de la muerte de su madre, hasta entonces en la tumba solo estaba la lápida. No tengo ni idea de si el ángel representa a una persona real. Es posible que represente al marido de Beatrice, que murió durante su huida. Eso sería precioso, ¿no cree? Un hombre protege a su mujer más allá de la muerte. —De repente, las lágrimas relucían en los ojos de Sayers. Avergonzado, se las secó, pero no pudo ocultar el temblor de su barbilla.

—Es una idea muy bonita.

Antes de que el médico pudiera responder, apareció una de las mujeres que habían ido a echar una mano sosteniendo una bandeja.

—¿Un poco de pastel, señores?

A Diana no le apetecía mucho comer, pero tanto ella como el doctor Sayers tomaron un plato con un trozo de tarta glaseada en blanco y negro.

—Bueno, ha sido una ceremonia muy bonita para su tía, ¿verdad? —El doctor Sayers retomó la conversación—. Si averigua si el ángel representa a una persona real, le ruego que me lo cuente. Después de nuestra conversación, siento mucha curiosidad.

—Así lo haré —respondió Diana. Al probar el pastel, se le abrió un poco el apetito.

Una vez se hubieron marchado todos los invitados, Diana se quedó un largo rato ante la ventana que daba al jardín invernal, contemplando cómo la luz gris del día se volvía negra sin que un solo rayo de sol lograra traspasar el manto de nubes.

De lejos, oía el repiquetear de platos en la cocina que hacía el señor Green vaciando el lavavajillas. Sus voluntariosas ayudantes, Idy, Sophie, Jennifer, Marcy y Joan, se habían marchado hacía un rato. Todas se negaron a aceptar el dinero de cortesía que Diana les había ofrecido.

—Apreciábamos mucho a su tía —aclaró la oronda Marcy, que era quien les había ofrecido pastel a ella y al doctor Sayers—. Es una pena que en los últimos meses no saliera mucho de casa. Mi madre siempre hablaba de cómo ayudó a los heridos y a los enfermos durante la guerra.

El resto de mujeres parecían de la misma opinión, puesto que se despidieron calurosamente y ofrecieron su ayuda a Diana en todo lo que necesitara. Pero ella dudaba que esas mujeres tan amables pudieran ayudarle en ningún aspecto de su vida.

Cuando el señor Green encendió las luces del jardín, se retiró de la ventana y se dio la vuelta.

—Voy a tomarme la tarde libre —anunció—. Le he dejado café caliente en la cocina, y aún queda pastel, por si le entra hambre.

—Muchas gracias, señor Green. —Diana reparó en que llevaba la chaqueta doblada sobre el brazo. ¿Se iría a algún sitio? Para recorrer el camino al ala este, donde se encontraba su vivienda, no le hacía falta abrigo.

—El funeral ha sido impecable, si me permite decirlo. La señora Woodhouse estaría orgullosa de usted. Y, si no me equivoco, ya se ha labrado un nombre entre los habitantes del pueblo. Después de todo, es usted la nueva señora de la casa.

Diana sonrió con amargura.

—No estaría yo tan segura.

Perplejo, el señor Green ladeó la cabeza.

—¿Piensa usted renunciar a la herencia? Hasta donde yo sé, la señora Woodhouse no tenía otros parientes.

—Durante la recepción, el doctor Sayers me ha contado que a mi tatarabuela la desheredó su padre. No supo decirme el motivo, pero es posible que tenga que ver con algo que ocurrió hace mucho tiempo.

—No se preocupe por eso. El doctor Sayers también tendría que haberle dicho que su tía quería a su madre por encima de todo. Y a usted también. No creo que se dejara influir por viejas peleas. De lo contrario, no le hubiera pedido que esclareciera el misterio familiar.

Aunque el señor Green tenía razón, Diana aún se sentía angustiada. ¿Qué habría causado la discusión entre padre e hija?

Pensó de nuevo en la carta que había encontrado bajo el ataúd de Deidre. ¿Qué hacía ahí? ¿La habría dejado Emmely para que ella la encontrara cuando muriera?

–Voy a tomar una cerveza al pub del pueblo. ¿Le apetece acompañarme?

Algo perpleja, Diana miró al mayordomo.

–No, gracias, señor Green, creo que voy a acostarme.

–Muy comprensible tras el estrés de estos días. Buenas noches, señorita Diana.

–Buenas noches, señor Green.

Cuando se hubo marchado el mayordomo, Diana subió la escalera. Esta vez, solo dirigió una mirada fugaz al retrato de Grace y Victoria. En su habitación, se quitó la ropa y se puso un camisón que olía a lavanda que sacó del baúl al pie de la cama. Emmely siempre tenía ropa de cama preparada, aunque cada vez recibiera menos visitas.

Por más que el cuerpo de Diana estaba agotado, los pensamientos se agolpaban en su cabeza. Examinó todas las pistas, y llegó a la conclusión que solo la apertura del compartimento secreto daría algo de luz al asunto.

Cuando, a la tarde siguiente, se presentó el cerrajero, Diana acababa de superar otro acceso de llanto, de esos que sobrevienen a la vista de cualquier recuerdo del fallecido y permiten dar salida a toda la pena acumulada.

En un viejo álbum de fotos, que abrió con la esperanza de encontrar una de su abuelo, había encontrado una en la que aparecía ella, de niña, en el parque junto a su madre y la tía Emmely. La imagen era tan cándida que casi le pareció volver a encontrarse allí. Creía oler las rosas, la hierba que el jardinero de entonces mantenía siempre bien recortada y, sobre todo, el aroma a té y violetas característico de la tía Emmely, ya entonces, cuando aún había hombres que se interesaban por ella.

Entonces recordó lo que el doctor Sayers había dicho sobre el ángel durante el funeral. Y en lo bonito que resultaba la idea de un hombre protegiendo a su mujer desde más allá de la muerte. Aquello había sido demasiado para su sensible estado de ánimo.

Las lágrimas le habían impedido seguir buscando una fotografía de su abuelo. Y ahora que iba a abrir la puerta, la idea le parecía absurda. ¿Por qué iba Emmely a conservar una imagen del marido de Beatrice?

—Ay, Dios, siempre llego en el peor momento. —El señor Talbott le ofreció un pañuelo limpio, pero Diana negó con la cabeza.

—No pasa nada. ¿Ha traído la llave?

—Por supuesto. —El hombre alzó una pequeña bolsa de papel marrón cerrada con una pegatina de su empresa—. Tendría que probarla antes de pagarme. Con cerraduras tan viejas, nunca se sabe.

—Confío en su capacidad. Seguro que mi tía también lo hacía, ¿verdad?

—Me arrastraba siempre por toda la casa a probar todas las llaves. Y siempre se quejaba si la anilla no le parecía lo bastante bonita. Como no conozco sus gustos, me he atenido a lo que la señora Woodhouse hubiera querido.

—Entonces seguro que me gustará a mí también. Entre, voy a buscar el dinero.

Diana se apresuró, y por poco regresa con unos billetes de euro que sacó de su bolso. Pero percibió su equivocación a tiempo y, poco después, le tendió la suma correspondiente de libras esterlinas a cambio de la bolsita de papel.

—Las pegatinas me las hizo mi nieto, dice que las empresas deben presentarse de la forma más profesional posible.

—Qué amable por su parte.

—Bah, ¡solo quiere mostrarme las tonterías que puede hacer con el ordenador! —exclamó el señor Talbott—. Cuando yo tenía dieciséis años, me preocupaba más por las chicas que por una maquinita que escupe dibujos y pegatinas con solo apretar un botón. Pero ahora la juventud es distinta, cada vez olvidan más los valores de antes.

Ese mismo discurso debía de recibirlo su nieto cada dos por tres con los mismos gestos con los que ahora enfatizaba sus palabras.

Una sonrisa cruzó el rostro de Diana al imaginar al adolescente poniendo los ojos en blanco antes de volver a sumergirse en el mundo virtual.

—Bueno, por lo menos la he hecho sonreír. Eso es que no soy yo quien la pone triste.

—Por supuesto que no, señor Talbott. Y mientras su negocio permanezca abierto, lo avisaré siempre que necesite una llave.

—O si alguna vez se queda fuera de casa sin poder entrar. Pero estoy seguro de que, de ser así, el señor Green sería capaz de trepar por el tejado y colarse por una ventana para abrirle.

Aquello arrancó finalmente una sonrisa a Diana. Una sonrisa que le dolió en el pecho, pero una sonrisa al fin y al cabo.

Cuando se fue el cerrajero, Diana abrió la bolsita, con cuidado de no romper la pegatina. Dentro encontró una llave de latón de aspecto antiguo, cuya anilla estaba decorada con una cenefa de hojas y pequeñas florecillas. Eso debía de ser lo que le había llevado más tiempo, ya que los dientes eran relativamente simples.

¿Hubiera hecho otro cerrajero el mismo esfuerzo de decorar una llave? ¿O el señor Talbott lo había hecho, simplemente, porque veía en ella a Emmely?

Mientras su tristeza se disipaba un poco, el corazón empezó a latirle con fuerza. La llave que ahora sostenía en la mano parecía emitir un latido mágico. El misterio de su familia. Hoy lo descubriría.

Inspiró profundamente, se dio la vuelta y cruzó el pasillo por el que hacía un par de días que no pasaba. Esta vez no la acompañó el resplandor de las lámparas, sino la luz que se filtraba a través de dos puertas abiertas. El señor Green había estado allí, probablemente para quitar el polvo de los aterradores trofeos de caza.

Diana se detuvo brevemente ante la puerta doble, y tomó aire. Nada había cambiado. El señor Green se había hecho cargo del polvo que se hubiera acumulado.

Apretaba la llave tan fuerte que sentía todos sus contornos en la palma de la mano. El legado de Emmely. ¿Qué se ocultaría tras aquella puertecita? El secreto de la familia.

Se acercó a la estantería e introdujo la llave, ahora caliente, en la cerradura. Un momento de tensión, Diana contuvo la respiración y giró la llave. Los dientes no encontraron resistencia, y la cerradura cedió con un leve chasquido.

Le temblaban un poco las manos y sentía un nudo en el estómago, como si fuera a hacer un examen. Llegó a su nariz el olor a pared vieja, y Diana encontró un objeto alargado.

Un cofrecillo. Tan largo como su antebrazo y un palmo de alto. Hecho de palo de rosa y decorado con un motivo de hiedra tallado en la madera. A primera vista, la cenefa parecía irlandesa, pero Diana sabía muy bien que ese cofre se había labrado en un país mucho más lejano.

La necesidad de olerlo era tan poderosa que se llevó la pequeña caja a la nariz sin pensarlo. Sorprendida, comprobó que no olía a moho ni a cerrado. Al contrario: después de tantos años, desprendía un olor dulzón que le resultaba familiar. ¿Lo habrían utilizado para guardar canela en rama?

Diana llevó la cajita a la mesa y acarició la tapa pensativamente antes de levantarla. Sobre el terciopelo rojo con que estaba forrado el interior había cuatro objetos.

Un colgante con una gran piedra azul. Una hoja alargada y reseca cubierta de curiosos signos. La fotografía de una montaña. Y un pequeño libro. Eso fue lo primero que sacó Diana. Notaba una tensión extraña en todo el cuerpo, provocada por la sensación de estar mirando el pasado a través de una ventanita. De tener la oportunidad de contemplar sus raíces.

Diana acarició el libro con reverencia mientras sus sentidos absorbían con avidez todo cuanto percibían. Una guía de viaje del año 1887. Encuadernación en cartón verde y azul, e impresa en tinta azul.

«Guía de viajeros a Colombo.»

Entre las páginas, una flor prensada. Franchipán, la flor más hermosa de la India. Era blanca y tenía un centro de color rojo sangre.

Sobre las páginas gastadas, pero aún blancas, había un par de líneas subrayadas, tal vez lugares que el propietario tenía intención de visitar.

Diana hojeó el libro, que estaba decorado con preciosas viñetas y prometía un sumario muy completo de los monumentos de la ciudad. ¿Perteneció la guía al hermano de Henry Tremayne, que pereció en Colombo? De repente, se sintió como si tuviera a alguien detrás susurrándole la historia de aquel objeto al oído.

9

—¡Mira lo que tengo! —Victoria le tendió a su hermana un librito encuadernado en azul y verde sobre el cual se leía en letras de color azul: «Guía de viajeros a Colombo». Sus ojos azules brillaban como el cielo despejado del puerto, sobre el cual tenían una buena vista desde su habitación en el Grand Oriental.

—¿Una guía de viaje? —preguntó Grace, la hija mayor de Henry Tremayne, mientras inspeccionaba el libro. Una cenefa de flores estilizadas rodeaba la modesta tapa del volumen, que mostraba la misma inscripción en la cubierta y en la contraportada.

—¡Por una rupia! —anunció Victoria con orgullo, mientras apretaba la guía contra su pecho como si fuera una valiosa joya.

—Papá te deja sola en la ciudad con Wilkes, ¡y tú vas y compras una guía! —Grace sacudió la cabeza en señal de reproche y se recostó en el amplio antepecho de la ventana del hotel, desde el cual se veía todo el puerto.

—¡Nos va a hacer falta! —se defendía Victoria con un mohín—. Estamos en un país extranjero. ¿Cómo vamos a saber adónde ir sin ayuda?

Prefiero no ir a ningún sitio, casi se le escapa a Grace, pero se tragó sus palabras en el último momento. Aunque no compartía el entusiasmo de su hermana, no quería estropearle la diversión. ¡Ya era bastante malo que las hubieran dejado aparcadas en el hotel como si fueran maletas!

Mientras su hermana pequeña se sumergía en la lectura, Grace paseó la mirada con un suspiro por el mar de un azul profundo que había más allá de la ventana, sobre el cual se mecían barcazas típicas de Oriente y sampanes, que parecían de una época pasada y olvidada, junto a modernos barcos de vapor,

99

A esa hora, los embarcaderos bullían de actividad. Entre marineros de todas las naciones circulaban los nativos, vestidos con simples pantalones blancos o envueltos en suntuosos trajes amarillos y rojos. Muchos hombres se tocaban los turbantes que les cubrían la cabeza, y algunos llevaban un punto rojo pintado en medio de la frente.

Grace se fijó en dos mujeres que cruzaban la calle. Sus saris, de color turquesa y fucsia, ejercían un fuerte contraste sobre sus pieles doradas y sus cabellos negros. Atraían la atención de muchos hombres de todas las nacionalidades.

Grace tuvo que admitir que la estampa que ofrecía el puerto era mucho más atractiva que cualquier cosa que hubiera podido ver en el gris y triste Londres. Pero por monótono que fuera y por muy cubierto de niebla que estuviera, allí había dejado a todas sus amigas. Seguro que Eliza y Alyson estaban enfrascadas en la elección de sus vestidos para el baile de puesta de largo, pensó con tristeza. La fecha que llevaba meses esperando se acercaba, pero en lugar de estar preparándose para el baile y la temporada a la que daría comienzo, se encontraba en el otro confín del mundo, bajo un calor abrasador y un hedor a pescado. El debut frente a la reina Victoria había sido postergado «hasta que papá ponga la plantación en orden», en palabras de su madre.

Pero Grace sabía la verdad. Aunque, oficialmente, pesaba sobre el asunto un manto de silencio, no era ningún secreto que la familia tenía problemas que solo se resolverían gracias a la plantación. La antigua propiedad familiar en Escocia era un agujero sin fondo en las finanzas de los Tremayne, y mantener la casa de Londres también costaba dinero.

Hacía tiempo que su padre no hablaba del difunto tío Richard —así como no se hablaba del estado de las finanzas de la familia, tampoco se hablaba de él—, incluso se negaba que Richard fuera el más próspero de los dos hermanos. La plantación no necesitaba que la pusieran en marcha, ya funcionaba perfectamente, o eso había leído Grace en un escrito que encontró en el despacho de su padre y leyó sin permiso. Y las circunstancias de la muerte de su tío...

—¡Mira! —exclamó Victoria dando palmas como si tuviera tres años en lugar de trece—. ¡Hay un mapa! Y está señalado el manicomio.

—¿Manicomio? —repitió Grace con sorpresa.

—Uno de los monumentos de los que habla la guía. Dice que es un edificio muy nuevo y que merece la pena visitarlo. —Victoria dobló el mapa de nuevo y hojeó el librito hasta encontrar la página correspondiente, de la que leyó—: «El nuevo manicomio, una institución benéfica mantenida por el Gobierno, fue una fuente continua de problemas para la colonia durante muchos años. El presupuesto de seiscientas mil rupias para su construcción parecía excesivo e innecesario, por lo que los planos originales tuvieron que modificarse. El edificio puede alojar a cuatrocientos enfermos y es uno de los más grandes del lugar. Todo esto gracias al gobernador *sir* James R. Longden».

—Manicomios también pueden verse en Inglaterra —dijo Grace, lacónica—. Hace un par de meses no tenías tanto interés por las «instituciones benéficas».

—Porque si le hubiera propuesto a mamá ir a visitar uno le habría dado un ataque —replicó su hermana sin inmutarse.

—También le va a dar ahora.

—¡Pues por eso te lo cuento a ti, y no a ella! —exclamó su hermana indignada.

—Tal vez sería mejor que fueras a visitar una iglesia o un templo. Ahí seguro que mamá te deja ir.

—Las iglesias son aburridas, pero seguro que aquí los templos son muy bonitos. —Victoria volvió a hojear la guía. Al poco encontró algo.

—¡Mira, esto también te interesará a ti! —Le puso a su hermana el libro bajo la nariz, no dejándole otra alternativa que leerlo.

—«El jardín de canela» —leyó Grace—. Dice que justo al lado hay un museo, así que mamá no tendrá que preocuparse por nuestra formación espiritual.

Grace iba a desdeñar también esa propuesta, pero tenía que admitir que el jardín de canela había despertado su interés.

Adoraba esa especia, que su cocinera, la señora Haynes, añadía a menudo a los pasteles y tartas.

Victoria pareció percibir que su resistencia se quebraba, porque continuó:

—En el jardín de canela se puede ver cómo cortan y secan las cortezas de canela de los árboles. Si vamos, puede que incluso podamos llevarnos un poco. Seguro que en el barco echabas de menos tu leche con canela.

—¡Y cómo! —Grace cerró los ojos con nostalgia mientras se perdía en el recuerdo del sabor. Por desgracia, la señora Haynes se había quedado en Inglaterra, y allí tendrían que acostumbrarse a la cocinera de su tío. Pero tal vez también supiera utilizar la canela y se dejara convencer para endulzarle la añoranza con ella.

De niña le chiflaba, y había querido averiguar todo lo que pudiera saberse sobre la canela. Su padre había evitado sus preguntas con amabilidad, pero también con decisión, y su madre se había defendido excusándose por su ignorancia. Solo la cocinera, a quien Grace visitaba a menudo de forma clandestina, le transmitió parte de sus conocimientos:

«La canela proviene de la India y de Indonesia», le contó. «La gente que la recoge es tan negra como los negros del señor Plummer», dijo refiriéndose a los criados africanos del conde de Waxford provenientes de América.

A partir de entonces, Grace había pasado muchas noches en vela imaginando el país en el que aquellas personas negras recolectaban la deliciosa canela. Cuando supo que iban a mudarse a Ceilán, hacía tiempo que había olvidado aquellas historias, pero ahora, gracias a la guía de su hermana, habían vuelto a la vida, y parecían suavizar un poco el calor y el aburrimiento.

—¿Entonces vamos a ir al jardín de canela? —insistía Victoria.

—Ni siquiera sabemos cuánto tiempo nos quedaremos en Colombo —contestó Grace devolviéndole la guía a su hermana—. La plantación del tío Richard está cerca del Pico de Adán. Eso está lejos de aquí.

—¡Pero si por lo visto vamos a echar raíces aquí! —replicó Victoria, señalando, furiosa, el edificio del director del puerto—.

Parece que papá quiere quedarse a vivir. Si hubiéramos parado un *rickshaw,* ya estaríamos en el jardín de canela. No, ya habríamos vuelto de visitar el museo.

—No seas tonta —le riñó Grace negando con la cabeza—. Si mañana aún estamos aquí, yo misma le pediré permiso a mamá. No tendrá nada en contra del jardín de canela, creo.

—¡Por Dios, cuánto va a durar esto! —le preguntaba mientras tanto Claudia Tremayne a Wilkes, su mayordomo, mientras, por la ventana, miraba llena de indignación el edificio en el que su esposo había desaparecido dos horas antes. Ya que el director del puerto tenía que inspeccionar sus papeles, Henry había querido aprovechar la oportunidad de encontrarse con el señor Cahill, el abogado de su hermano.

—Seguro que volverá enseguida, señora —replicó Martin Wilkes, quien, a sus cincuenta años, seguía soltero y prácticamente formaba parte del inventario como las maletas.

—¡Eso lo dice usted, Wilkes! Pero ya conoce al señor Tremayne. —Claudia, que en sus accesos de ira siempre sacaba su acento escocés, lanzó una mirada a la puerta que unía la habitación con la de sus hijas. Las dos estaban inclinadas sobre un libro que Victoria había comprado cuando acompañó a Wilkes a la oficina portuaria.

Con melancolía, comprobó que Grace era una versión rejuvenecida de su madre, a quien recordaba bien a pesar de que murió cuando era pequeña. Claudia siempre había admirado a Bella Avery por su cabello rojizo dorado, su tez pálida y sus ojos verdes.

Ella había salido más a su padre, morena, de complexión fuerte y terquedad en el carácter. A veces se preguntaba cómo Henry Tremayne, el muy bien parecido hijo de un influyente diputado había ido a fijarse precisamente en ella. Por aquel entonces, cuando Claudia debutó ante la reina Victoria, a Henry lo rodeaban tantas chicas guapas que ella, con su pelo moreno, apenas destacaba. Y aun así, él se presentó un buen día delante de su padre a pedirle permiso para cortejarla.

Sus padres hubieran preferido al primogénito, pero Richard empezaba ya a dar muestras de rebeldía contra el legado que le correspondía. Cuando se mudó a Ceilán para lanzarse a la aventura del negocio del té, los padres de Claudia quedaron por fin satisfechos, puesto que Henry, con quien ya se había casado, se convirtió en el heredero de la familia y en el propietario de Tremayne House. Una casa que, cada vez más, a ella se le antojaba una maldición. Ello se debía, en parte, a la inquina que Henry aún albergaba hacia Richard porque le había dejado la casa y todas las obligaciones que conllevaba, cuando él nunca había tenido la ambición de heredar el legado familiar.

Y ahora Henry se veía obligado a hacerse cargo de la herencia de su hermano en Ceilán, puesto que Richard había perdido la vida unos meses atrás en circunstancias muy poco claras.

Con un suspiro, Claudia se alisó unas arrugas de la falda verde de tafetán, que en aquel calor tropical sentía como un invernadero que almacenaba toda la humedad.

Al mirar de nuevo por la ventana, le pareció ver a su marido. ¿Cuándo terminaría por fin sus reuniones?

Parecía que no, puesto que, cuando el desconocido se dio la vuelta, vio que no se trataba de Henry, sino de uno de sus interlocutores.

Pronto, espero, pensó, mientras se daba aire con un abanico chino de papel que había encontrado en el bolso de Victoria.

—La plantación abarca trescientos acres en la zona del Pico de Adán —explicaba John Cahill mientras se aflojaba los anteojos, que ya empezaban a darle dolor de cabeza. Junto con Henry Tremayne, el nuevo propietario de la plantación de té Tremayne, repasó todos los documentos después de aclarar el asunto de los permisos de entrada—. Es una de las plantaciones más grandes, después de la de los Stockton y la de los Walbury, cuyas

104

propiedades, en cualquier caso, se extienden en el lado opuesto de la montaña.

Henry parecía tenso. No era de extrañar, tras el largo viaje y la agotadora conversación en una de las oficinas del director del puerto. El despacho era un espacio sofocante, lleno de todos los olores del puerto que el viento arrastraba hasta allí. Cuando soplaba viento sur, hubiera podido jurar que olía a canela, pero ahora apestaba a pescado, salitre, agua estancada y una mezcla de frutas y especias procedente de un mercado cercano.

Si por lo menos pudiéramos tener esta conversación en una habitación más fresca, pensaba Tremayne mientras resistía la tentación de abanicarse con los papeles que tenía en la mano.

—Da buenos beneficios, como puede ver en estos números, y es de esperar que las ganancias se doblarán a lo largo de este año. Lo único que necesita la plantación es un buen terrateniente, eso resolverá todos los problemas.

Desconfiado, Henry inspeccionó el libro que Cahill le puso en el regazo. A pesar de las palabras optimistas del abogado, no tenía ganas de ponerse a hacer números. El luto por su hermano se alternaba con los ataques de cólera y odio. En ese momento, el primero de ambos estados de ánimo estaba a punto de dar paso al segundo.

La muerte de Richard Tremayne, el hermano cinco años mayor de Henry, había dejado un gran desorden. Libros de contabilidad mal llevados, pagos pendientes y unos caóticos documentos personales. Al parecer, su hermano se había acabado convirtiendo en un campesino, con buena tierra pero incapaz de administrarla.

Sin embargo, las cifras alegraron un poco a Henry. Si Cahill estaba en lo cierto, no tendría que vender las propiedades familiares, e incluso podría mantener el castillo de Escocia.

—¿Se sabe ya cómo cayó mi hermano? —preguntó Henry cerrando el libro. Sus palabras desconcentraron a Cahill, que parecía dispuesto a enseñarle aún más números.

—No, señor, por desgracia la investigación sigue adelante. Y aunque son los ingleses quienes se ocupan del caso, avanzan a trompicones. Aun así, estoy bastante seguro de que fue un accidente. El Pico de Adán no es una montaña peligrosa, pero tiene sus riesgos. Lo que no sé es qué pintaba su hermano allí con ese explorador.

—¿Estaba él presente?

Cahill negó con la cabeza:

—No, esa tarde no. Su hermano iba solo, curiosamente. Sus empleados afirman que estaba furioso por algo. Supusieron que quería calmarse subiendo a la montaña.

—¿Sin que nadie lo acompañara?

—Sí, por lo que sabemos. Pero...

Algo turbado, Henry se miró los zapatos.

—¿Insinúa usted que fue... intencionado?

—No, por supuesto que no. Yo conocía bien a su hermano. Aunque su administración fuera algo azarosa, no era el tipo de hombre que deja asuntos sin resolver. Si planeaba quitarse la vida, antes hubiera intentado poner un poco de orden. O dejar una carta de despedida. Pero no hizo nada por el estilo.

—¿Y podría tratarse de un asesinato?

Cahill palideció.

—Esperemos que no. Si surgiera esa sospecha, no se libraría usted de las autoridades durante muchos meses.

—¿Sabe usted si mi hermano tenía enemigos?

—No, señor, se llevaba bien prácticamente con todo el mundo. Si tenía alguna discusión, siempre la zanjaba de forma pacífica. El negocio del té es un trabajo de caballeros, aquí nadie arregla las cosas a tiros como los vaqueros norteamericanos.

Henry se quedó pensativo. ¿Fue su hermano realmente la víctima de un trágico accidente? Quizá fuera mejor que no le diera más vueltas. Quería evitar a toda costa cualquier problema con las autoridades, las cosas ya eran lo bastante difíciles.

—¿Cuándo cree que podremos trasladarnos a la plantación? —preguntó, cambiando de tema.

—Por el momento, los trabajadores aún están poniendo la casa a punto. Durante los últimos meses, su hermano la tuvo algo descuidada. Pero haré que se apresuren, y estoy seguro de que es cuestión de un par de días. Verá usted que no le defraudará, Vannattuppūcci es un lugar muy especial, un paraíso, a decir verdad. ¡Ya lo verá!

Durante la cena, en un rincón silencioso del comedor del hotel, Henry Tremayne le comunicó a su familia lo que John Cahill le había contado; mejor dicho, compartió con su mujer y sus hijas la información que no las escandalizaría ni las preocuparía. Claudia, sin embargo, no quedó satisfecha.

—Dios mío, ¿pero cuánto tiempo vamos a tener que quedarnos aquí? —Lanzó una mirada desdeñosa al resto de huéspedes del comedor, que no se dieron por aludidos—. Ya sabes cómo son los trabajadores: siempre alargan el trabajo para cobrar más.

—El señor Cahill me ha prometido meterles prisa.

—Si trabajan con prisas no harán más que chapuzas.

—Claudia, querida… —Henry se dirigió a su esposa con una mirada suplicante. ¿Acaso quejarse arreglaba algo?

Ella pareció comprenderlo, al fin, y agachó la cabeza avergonzada mientras su marido la tomaba de la mano.

—Tal vez te gustaría visitar los mercados de gemas de la ciudad. Dicen que pueden comprarse piedras impresionantes a mitad del precio al que se venden en Inglaterra.

—¿Y para qué necesito joyas en este desierto? —preguntó Claudia, aún malhumorada, pues ya se veía atrapada entre palmeras y árboles de té.

—El señor Cahill me ha contado que hay una vida social muy activa en Nuwara Eliya. Hay hoteles, muchas residencias de vacaciones de familias inglesas de alta alcurnia y, además, están los dueños de otras plantaciones, que gozan de muy buena reputación. Estoy segura de que con tus habilidades sociales pronto harás amigos y darás fiestas de las que se hablará en todo Ceilán.

Por fin apareció una sonrisa en los labios de Claudia. Por su parte, Grace, aunque sabía que aquello era solo un pequeño consuelo por perderse el baile de debutantes, se alegró de tener futuras ocasiones para bailar.

10

A Diana el regreso a Berlín le resultó impostado. Como si ya no perteneciera a aquella ciudad. Durante el vuelo empezó a echar tanto de menos Tremayne House que le escribió un correo electrónico al señor Green. Seguro que le sorprenderá, pensó Diana, mientras tecleaba rápidamente. Pero quizá le dé la seguridad de que no volveré a dejar que pasen los años hasta regresar.

Ahora era la dueña de Tremayne House. Durante la lectura del testamento se había revelado que Emmely había dejado a Diana la casa así como los terrenos. Según el notario, el doctor Burton, nadie más podía reclamar la herencia.

Prefería no pensar, de momento, en cómo mantendría la casa. Emmely también le había dejado una suma considerable de dinero y unas cuantas acciones, pero no bastarían para conservar una propiedad como aquella.

Además, estaba el cofrecillo del compartimento secreto. Pasó todo el vuelo haciéndose preguntas. En la vieja carta de Victoria que encontró debajo del ataúd de Deidre, se hablaba de «algo» que el hombre misterioso había dejado atrás hasta que pudiera reunirse con Grace. El único elemento realmente fuera de lo común de la cajita era la hoja de palmera.

¿Tendría algo que ver con la mala conciencia de la que había hablado Emmely?

En cualquier caso, debía averiguar lo que estaba escrito en la hoja de palmera. Tal vez fuera una carta de amor en clave. Conocía a alguien en Berlín que sabía de alfabetos asiáticos.

Pero primero tenía otras cosas de que ocuparse. Debía resolver el secreto familiar y enfrentarse a Philipp. Había conseguido no responderle ni una sola vez, y eso no hacía nada fácil encontrarse con él en persona.

Al enfilar su calle, sintió la curiosa premonición de que su marido la estaría esperando. Su coche estaba en el camino de entrada, confirmando su sospecha. Al parecer, ese día no tenía ninguna comida de negocios con su amiguita. ¿Acaso la huida de Diana le había hecho reflexionar?

Detuvo el Mini detrás del coche de Philipp, y al bajar empezó a blindarse contra sus reproches por no haberlo llamado. Aunque su infidelidad no le daba derecho a quejarse de nada, a Diana le latía el corazón como si fuera una niña que llega tarde a casa y debe justificarse delante de su padre.

Al girar la llave en la cerradura, se le pasó algo por la cabeza que hizo que su pulso se acelerara aún más, aunque no de miedo.

¿Qué harás si te los encuentras a los dos en la cama? Tal vez haya sabido aprovechar tu ausencia...

Atenta a cualquier risa o ruido delator, cerró la puerta a su espalda tan silenciosamente como pudo, y entonces cruzó el pasillo de puntillas.

La luz del salón se colaba por la puerta entreabierta. La televisión estaba en marcha. No se oían otros sonidos. Diana dejó de esforzarse en ser sigilosa al empujar la puerta corredera del salón. Ahí estaba Philipp, tranquilo como si fuera una noche cualquiera. La estancia estaba en orden, solo el cristal que le faltaba a la mesa recordaba su ataque de ira. Su amante no estaba allí, pero tampoco había dado muestras de querer encontrar a su mujer. De lo contrario, la Policía habría dado con ella hacía días.

Cuando Diana dejó su bolsa en el suelo, él por fin se volvió hacia ella.

—¡Diana! —Se levantó de un salto y se acercó—. Por el amor de Dios, ¿dónde has estado?

—En Inglaterra —contestó ella fríamente mientras evitaba su mirada. Su rostro anguloso con el hoyuelo en la barbilla, los ojos castaños y el pelo rizado que llevaba muy corto, aquellas cosas que habían hecho que se enamorara de él ahora la hacían sentirse mal por lo que había hecho. Pero no, ¡no era ella quien tenía algo de lo que arrepentirse!

—¿Con tu tía? —Philipp puso los brazos en jarras—. ¿Y por qué no me lo dijiste? ¡Ni siquiera me has enviado un mensaje!

—Lo sabes muy bien. —A pesar de su intención de mantener la calma, de tomar ejemplo de la compostura del señor Green, Diana se dio cuenta de que hablaba como una niña ofendida.

—Fue una cosa sin importancia.

—¿Y qué? ¿Cuánto ha durado esa cosa sin importancia?

—Diana...

—¡Si al menos fueras sincero por una vez! —le reprochó ella.

Philipp apretó los labios. No porque no tuviera nada que decir, sino porque estaba furioso.

—¿Cómo se encuentra tu tía? —preguntó pausadamente, como si no la hubiera oído.

Diana apretó los párpados, pero no pudo evitar que se le saltaran las lágrimas. No se lo digas, intentó convencerse. Nunca se preocupó por ella.

—Está muerta —acabó diciendo.

Philipp se quedó pasmado, y entonces hizo además de ir a abrazarla. Diana le apartó las manos bruscamente.

—¡No me toques! ¡Esto no cambia nada de lo que ha pasado!

Philipp resopló y sacudió la cabeza.

—¿Y qué pasa ahora con nosotros?

—¿Con nosotros? —Diana rio, dolida—. Nosotros vamos a dejarnos en paz un tiempo. Voy a dormir en el cuarto de invitados.

Sin añadir nada, recogió su bolsa y subió la escalera con paso decidido.

Jadeando por la furia contenida, se sentó en el escritorio. Mi intuición era correcta, pensaba mientras sacaba el portátil. Tendría que haberme quedado en Tremayne House unos días más.

Pero debía ocuparse del bufete. Ya había hecho esperar demasiado a sus clientes. Por supuesto que serían comprensivos cuando les explicara que acababa de perder a un pariente, pero no podía abandonar el trabajo. Además, tenía que contactar con su conocido para el asunto de la hoja de palmera. Si había alguien que pudiera leerla, era él.

—Próxima parada, Dahlem-Dorf —anunció la voz robótica por los altavoces del metro. Diana guardó la guía de viaje en su bolso con cuidado, y se aseguró una vez más de que el sobre que contenía la hoja de palmera no se había arrugado. Entonces se levantó.

Como siempre, le asombraba la indiferencia que mostraba la gente de su alrededor. Daba igual que uno llevara un libro raro, tuviera el pelo verde o fuera vestido como un zarrapastroso, en Berlín nadie se fijaba. Y mucho menos en el metro, donde todo el mundo se esforzaba en no mirar a ninguna parte para que no los miraran a ellos.

Unos instantes después, el tren amarillo salió del túnel y se detuvo frente a la fila de viajeros que esperaban, estudiantes en su mayoría, pero también un par de personas mayores. Una oleada de impaciencia la invadió al apearse. Por suerte, nadie se bajó con ella por esa puerta, de modo que los jóvenes se apresuraron a subir al tren de inmediato. Cuando oyó el pitido que anunciaba el cierre de las puertas, ya estaba en el ascensor, que acababa de descargar otra carga de pasajeros. Ascendió junto con un hombre de mediana edad que llevaba un maletín, probablemente un profesor de camino a clase.

Meditabunda, Diana sonrió para sí. Las cosas no habían cambiado mucho desde sus tiempos de estudiante en la Universidad Libre de Berlín. La moda era un poco distinta, los planes de estudio algo más modernos y actualizados, pero los enjambres de estudiantes sedientos de saber y de aquellos que habían decidido hacía años no abandonar jamás la universidad seguían pululando por el lugar.

Al contrario de lo que solía hacer cuando era estudiante, dio la vuelta al edificio principal y se acercó a la construcción gris de cristal y hormigón que alojaba el museo de arte de Asia oriental.

111

Afortunadamente, dio con su contacto de sus días de estudiante antes del mediodía, y este la citó para esa misma mañana. Algo insólito, destacó, puesto que estaba muy ocupado.

Las voces desmesuradamente altas que la recibieron al entrar pertenecían a un grupo de estudiantes en visita guiada a quien la mujer tras el mostrador de recepción miraba con desaprobación.

Diana se presentó ante ella.

—Buenos días, tengo cita con el doctor Fellner. Me llamo Diana Wagenbach.

Con una mirada suspicaz, como si creyera que estaba mintiendo, la recepcionista descolgó el teléfono y anunció su llegada. Al recibir la confirmación de la cita, sus rasgos se suavizaron un poco.

—Un momento, por favor, enseguida baja.

Diana le dio las gracias y tomó asiento en un banco. No tuvo mucho tiempo de contemplar al grupo de estudiantes aburridos, puesto que menos de cinco minutos después, su conocido salió a su encuentro. Michael Fellner era alto y delgado, tal y como lo recordaba, pero había dejado atrás la torpeza de sus días de estudiante. Llevaba una americana gris con vaqueros, y el cuello de su camisa azul cielo abierto. Que el punki que había sido ahora se paseara vestido así era algo que nadie hubiera creído hacía años, y Diana menos que nadie.

Abrió los brazos con una sonrisa.

—¡Diana, cómo me alegro de verte! Hace años que trabajamos en la misma ciudad, pero nunca coincidimos.

—¿Y ahora, qué? —replicó Diana dándole un abrazo como siempre había hecho cuando sus respectivos grupos de amigos se cruzaban.

—¡Estás guapísima! No has cambiado nada.

—Soy yo quien quiere algo de ti, así que tendrás que dejar que te haga un poco la pelota —rio Diana.

Michael se frotó la barbilla.

—Siguen dándoseme fatal los juegos de pelota. Además, no necesito que nadie me diga que he echado barriga y que empiezo a tener canas, ya lo veo yo en el espejo todas las mañanas.

Diana agitó la cabeza con desdén. Ni tenía barriga ni canas. Su pelo era algo más ralo, pero en su rostro aún reconocía al muchacho que años atrás se paseaba con unas gafas enormes y una cresta e intentaba darle lecciones de arte asiático. Las gafas ya no las llevaba, ahora su pelo tenía un corte homogéneo y Diana estaba muy interesada en cualquier lección que pudiera darle.

—Vamos a mi despacho y podrás enseñarme tu tesoro.

Después de subir una escalera y cruzar algunos pasillos, se encontraron frente al sanctasanctórum de Michael. El despacho era un templo del desorden académico y tenía buenas vistas sobre los jardines de la universidad, en los que los edificios se alzaban como pedruscos abandonados.

—Diana Bornemann —dijo él, dejándose caer en su sillón de escritorio.

¿Cuánto hacía que nadie la llamaba por su apellido de soltera? De repente, se sintió como si hubiera viajado en el tiempo. Aún no se había casado, estaba a punto de hacer sus exámenes de final de carrera y tenía grandes ideas y proyectos. Ante ella estaba el joven estudiante de Asia oriental, cuyo chino y japonés aún eran algo rudimentarios y que estaba aprendiendo hindi por su cuenta en su tiempo libre.

—Estás casada —comprobó él con un vistazo a su dedo anular—. Cuando llamaste, me pregunté quién sería Diana Wagenbach, pero entonces reconocí tu voz. ¿Sabías que casi todos en nuestro grupo soñaban con llevarte a la cama?

Diana se hizo la sorprendida. Por supuesto que había sido consciente de los avances amorosos de los chicos, y de sus peleas estúpidas para demostrar quién era el más fuerte. Michael nunca había participado en ellas, pero sus miradas eran de lo más elocuentes.

—Y yo que creía que solo os interesaba discutir sobre las desigualdades sociales. Pero no creo que debamos malgastar nuestra cita hablando del pasado.

—Tienes razón —admitió Michael, mientras se recostaba en su sillón y la miraba atentamente—. ¿Qué te trae aquí? Sonaba muy misterioso.

Diana sacó el sobre del bolso y puso la extraña hoja sobre la mesa.

—¡No puede ser! —exclamó Michael sorprendido.

Diana se retorcía las manos heladas. Así debía de sentirse alguien que muestra los trastos del desván a un experto en arte que identifica entre ellos un Da Vinci inédito.

—¿Qué es lo que no puede ser? —preguntó con curiosidad mientras Michael sostenía la hoja con reverencia y se recolocaba las gafas para poder ver mejor por encima de los cristales.

Abstraído por la curiosidad científica, Michael pasó un rato en silencio. Entonces inspiró profundamente, como si necesitara mucho aire para lo que iba a revelar.

—Dime, ¿has oído hablar alguna vez de las bibliotecas de hojas de palma en la India o Sri Lanka?

Diana negó con la cabeza.

—A riesgo de parecer inculta, es la primera noticia que tengo de ellas.

El temblor que recorrió el cuerpo de su amigo indicaba que habían dado con algo extraordinario. Pero ¿qué tendría que ver con la historia de su familia?

—Desde hace siglos, en la India y Sri Lanka se escribe sobre hojas de palma que después se encuadernan en libros, decorados con mucho detalle.

Tecleó algo en su ordenador y giró la pantalla para mostrárselo a Diana.

Los libros de hojas de palma de los que hablaba Michael parecían a primera vista grandes archivadores. Los grabados sobre las tapas eran como las letras alambicadas que había sobre la hoja, enmarcadas con detalladas cenefas. Algunas de aquellas «cubiertas» solo estaban grabadas con esas cenefas.

—¿Y crees que esta hoja es una página de uno de esos libros?

Michael negó con la cabeza, y se recolocó las gafas.

—No, querida, esto es algo muy distinto. En circunstancias normales, esta hoja no debería estar en tu poder.

114

—¿Por qué? ¿Está prohibida su posesión? En mi defensa, debo decir que esto tiene probablemente más de cien años.

Michael se apoyó sobre la mesa. Los pensamientos parecían agolparse en su mente. Después de sacudir la cabeza, como si no pudiera creer lo que veía.

—Lo que tienes aquí, estoy convencido, es una hoja de la legendaria biblioteca de palma, un antiquísimo oráculo indio —explicó—. La mayoría están escritas en tamil antiguo, una lengua que hoy en día casi nadie puede leer. Una de las leyendas de esta colección cuenta cómo Bringhu, el hijo de un sabio que tenía el privilegio de poder comunicarse con los dioses, cometió un día el sacrilegio de abofetear a Vishnu. Como castigo, Lakshmi, la esposa de Vishnu, lo maldijo con la infelicidad. Aunque Bringhu mostró un profundo arrepentimiento, la diosa fue incapaz de levantar la maldición. A cambio, le dejó leer un legendario pergamino cósmico que le permitió conocer el destino de la humanidad. La diosa le ordenó escribir el destino de todos los brahmanes en hojas de palma.

—Suena interesante —dijo Diana, aunque la información le parecía que tenía poca relación con su familia—. Es posible que fuera un colono quien sustrajo la hoja. Aunque no lo sé con seguridad. —Decidió guardarse para sí la sospecha que la hoja de palma formara parte de la dote de Grace.

—Es posible —replicó Michael—. Estoy seguro de que los colonos no sospechaban que el hurto de una de estas hojas podía traer consigo una gran desgracia. Normalmente, las hojas de palma nunca se hacían públicas. Eran leídas e interpretadas por los *nadi,* a quienes la gente acudía para conocer su suerte a través del pasado, el presente y el futuro. A veces contenían información sobre vidas anteriores; como ya sabrás, los hindúes, igual que los budistas, creen en la reencarnación y en el Nirvana.

—Que se alcanza cuando una persona se ha librado de todos sus pecados a través de la penitencia.

La época *hippy* ya era algo caduco en sus tiempos de estudiante, pero, aun así, muchos de sus compañeros de clase sintieron la llamada del budismo.

—Es una forma de decirlo. Si uno no logra influenciar su karma positivamente, se reencarna una y otra vez hasta que comprende lo que debe y lo que no debe hacer. Por explicarlo de forma simplificada.

A Diana se le puso la piel de gallina. ¿Era posible que Henry Tremayne hubiera atraído esa maldición sobre su familia? ¿O el desafortunado Richard? ¿Por robar la hoja de palma de una biblioteca?

—¿Hay algo de cierto en esta maldición?

—Eso es algo que debe decidir cada uno. Algunos relatos cuentan que aquellos que, por ejemplo, roben un objeto sagrado a los maoríes, serán perseguidos por la mala suerte, o perecerán en circunstancias extrañas. Desde el punto de vista de la ciencia moderna, yo no puedo más que celebrar que algo que no nos pertenece regrese a su hogar, siempre que se haya registrado apropiadamente y se hayan hecho copias. Y es por eso por lo que me gustaría pedirte que me dejes fotografiar este tesoro.

—Por supuesto —replicó Diana algo insegura, pues sus pensamientos seguían dándole vueltas al asunto de las maldiciones y a lo que Emmely le había dicho en su lecho de muerte.

—Es realmente fascinante. —Michael la miraba de forma penetrante—. Me interesaría mucho saber de dónde la has sacado.

—La encontré en un compartimento secreto.

—¿Y dónde está ese compartimento?

—En una vieja casa solariega en Inglaterra. Mi tía murió, y me dejó el encargo de abrirlo. Estaba dentro.

—Lo siento —replicó Michael—. Lo de tu tía. El hallazgo es, simplemente, sensacional.

¿Le cuento el resto de cosas que he encontrado? Diana decidió no hacerlo, y preguntó:

—¿Es posible averiguar de qué biblioteca en concreto procede esta hoja? Para poder devolverla, quiero decir.

—Bueno, eso sería muy difícil. Aunque acudas a todas las bibliotecas, nadie será capaz de decirte si la hoja les pertenece. Como ves, no ha sido catalogada.

—Pero en algún lugar se habrán dado cuenta de que falta una hoja.

—Contándolas, nadie echará de menos una. Lo único que podría suceder es que alguien que quiera averiguar su destino no pueda hacerlo porque la hoja correspondiente lleva años atrapando polvo en un escondrijo de Inglaterra.

—¿Es que hay una hoja para cada persona?

—No, pero hay muchas. Yo lo explico diciendo que llegan muchas nuevas almas al mundo sin karma alguno. La mayoría de personas que encuentran su destino en las hojas tienen, en opinión de los brahmanes, muchas vidas y reencarnaciones a sus espaldas.

Diana contempló la hoja. La curiosidad la corroía por dentro. ¿Cuál era su mensaje? ¿El futuro de quién profetizaba? ¿El de Grace, o su amante secreto? ¿Tal vez otro pariente? De repente, sintió un inmenso deseo de hablar con Emmely. ¿Por qué nunca le había hablado del tiempo que su abuela pasó en Sri Lanka? ¿Por qué no le contó nada de los hermanos Henry y Richard? Igual que las hijas de Henry, se habían convertido en números y datos en su árbol genealógico, rostros en fotografías que se iban desvaneciendo con el paso del tiempo.

Aquello que le había causado tan mala conciencia a Victoria, ¿había sido tan horrible en realidad?

—¿Y qué hago ahora? —preguntó finalmente.

—Lo mejor sería que, primero, encuentres a alguien que pueda leer la hoja —respondió Michael, que tampoco le quitaba ojo. Tal vez perteneciera a algún familiar. Cuando encuentres al lector, quizá podrás averiguar a qué biblioteca pertenece. Pero no prometo nada, como te he dicho, hay una cantidad tremenda de hojas como esta.

—Eso significaría que tendría que ir a la India.

—Eso parece. No creo que haya lectores *nadi* fuera de la India.

—O Sri Lanka. —De repente, se acordó de la guía de viajes—. ¿Existe alguna biblioteca de estas en Colombo?

—¿Por qué precisamente en Colombo? —se sorprendió Michael.

117

—En el compartimento secreto también había una guía de viaje antigua. Por eso sospecho que esta hoja procede de finales del siglo diecinueve.

—Lo más probable es que sea mucho más antigua. Si me la dejas unos días, podría incluso decirte con exactitud cuándo la escribieron.

—Te la dejaré para que la inspecciones. Yo tardaré un tiempo en averiguar hacia dónde tengo que dirigirme.

Michael le dedicó una sonrisa de oreja a oreja.

—La fotografiaré y le haré pruebas para determinar su antigüedad. Eso requiere algún tiempo.

—¡Pero quiero que me la devuelvas! —advirtió Diana.

—No te preocupes, claro que te la devolveré. Te llamaré tan pronto como haya podido fotografiarla y hacerle las pruebas necesarias. Será cuestión de un par de días.

11

A la mañana siguiente, Victoria obtuvo el permiso de su madre para visitar el jardín de canela. Su migraña, que, por otro lado, fue muy probablemente el motivo de su consentimiento, le impidió acompañar a sus hijas, pero envió a la señorita Giles y al señor Wilkes con ellas para que no se perdieran.

Tener dos acompañantes siguiéndolas como perros de presa no preocupó a Victoria en lo más mínimo.

—Quizá el cochero tome el camino que pasa por el manicomio —le susurró a Grace en tono conspiratorio una vez hubieron tomado asiento en el carruaje.

—¿Y qué es lo que quieres ver allí? ¿Un edificio deprimente rodeado de una valla muy alta?

—Para ti será solo eso, pero a saber la de jóvenes inocentes que están encerradas ahí dentro porque sus maridos criminales solo las quieren por su herencia.

Grace no pudo ocultar su sonrisa.

—Has estado leyendo otra de esas noveluchas baratas, ¿no es cierto?

—¿Yo? —Victoria se esforzó en vano por aparentar inocencia—. ¡Nada más lejos de la verdad! Ya sabes lo que opina papá sobre ese tipo de lecturas.

—Pues hasta ahora eso no te había impedido leerlas. ¿Las tienes escondidas en un compartimento secreto de tu maleta?

Una sonrisa pícara recorrió los labios de Victoria.

—¿Así que lo sabes?

Grace asintió.

—¿Y no le has contado nada a papá?

—Eres mi hermana, tontina. Las hermanas no se delatan.

Victoria se acurrucó cariñosamente en sus brazos.

—¡Gracias, hermanita! Cuando quieras, te prestaré alguna.

—No creo que las aventuras de Lord Ruthven sean de mi interés, pero gracias por el ofrecimiento.

Cuando la señorita Giles y el señor Wilkes se acomodaron en el carruaje, el coche se puso en marcha.

El conductor, un nativo al servicio del hotel, era muy hábil esquivando grupos de gente, *rickshaws* y carros de bueyes. Solo se vieron obligados a detenerse una vez, cuando una manada de elefantes se cruzó en su camino.

—¡Qué gigantes tan magníficos! —exclamó Victoria contemplando a los paquidermos, cubiertos con coloridos tapices y transportando pequeñas construcciones en forma de pagoda sobre sus espaldas.

—Elefantes van al templo —aclaró el cochero—. Son sagrados, nosotros tener que esperar.

Cuando la procesión de elefantes empezó a alargarse bajo el sol abrasador, la señorita Giles comenzó a preocuparse por su tez.

—Vamos a quemarnos si seguimos parados mucho rato. Señorita Grace, bájese el sombrero un poco más. Y usted también, señorita Victoria.

Las dos muchachas obedecieron la orden, pero Victoria dedicó a escondidas una mueca a su institutriz mientras la señorita Giles miraba con temor a un niño pequeño que le tendía una figurita tallada.

Los Cinnamon Gardens parecían más un barrio de la ciudad que un jardín. Entre las plantaciones y a su alrededor había numerosas casas. En el centro se alzaba una gran mansión rodeada de jardines de arena blanca en la que se agitaban los árboles de los que se extraía la canela.

—Si tenemos suerte, podremos hacer una visita guiada —anunció Victoria con entusiasmo—. Lo pone aquí, en la guía.

La señorita Giles lanzó una mirada de preocupación a los caminos que serpenteaban entre los árboles, como si ya sospechara que sus botines iban a sufrir grandes penurias.

—Estoy seguro de que el guía podrá montar en el carruaje con nosotros —afirmó el señor Wilkes, mientras iba en busca de alguien que conociera el lugar.

Grace notó que Victoria estaba meditabunda. Llevaba toda la mañana con la nariz hundida en la guía. Como la princesa de los cuentos de hadas, no le bastaba con lo que tenía.

—Ahí tienes el jardín de canela —dijo Grace, señalando los árboles, que guardaban muy poco parecido con la canela—. ¿Por qué tienes esa cara tan larga?

—¡No tengo la cara larga! —protestó Victoria—. Solo estoy pensando.

—¿En qué?

—En varias cosas.

—No es bueno para una jovencita dejar errar los pensamientos de aquí para allá —se sintió obligada a intervenir la señorita Giles.

Grace sabía muy bien por qué su hermana estaba disgustada. Sus esperanzas de pasar por delante del manicomio en el carruaje no se habían cumplido, y ella se alegraba, pues las historias que había oído en Londres sobre ese tipo de lugares eran de lo más espeluznante.

Al rato, el señor Wilkes consiguió encontrar a alguien dispuesto a mostrarles el jardín. El hombrecillo, algo rechoncho y de piel color avellana, les advirtió nada más subirse al coche que tendrían que andar un poco, ya que las sendas entre los árboles eran demasiado estrechas para permitir el paso de un carruaje.

Pero primero les contó en un inglés casi incomprensible la historia de la plantación de los canelos, que ya existía durante la colonización de los neerlandeses, aunque fueron los ingleses quienes supieron llevarla a su máximo esplendor. Cuando por fin se detuvieron, pues habían llegado al temido estrechamiento del camino, la señorita Giles se apeó a regañadientes. Aunque el sendero que llevaba a los canelos no era especialmente amplio prometía ser mucho más interesante que la zona cercana a la mansión.

Cuánto me gustaría estar en Londres, pensaba Grace, aburrida. No se lamentaba solo por la puesta de largo que ahora nunca tendría, sino también por los bailes de primavera que organizaban las grandes familias de su región. Echaba mucho de menos comer pastas y dulces y bailar rigodones. En lugar de eso, ahora tenía que pasearse bajo un calor de espanto para ver cómo se hacía la canela, cuya fabricación no le despertaba el más mínimo interés, por más que le gustara comerla.

Perdida en sus pensamientos contemplaba a los jornaleros arrancando la corteza de los canelos para después enrollarla y apilarla. Los montones de canela en rama se encontraban en distintas fases de secado. Mientras algunos parecían madera reseca, otros ya guardaban parecido con las ramas de canela que su cocinera guardaba en un tarro de cristal.

—Tendríamos que llevarle a papá uno de esos cigarros de canela.

—¿De verdad crees que se los fumaría?

—Siempre está fumando esos puros tan horribles que sus amigos le mandan de Sumatra —replicó Victoria—. ¿Por qué no un cigarro de canela? Seguro que huele mucho mejor.

—De acuerdo, por mí, le compramos un par —dijo Grace—. Yo quiero comprar canela en rama, no vaya a ser que en la plantación del tío Richard no haya. A saber cuándo pisaremos una tienda, una vez estemos instalados allí.

En un pequeño puesto adquirieron algunas cajas de canela y unos cigarros, pero en lugar de regresar al coche con Grace, Victoria se alejó unos pasos y se detuvo.

—¡Victoria! —la llamó Grace, pero no le quedó más remedio que seguirla.

—¡Mira, ahí! —Victoria señalaba unas casas más allá de los árboles que demarcaban el límite de la plantación. Un murmullo de voces procedente de aquel lugar llegaba a sus oídos. Un pequeño sendero se abría entre los matorrales de franchipán—. ¿Te apetece correr una aventura?

—¿Quieres ir allí? —Grace miró por encima del hombro al señor Wilkes y la señorita Giles, que aún estaban en el puesto de canela hablando con el vendedor.

—¿Por qué no? Me equivocaba al pensar que el jardín de canela sería un lugar emocionante. Al final ha sido bastante aburrido. Pero allí —señaló los tejados de donde provenía el bullicio— late la vida. Desde que hemos subido al coche tengo ganas de mezclarme con la gente. Puede que incluso encontremos el templo al que se dirigían los elefantes.

—Pero la señorita Giles y el señor Wilkes han recibido órdenes de no dejarnos solas.

—No se darán cuenta de nuestra ausencia.

Sin volverse hacia sus vigilantes, enfiló el caminito.

—Pero... —Grace titubeaba. No tenía más que gritar para alertar al mayordomo y a la institutriz de los planes de su hermana. Arrastrarían a Victoria al carruaje, y ella estaría de morros el resto del día, pero ya se le pasaría.

Sin embargo, no fue capaz de delatar a su hermana. Como Victoria ya había desaparecido entre la vegetación, se recogió la falda y la siguió todo lo rápido que fue capaz.

—Tú también vienes —comprobó Victoria con alegría, mientras apartaban las ramas y raíces que les cerraban el camino.

—Solo para vigilar que no hagas tonterías.

Victoria rio para su fuero interno. Le costaba mucho convencer a su hermana para que se librara de las ataduras de los adultos. Cuando eran niñas, Grace participaba en todas sus aventuras, y se preocupaba por otras cosas, además de los vestidos y los bailes. Se escondían bajo los rosales o entre los matorrales e inventaban toda clase de historias. Pero entonces su madre empezó a preparar a Grace para la vida adulta. De un día para otro, ya solo había bailes, horas del té y pruebas de vestidos. Más que nada, Victoria temía que todo aquello también la aguardara a ella cuando cumpliera los dieciséis. Y por eso quería aprovechar su infancia todo lo posible, y recordarle a Grace cómo solían ser las cosas.

Que la hubiera seguido por la maleza arriesgándose a recibir una regañina le parecía de lo más prometedor.

—Pero solo nos quedaremos un par de minutos, y regresaremos rápidamente —le siseó Grace al oído.

Apenas un instante después, se arrepintió de haberla seguido. A su espalda, la corriente humana se había cerrado, y ahora las arrastraba por la calle como la corriente de un río. Volver parecía del todo imposible.

Cuando por fin consiguieron refugiarse en una callejuela, la plantación de canela había quedado atrás. Grace comprendió entonces que no habían llegado allí por casualidad. ¡Su intrigante hermanita lo había planeado todo hasta el último detalle!

—¡Vamos! —exclamó Victoria agarrándola de la mano—. ¡Tenía que estar por aquí!

—¿El templo, quieres decir?

—No, algo mucho más emocionante.

—¿Lo has leído en la guía? —preguntó Grace con preocupación.

—No, en un folleto que estaba en el antepecho de la ventana del comedor.

—¿Y qué decía?

Grace recordó el panfleto gastado, y ahora se arrepentía de no haberse dignado a leerlo. Así no podría disuadir a Victoria de su propósito.

—Te lo contaré después. Ahora no te quedes ahí parada como una mula testaruda.

Entre los nativos, envueltos en saris y *sarongs,* Grace se sentía fuera de lugar. El sudor le recorría la espalda por debajo del corsé, y la piel le ardía, no solo por el sol. Las miradas de la gente del lugar, su sorpresa ante la visión de las dos inglesas la pinchaba como si fueran agujas, y nada le hubiera gustado más que agarrar a Victoria y dar media vuelta.

Pero su hermana ya se había detenido frente a un edificio de aspecto algo decadente. El estucado estaba descascarillado en muchos lugares, uno de los postigos de madera colgaba, torcido, de sus goznes. En lugar de visillos, telas de vivos colores colgaban de las ventanas, y Grace descubrió junto a la entrada una estatua humana con muchos brazos pintada de colores. Bajo un toldo de hojas de palma trenzadas estaba sentado un hombre joven vestido con ropa alegre y con dos rayas rojas reluciendo en su frente como las que Grace ya había visto en algunos hombres del puerto. Contemplaba a las dos jóvenes de manera penetrante, casi demoníaca.

—Inglesas —dijo finalmente—. ¿Querer saber futuro?

—¡Por supuesto! —exclamó Victoria entusiasmada—. Grace, ¡esto es una biblioteca de hojas de palma! Aquí tienen cientos de hojas en las que está escrito el futuro de las personas. ¡Eso decía el folleto!

¡Por eso Victoria no me dijo nada! ¡Sabía que le diría que no! Grace le tiró de la mano.

—Eso no son más que patrañas, Victoria. ¡Vámonos!

—Si no son más que patrañas, no tenemos nada que temer. —Victoria puso su carita de niña suplicante, a la que sabía que su hermana no podría resistirse—. ¡Por favor, Grace, vamos a que nos lean el futuro!

—¡Pero seguro que intentarán estafarnos! —replicó Grace, aunque sabía que sus palabras no tendrían ningún efecto en su curiosa hermana.

—Eso ya lo ha intentado mucha otra gente, ¿verdad? ¡Ni siquiera los vendedores ambulantes de joyas en el puerto nos hicieron nada!

Grace suspiró. Si no cedía, Victoria pasaría el camino de vuelta reprochándole su mojigatería.

—Está bien, ¿cuánto cuesta? —preguntó Grace, mientras el hombre la miraba con sus ojos oscuros de una manera tan penetrante que parecía que quisiera contemplar los recovecos más profundos de su alma. Debe de formar parte del espectáculo, se dijo ella, pero al poco se vio obligada a apartar la vista.

—¡Cinco rupias! —Para recalcar sus palabras, extendió los dedos de su mano derecha y los sostuvo en alto. Victoria le dio un codazo:

—Venga, no seas miedica. Hace un par de años, hubieras sido tú la que me arrastrara hasta aquí.

125

¿Era eso cierto? Grace ya no estaba segura de si alguna vez había sido tan salvaje como su hermana. Las clases de buenas maneras y las obligaciones de la vida adulta habían borrado los rastros del pasado.

Grace le tendió el dinero al hombre, y este lo hizo desaparecer bajo su túnica. Entonces se levantó y las condujo a una pequeña habitación cuya pintura azul estaba desconchada. El espacio, que debía de ser una sala de espera, se encontraba completamente vacío. Tras una cortina de tela colorida se oía un murmullo.

Grace sintió que se le ponían los pelos de punta. ¿Y si ahí detrás aguardaba una banda de salteadores?

–Tú venir. –El hombre señalaba a Grace. Ella, asustada, se llevó la mano al pecho.

–¿Juntas no?

El hombre negó con la cabeza.

–Siempre una hoja por persona. Tú venir primero, luego otra señorita.

Grace miró a Victoria muerta de miedo. Esta parecía algo decepcionada de no ser la primera en cruzar la cortina y, quizá a causa de su consumo de noveluchas de suspense no compartía los temores de su hermana.

–¡Tú venir! –insistió el hombre, ahora con autoridad, mientras apartaba la cortina. En el escueto pasillo que se abría tras él brillaba la luz del sol.

Con una sensación tensa en el estómago, Grace lo siguió hasta la habitación trasera. Escuchaba atentamente a su alrededor, esperando angustiada oír gritos de Victoria porque un tratante de mujeres se había abalanzado sobre ella. En Londres hubiera podido suceder algo así en una zona como aquella.

No puedo creerme que me haya metido aquí, pensó de nuevo. Si mamá lo supiera, le diría a la señorita Giles que nos diera lecciones sobre buen comportamiento durante una semana entera. Lecciones sobre no salirse del camino y no frecuentar barrios pobres como aquel, llenos de ladrones y asesinos. En su camino hacia allí, cada mirada, cada palabra incomprensible, se le había antojado hostil. Hubiera sido preferible permanecer en zonas más respetables de Colombo.

Su mudo soliloquio llegó a su fin cuando se encontró frente a un anciano de piel tostada y pelo blanco envuelto en una túnica también blanca. A pesar de su edad avanzada, estaba sentado sobre una hoja de palma en una postura muy curiosa, y tenía al lado un pequeño recipiente del que emergía un olor especiado.

Mientras su acompañante le susurraba algo al anciano en su idioma, Grace se avergonzó de sus sospechas. Aquel hombre podría ser su abuelo, y era evidente que no tenía la menor intención de forzar a ninguna señorita. A su alrededor, en el suelo, había unas figuras alargadas que hicieron pensar a Grace en abanicos chinos, solo que eran más grandes y estaban decorados con símbolos peculiares.

—Yo hacer preguntas, tú responder —le explicó el joven, mientras agarraba una pluma y una hoja de papel. Asustada, Grace alzó la vista y comprobó que el anciano la observaba. Y entonces se dio cuenta de que no le había saludado al entrar. ¡Qué poca educación! Pero ¿qué iba a decirle a ese hombre? Le hizo un breve gesto de asentimiento, y entonces el joven ayudante empezó a hacerle preguntas.

Cómo se llamaba, quiénes eran sus padres, de dónde venía, cuándo había nacido, etcétera.

Grace respondió a regañadientes, pues seguía sospechando que había un engaño detrás de todo aquello. Sin embargo, desechó la idea de mentir, puesto que si aquello era realmente una predicción de su futuro, tal vez tendría un efecto negativo sobre el veredicto del anciano. No es que creyera que hubiera nada de verdad, pero se conocía lo suficiente a sí misma como para saber que una predicción negativa le robaría el sueño durante días, porque no podría dejar de pensar si habría algo de cierto.

Después de anotar todas sus respuestas, el ayudante desapareció en otra habitación y cerró la puerta con extremo cuidado, como si temiera que algo fuera a escaparse. Grace miró a su alrededor sin saber qué hacer. El anciano, que aún no había dicho una palabra, seguía mirándola intensamente. Para rehuir su mirada penetrante, Grace se volvió hacia la cortina tras la cual Victoria seguía sentada en la sala de espera. Todo estaba en silencio. Quizá se estaría aburriendo, o preguntándose dónde se habría metido su hermana...

Un crujido la hizo volverse de nuevo hacia la otra puerta, por la que apareció el joven ayudante sosteniendo una estrecha hoja marrón que parecía una regla.

—Yo encontrar hoja para señorita —anunció con una sonrisa—. Yo doy a lector Brahma.

Al parecer, ese era el nombre del anciano, que ahora tomaba la hoja con una grácil inclinación. Por fin Brahma apartó los ojos de Grace y deslizó un dedo por la hoja de palma reseca. Al cabo de un rato, las primeras palabras empezaron a salir de su boca, y el ayudante fue traduciendo a la vez que el anciano hablaba.

Grace apenas podía seguir sus palabras, matizadas por su fuerte acento:

—Padre hombre rico... Gran viaje... Decisión... Tormenta que cambia todo... Boda...

Al cabo de un rato, Grace se dio por vencida de intentar seguir la letanía. Dejó que la información, que, de todas formas, no quería conocer, le resbalara como si fuera agua, hasta que el joven dijo finalmente:

—Tú ir en año sesenta y tres a próxima vida. Tú aún tres vidas hasta Nirvana.

¿Estaba prediciendo su muerte? No tenía ni idea de lo que significaba la última palabra, pero sonaba a más allá.

De repente, el corsé le robaba aún más aire que antes, el calor de la habitación se le hacía insoportable, y los brazos y las piernas empezaron a temblarle. Tuvo que reunir todas sus fuerzas para no levantarse de un salto y salir corriendo.

Cuando el anciano enmudeció y su ayudante terminó su traducción, este último alcanzó una hoja de papel sobre la que copió a toda prisa los símbolos de la extraña hoja.

—Esto para usted, señorita, para recuerdo y por si más preguntas.

128

Grace estaba segura de que jamás regresaría a aquel lugar. Ya casi había olvidado el murmullo del ayudante. Y seguro que su profecía no eran más que tonterías.

Aun así, dio las gracias cortésmente y salió de la habitación a toda prisa. Al salir, Victoria casi se chocó contra ella.

—¿Qué? ¿Qué es lo que te ha predicho?

—Que nos va a caer una buena regañina y que todo son bobadas y símbolos que nadie puede entender.

Con los ojos relucientes, Victoria le arrancó la hoja de la mano.

—¿Qué significa esto? ¿Qué te ha dicho?

—Nada importante. Y ahora tenemos que irnos.

—¡Pero ahora me toca a mí! —protestó Victoria, tirando de la falda de su hermana—. Además, ¡las cinco rupias eran para las dos!

Apareció el ayudante, en busca de la segunda señorita.

Victoria casi echó a correr tras él. Grace la vio marchar con un suspiro, y entonces se dejó caer en el banco y contempló el papel que tenía en la mano. ¿Sería cierto que aquellos símbolos significaban lo que le habían dicho? ¿Habría oído correctamente lo que le decían? ¿Debería dejar que otra persona los leyera? Probablemente. En la plantación habría gente dispuesta a ello.

Pero ¿de qué me estoy preocupando? Seguro que le dicen las mismas predicciones a cualquier inglesa que llegue a Ceilán. El anciano y su ayudante, que tal vez fuera incluso su hijo, vivían de aquello. Quién sabe, era incluso posible que fueran ellos mismos quienes habían escrito en las hojas de palma, y montaban todo ese espectáculo para rodearse de un aura de misticismo. Tal vez detrás de la puerta, que el joven se había apresurado a cerrar, no hubiera una biblioteca llena de aquellas hojas, sino solamente una que se enseñaba a los clientes una y otra vez mientras el anciano inventaba historias. ¿Quién podría demostrar lo que había realmente escrito en la hoja?

Lo averiguaré, pensó Grace, decidida de repente a poner fin a aquella estafa.

Después de lo que pareció una eternidad, Victoria regresó. No llevaba ningún papel consigo, y tenía la cara larga.

—No tenían ninguna para mí —anunció, decepcionada.

—¿Cómo? —Grace enarcó las cejas, sorprendida. Entonces fue presa de la ira. Por supuesto que todo aquello era un engaño. ¡Ella ya lo sabía! Si realmente había más de una de aquellas hojas, no había ninguna necesidad de desilusionar a Victoria. Era evidente que temían levantar sospechas si hacían dos veces la misma predicción.

—¡Voy a hablar con ese hombre!

—No, déjalo... —Pero las manos de Victoria llegaron tarde. Un instante después, Grace irrumpía en la habitación a través de la cortina.

—¿Podría explicarme por qué no quieren darle a mi hermana una de estas ridículas hojas de palma? —Grace se enderezó para parecer más alta, y puso los brazos en jarras.

El anciano alzó la cabeza y la miró con calma. Incluso sonreía, como si acabara de oír un chiste.

—Algunas personas no hoja, porque alma nueva en el mundo. Aún no karma, aún no vida anterior.

¿Hablaba inglés? ¿Y correctamente, además? Entonces, ¿por qué fingía no entender nada? ¿Formaba parte de su montaje?

Tras un momento de sorpresa, Grace se recompuso. Aquella explicación le parecía bastante dudosa.

—¡Quiero ver esta supuesta biblioteca! —exigió.

—No puede ser —respondió el anciano, en un tono de lo más pacífico.

Grace se cruzó de brazos con hostilidad.

—¿Y por qué no? Porque solo tienen una de esas hojas, ¿no es así? ¡Me quejaré personalmente al gobernador porque permite este tipo de estafas bajo su dominio!

Aunque el anciano volvía a contemplarla de una forma extraña y penetrante, Grace siguió mirándolo con belicosidad.

Finalmente, el anciano se volvió hacia su ayudante.

—Muéstraselas.

—¡Pero son sagradas! —protestó él.

—Nos denunciará a autoridades. Muéstraselas.

El joven la miró hoscamente, se acercó a la puerta y la abrió.

—Venir, señorita.

Grace se acercó con desconfianza. ¿Iban a hacerle daño? Su corazón latía desbocado, pero ahora su orgullo le impedía marcharse. Al franquear la puerta, se quedó sin respiración. En una habitación del mismo tamaño que el despacho de su padre se apilaban en estanterías torcidas libros y libros de esas hojas de palma, tantos que eran imposibles de contar a simple vista. Cada uno de ellos contenía docenas de hojas de palma secas, amarillentas por el paso del tiempo.

Impresionada, Grace dio un paso atrás. Ahora se avergonzaba terriblemente de su arrebato.

—He notado que usted dudaba —decía el anciano a su espalda—. Pero a destino dar igual. Yo leer para usted lo que sucederá. Si necesita consejo o quiere volver a oír predicción, vuelva cuando quiera.

—Perdóneme, yo... —Grace enmudeció, avergonzada.

—Es usted inglesa. No conocer nuestras costumbres. Aún no.

Para su asombro, su voz no sonaba furiosa ni ofendida.

—Escucha siempre a tu corazón y síguelo —añadió—. Si no lo haces, traerás la desgracia sobre ti y aquellos a quienes ames.

Grace lo miró, confusa, y después se despidió y salió.

—No tienen ninguna hoja para mí, ¿verdad? —preguntó Victoria después de acercarse corriendo.

Grace negó con la cabeza.

—¡Vamos, Victoria, tenemos que volver! —Le lanzó una última mirada al joven, que la había seguido a la sala de espera, tomó a su hermana de la mano y la arrastró fuera.

Por la noche, de regreso en el hotel y tras un buen sermón de su madre y una lección magistral sobre buen comportamiento por parte de la señorita Giles, Grace volvió a sentarse en el antepecho de la ventana.

La luna teñía de plata el puerto y el mar, y el resplandor dorado de la lámpara reflejaba su rostro en el cristal. Los faros de los barcos relucían en la oscuridad y, en la distancia, el faro iluminaba con su luz la oscuridad de la noche.

Por algún motivo, no lograba sacarse de la cabeza su visita a la biblioteca de hojas de palma. ¿Quizá porque me he comportado de una forma muy desagradable?

Cuanto más tiempo pasaba, más detalles recordaba que sus prejuicios le habían impedido percibir en un primer momento, como si fuera presa de un encantamiento que empezaba a hacer efecto.

La forma en que el anciano deslizaba las puntas de los dedos sobre las letras y las recitaba como una canción, que su aprendiz se apresuraba en traducir. La hoja, que debía de tener cientos de años. El aroma a incienso, pachulí y otros olores que no podía identificar. ¡Y la mirada de aquel hombre!

Aunque no dejaba de repetirse que el horóscopo era una patraña, agarró el papel, un bloc de notas y un lápiz. Entonces intentó poner por escrito el galimatías del ayudante.

—¿Qué haces? —preguntó Victoria mientras levantaba la vista de su querida guía de viaje.

—Escribo.

—¿El qué?

—Un par de cosas. Nada en particular.

—¿Cosas sobre tu hoja de palma?

A sus ojos atentos no se les había escapado que Grace tenía la hoja de la biblioteca junto a ella.

—Cosas sobre cómo nunca más me dejaré convencer para acompañarte a rincones de mala muerte de la ciudad —replicó Grace, venenosa, para ocultar su timidez. Después del escándalo que había causado no podía admitir que se proponía reconstruir el contenido de la predicción.

—¡Si no ha sido para tanto! —replicó Victoria mientras pasaba una página de la guía—. Y aún no hemos ido al barrio de los comerciantes de gemas. ¡Quiero ir mañana!

—¡Solo si vamos en un coche que no pase por los barrios pobres! Además, seguro que mamá y la señorita Giles querrán acompañarnos, ya has oído lo que han dicho durante la cena.

—Sí, sí, que nunca más nos juntemos con los nativos, no vayan a comernos.

El tono de voz de Victoria hizo reír a Grace.

—¿Lo ves? ¡Tú tampoco eres tan seria! —añadió Victoria, pues se había dado cuenta de que su hermana estaba aguantando la risa a duras penas.

—No dejes que te oigan mamá o la señorita Giles, ¡o nos van a encerrar!

—No te preocupes, mañana seré un ángel.

Mientras Victoria volvía a sumergirse en su guía, Grace intentó poner por escrito las palabras del ayudante.

¿Qué le había dicho? ¿Que antes de cumplir los veinte encontraría su gran amor? ¿Que se casaría y tendría un hijo? Tampoco hacía falta ser clarividente para predecir eso. Su madre ya se encargaría de que se casara y tuviera hijos. Era lo más normal en casi todas las mujeres. Y era poco probable que se marchara de allí. En el mejor de los casos, viviría en Colombo, junto al mar.

Un pasaje en particular le pareció especialmente preocupante. El mismo año en que nacería el bebé, una gran tormenta se abatiría sobre ella, poniendo fin a su vida tal y como la conocía. ¿Significaba aquello que moriría en una borrasca? ¿O se refería, simplemente a un gran cambio?

Lo último era más probable, pues entre los murmullos cada vez más incomprensibles le había parecido entender que le estaba destinado un buen final, y que llegaría a su próxima vida a los sesenta y tres años. Ah, sí, y que pasaría el resto de su vida junto al mar.

Grace escribió todo aquello y, después de leerlo, sacudió la cabeza.

Por lo que le habían dicho, su familia se quedaría mucho tiempo en Ceilán; casarse y tener hijos no eran nada del otro mundo, y si realmente iba a llegar a los sesenta y tres años, tampoco era mucho, pero aún le quedaba lejos. Aparte de la fecha de su muerte, cosa que le parecía bastante macabra, aquello podría habérselo predicho cualquiera.

Pero entonces recordó algo que el anciano le había aconsejado: «Escucha siempre a tu corazón y síguelo. Si no lo haces, traerás la desgracia sobre ti y aquellos a quienes ames».

Era algo así. Escuchar a mi corazón, pensó Grace mientras apoyaba la frente en el cristal de la ventana. ¿Pero qué es lo que quiere mi corazón? ¿Y por qué iban mis deseos a marcar el destino de nuestra familia? Los Tremayne estaban acostumbrados a obedecer a su razón, a cumplir con sus obligaciones.

Ese pensamiento seguía en su mente cuando finalmente se fue a la cama y se quedó mirando al techo, incapaz de dormirse.

12

Mientras el metro traqueteaba en dirección al centro, Diana intentó poner en orden toda la información que tenía sobre el misterio. Había encontrado parte de un oráculo, algo así como un horóscopo antiquísimo. Ella solía reírse de esas breves predicciones que aparecían en los periódicos, pues estaban escritas de tal forma que valían para cualquiera. Además, no creía que el futuro de una persona pudiera conocerse, aunque se dijera que, al nacer, se predispone también la hora de la muerte. Pero esa hoja de palma tenía algo especial. ¿Respiraba más tranquila Tremayne House, ahora que esa hoja se había alejado de sus muros? ¿Sabían las piedras lo que ocultaban? Preguntárselo al pragmático señor Green no hubiera servido de nada...

Tres cuartos de hora después, estaba de nuevo en casa. Al entrar, percibió la gélida atmósfera que reinaba desde el desayuno, y de la que ella era en buena parte responsable.

Maldita sea, ¿qué hace en casa tan pronto?, pensó Diana con irritación. No solía tomarse las tardes libres.

—Has vuelto.

Diana levantó la cabeza. Philipp estaba apoyado en la barandilla de las escaleras.

—¿Vas a quedarte en casa todos los días haciendo guardia hasta que vuelva? Eso antes no lo hacías.

—Estoy de vacaciones, ¿no te acuerdas? Estas iban a ser nuestras vacaciones.

—Vacaciones —resopló Diana con sorna—, ¿y cuándo lo decidiste? ¿Mientras estaba en Inglaterra? Hace tiempo que no nos vamos juntos de vacaciones.

—Quizá deberíamos volver a hacerlo.

135

Diana negó con la cabeza. ¿Qué le había dado?

—Discúlpame, pero tengo cosas que hacer —murmuró con tristeza.

—Vamos a hablar —dijo él entonces—. Créeme, solo fue una vez.

Al pasar junto a él por las escaleras, Philipp la agarró del brazo. Diana le lanzó una mirada de rechazo.

—¿Qué haces?

—Solo quiero aclarar las cosas.

Percibió entonces que olía a alcohol. Al parecer, había necesitado beber un poco para encontrar algo de valor.

Diana comprendió que discutiendo no llegaría a ningún sitio. Hasta llegó a sentir algo de miedo hacia su marido.

—Philipp, suéltame —dijo con todo el control que pudo reunir. Sus miradas se encontraron, y Diana se dio cuenta de que sus ojos, que antes no se cansaba de mirar, se habían vuelto turbios como dos pozos. Supo que cualquier explicación que le diera sería una mentira. Una mentira que le permitiría volver a engañarla en cuanto tuviera la oportunidad.

—Philipp, ¡por favor! —Su voz no sonaba suplicante, sino resuelta, como si le estuviera amenazando con una paliza si no le hacía caso. Al instante aflojó la presión sobre su brazo.

—¡Maldita sea! —maldijo un instante después, golpeando la barandilla con el puño. Diana dio un respingo. Le había visto enfadado en el pasado, pero nunca así.

—¡Pues entonces no me hables! —gritó él—. Entiérrate en tu querido trabajo. ¡O quizá en tu castillo ruinoso!

Girando sobre sus talones, se fue de casa. Poco después, oyó el motor de su coche. Diana se apoyó contra la pared.

Tiene razón, pensó. Tendría que haberme quedado en Inglaterra. Y él, con su amante. ¿Qué demonios hacía aquí? Solo quería acallar su conciencia.

Ya no es el hombre al que conocí. Y yo, ¿soy la misma mujer?

Cuando el sonido del motor se hubo alejado, volvió al piso de arriba y abrió el cofrecito.

—¿Qué otros secretos guardas? —le preguntó mientras acariciaba cuidadosamente la superficie tallada intentando recordar lo que Michael le había dicho. La cólera de Philipp la había alterado, pero finalmente logró poner orden en la información.

Unos minutos más tarde se encontraba ante su ordenador intentando averiguar todo lo que le fuera posible en Internet. Testimonios sobre lecturas *nadi,* experiencias sobre la certeza de sus predicciones. Si lo que la gente decía era cierto —el escepticismo de Diana se agitaba con todas aquellas declaraciones—, el oráculo de las hojas era extremadamente preciso. ¿Se habría cumplido también lo que decía su hoja?

Tras un rato de reflexión, Diana sacó la fotografía que había en el cofrecito y se tomó el tiempo de observarla con atención, ya que en Tremayne House solo le había dedicado un vistazo fugaz. Tendré que hacer una copia, se dijo, mientras su mirada se paseaba por las sombras amarillentas y oscuras que mostraban un paisaje montañoso bajo un cielo rutilante.

Al observarla con más atención, se dio cuenta de que no era solo la imponente montaña lo que aparecía en la imagen. A lo lejos, ensombrecida por una mancha, distinguió una figura blanca. Después de intentar dilucidar de quién se trataba, buscó la lupa que normalmente utilizaba cuando se clavaba una astilla en un dedo. No sirvió de mucho, pero pudo comprobar que se trataba de una mujer. Una mujer vestida con un traje victoriano. Recordó el cuadro del pasillo de Tremayne House. ¿Era posible que se tratara de Grace o de Victoria?

Otro vistazo a través de la lupa le permitió comprobar que era un adulto. Ya que, por aquel entonces, Victoria tenía solo trece o catorce años, solo podía ser Grace. Grace, su tatarabuela.

Diana se recostó en su silla. La sobrevino una extraña sensación. Ya la había visto en el cuadro, pero en él se veía la influencia del estilo del pintor y de los gustos de la época. Una fotografía mostraba a una persona tal y como era. Lástima que no pudiera verle la cara, que no pudiera saber lo que Grace pensaba en ese momento.

En lo que respectaba al paisaje, estaba algo más segura. Había visto imágenes muy parecidas en reportajes sobre la India. Indudablemente, Grace se encontraba frente a una colina cubierta de té. Debía de haber viajado a Ceilán junto a su familia. ¿A raíz de la muerte de su tío? ¿O había otro motivo?

De repente, Diana supo adónde iría. Guardó rápidamente los objetos en el cofrecito, que se metió debajo del brazo antes de bajar corriendo por las escaleras.

Después de detener su coche en el aparcamiento, Diana sacó de nuevo la vieja fotografía de entre las páginas de la guía en la que creía reconocer a su tatarabuela. Tenía que ser capaz de desentrañar sus secretos. Secretos que hasta ahora habían permanecido olvidados, en las sombras. Con los ojos entrecerrados, contempló la instantánea. Pero la figura no se hizo más nítida, ni pudo descubrir ningún detalle. El sol permanecía encadenado a la cima de la montaña. No era más que un momento que la cámara había inmortalizado y que no cambiaría jamás.

Con un suspiro, volvió a guardar la fotografía entre las páginas quebradizas de la guía, que guardó en su bolso. Aquel librito parecía el acompañante ideal para su propósito, que, durante su trayecto, había adquirido una forma cada vez más concreta.

Ella era la primera sorprendida de la espontaneidad de su decisión, normalmente necesitaba tiempo para planificar un viaje. Pero marcharse y enfrentarse a aquello directamente le parecía lo correcto.

Después de salir del aparcamiento, se acercó a la agencia de viajes, en cuyo escaparate había un avión que sonreía y un sol reluciente.

Tan pronto como terminara el caso del que Eva se había hecho cargo en su ausencia, volaría a Colombo en busca de pistas sobre sus antepasados. Y, naturalmente, para encontrar la biblioteca de la que se había sustraído la hoja de palma.

Una joven impecablemente vestida, que le hizo pensar en una azafata, la recibió y la invitó a tomar asiento en un pulcro escritorio con un ordenador, al que la fotografía de una niña pequeña daba un toque personal.

Diana no se atrevió a preguntar si se trataba de su hija. Anunció su destino, y observó cómo la mujer le mostraba catálogos y le explicaba las distintas ofertas de viajes organizados.

—No quiero un viaje organizado —replicó finalmente—. Solo necesito un hotel y un avión.

—Quiere conocer el país por su cuenta.

—Por decirlo de alguna manera.

—Pues entonces le recomiendo...

—¿Aún existe el Hotel Grand Oriental? —la interrumpió Diana. Lo había visto en la guía, era uno de los lugares subrayados. ¿Se hospedó allí Richard Tremayne?

—Por supuesto que sí. Es una de mis recomendaciones.

—¡Pues cuénteme! —le pidió Diana con una sonrisa mientras se recostaba en su silla y dejaba que la joven le contara que, construido en 1837, era uno de los hoteles más antiguos de la ciudad, y se había convertido casi en una leyenda. Actualmente se encontraba junto al centro de negocios de Colombo, y ofrecía vistas magníficas sobre el puerto.

Diana sonrió al ver una fotografía del edificio. La arquitectura clásica, rodeada de rascacielos, hubiera podido encontrarse en Nueva York o Londres. Eran los carros tirados por bueyes y las palmeras que lo rodeaban lo que hacía que pareciera otro mundo. Pero era el hotel el que venía de otro mundo.

—Las habitaciones tienen una decoración exquisita, han mantenido elementos del siglo diecinueve. Se encuentra dentro de la antigua ciudadela, y ofrece contactos con vendedores de piedras preciosas muy formales, así como excursiones por la ciudad.

—Entonces, he encontrado lo que buscaba —replicó Diana, que alcanzó el folleto del hotel.

La agente de viajes la miró algo sorprendida, probablemente acostumbrada a conversaciones más largas. Pero entonces le tendió más folletos.

—Actualmente hay algunas advertencias de seguridad vigentes en su destino. ¿Se ha informado sobre ellas?

Diana negó con la cabeza. Se había preocupado más por averiguar cosas sobre Richard Tremayne. Estaba claro que había viajado a Ceilán, pero ¿por qué? ¿Y cómo había llegado la hoja de palma hasta Tremayne House?

La joven le mostró una hoja de papel.

—Aquí tiene toda la información importante. Como agencia, estamos obligados a informarla de las revueltas que existen entre tribus tamiles y singalesas. Hay incluso amenazas terroristas en el norte, por lo cual desaconsejamos viajar a esa zona.

—Pero yo quiero ir al suroeste.

—Aun así, le recomiendo que lo lea todo con atención y haga caso de las recomendaciones. Y piense también en las vacunas que necesita: tétano, hepatitis A y demás. Lo tiene todo en el folleto.

Media hora después, Diana salió de la agencia de viajes con toda la información necesaria. Una brisa fresca arrastraba una bolsa de plástico, que revoloteó en el aire antes de quedar oculta por un árbol. Diana se sentía igual de ligera. Los días hasta el momento de su viaje pasarían rápido mientras se dedicara de lleno a su trabajo e intentara no pensar en Philipp. Si se organizaba bien, podría llegar a casa cuando él no estuviera, y marcharse antes de que despertara.

Con esa idea, se metió de nuevo en el coche y arrancó en dirección al bufete.

Por el camino le sonó el móvil. Suponiendo que se trataría de Philipp, no se molestó en buscar un lugar para detenerse. Siguió conduciendo por la autopista que circunvalaba la ciudad hasta que llegó a su salida. No vio quién la había llamado hasta que aparcó cerca del bufete, en Charlottenburg.

Tenía un mensaje en el buzón de voz. Aunque no guardaba el número en la agenda, lo reconoció, y marcó inmediatamente la tecla del buzón.

«Soy yo, Michael», decía el mensaje. «He terminado con tu hoja de palma antes de lo que creía. Llámame cuando puedas».

Sin dudarlo, pulsó el botón verde y devolvió llamada.

Michael parecía agitado cuando respondió.

—¿Qué te pasa? ¿Has estado corriendo?

—No, solo estoy buscando algo —replicó él—. ¡Qué bien que hayas llamado tan rápido, Diana!

—¿Es mal momento?

—No, no, no te preocupes, me alegro de que hayas llamado. ¿Has oído mi mensaje?

—Sí, y pensé que si llamabas con tanta prisa sería porque tenías algo grande que contarme.

—No exactamente, de momento he hecho fotos de todo y he tomado muestras para los análisis de datación. Los resultados llegarán en un par de semanas, como muy pronto.

Aquella información decepcionó un poco a Diana. Pero no tenía por qué quedarse de brazos cruzados mientras esperaba.

—Eso significa que ya me la puedes devolver, ¿verdad? Acabo de organizar un viaje a Sri Lanka, salgo en una semana.

—Vaya, ¿te vas de vacaciones o quieres buscar la biblioteca?

—Eso por un lado, y por el otro, quiero averiguar algo sobre mi familia. Creo que Ceilán desempeñó un papel importante en su historia.

—¿Y adónde quieres ir exactamente? —siguió preguntando Michael mientras, al otro lado del teléfono, Diana le oía revolver papeles. Seguro que había ordenado un poco su escritorio cuando la recibió para no parecer descuidado.

—A Colombo. Encontré una guía antigua que probablemente perteneció a mi familia.

—¡Ah! —La exclamación no se refería a lo que acababa de decir, sino que Michael acababa de encontrar lo que buscaba—. ¡Lo tengo!

—¿El qué? —preguntó Diana.

—La tarjeta de visita que buscaba. Te la daré cuando vengas. Lo antes posible, por mí, imagino que tienes muchos preparativos que hacer.

—No necesito una semana para los preparativos, pero tendré que dejarme caer por el bufete. ¿Quieres darme una tarjeta? ¿De quién?

—Si vas a Colombo, tienes que llamar a mi amigo, Jonathan Singh. Se encargará de que no te pase nada en Sri Lanka, puedes acudir a él como guía y fuente de información.

Diana titubeaba:

—No sé... ¿A él le parecerá bien?

—Somos viejos amigos, y me debe algunos favores. Si se lo pido, estará a tu disposición.

—¿También es científico? ¿De dónde es? Jonathan no parece un nombre indio muy típico.

—Es mitad inglés, mitad tamil. Antes trabajaba para el Museo Nacional de Sri Lanka. Hace un tiempo, se estableció por su cuenta, y ahora escribe libros. Es bastante conocido en su país, y ahora estoy intentando convencerlo de que nos ayude con una publicación para nuestro museo. Sabe mucho de la historia de Sri Lanka y las costumbres del país. Si hay alguien que puede ayudarte, es él.

—Pero no quiero que gastes los favores que te debe por mí.

Diana percibió cómo Michael sonreía al otro lado de la línea.

—No te preocupes. Se enfadaría si supiera que he mandado a una amiga a su país sin decirle nada. Los esrilanqueses son muy hospitalarios, y Jonathan es un tipo encantador.

—Está bien, entonces avísalo y dame su dirección. Ah, sí, ¿y cuándo paso a recoger la hoja?

TREMAYNE HOUSE, 2008

Cuando el señor Green se sentó frente al ordenador tras terminar el trabajo del jardín, encontró un correo electrónico de Diana.

Muy querido señor Green:

Espero que se encuentre bien. Solo quería comunicarle que voy a viajar a Sri Lanka dentro de una semana. Durante los últimos días he hecho algunos descubrimientos que no me dejan otra posibilidad que visitar el

142

país tal y como lo hicieron mis antepasados. Allí me reuniré con un investigador que me ha recomendado un amigo. Así que no tiene usted de qué preocuparse. Si necesita contactar conmigo, me llevaré el ordenador, y leeré el correo electrónico con regularidad.

Creo que tendré mucho que contarle a mi regreso.

Un abrazo,
Diana Wagenbach

Una sonrisa iluminó el rostro del mayordomo.

Se levantó y se acercó al armarito, en cuya estantería superior había un pequeño paquete envuelto en papel de embalar. Hacía tiempo que estaba allí, y había llegado su hora.

La siguiente pista, pensó el señor Green mientras se echaba el abrigo por los hombros y guardaba el paquete en un bolsillo. Podría haberse dirigido a la oficina de Correos, aún tenía tiempo suficiente. Pero no quería dejar una cosa tan importante en manos de Correos. Así que se metió en el Bentley y puso rumbo a Londres.

13

Después de tres días de espera, Henry Tremayne recibió la noticia de que los obreros habían terminado su trabajo y la casa ya estaba lista.

—¡Por fin! —exclamó Claudia, mientras estrechaba la misiva contra su escote de encaje—. Empezaba a creer que nos quedaríamos para siempre en este hotel.

—Tampoco está tan mal, querida mía —replicó Henry, aunque en su cara se notaba el alivio por poder trasladarse a la plantación—. Nos atienden hasta nuestro más mínimo capricho y tenemos unas vistas maravillosas del mar.

—De los barcos que cubren el puerto de humo negro —le corrigió Claudia—. Y de los enjambres de vendedores que se arremolinan alrededor de cualquiera que lleve ropa europea.

Henry rio.

—Cuando lleguemos a Vannattuppūcci, no verás más que té. Y palmeras.

—Y una montaña que me recuerde a mis Highlands.

Henry se le acercó, le tomó la mano y la besó.

—Sé lo mucho que echas de menos tu patria. Pero haré todo lo posible para que te sientas como en casa.

—¿No podrías dejar la plantación en manos de un administrador? Por lo que cuentas de él, ese tal señor Cahill parece ser la persona más indicada.

—Un lugar como este necesita la presencia de su dueño. El señor Cahill me lo dejó muy claro. Desde que Richard se fue, la plantación está sumida en el caos. Los trabajadores y las recogedoras de té necesitan a alguien que los guíe.

Claudia agachó la cabeza con un suspiro, y Henry la tomó del brazo.

—Además, Vannattuppūcci es nuestra gran oportunidad. Ya sabes cómo estaban las cosas en Inglaterra. Si todo va como imagino, podríamos sanear nuestras posesiones y mantener tu castillo en los Highlands. Y, algún día, puede que incluso encontremos a algún buen capataz que pueda hacerse cargo de dirigir la plantación. Pero ahora, después de la muerte de Richard, alguien tiene que poner orden en este caos.

Victoria y Grace estaban absortas en la contemplación de una piedra preciosa sin tallar que Victoria había comprado en Sylvie's, una tienda de Chatham Street. Aunque después de la aventura en la biblioteca de hojas de palma, su madre les había prohibido los paseos, había permitido a sus hijas acompañarla a comprar, con la condición que no se alejaran de ella más de tres pasos.

Al contrario que los vendedores ambulantes que asediaban a los extranjeros en el puerto, las tiendas tenían reputación de ser establecimientos serios. Grace no había comprado nada, esas piedras le parecían un gasto superfluo y una burda estafa, pero la viveza de los colores, que le recordaban un prado lleno de flores, y el aroma de las varitas de incienso le habían hecho olvidar su enojo por un momento.

—Estoy segura de que es un zafiro —afirmaba Victoria mientras giraba la piedra, de un azul brillante y sin tallar, en la palma de su mano—. Solo hace falta pulirlo, y entonces tendré una joya como ninguna dama inglesa tiene en su joyero.

—¿Una joya por diez rupias? ¿No crees que es demasiado barato?

Grace le quitó la piedra a Victoria para observarla más de cerca. Tenía el color de un zafiro auténtico, pero no podía creer que alguien vendiera una piedra tan grande y valiosa por ese precio. Seguro que ni siquiera en ese rincón del mundo era posible. Los vendedores le habían parecido muy espabilados, y probablemente diez rupias eran incluso demasiado para la baratija que acababan de endosarle a su hermana.

–¡Como si tú supieras algo de piedras preciosas! –resopló Victoria, que no iba a dejar que su hermana le hiriera el orgullo por su hallazgo–. Además, he leído que esta es la tierra de las piedras preciosas. ¡Aquí deben de crecer en los árboles!

–Pero eso no significa que todas sean ejemplares valiosísimos. Como te habrá explicado el señor Norris, también hay piedras semipreciosas.

No era ningún secreto que el preceptor de Victoria, que llegaría en unos días, sentía debilidad por la mineralogía.

–Tendrías que enseñarle este pedrusco. –Grace devolvió la piedra a su hermana.

–¿Pedrusco? –dijo Victoria con enfado–. ¡Puede que sea más valioso que todo lo que papá va a encontrar en la plantación! ¡Esta piedra, querida hermana, podría convertirme en uno de los mejores partidos de toda Inglaterra!

–¿No crees que piedras tan grandes como estas las llevaría la reina en la corona, si fueran de verdad?

–¿Y quién dice que la reina pide todas las piedras grandes que encuentra? Seguro que los orfebres de aquí guardan algunas para vendérselas a los visitantes de todo el mundo.

–¿Por diez rupias?

Su discusión se detuvo por un momento cuando la puerta de su habitación se abrió de golpe.

–¡Señorita Giles! –exclamó Grace con asombro. La institutriz de Victoria llegaba sin aliento y apretándose con las manos el vientre, comprimido cuanto era posible por el corsé–. ¿Qué sucede?

–¡Ya está! –Jadeaba, como si hubiera subido todas las escaleras del Hotel Grand Oriental a la carrera. En realidad, se trataba del calor, al que la joven institutriz no acababa de acostumbrarse–. Su madre acaba de informarme de nuestra partida. Tienen que preparar su equipaje de mano, yo me encargo de su ropa.

Expeditiva, se acercó al sillón sobre el cual estaban extendidos las chaquetas de día y los trajes de las dos hermanas para la tarde. Ensimismada, como siempre que tenía prisa, empezó a tatarear una canción que probablemente esperaba que la espoleara.

—Si sigue atándose el corsé tan fuerte, se desmayará —le susurró Victoria a Grace sin ningún respeto. La mayor se cubrió la boca con la mano para ocultar su sonrisa. Ella pensaba lo mismo cada vez que veía a la señorita Giles. Puede que en Inglaterra se las apañara con el corsé, pero el clima de allí ya dificultaba de por sí la respiración sin ir encorsetado.

—Todos sabemos por qué lo hace —agregó en susurros Grace—. Para llamar la atención del señor Norris.

—Pero si sigue así, morirá asfixiada antes de poner un pie en la plantación.

Cuando las dos muchachas comenzaron a resoplar para ocultar su guasa, la señorita Giles les lanzó una mirada suspicaz. ¿Había oído sus susurros?

—No hace falta que les diga que a su señora madre no le hará ninguna gracia que se retrasen.

—Sí, señorita Giles —dijeron las dos al unísono y, después de que Victoria le diera un codazo a su hermana, se pusieron manos a la obra.

Una hora más tarde, todas las maletas estaban cargadas en el coche. Los muebles y el equipaje más pesado ya debían de haber llegado a Vannattuppūcci. El profesor de las niñas y un par de criados a los que la señora Tremayne no quería renunciar les seguirían en un par de días.

—La verdad es que no me apetece nada volver a empezar con las clases —susurró Victoria mientras Grace y ella tomaban asiento en el carruaje descapotable, donde solo podían mantenerse a salvo de los rayos del sol con sus parasoles—. Tal vez un monstruo marino haya engullido al señor Norris durante su viaje.

—Ya puedes estar contenta de que padre sea de la opinión que la educación no es perniciosa para una señorita. De lo contrario, no habrías aprendido tanto sobre los pintores escandalosos de la Edad Media, ni podrías leer tus queridas novelas de aventuras, que seguro que a la señorita Giles le encantaría confiscar–. Grace alzó la mirada hacia la institutriz, que se mantenía en segundo plano como si estuviera esperando indicaciones de su señora.

–Además, nuestra institutriz se moriría de pena si el señor Norris no viniera con nosotros. Mira cómo gira el cuello en dirección al puerto.

–Desde aquí no lo verá –replicó Victoria, divertida–. Y, aunque no venga, por aquí hay hombres suficientes. ¿Has visto a los estibadores del puerto? Tienen la piel dorada. Te digo que algunos de ellos causarían estragos entre las damas londinenses.

–¡Tú no tienes que interesarte por esas cosas! –dijo Grace fingiendo estar escandalizada.

–¿Y por qué no? En otra época ya tendría edad de casarme. Hay familias que casan a sus hijas muy jóvenes.

Esas palabras hicieron pensar a Grace en la temporada de bailes en Londres. Seguro que aquí acabaré siendo una solterona, pensó. Los jóvenes interesantes de Inglaterra habrán desaparecido para cuando yo regrese.

Victoria se dio cuenta de su tristeza y le tocó el brazo con suavidad.

–No te preocupes, no me casaré antes que tú. Piensa en todas las aventuras que podremos vivir. Tengo muchas ganas de ver a los animales de la jungla, quizá logre que el señor Norris se aparte de sus pedruscos un rato y se interese por los seres vivos.

Apenas había acabado de hablar cuando la señorita Giles se sentó frente a ellas. Su mirada parecía algo preocupada.

–Grace, ¿sabías que los paquebotes suelen atracar por la noche? –Mientras Victoria sacaba su guía de viaje, le dirigió a su hermana un guiño conspirador.

–No, ¿por qué lo dices?

–Lo pone en la guía. Estoy segura de que el señor Norris llegará en uno de estos barcos.

Con el rabillo del ojo, Victoria no perdía de vista a la señorita Giles, pero la institutriz no daba muestras de reaccionar a sus palabras. Cuando Grace la miró, le pareció descubrir una expresión melancólica en su rostro habitualmente contenido.

¿Miraría yo hacia el mar con la misma añoranza si mi amado estuviera al otro lado del mar y no supiera si iba a llegar sano y salvo?, se preguntó mientras el carruaje se ponía en marcha.

Llegaron a la plantación al día siguiente por la tarde, después de hacer noche en un pequeño hostal de pueblo. La montaña era un telón de fondo espectacular bajo el resplandeciente cielo azul. Parecía cubierta de una mullida manta verde moteada con puntos más oscuros. Sobre ella se extendían los campos de té, de un verde intenso, ribeteados por palmeras y otros árboles desconocidos.

Entre el traqueteo del coche y el repiqueteo de los caballos se oían sonidos extraños. Grace alzó la vista hacia las palmeras que se mecían en lo alto, y le pareció ver el resplandor de plumas de colores.

—Son loros —dijo Victoria, que también miraba hacia arriba—. Tal vez podríamos atrapar uno para que mamá lo ponga en el salón.

—¿Y cómo piensas hacerlo? —preguntó Grace, esperando que alguno de ellos se acercara un poco más. Había visto un loro en una ocasión, en el salón de la señora Roswell en Londres. Pero era un animal viejo y sarnoso, que no hacía más que restregar la cabeza contra los barrotes de su jaula y cloquear ruidos raros, por más que la señora Roswell asegurara que era capaz de hablar.

Los animales que los sobrevolaban se comunicaban en su lengua natural, que sonaba muy distinta a la de *Polly*, pues ese era el nombre del loro.

—¡Oh, mira! —exclamó Victoria de repente tirándole de la manga. Entre los matorrales que estaba señalando había un pequeño mono que observaba con curiosidad la procesión de carruajes. Se sujetaba a una rama con un brazo y, como un bebé, tenía en la boca el pulgar de la otra.

—¿Crees que mamá me dejará quedarme con uno?

—Creía que primero querías un loro.

—También, ya lo verás. Seguro que a los loros les gustan los terrones de azúcar, y cuando se acerquen a mi ventana, cazaré uno con el cazamariposas.

—Un cazamariposas que no tienes.

—¡Pero sé cómo hacerme uno! —aseguró Victoria—. El año pasado vi cómo Bobby Fisher, el hijo del jardinero, construía uno con un aro de metal, un poco de gasa y un bastón. Estoy segura de que yo también puedo hacerlo. Y si no, le pediré a uno de los empleados que me ayude. Debe de haber por lo menos un jardinero, ¡mira dónde estamos!

Grace tuvo que admitir que el jardín era francamente hermoso. Junto a los matorrales de omnipresente franchipán había también unos rododendros que darían envidia a los que había visto en Europa. El césped estaba meticulosamente cortado, como correspondía a un jardín inglés, y aunque Grace no tenía ningún interés particular en la botánica, ardía en deseos de descubrir cómo se llamaban las llameantes flores rojas que se disponían en pulcros parterres.

La mansión colonial parecía una perla entre tanto verde. A Grace le recordó un poco a Tremayne House, aunque la villa inglesa tenía las paredes más oscuras y cubiertas de hiedra. Además, la casa no tenía delante una glorieta con una fuente, pero sí estaba rodeada de varias construcciones de tamaños distintos.

Junto a las flores, Grace descubrió a los trabajadores, que se movían a toda prisa por la finca. Mujeres con cestos de té rebosantes sobre la cabeza desaparecían dentro de cobertizos, donde descargaban. Aunque sus vestidos eran muy sencillos, relucían en vivos colores que Grace no había visto nunca.

El olor del té y la dulzura de las flores flotaban en el aire. Eso hubiera sido imposible de encontrar en Londres en aquella época del año, exceptuando los salones de ambiente cargado cuyas propietarias tuvieran debilidad por lo exótico.

Cuando los carruajes se detuvieron, la familia al fin se reunió. Grace tiró de Victoria, que estaba absorta en la contemplación de un árbol lleno de flores naranjas y rosas, hacia sus padres, que escuchaban las instrucciones del señor Cahill.

—Antes de que llegara su hermano, alguien había intentado plantar café en esta zona. —El abogado esbozó una sonrisa de autocomplacencia—. Con resultados catastróficos. Las plantas sufrieron el ataque de un hongo, de modo que al final el propietario no tuvo más remedio que vender. Su hermano decidió plantar té porque el suelo y el clima son ideales.

—Parece que mi hermano interpretó a la perfección los signos del tiempo. —Henry Tremayne miraba a su alrededor maravillado. Si el caos del que Cahill le había hablado era cierto, los trabajadores y criados habían hecho un trabajo excepcional.

—Oh, sí, señor, aquí todo el mundo apreciaba mucho a su hermano y, créame, lo echamos mucho de menos. Pero estoy seguro de que usted llenará a la perfección el vacío que ha dejado.

Asegurándose de que Cahill no podía verla, Grace sacudió la cabeza. ¡Jamás había oído una adulación tan patética! Era evidente que ese hombre estaba intentando salvar su pellejo o, mejor dicho, sus ingresos, puesto que ahora su padre era el nuevo dueño de Vannattuppūcci y podía buscarse otro abogado. Pero Grace conocía a su padre lo suficiente como para saber que mantendría a Cahill a su servicio siempre que este no metiera la pata demasiado a menudo.

Al mirar hacia un lado para contemplar el hermoso árbol florido que también había atraído la mirada de su hermana, Grace se fijó en un hombre alto y atractivo que se mantenía apartado casi con timidez, y parecía esperar que alguien le prestara atención. Aunque llevaba ropa inglesa, había algo extraño en él. Su cabello castaño oscuro era algo más largo de lo que marcaba la moda, y sus rasgos angulosos desprendían un matiz dorado. Unas cejas tupidas y ligeramente arqueadas coronaban sus ojos oscuros, y una perilla bien cortada rodeaba unos labios carnosos.

—¡Ah, ahí está, hijo mío! —exclamó Cahill de repente, haciendo señas al desconocido para que se acercara—. Permítanme que les presente al señor R. Vikrama, supervisor de la plantación.

—¿R? —preguntó Victoria en voz alta, ganándose una mirada severa de su madre.

El señor Vikrama sonrió levemente, pero no respondió. Se inclinó ante Henry y dijo:

—Me alegro mucho de conocerlo. Aunque las circunstancias no sean las más alegres. Mi más sentido pésame.

—Es muy amable por su parte —replicó Henry sin efusividad, poniendo la mano sobre el hombro de su mujer—. Le presento a mi esposa, Claudia. Y estas son mis hijas, Grace y Victoria. —Mientras la señora Tremayne se inclinaba levemente, las dos hermanas hicieron una reverencia.

—Me alegro de conocerlas —dijo Vikrama con un rápido gesto de asentimiento a Grace y Victoria, y volviéndose hacia la señora de la casa—. No dude en pedirme cualquier cosa que pueda hacer por usted.

—¿Es usted nativo? —preguntó Henry, mientras lo observaba con atención—. Habla usted un inglés perfecto.

Había algo en él que no encajaba en ese lugar, pensó Grace, como si no fuera de allí. ¿Era el color de su piel, que parecía europeo, como si fuera italiano? ¿O sus modales impecables?

Vikrama agachó la cabeza, cohibido por la adulación.

—Muchas gracias, señor. Mi madre era de aquí, por eso tengo la piel oscura.

—¿Y su padre?

—Nunca lo conocí, señor. Pero mi madre decía que era un hombre blanco.

—Probablemente uno de los empleados ingleses de su hermano —añadió Cahill—. No sería la primera vez que nuestros muchachos descubren la belleza de las mujeres tamiles.

A Grace le pareció que la risa que siguió a las palabras del abogado era de lo más inapropiada. Aunque los asuntos entre hombres y mujeres no fueran un tema del que hablara habitualmente, Grace sabía lo que esperaba a las mujeres en su noche de bodas y de dónde venían los niños. Y también que solo un hombre miserable abandona a una mujer embarazada.

152

—¿No conoce a su padre? —preguntó Claudia, conmocionada.

—No, señora, murió antes de que yo naciera.

—Deben ustedes saber que los nativos no siempre han sido tan pacíficos como ahora —se sintió obligado a explicar Cahill—. Hace más de veinte años, era algo habitual que a uno lo atacaran en plena calle para robarle. El padre del señor Vikrama debió de ser víctima de una tragedia así.

El joven se mantuvo inexpresivo. Era evidente que no pensaba demasiado en su difunto padre.

—¿Y qué es de su madre? Habla usted de ella en pasado —prosiguió Claudia, que parecía dispuesta a averiguar todo lo posible sobre el nuevo trabajador de su marido.

El rostro de Vikrama adoptó un gesto de congoja.

—Murió de cáncer hace dos años.

Cahill le puso la mano en el hombro a modo de consuelo.

—Su madre era una de las recogedoras de té de su hermano. El señor Tremayne reconoció el talento del muchacho y lo mandó a la escuela. Aquí verá a muchos tamiles en puestos de responsabilidad. Tienen incluso su propio idioma y alfabeto. Los terratenientes con visión de futuro permiten a los tamiles que trabajan para ellos recibir educación, y así consiguen trabajadores legales que son capaces de controlar la plantación sin ayuda. No sé qué hubiéramos hecho sin Vikrama después de la trágica pérdida del señor Tremayne.

Grace advirtió que Vikrama agachaba levemente la cabeza con timidez. ¿Se avergonzaba de sus orígenes? ¿O, simplemente, no le gustaba que lo alabaran?

Cuando se dio cuenta de que se había quedado mirándolo desvergonzadamente, bajó los ojos, ruborizada.

—Parece que hemos tenido suerte con usted, pues, señor Vikrama —intervino su padre—. Tendrá que ponerme al corriente de inmediato de todo lo que ocurre en la plantación.

—Haré lo posible por no decepcionarlo.

—Bien, entonces nos encontraremos mañana a primera hora para hablar y dar un paseo. Las señoras están cansadas, y tengo que admitir que a mí el viaje también me ha extenuado. ¿Qué le parece a las nueve?

—Seré puntual, señor.

—¡Bien! Me temo que tengo mucho que aprender, jamás hubiera soñado con convertirme en el amo de una plantación como esta. Pero Dios lo ha querido así, y yo me encomiendo a su ayuda.

—Mi ayuda la tendrá en cualquier cosa que esté en mi poder.

—Puede confiar en él, señor —añadió Cahill sin que nadie le hubiera preguntado.

Se equivocaba, ¿o veía Grace de repente un cierto resquemor en los ojos de Vikrama? Antes de que pudiera asegurarse, ya había desaparecido. Para que nadie se diera cuenta de que volvía a mirarlo fijamente, se giró hacia la sonriente Victoria, cuya mirada estaba de nuevo perdida en las copas de los árboles que los rodeaban. No había monos colgados de las ramas, sino loros que emitían roncos chillidos, y Grace vio brillar en los ojos de su hermana la resolución de cazar uno.

Sus padres se estaban despidiendo del señor Vikrama. El señor Cahill le susurró algo al joven, y después se dio la vuelta. Grace hubiera querido verle la cara de nuevo, pero ya no se giró.

—¡Niña, ven, no te quedes ahí pasmada! —la llamó su madre.

Grace agarró a Victoria de la mano y tiró de ella escaleras arriba.

—¿Has visto qué bonitos? —decía Victoria entusiasmada—. Te juro que he visto uno todo azul. ¡Ese es el que quiero!

—Tendrás que intentar atraerlo con comida —contestó Grace algo distraída, pues, por algún motivo, no podía sacarse al joven de la cabeza.

En Londres, en el supuesto de que fuera de buena familia, hubiera sido la sensación de la temporada. ¡Nunca había visto un hombre como aquel! ¡Y esos ojos! ¿Era normal tener ojos de color ámbar? En Inglaterra jamás había visto unos ojos como aquellos. Se estremeció, y sintió una extraña sensación en la boca del estómago. Pero el sentido común la despertó al instante.

Deberías preocuparte de otras cosas, se dijo mientras cruzaban la puerta de entrada. Ese chico es un empleado de papá, y no se ha dignado a mirarte ni una vez.

La casa señorial guardaba un gran parecido con las mansiones inglesas, pero nada más cruzar la puerta quedaba muy claro que Richard Tremayne había sido un apasionado de la cultura nativa. Mientras, en Tremayne House, el retrato del bisabuelo, dentro de un marco dorado, saludaba a los visitantes con su mirada severa desde lo alto de la escalera, allí colgaba en una posición similar un cuadro como Grace nunca había visto. Para Victoria y para sus padres también fue una sorpresa.

Los dos hombres que aparecían en el cuadro parecían bailar. Mientras uno miraba al observador con una sonrisa, el otro llevaba sobre sus hombros una cabeza de elefante con una corona. Ambos vestían pantalones bombachos coloridos sujetos con cinturones decorados con piedras preciosas, y chalecos de vivos colores les cubrían el pecho. A primera vista, a Grace le recordaron artistas de circo. Lo que le pareció más fascinante fueron las coronas de flores que colgaban del marco, y los cuencos llenos de flores que alguien había colocado a los pies del cuadro. Era evidente que las habían puesto ese mismo día.

—¿Es eso un ídolo? —preguntó Claudia, sorprendida.

—Son los dioses Shiva y Ganesha, a los que los hindúes adoran —respondió Cahill en el tono de un guía turístico—. Hay mucha gente en esta región con esas creencias, y también hay budistas y musulmanes, aunque estos últimos en menor número. Son lo que queda de los comerciantes árabes que llegaron a la isla hace siglos.

—¿Por qué colgaría mi hermano este cuadro?

—Tal vez esperaba que le trajera suerte a la plantación. Shiva es el dios principal de los hindúes; allí donde baila, reina la prosperidad. Ganesha, a quien cortaron la cabeza...

—¡Señor Cahill! —Claudia riñó al abogado con indignación, señalando a sus hijas—. ¡Le prohíbo que cuente historias de terror delante de estas señoritas!

—¡Nada más lejos de mi intención, señora Tremayne! —se defendió el abogado, mientras se ruborizaba de la frente al cuello—. Lamentablemente, estos son los mitos de la región. Al final, una diosa reemplazó la cabeza de Ganesha con la de un elefante. Desde entonces, a los elefantes se los considera símbolos de la buena suerte.

—¡Elefantes! —exclamó Victoria extasiada, palmeteando de alegría. Cuando todos los ojos se fijaron en ella, agachó la cabeza avergonzada—. Perdón, es que me he acordado de los elefantes de Colombo. Me gustaría mucho ver uno de esos animales al natural, sin adornos ni tapices de colores.

—Si me permite decirlo, señorita, aquí verá usted elefantes tan al natural como quiera —respondió Cahill mirando a Claudia, que parecía medir todas sus palabras—. Algo más arriba en la montaña se está plantando un nuevo campo de té. Y para arrancar las palmeras, se utilizan elefantes como bestias de carga. Hoy es domingo, pero seguro que mañana o pasado podrá contemplar a esos colosos.

Las mejillas de Victoria se arrebolaron de excitación, y entonces agarró a Grace de la mano.

—Iremos a verlos, ¿verdad?

—Si mamá nos lo permite.

Claudia suspiró .

—¿Acaso no ha ocurrido alguna vez que yo os prohibiera algo y luego vuestro padre os dijera que sí? —dijo con exageración teatral.

—Pero solo os dejaré si prometéis ir con cuidado —añadió Henry Tremayne—. Los elefantes no son perritos falderos, con sus patas pueden aplastar fácilmente a un hombre.

—Los veremos de lejos, ¡y echaremos a correr si se acercan! —prometió Victoria, mientras apretaba la mano de su hermana, como si quisiera evitar que expresara cualquier objeción.

—Sí, eso haremos —respondió Grace, en apoyo a Victoria.

—Bien, entonces en los próximos días podréis hacer una excursión por la montaña. ¿Quizá podamos pedir a nuestro joven amigo que haga de guía? –Enarcando las cejas, Henry miró a Cahill, que asintió servilmente.

–¡Por supuesto! Se lo preguntaré ahora mismo, cuando pase por el edificio de administración.

–Muy amable por su parte, pero no hay prisa –respondió Henry dándole una palmada en el hombro–. Los elefantes no irán a ningún sitio. Por lo que me ha explicado, la deforestación y el arado llevarán un tiempo.

–Sí, claro.

–Bien, entonces mis hijas tendrán ocasión de acostumbrarse al cambio de clima. –Henry se volvió de nuevo hacia el cuadro–. Creo que lo dejaremos ahí, ¿qué te parece, querida? –Lanzó a su esposa una mirada cautivadora–. Un poco de suerte no nos hará ningún daño.

Mientras Claudia expresaba su escepticismo, el abogado volvió a intervenir:

–Como puede ver por las flores, este lugar es una especie de santuario para los trabajadores. Traen ofrendas para sus dioses con regularidad. Sería prudente por su parte dejar el cuadro en su sitio.

Henry asintió tras una breve deliberación.

–Está bien, se queda donde está. Los empleados siempre trabajan mejor si se les otorgan algunas concesiones, ¿no es así, señor Cahill?

LIBRO SEGUNDO

LA ISLA
DE LAS MARIPOSAS

1

Una semana después Diana volvía a estar metida en un avión rumbo a Londres. Desde Heathrow volaría a Colombo con Sri Lanka Airlines. Aunque no era su primer vuelo de largo recorrido tenía un nudo en el estómago. ¿Sería el miedo a volar o la ilusión?

Más bien la ilusión, quiso creer, y sin salir de su ensimismamiento esbozó una sonrisa y acarició el chal de seda de Emmely, que llevaba consigo a modo de amuleto. En los últimos días le habían sucedido muchas cosas. Entre otras, poco antes de partir recibió un pequeño tesoro de parte del señor Green. Al parecer lo había encontrado en una de las cajas viejas del desván al hacer la limpieza anual.

Diana lamentaba no haber encontrado un momento para echarle un vistazo al desván. A pesar de que Emmely siempre estaba amenazando con tirar la mayor parte de los trastos viejos que albergaba, algunos recuerdos parecían haberse salvado de la quema. No obstante, jamás se le pasó por la cabeza que pudiera haber algo así. Al darle las gracias al señor Green aprovechó para pedirle que mantuviera los ojos abiertos, aunque dudaba de que aún quedara algo útil.

Después de que la azafata pasara ofreciendo bebidas y de que su compañero de asiento, un hombre de negocios japonés, se quedara frito, se incorporó con el mayor de los sigilos y alcanzó su equipaje de mano. La vieja guía estaba en el bolsillo delantero. Una sonrisa asomó fugazmente al rostro de Diana al sentir bajo los dedos la rugosidad del papel. Una vez acomodada en su sitio volvió a pasar los dedos delicadamente sobre el relieve de la letra y extrajo una hoja doblada.

Había impreso la foto del viejo paquete de té que el señor Green le envió. Junto al nombre de la compañía exportadora figuraba también una referencia al productor. La primera vez que leyó ambos nombres, «Tremayne Tea Company» y «Vannattuppūcci», estuvo a punto de quedarse sin aliento. La foto había sido la primera pista. Que los Tremayne habían tenido una plantación de té fue uno de los secretos mejor guardados de Emmely. ¿Pero por qué tanto ella como su propia madre se lo habían ocultado? ¿Acaso era una vergüenza para la familia?

Resultaba difícil de creer, ya que muchas familias británicas construyeron su patrimonio con el negocio de las plantaciones. Gracias a sus investigaciones, Diana había descubierto que en un primer momento se intentó hacer de Ceilán una isla cafetera, empresa que resultó un fracaso estrepitoso. A partir de la segunda mitad del siglo XIX las infructuosas plantaciones de café se dedicaron al cultivo del té, instaurando la base de la exitosa producción de té del país. En muy poco tiempo Ceilán pasó a convertirse en una famosa denominación de origen que se exportaba por vía marítima a todos los rincones del mundo.

Sus antepasados aportaron su granito de arena para que aún hoy en día se pudiera disfrutar de un té excepcional.

No cabía duda de que eso no era algo de lo que avergonzarse. ¿Por qué entonces nunca lo habían mencionado? El hecho de que Emmely guardara un paquete de té en el desván todos esos años confirmaba que conocía la existencia de la plantación. ¿No se lo había contado por olvido? ¿Y lo habría hecho de habérselo preguntado? Una y otra vez Diana no dejaba de sorprenderse de cómo ella misma había desplazado a los rincones más remotos de la memoria sucesos de su vida de suma importancia.

Lo cierto era que daba igual que Emmely hubiera omitido esa información de manera consciente o inconsciente. Con aquel paquete de té era como si Diana hubiera logrado casar las piezas de los bordes de un puzle y solo le faltara rellenar el centro.

Ahora sabía por qué habían adornado la tumba de Beatrice Jungblut con hojas de té. Y qué había inducido a Richard a emprender tan largo viaje. Y también qué plantas poblaban la montaña ante la que la joven Grace fue fotografiada.

Por otro lado, la cuestión de por qué habían excluido a Beatrice del panteón familiar seguía sin respuesta, así como cuál era su relación con Sri Lanka. Diana también ignoraba qué provocó la caída de Richard Tremayne, aunque el mayor enigma era la hoja de palma: su origen, su significado y los motivos por los que fue a parar a manos de los Tremayne. Una cosa sí estaba clara: la familia se trasladó a Ceilán. Y era allí donde quizá encontraría las respuestas. Tras una breve escala en Londres y varias horas de vuelo que en su mayoría pasó durmiendo, a la mañana siguiente el avión aterrizó suavemente en el aeropuerto de Katunayake. Mientras recorría la pista de aterrizaje el comandante se despidió de los pasajeros en un inglés perfecto.

Diana se masajeó las pantorrillas, entumecidas de estar sentada tanto tiempo, se desabrochó el cinturón y se levantó para recoger su equipaje de mano. Como inmediatamente todos los pasajeros se precipitaron hacia la salida, prefirió darse un respiro y mirar por la ventanilla. Salvo las palmeras que se atisbaban fuera del recinto del aeropuerto lo único que pudo ver fue otro avión que presumiblemente había aterrizado poco antes que ellos.

Por las puertas del aeropuerto se colaba un aire caliente y húmedo acompañado de un desagradable olor a gas de escape. Ni rastro de los exóticos aromas que anunciaba la guía. Ya cambiaría la cosa cuando llegara a la ciudad.

A bordo de la lanzadera Diana sacó la tarjeta de visita que le había dado Michael la última vez que se vieron. El sobrio rótulo: «Jonathan Singh, Chatham Street, Colombo, Sri Lanka», seguido de un número de teléfono, le hacía pensar en un concienzudo hombre de ciencia acostumbrado a plasmar ideas prácticas en palabras poco floridas. ¿Será el hombre adecuado para mi búsqueda?

En cualquier caso era reconfortante contar con un punto de partida; quizá el tal señor Singh podría darle un par de pistas.

Prosiguió el viaje en una especie de minibús de los que componían la flota de taxis de la ciudad, donde pudo experimentar en sus propias carnes el tristemente célebre tráfico de Colombo. Acompañada por música india y una orquesta de cláxones dirigida al temerario conductor de un motocarro de los que se conocen como *tuctucs,* que, jugándose la vida, cruzó por delante de unos cuantos vehículos de mayor volumen, finalmente llegó al insigne Hotel Grand Oriental, cuya fachada relucía bajo el sol.

A pesar de que los rascacielos del fondo empequeñecían un poco la majestuosidad del que fuera un colosal edificio, Diana pudo imaginarse perfectamente lo imponente que debía resultarle a los viajeros en el pasado.

Dentro del barrio conocido como el Fuerte se alzaban más edificios antiguos, e incluso se habían respetado los nombres de las calles, como pudo comprobar al compararlos con los de la vieja guía de 1887.

El Grand Oriental formaba parte de esa herencia de tiempos lejanos.

El bullicioso hervidero de la calle bien podría haber salido de un documental. Entre hombres vestidos con pantalón oscuro y camisa clara, combinación que era algo así como el atuendo estándar de los caballeros, pudo distinguir a hombres de negocios extranjeros, mujeres, vestidas tanto con el tradicional sari como con ropa actual, niños y turistas.

Con un buen presentimiento cruzó la puerta de cristal del hotel, sonrió al portero de librea roja y ribetes dorados y dirigió sus pasos hacia la recepción.

Por dentro, el edificio también había sido cuidadosamente restaurado, e incluso enriquecido con algún que otro elemento más moderno. Junto a la librería que el hotel albergaba desde hacía muchos años había más tiendas; entre otras, una floristería en cuyo escaparate llamaban la atención unas maravillosas flores de franchipán.

Diana había leído en un folleto que durante la década de 1980 el hotel se había llamado Taprobane. Luego apostaron por retornar al lujo de antaño, que huéspedes como el escritor Somerset Maugham pudieron disfrutar.

—Bienvenida al Grand Oriental. ¿En qué puedo ayudarle? —la saludó la recepcionista, una señora vestida con un pulcro traje de chaqueta y con el pelo recogido en un moño bajo que le cubría la nuca.

Diana se presentó y dejó sobre el mostrador el resguardo de su reserva. Tras rellenar un par de formularios y recoger la llave, apareció un botones que la acompañó a su habitación.

¿Cómo se habrían sentido los Tremayne al subir por aquellas escaleras?, se preguntó mientras seguía al joven. La mujer y las hijas embutidas en sus aparatosos vestidos y en sus apretados corsés, el señor con la marquesota bien almidonada, y un séquito de sirvientes a sus espaldas.

Incluso con la ropa actual Diana no paraba de sudar. ¿Cómo soportaban semejante calvario sus antepasados?

La habitación, aunque limpia y bien cuidada, la trasladó inevitablemente al siglo XIX. El exquisito mosaico que formaban los baldosines marrones del suelo bien podía ser el mismo de entonces, y la cama de dosel que ocupaba la mayor parte de la estancia parecía una réplica exacta de la que, a buen seguro, en otros tiempos proporcionaba al huésped un reparador descanso nocturno. Los sillones sin duda eran nuevos, pero su estilo armonizaba de maravilla con el resto de la habitación, cuya ventana ofrecía una maravillosa vista del puerto.

En vano, Diana buscó el ventilador de techo que suele salir en las películas. Lo habían sustituido por un climatizador moderno.

Después de darle una propina al botones cerró la puerta y se tomó un momento para dejarse imbuir por el ambiente. Luego se asomó a la ventana para disfrutar de las hermosas vistas del puerto y del mar. La cálida brisa que le atravesó el pelo y le acarició el rostro hizo que se relajara un poco. Voy por el buen camino.

Tras deshacer la maleta llevó al escritorio el portaplanos tubular donde guardaba la hoja de palma. En el control de seguridad a los aduaneros les sonó un poco raro que afirmara traerla para devolvérsela a un conocido suyo de Colombo, pero acabaron tragándoselo.

Mejor será ponerla a buen recaudo en la caja fuerte del hotel, pensó. Para descubrir a qué biblioteca pertenecía bastaba con las copias de Michael.

Aunque estaba muy cansada decidió dar una vuelta de reconocimiento por la ciudad.

Una vez se hubo duchado y cambiado llamó a Eva y al señor Green para decirles que había llegado sana y salva a Colombo. Media hora después, armada con la vieja guía de viajes, con otra más nueva para dar con el señor Singh y con el portaplanos bajo el brazo, abandonó la habitación.

De camino al vestíbulo recorrió un pasillo donde reinaba un intenso ajetreo. Era evidente que en el salón de baile Lotus –así rezaba el inmaculado cartel de la puerta–, se estaban ultimando a todo correr los preparativos de un gran evento. Los tiesos cubresillas blancos decorados con lazos dorados permitían adivinar un banquete de boda.

De pronto algo se removió en su interior. Su boda había sido de lo más modesta. Le habría encantado montar una gran fiesta, pero al final claudicó ante Philipp, que la amenazó con invitar a su ingente parentela. Ahora se arrepentía un poco de no haber celebrado una boda más suntuosa. Eso no habría cambiado en nada su matrimonio, pero al menos guardaría un bonito recuerdo.

Al ver llegar a más empleados cargados con cubresillas se quitó de en medio. En vez de lamentarte por cosas que nunca sucedieron, deberías centrarte en el presente, en tu plan, se dijo. Ya en el vestíbulo sacó del bolso la vieja guía. Entre las páginas sobresalían unos post-it con los que había marcado algunos pasajes. Como lugares de especial interés señaló el Fuerte, Chatham Street y Cinnamon Gardens, un barrio de la ciudad que con el tiempo había adquirido el nada romántico nombre de Colombo 7. ¿Conservaría aún hoy esos jardines de canelos que prometía su primer nombre?

Tras depositar la hoja de palma en la caja fuerte abandonó el hotel. Conociendo a Michael, seguro que el señor Singh me está esperando. Lo habrá vuelto loco. Además, cuanto antes averigüe algo, mejor.

A pesar de la mucha información recabada sobre Sri Lanka, y de haber visto varias fotos en los libros, Diana sintió que no estaba preparada como para asimilar el aluvión de contrastes que le asaltó al pasear por la ciudad. Por un lado rascacielos y anuncios de neón, automóviles y teléfonos móviles; por otro, saris, carros de bueyes, casas coloniales y cabañas de madera.

En la calle se mantuvo ojo avizor para no ser arrollada por uno de esos minibuses rojos que, cargados de pasajeros, atravesaban la ciudad a un ritmo vertiginoso. Entre la multitud que tomaba York Street, vio a un hombre intentando abrirse paso con su engalanado elefante a rastras. Tras él atronaban los pitidos de los *tuctucs* y el quejido ronco de los timbres de las bicicletas.

También Chatham Street estaba atestada de peatones y ciclistas. Muchos edificios antiguos habían cedido su sitio a construcciones nuevas. Los comerciantes de seda chinos se habían hecho con la mayor parte de los negocios. No obstante, aún tenía que abundar la compraventa de los tesoros naturales del país; en especial debía de ser relativamente fácil conseguir a buen precio gemas en bruto.

Diana pensó en la enorme gema azul que encontró en el cajón secreto, y que había dejado en el hotel, en su bolsa de viaje. Debí traerla para comprobar si es auténtica… y sobre todo para descubrir de qué mineral se trata.

Diana se detuvo a hojear la guía en busca de la tienda regentada por un famoso mercader de gemas. Al rato la encontró, pero por desgracia el mercader ya no estaba allí. Las contraventanas estaban claveteadas y el cartel de la fachada estaba desconchado.

Dos casas más adelante divisó el escaparate de una modesta tienda de gemas donde en rojo chillón rezaba el reclamo: «Rebajas», en inglés. Deben de estar como nuestros vendedores de alfombras: en liquidación permanente, pensó Diana no sin cierta sorna.

Al no obtener éxito en su búsqueda de tiendas de gemas, fue recorriendo la calle hasta llegar al número 23. Aunque el edificio de estilo colonial tenía cierto aspecto ruinoso, no había perdido un ápice de su elegancia. Eso sí: el moderno portero automático no pegaba ni con cola con el resto. Entre los muchos nombres escritos en la garrapateante escritura nativa, reparó en uno con doble rótulo. ¡Era él! ¡El hombre que quizá supiera orientarla con respecto a la hoja de palma!

Con el corazón en un puño por la emoción llamó al timbre, dio un paso atrás y miró hacia arriba con la esperanza de que algo se moviera por las alturas.

Durante un buen rato no sucedió nada. Justo cuando se disponía a llamar de nuevo, se abrió una ventana que emitió un fuerte chirrido y un copete oscuro asomó. Como el sol le impedía ver con claridad se puso la mano sobre los ojos, pero aun así no logró distinguir el rostro.

—¿Es usted quien ha llamado a mi puerta, señora? —le dijeron desde arriba.

—¡Si es usted Jonathan Singh, sí! —repuso Diana.

—¡Aguarde, ahora mismo estoy con usted! —contestó la voz tras un silencio.

El copete desapareció y la ventana se cerró. A sus espaldas sonó un bocinazo atronador que la hizo estremecerse. La guía de viajes se le cayó de las manos yendo a parar justo al lado de la inmundicia que se acumulaba en el huequecito de debajo de un desagüe.

Nada más agacharse la puerta se abrió. Diana se levantó apresuradamente y se topó de frente con unos ojos color ámbar en medio de un rostro suavemente curtido por el sol. De primeras, ese hombre moreno y madurito que vestía informal con camisa blanca y pantalones claros más que un historiador trasnochado parecía un artista. No era aquella la imagen que se había formado del amigo de Michael.

—El señor Singh, supongo.

Una sonrisa iluminó el rostro de aquel hombre.

—El mismo. Y usted debe de ser la amiga de Michael. Diana Wagenbach, si no me equivoco.

—Así es.

Nerviosa, Diana fue a darle la mano sin darse cuenta de que algo se le había caído de la guía. Al ver que Jonathan se echaba hacia delante para recogerlo, retrocedió asustada.

—¡Se le ha caído esto! —dijo dándole un papel grisáceo. En un primer momento Diana lo observó escéptica, pero en cuanto se dio cuenta de qué se trataba, un escalofrío le recorrió el espinazo. ¡La foto de su tatarabuela! O más bien la copia que había hecho antes de salir de viaje. De pronto se acordó de que la había metido entre las páginas de la guía durante el vuelo. Quiso volver a guardarla en la cartera, pero se durmió y al despertar se limitó a meter la guía en el bolso.

—¡Muchísimas gracias! Habría sido una pena perderla.

Al mirar de refilón el ajado librito verde que Diana sostenía, la sonrisa del hombre se agrandó.

—¿No cree que le vendría bien un plano algo más actual de la ciudad?

—¡Pero si ya tengo uno! —repuso Diana—. Llevo esta guía para ver cómo eran las cosas antes y cómo son ahora.

—Así que es usted historiadora.

—No, abogada. ¿No se lo dijo Michael?

—Le ruego que me perdone, pero Michael se ha mostrado de lo más misterioso al respecto, como si temiera que yo fuera a desentenderme del asunto. Está claro que hace mucho que no nos visita, por lo que quizá haya olvidado que nos encanta ayudar a todo aquel que viene en busca de respuestas.

En cuanto las protestas de los viandantes subieron de tono, el hombre se pegó a la pared para dejar paso.

—Espero que a usted le haya contado algo más sobre mí.

—Solo que se dedicaba a la investigación y que ahora escribe libros.

—Así es. Como mi nombre delata, soy hijo de un indio y una inglesa. Por cierto, su inglés es realmente bueno.

Diana se puso roja como un tomate. No, decididamente así no se había imaginado a Jonathan Singh. No tan encantador ni tan atractivo desde el primer instante…

—Mi tía… Mi tía abuela, mejor dicho, era inglesa. Así que yo misma llevo sangre inglesa en las venas.

—¡Entonces prácticamente somos paisanos! —repuso Singh con efusividad—. ¿Qué le parece si empezamos por tomar un té? Así podrá contarme algo más sobre usted y sus planes. Conozco una tetería estupenda aquí cerca.

—¿No le estaré distrayendo de sus ocupaciones? —preguntó Diana algo apurada.

—Qué va. Para serle sincero la estaba esperando. Cambiar la investigación por la escritura ha limitado aún más mi ya de por sí exigua vida social. De hecho estoy encantado de que al fin alguien me arranque de mis legajos.

—Lo que busca son hojas de palma, ¿no es cierto? —preguntó Singh mientras culebreaban entre el gentío que atestaba Baillie Street—. Es lo único que me avanzó Michael.

—Sí, así es —repuso Diana.

—Pues entonces lo mejor es que vayamos al Museo Nacional. Cuentan con una fantástica colección de *olas*.

—¿Olas?

—Así se llaman en tamil los libros de hoja de palma.

A Diana le costaba creer que las profecías se guardaran en museos. Michael le había dicho que había bibliotecas específicas donde las custodiaban sus intérpretes, tamiles que dominaban los dialectos primitivos de su idioma. ¿Estaría equivocado? ¿Habría ampliado tanto su campo la historiografía con el paso de los años como para acoger en su seno el destino de las personas?

—¿Qué contienen esos *olas*? —preguntó Diana para asegurarse de que realmente hablaban de los mismos libros de hoja de palma.

—Todo el saber digno de conservarse —repuso Singh—. El pueblo tamil cultivó la escritura desde tiempos inmemoriales. La mayoría de los manuscritos fueron destruidos durante la época colonial, pero una buena parte aún puede admirarse en los museos.

—Pues entonces me temo que esos no son los libros de hoja de palma que busco.

En un primer momento Singh la miró perplejo; luego una lucecilla iluminó sus ojos.

—Ah, discúlpeme, lo que usted desea es que le vaticinen el futuro. Ese es el tipo de *olas* que anda buscando.

—En realidad no deseo que me vaticinen nada. —¿Será verdad que Michael no le ha contado nada?, se preguntó de pronto—. Encontré una hoja de palma entre las cosas que me dejó en herencia mi tía y deduje que alguien la robó en el pasado. Quisiera devolverla a su biblioteca.

Por un instante Singh se quedó patidifuso.

—¿Una hoja de palma en Inglaterra?

—Espero no haber cometido un delito trayéndola conmigo.

—No, por supuesto que no —se apresuró a decir Singh negando con la cabeza—. Creía que solo los intérpretes las custodiaban y que era imposible arrebatárselas.

—Eso mismo pensaba Michael —repuso Diana—. Estaba en un cajón secreto detrás de una estantería. Supongo que llegó a Inglaterra en el siglo XIX. En el equipaje de mis antepasados, que viajaron a estas tierras. Y que, según he sabido hace poco, tuvieron una plantación aquí.

Singh la miró con los ojos encendidos.

—Eso suena tremendamente interesante. No comprendo por qué Michael no me informó antes.

—Seguro que no quiso chafarle la sorpresa —dijo Diana con cierto sonrojo que se reprochó al instante. ¡Eres una mujer hecha y derecha, no una colegiala ñoña!

De pronto Singh se detuvo:

—¡Fíjese en eso!

Señalaba hacia una casa con aspecto de ser más antigua que las de Chatham Street.

Diana frunció el ceño al reparar en la inscripción del umbral.

—Eso es holandés, ¿verdad?

—Así es. Traducido viene a ser: «Derrumbada por antojo, levantada por justicia».

—¿Y qué quiere decir?

—Durante la colonización holandesa la ciudad fue regida por un gobernador llamado Pieter Vuist. Según dicen, uno de los hombres más temibles y crueles que han gobernado esta tierra. Por puro capricho, aunque algunos sostienen que más bien fue por pura envidia, ordenó derruir esta casa. Su sucesor, un hombre algo más razonable, mandó reconstruirla y poner la inscripción.

Mientras escuchaba sus explicaciones, Diana sintió en la nuca un agradable estremecimiento, como si la fría mano del pasado la hubiera rozado invitándola a seguir sus pasos. Teniendo a su lado a Jonathan Singh no había nada que temer.

Daba la sensación que los dos negocios adyacentes comprimieran la tetería de York Street. Muy probablemente las otras construcciones habían ido acorralando a lo largo de los años a su humilde y vieja vecina.

El interior, pintado de un intenso rojo óxido, era angosto y estaba repleto de objetos decorativos. Música india cencerreaba desde una radio, y en algún sitio había un televisor encendido donde estaban dando las noticias. Diana echó en falta las típicas imágenes de Shiva, Ganesha u otras divinidades, pero en cambio reparó en un cartel centenario de bella caligrafía árabe.

—El dueño es musulmán —le explicó Singh sentándose en uno de los cojines—. Y le cuenta henchido de orgullo a todo el que le presta atención que sus antepasados vinieron de Yemen para difundir la doctrina de Mahoma. Pero no les fue del todo bien, ya que aún hoy el hinduismo y el budismo predominan en la isla de las mariposas.

—¿La isla de las mariposas?

—Sí, es uno de los muchos nombres de Sri Lanka. La llaman así por tener la forma del ala de una mariposa —dijo subrayando sus palabras con un gesto del dedo con el que dibujó un ala de mariposa en el aire.

—Otra cosa que aprendo —reconoció Diana algo perpleja, aunque omitiendo que la mariposa le había traído a la memoria aquella otra que en su sueño resucitó al ángel.

—Sri Lanka está llena de sorpresas —afirmó Singh para luego pedir en un impecable tamil dos vasos de té al solícito propietario—. Es el mejor té en millas a la redonda —recalcó Singh mientras el hombre se alejaba a todo correr—. Me he tomado la libertad de pedir unos pastelillos. Aunque es un poco pronto para almorzar, ¿no le parece?

A Diana le zumbaba la cabeza. ¿Sería el *jet lag?* Aunque quizá solo necesitaba un momento para poner en orden sus ideas.

—Mejor será que, para variar, sea yo quien le cuente algo sobre mí antes de volver a acribillarla a preguntas.

—Se lo agradezco. Así podré prepararme para la que se me viene encima —asintió Diana.

Una vez el dueño les sirvió dos humeantes vasos de té y una fuente con pastelillos, Singh comenzó con su historia.

—Me crie en Inglaterra. Mi padre procedía de la etnia tamil de la India, lo que me ha permitido dominar sus dos lenguas maternas. Fue a Inglaterra a ocupar una cátedra de historia india, pasión que de algún modo supo contagiarme, aunque yo preferí centrarme en este país. En cualquier caso no cabe duda de que mi interés por una hoja de palma llevada a Inglaterra en el siglo XIX se lo debo a él y solo a él.

Singh hizo una breve pausa y se mordisqueó el labio inferior, como si no supiera cómo ir al grano.

—¿No habrá traído consigo la hoja por casualidad? —dijo al fin.

Diana negó con la cabeza.

—No, desgraciadamente no, pero…

Se detuvo. ¿Qué impresión le causaría si de buenas a primeras lo invitaba a su hotel? Apenas tardó un instante en censurar sus propios pensamientos. ¡Lo que quiere es ayudarte con la hoja de palma, no casarse contigo! Da gracias de que Michael te haya puesto en contacto con él.

—La tengo en el hotel. Allí también tengo unas cuantas fotos que le hice. Es demasiado valiosa como para ir con ella a todas partes.

—Comprendo.

Singh removió en el aire su vaso de té.

—Ardo en deseos de echarle un vistazo —dijo—. Pero por desgracia mañana tengo una reunión con mi editor. Quiere que hablemos de mi nuevo proyecto.

—Ah, ¿sí? —Diana levantó las cejas—. ¿Y de qué trata, si no es indiscreción?

—Del conflicto entre tamiles y cingaleses, de sus causas, sus implicaciones y su historia. La tensión entre nuestros dos pueblos se mantiene candente desde hace décadas, por lo que las acciones terroristas de los Tigres Tamiles no tienen visos de cesar. Con mi trabajo me gustaría arrojar algo de luz y objetividad al asunto.

Diana volvió a recordar las advertencias de la empleada de la agencia de viajes cuando le dio el folleto informativo.

—Tiene pinta de ser un tema peliagudo, aunque no peligroso.

—Pues lo es. Y también irrenunciable. El silencio no nos conduce a nada, solo si llegamos a un consenso reinará algún día la paz en toda la isla.

Diana guardó silencio, impresionada.

—Pero eso no quiere decir que no tenga tiempo para usted. Podemos quedar por la tarde, es el momento en que la ciudad está más hermosa. ¿Qué le parece?

—Será un placer —dijo Diana con una extraña sensación de cosquilleo en el abdomen.

—¿En qué hotel está hospedada?

—En el Grand Oriental.

Singh adelantó el labio inferior en señal de admiración.

—Parece tomarse realmente en serio sus investigaciones. En la época colonial el Grand Oriental, junto al Mount Lavinia, era una de las principales residencias de los ingleses en Sri Lanka. Sin duda es la opción correcta para iniciar un viaje al pasado.

—Lo encontré en mi vieja guía. Estaba señalado. No sé muy bien por qué, pero me agrada la idea de que mis antepasados se hospedaran allí.

—Estaré allí a las ocho de la tarde —prometió Singh—. Luego me permitiré enseñarle la ciudad. Vaya uno donde vaya, la cocina de los hoteles siempre presupone que lo que un extranjero desea comer es lo mismo que en su casa. Yo en cambio creo que cuando uno va a otro país debe abandonarse a los pecados culinarios que este le ofrece.

Para ilustrar sus palabras Singh se metió un pastelillo en la boca.

2

Como preparación para la cita con Jonathan Singh, a la mañana siguiente Diana se apuntó a una visita guiada por la ciudad en la que pudo ver el museo y algunos templos bellísimos que inmortalizó con su cámara. Tal y como sospechaba, los manuscritos en hojas de palma del museo no eran profecías, sino narraciones y crónicas de acontecimientos históricos, o al menos eso le dijo el guía, el señor P. Suma. Aunque hablaba un inglés correcto, Diana no tardó en hacerse un lío con el sinfín de nombres tamiles que mencionó para contarle la historia de su país.

Con la intención de hacer más llevadero el viajecito en uno de esos peligrosos minibuses rojos, Diana se puso a pensar en la cita que le esperaba. Al hacerlo sintió una especie de júbilo anticipado; no solo por la esperanza de obtener información sobre la hoja de palma, sino también por ver de nuevo a Jonathan Singh.

La noche anterior, al rememorar la conversación que mantuvo con él, volvió a sorprenderse de su simpatía y de su fantástico sentido del humor. Y también tuvo un momento para recrearse en aquellos ojos tan bonitos. Dejándose llevar, intentó imaginar cómo mirarían en distintas situaciones.

De vuelta en el hotel, tras una ducha y una pequeña siesta, se sorprendió a sí misma plantada delante del espejo lamentándose por la poca ropa que había llevado. Quería causarle la mejor impresión posible al señor Singh, aunque quizá solo le interesaran las fotos de la hoja de palma.

Finalmente se decidió por una falda blanca hasta la rodilla con bastante vuelo, que tenía bordado un motivo floral, y una blusa negra de manga corta.

Gracias al señor P. Suma sabía que la camiseta estaba socialmente aceptada, pero que se consideraba una prenda infantil. Ya que iban a salir del hotel, no quería llamar la atención por su indumentaria.

Después de echarse un buen perfume y meter las fotos y una libreta en el bolso, bajó al vestíbulo, donde se topó con un grupo de turistas que acababa de llegar. No encontró a Singh. Entonces detuvo la mirada en el reloj de encima del mostrador de la recepción.

Las ocho menos cinco. Seguro que es puntual. Aunque quizá se retrase un poco. Con todo el trabajo que tiene no sería extraño.

Después de sentir sobre ella las miradas de algunos miembros masculinos del grupo se acercó a unas sillas coloniales de estilo victoriano tardío, como la mayor parte del mobiliario del hotel. Escapar del griterío era una empresa tan complicada como controlar sus nervios.

¿Qué le tendría reservado la velada?

—¿Señora Wagenbach?

Diana levantó la vista sorprendida. Jonathan Singh apareció a su lado como salido de la nada.

—¡Ah! ¡Hola! —dijo algo turbada mientras le tendía la mano—. Qué alegría verlo, señor Singh.

—El placer es todo mío. Espero no haberla hecho esperar mucho.

—Solo un par de minutos —repuso Diana con una sonrisa un tanto forzada—. Ya sabe, la puntualidad alemana.

Nada más decirlo se habría abofeteado. Bastante embarazoso era ya de por sí cumplir ese cliché como para encima recalcarlo. Por suerte, Singh le devolvió una sonrisa.

—¿Qué le parece si vamos a Pettah? Como comprobará, de noche la ciudad es muy tranquila. Sin embargo, en Pettah precisamente a estas horas se anima el bazar. Allí seguro que encontramos un restaurante donde degustar la auténtica cocina de Sri Lanka.

—Suena de maravilla —dijo Diana antes de que abandonaran el hotel y emprendieran su paseo a pie por la ciudad.

El tráfico se había tranquilizado un poco. Como el número de peatones también había disminuido se podían contemplar las calles, donde la fruta se pudría por el suelo y los perrillos merodeaban en busca de alimento. Los baches eran de tal tamaño que era un milagro que no provocaran accidentes más graves. Sin embargo, allí todo resultaba más amigable que en una mortecina calle alemana, donde las casas observaban con sus ojos vacíos el impecable asfalto una y mil veces reparado.

—¿Cómo le fue la entrevista con su editor? —preguntó Diana en cuanto dejaron atrás el hotel.

—Mejor de lo esperado —respondió Jonathan—. Está muy interesado y espera que el libro tenga repercusión, incluso en otros países. En mi opinión sería muy importante que así fuera, especialmente en el extranjero, ya que junto al té el turismo es nuestra mayor fuente de ingresos. Después del atentado en el aeropuerto mucha gente se lo piensa dos veces antes de venir a visitarnos.

—Ya imagino.

—Las advertencias han cesado, pero se sigue recomendando precaución a los turistas. Seguramente sea su caso, ¿no es así?

—Sí, aunque solo miré por encima las indicaciones. Prefiero ver las cosas y decidir por mí misma qué es peligroso y qué no.

—Pero no todo el mundo es así. Me gustaría ayudar a los turistas a comprender la situación y a sopesar los riegos.

—Seguro que se lo van a agradecer. Y su país también.

—Ya veremos —repuso humildemente Jonathan encogiéndose de hombros.

Al rato llegaron al paseo marítimo de Colombo; Jonathan lo llamó Galle Face Green. Los puestos de limonada —unas chozas— crecían como setas después de un aguacero. La vista del mar y del cielo, separados por una franja dorada, era imponente.

—No veo ningún bazar —señaló Diana esbozando una sonrisa.

—No, pero es una de las mejores vistas de la ciudad. Si viene una mañana después de que haya llovido, podrá ver a la gente aparecer de pronto entre la niebla como personajes de leyenda.

Siguieron caminando hasta doblar por una calle iluminada por lámparas de petróleo que balanceaba la suave brisa de la tarde. Una parrilla callejera desprendía un aroma celestial que se mezclaba con el olor a leña.

Jonathan extendió los brazos:

—¡Estamos en Pettah!

Al poco llegaron a un pabellón que, a pesar de la hora, estaba de lo más animado.

—¿Este es el bazar?

—Sí, al menos parte de él —explicó Jonathan—. Este es el pabellón de las telas. Si tiene pensado hacerse un auténtico sari no se lo puede perder. Merece la pena.

A Diana no le costó nada dar crédito a sus palabras: los puestos estaban repletos de telas de vivos colores. Quizá volviera para hacer alguna compra; pero no sin antes resolver el enigma de su familia.

A continuación, Jonathan la guio a través de los puestos de abalorios y de especias, envueltos en embriagadores aromas, hasta llegar a un pequeño local donde no había ni rastro de turistas.

—Este lugar es el secreto mejor guardado —le dijo mientras esperaban frente al pequeño mostrador a que los sentaran—. Al menos de momento. Aquí los dueños de las teterías y los restaurantes cambian constantemente; es muy posible que en uno o dos años este local desaparezca.

—A juzgar por el número de visitantes resulta difícil de imaginar.

—Los locales están sometidos a su peculiar ley de la oferta y la demanda. El que en un momento dado está en la cima, meses después puede llevárselo el viento. Demos gracias, pues, por los alimentos que nos van a servir esta noche.

Diana aprovechó el momento que tardó el camarero en aparecer para echar un vistazo. Algunas mujeres llevaban sari, mientras que la mayoría de los hombres iban vestidos con pantalón negro y camisa de un solo color. Las paredes estaban decoradas con imágenes sagradas y máscaras, y destacaba una foto de una bailarina ataviada con ropas de vivos colores. Bajo un pequeño altar dedicado al dios Shiva se agolpaban las flores de franchipán. El aire estaba surcado de finos hilos de humo provenientes de palitos aromáticos.

Reinaba un murmullo de conversaciones mezcladas con una música que no estaba nada mal. Diana intentó absorber como una esponja todas esas sensaciones para luego tener algo a lo que aferrarse cuando volviera a la austera y monocorde Alemania.

En cuanto quedó libre una mesa apareció un joven. Mientras una chica muy diligente se encargaba de prepararla, el camarero mantuvo una breve conversación con Jonathan. Poco después estaban sentados a la mesa, limpia ya de migas y con dos mantelitos hechos de hoja de palma.

—Bien, ¿qué dice su hoja de palma? —preguntó Jonathan en cuanto la eficiente camarera trajo las cartas, de un papel rugoso que recordaba a la piel de elefante y cubiertas de extraños símbolos y cifras.

—Me temo que tendrá que ayudarme. No entiendo ni una palabra de lo que pone.

Singh rio entre dientes.

—No se preocupe. Déjelo en mis manos. ¿Ha traído las fotos?

Diana asintió y rebuscó en el bolso. Puso las fotos sobre la mesa intentando dar con el orden correcto. Las fotos de Michael eran tan nítidas que permitían distinguir hasta el más mínimo detalle. La escritura de la hoja era similar a un diseño grabado en madera con un soldador.

Antes de que Jonathan pudiera echar un vistazo a las fotos reapareció la eficaz camarera. Si las fotos que había sobre la mesa le impresionaron, supo disimularlo muy bien.

Jonathan dijo algo en tamil y la muchacha se fue volando.

—¿Qué hemos pedido? —preguntó expectante Diana.

—Ya lo verá —repuso Jonathan con una sonrisa enigmática.

—¿No va a darme ninguna pista?

—Le gustará, confíe en mí. La cocina tamil es muy sabrosa, sobre todo si tolera el picante.

—Siempre que haya un cubo de agua preparado para extinguir el incendio…

—El agua aplaca el picor solo en el momento. Pero no se preocupe, he sido prudente.

Sin dejar de sonreír, Jonathan alcanzó una foto y la observó minuciosamente. Mientras la examinaba, Diana se mordió el labio impaciente. ¿Podría leerla? Su ceño fruncido no era muy halagüeño.

—Es tamil antiguo —concluyó Singh—. Justo lo que pensaba.

—¿Y puede leerlo?

—La escritura tamil ha cambiado enormemente a lo largo de los siglos. Una *ola* como esta debe de tener más de mil años. —Jonathan apartó las fotos—. Me temo que va a tener que encontrar un intérprete de *nadi,* alguien que aún hable esa lengua.

—Y a alguien así solo lo encontraré en las bibliotecas.

—O en un pueblo a las afueras de Colombo. ¿Está segura de querer devolver esa hoja a su biblioteca?

Diana asintió.

—Sí, esa sigue siendo mi intención.

—Le recomiendo que primero le consulte a una fuente independiente. Quizá encuentre en el documento algún indicio de a qué biblioteca pertenece.

—¿Cree que puede decirlo el propio texto?

Jonathan se encogió de hombros.

—Quién sabe. No se pierde nada por intentarlo. ¿No le parece?

Diana asintió y Jonathan se la quedó mirando un rato en silencio.

—¿Qué historia se oculta tras su viaje? ¿Cuáles son sus verdaderos motivos? —preguntó al fin.

Diana sacó la foto de la montaña con la mujer vestida de blanco, la misma que Jonathan había impedido que se perdiera. Al verlo sonreír supo que se acordaba del incidente.

—Creo que esta es mi tatarabuela. Por desgracia desconozco el motivo exacto por el que mi abuela tuvo que huir durante la guerra; no conservo ninguna documentación, ni siquiera fotos. En un viejo paquete de té, bajo el nombre del fabricante, di con el nombre «Vannattuppūcci». Dudo de si es el de la plantación y el lugar donde se encuentra.

—Mariposa —dijo Jonathan sonriendo.

—¿Perdón?

—Mariposa. «Vannattuppūcci» significa «mariposa» en tamil. Sus antepasados debían de tener una vena poética.

Sin saber por qué, Diana volvió a pensar en el sueño. La mariposa que hacía resucitar al ángel. ¿Una premonición tal vez? No, no creo...

—Apostaría a que se trata del nombre de la plantación. Los ingleses tenían la costumbre de ponerle nombre a sus tierras.

—Cuesta imaginar que mis antepasados tuvieran el buen gusto de llamar así a su plantación. El típico inglés de aquellos tiempos era más proclive a ocultar sus sentimientos que a manifestarlos.

—Sus motivos tendrían para hacerlo.

Jonathan volvió a observar la foto. Luego suspiró.

—Tiene usted por delante una dura tarea.

—Quería mucho a mi tía Emmely, era como una abuela para mí. Lo que más deseo en este mundo es ver cumplidos sus deseos, sobre todo después de...

Alto ahí, no sigas, se dijo a sí misma Diana. No tiene sentido que le cuente la historia de mi malogrado matrimonio. Al fin y al cabo, no es más que un desconocido que se ha prestado a ayudarme.

Al verla tan callada, Jonathan la miró con gesto interrogante. Diana buscaba a la desesperada un tema con el que seguir la conversación.

—Lo que necesito es saber qué se oculta tras el velo que tejió mi abuela. No sé si me entiende.

—Ya lo creo —asintió Singh. Un gesto pensativo se dibujó en su rostro; luego sacudió la cabeza—. Es curioso. Nuestros mayores

182

a lo largo de su vida se esfuerzan por ocultar las sombras del pasado. Y luego nos piden a nosotros, sus descendientes, que las encontremos, pues en el fondo quieren librarse de esa pesada carga, pero carecen de la fuerza para decirlo a las claras.

La sabiduría que destilaban sus palabras dejó asombrada a Diana. Empezó a preguntarse si el secreto de su familia no sería una terrible sombra que avergonzaba profundamente a Emmely.

—Deberíamos considerarlo como un deber hacia nuestros descendientes, ¿no le parece? —Singh la miró con una expresión extraña; como si él mismo hubiera descubierto una sombra en su pasado—. Desvelar nuestro propio pasado antes de que nuestros hijos se vean obligados a hacerlo.

—Yo no lo veo como un deber —repuso Diana con cierta ansiedad—. Al contrario. De niña siempre estaba imaginando cómo vivirían mis antepasados. Mucho fue lo que se perdió por culpa de la Segunda Guerra Mundial. Mi abuela, que tantas cosas podía haberme contado, murió al nacer mi madre. Y la tía Emmely siempre fue muy reticente a hablar de esas cosas, quizá por no querer recordar…

—Seguro que acabó haciéndolo —adujo Jonathan algo más relajado—. De lo contrario no le habría encomendado esta misión. Debió de creer que usted lo comprendería todo mucho mejor si reconstruía el pasado en vez de limitarse a escuchar una historia.

Un silencio siguió a sus palabras. Tras pensarlo un momento, Diana concluyó que tenía razón. Antes de que pudieran reanudar la conversación apareció el camarero con unos cuencos humeantes que desprendían un olor delicioso. Diana distinguió unos pastelillos, distintos *chutneys* y algo parecido al curry rojo que sirven en los restaurantes tailandeses.

El camarero recitó rápidamente algo en tamil y se retiró. Admirada, Diana observó la comida e inspiró profundamente los distintos aromas.

—¡Vaya pinta tiene todo! ¿Qué es?

—Una muestra representativa de la cocina tamil. —Jonathan fue señalando los platos—. *Idli* y *badai,* que es como denominamos, respectivamente, a los pastelillos de lenteja negra y arroz, *chutney, rasam,* una salsa de pimienta muy sutil, y un curry rojo. Luego vendrá el yogur helado.

—Eso si me entra algo más —dijo Diana riéndose con cuidado de que no se notara demasiado que se le había hecho la boca agua.

—La manera tradicional de comer es con los dedos y usando una hoja a modo de plato —explicó Jonathan al tiempo que le enseñaba a Diana cómo sujetar esa hoja verde y tiesa—. Puede usar los cubiertos, pero así es más genuino.

Al rozarse sus manos se miraron por un instante. El ámbar se volvió más oscuro, casi marrón, y Diana tuvo la impresión de perderse en él. Pero recuperó la compostura tan rápido como le había sobrevenido ese sentimiento, y en cuanto probó el primer bocado quedó obnubilada por un placer que hasta entonces nunca había sentido en la lengua.

Cuando, recién pasada la medianoche, volvieron al hotel, Diana se sentía un tanto extraña. No era por la fantástica comida, ni tampoco por Jonathan, que durante toda la velada se había comportado como el guía perfecto. Al compartir con él su secreto tenía la sensación de ver algunas cosas mucho más claras, aunque también era consciente de no haber aprendido nada que no supiera antes.

Jonathan le prometió que en los próximos días intentaría dar con un intérprete de *nadi,* ante lo que Diana no pudo ocultar su impaciencia.

Después de intercambiarse los correos electrónicos la acompañó al hotel. Cada uno sumido en sus pensamientos, recorrieron la ciudad en silencio. Durante el paseo Diana se sorprendió a sí misma una y otra vez mirando de soslayo a Jonathan. Sin poderlo remediar, se le pasaban por la cabeza preguntas absurdas como: ¿irá al gimnasio? ¿Qué talla de zapatos usará? ¿Cómo será su casa? Era como si hubiera vuelto a la adolescencia, cuando todas las chicas soñaban con los chicos mayores que tenían moto y destacaban en algún deporte.

Incluso en la ducha, con el agua caliente cayéndole por el cuerpo, no podía quitárselo de la cabeza. ¿Cuándo le has dedicado tú tanto tiempo a pensar en un hombre? ¿Cuánto hacía que no se acostaba con Philipp? En los últimos meses el sexo había degenerado en una mera obligación que practicaban en los huecos que a ambos les dejaban las reuniones de trabajo y las tareas cotidianas. Hasta que descubrió que Philipp le era infiel ni siquiera había reparado en ello, y luego había estado tan absorta en su fracaso marital y en la enfermedad de Emmely que apenas había prestado atención a su propio cuerpo.

Pero allí, lejos del hogar, rodeada de aromas exóticos y de una brisa tórrida que amenazaba con derretirla en cualquier momento y arrastrarla hasta el palmeral, recuperó esa conciencia. Cada vez que pensaba en ese hombre, que en definitiva no era más que alguien con quien había coincidido por casualidad, sentía la sangre correr por sus venas al ritmo que dictaba el corazón y un punzante cosquilleo en el estómago. Esa única velada en la que no había sucedido nada del otro mundo le había dado mucha más vida que los últimos meses de convivencia con Philipp. En realidad deseaba con todas sus fuerzas volver a ver a Jonathan Singh, por más que se dijera a sí misma que solo estaba siendo amable y servicial con ella, y que probablemente no volvería a verlo tras dar por finalizado su cometido en la isla.

Cuando el sueño venció esos pensamientos ya estaba amaneciendo en Galle Face. Diana se despertó sobre las diez del día siguiente, cuando la intensa luz de la mañana le dio de lleno en el rostro. El aire era aún más caliente, el sonido grave de la sirena de un petrolero resonó en todo el puerto, mientras un rayo de sol, en el que danzaban motas de polvo como luciérnagas diminutas, entraba por la ventana. Diana se levantó con una sonrisa y con un cosquilleo de nerviosismo en la tripa. ¿Le habría escrito ya?

Tuvo que hacer un esfuerzo para no encender inmediatamente el portátil y ver el correo. Era imposible que hubiera escrito. Era un hombre muy ocupado.

Tras una ducha refrescante y un buen desayuno, decidió bajar al paseo marítimo a caminar un rato.

—¿Señora Wagenbach?

Cuando Diana se detuvo y se dio la vuelta vio a la sonriente recepcionista.

—Disculpe la intromisión, pero hace un momento hemos recibido una carta para usted. Llamé inmediatamente a su habitación, pero ya no estaba.

¿Una carta para mí?, se dijo Diana asombrada. Imposible, aquí el servicio de Correos no puede ser tan rápido.

En cuanto se acercó al mostrador la mujer le entregó un sobre grande con el logo del hotel y un cordelito para quitar el lacre. Dentro había otro más pequeño color crema lleno hasta los topes. Le llamó la atención que no tuviera el contorno rojo y azul propio del correo aéreo.

Le dio las gracias a la recepcionista, volvió a subir a la habitación con la carta y, con el corazón latiendo a mil por hora, la dejó en el escritorio. Su nombre estaba escrito en el sobre, con una letra clara y elegante; su nombre y nada más.

Tras acariciar el papel con la yema de los dedos fue por el abrecartas que había en la habitación.

El papel cedió casi aliviado dejando a la vista un taco de hojas dobladas. Por el olor, Diana supo enseguida que eran fotocopias. Delante había una sobria cuartilla escrita con una caligrafía que dejaba ver su doble origen británico y tamil.

Distinguida señora Wagenbach:

Muchas gracias por la estimulante velada que me regaló anoche; resultó tan inspiradora que en cuanto llegué a casa me puse a buscar un intérprete de nadi. *Tras sacar de la cama a un conocido, que no dudó en preguntarme si me había vuelto loco, logré descubrir que hay un hombre* que vive en un pueblecito llamado Ambalangoda que conoce el antiguo tamil. No pudo decirme su nombre, pero estoy seguro de que no será difícil dar con él; hombres así no abundan por la zona.

Le propongo que nos encontremos mañana por la mañana delante del hotel, a no ser que prefiera llegar hasta allí por sus propios medios. En ese caso tenga la amabilidad de mandarme un breve correo electrónico.

Envío adjunto un mapa en el que le he señalado la ubicación del pueblo. Si lo desea, a continuación podría visitar Nuwara Eliya; he averiguado que es allí donde se halla su plantación de té. Encontrará la documentación que lo acredita en esta carta.

Espero de corazón que me permita tomar parte en esta aventura, señora Holmes.

Su fiel servidor
Jonathan «Watson» Singh

Solo después de leer tres veces la carta tuvo claro que Singh estaba lo bastante loco como para pasarse la noche en vela solo por ella. A pesar de estar sentada, el corazón le latía como si acabara de hacer un *sprint* y tenía las manos heladas, lo que no le impidió hojear las fotocopias y echarle un vistazo al mapa. Su plan de recorrer el paseo marítimo había pasado a la historia; pasaría el día sentada frente a esos papeles absorbiendo como una esponja toda la información que contenía.

Aunque primero tenía que contestar a Jonathan.

Llevó el portátil al escritorio, lo encendió y redactó el siguiente correo:

Estimado señor Singh:

Ignoraba por completo su debilidad por Conan Doyle. Aunque a este respecto puede quedar tranquilo: tras esta impresionante demostración de sus dotes detectivescas, por la que le estoy infinitamente agradecida, he de decir que no se me ocurre mejor acompañante para el viaje

187

a *Ambalangoda que usted. Espero que logre liberarse temporalmente de sus obligaciones para poder acompañarme, pues me temo que sin sus conocimientos del idioma tamil estoy perdida.*

Le saluda afectuosamente
Diana «Holmes» Wagenbach

3

La habitación que compartirían Grace y Victoria mientras se iban reformando las demás tenía en su conjunto un aspecto tan oriental que no habría desentonado en un hogar árabe o turco. La ornamentación de los arcos ojivales de las vidrieras recordaba a la de un harén. Las cortinas de seda naranja con abundantes bordados se abolsaban por la cálida brisa que entraba por la ventana entreabierta. En alguna parte un colgante de viento tintineaba de cuando en cuando. Por lo demás, la estancia era bastante sobria, y daba la sensación de estar pidiendo a gritos que la habitaran.

Sobre las baldosas de color almagre que cubrían el suelo había un escritorio, un armario de lujosa marquetería y una cómoda, y en la pared de enfrente, dos camas con una alfombra alargada a los pies. En mitad del suelo se amontonaban las maletas y las bolsas que contenían las pertenencias de las dos hermanas.

−¡Quién sabe, puede que nuestro tío tuviera aquí un harén! −soltó Victoria en cuanto se fue la señorita Giles. La sola idea de que su estrambótico tío se hubiera dado a la poligamia hizo que los ojos le brillaran como gemas bañadas por un rayo de luz.

−No creo que el tío Richard abrazara otra fe −repuso Grace−. Para tener un harén hay que ser musulmán.

−¡Quién sabe! ¡Puede que se convirtiera! −insistió Victoria ávida de nuevas sensaciones−. Oí a nuestro padre que dejó dicho que quemaran su cuerpo, como los hindúes. Te aseguro que no vamos a ver su tumba.

−Sin embargo, no creo que cambiara de religión. Probablemente su última voluntad obedeciera a fines prácticos. Con este calor un cadáver debe de descomponerse muy rápido.

Victoria no se dejó impresionar por sus palabras.

—¡Tú que sabrás de lo que le rondaba por la cabeza a nuestro misterioso tío! ¡Pero si ni siquiera lo viste en persona! Desde que abandonó Tremayne House nunca se dejó ver por Inglaterra.

En eso tenía razón. Su tío Richard no era más que un cuadro colgado en uno de los solitarios pasillos de Tremayne House. Un hombre de pelo oscuro y atractivos ojos grises que miraba al frente, como si el alto cuello de su camisa le estuviera asfixiando. En realidad, ateniéndose a las conversaciones de su padre, era como si nadie lo conociera. Ni siquiera él o el abuelo. La decisión que tomó veinticinco años atrás de ir a probar suerte a Ceilán había horrorizado a todos, y también provocado que hablaran de él lo menos posible con tal de no inducir a ningún Tremayne más a recorrer mundo en contra de los deseos del patriarca.

Presa de un impulso, Victoria dio un salto, extendió los brazos y giró sobre sí misma.

—¡Qué emocionante sería vivir en un harén!

—Más bien aburrido —repuso Grace reprimiendo las ganas de sumarse al baile. Victoria podía contagiar su estado de ánimo en ocasiones como esa. ¿Pero era apropiado que ella la siguiera? Había cumplido los dieciocho, así que ya era una persona adulta—. Te pasas el día tumbada entre cojines de seda escuchando toda suerte de historias sin la menor posibilidad de vivirlas, y como única compañía tienes a orondos eunucos que no paran de preguntarte con su voz de pito qué deseas. Por no hablar de las intrigas urdidas por las otras mujeres…

Grace comprobó horrorizada que su visión de la vida en un harén bien podía haber salido de una de las novelas baratas de Victoria.

—¡Pero mi marido sería un rico sultán que me colmaría de regalos y de atenciones, y yo sería su preferida!

Victoria seguía girando sobre sí misma. Lejos de marearse parecía cada vez más entregada a su danza.

—¿Y puede saberse de dónde has sacado eso? —inquirió Grace justo antes de saltar junto a ella.

—Todas las mañanas me miro al espejito, y es él quien me dice que soy lo bastante guapa como para ser la predilecta de un jeque.

—¿No crees que estás siendo un poco engreída?

—Sin duda, pero hay otras que también lo son. ¡Vamos, Grace, da vueltas conmigo, es como volar!

Grace dudó un instante. Qué más daba ser adulta o no. Con su hermana esas barreras no existían. Por un momento, jugó a tener catorce años como ella y empezó a girar sobre sí misma, cada vez más rápido, y su risa se mezcló con la de su hermana. Un suave mareo hizo que se le fuera la cabeza; al rato, le parecía estar volando.

—¡Señoritas!

El tono de reproche empleado por la señorita Giles hizo que se detuvieran en el acto. Pero les costaba quedarse en el sitio, así que entre tambaleos se abrazaron y cayeron juntas al suelo.

La gobernanta meneó la cabeza en un gesto de desaprobación.

—¡Deberían estar haciendo algo de provecho en lugar de semejantes tonterías! Su madre quiere saber si están listas para tomar el té.

Entre jadeos y risitas las dos hermanas se pusieron en pie.

—Por supuesto, señorita Giles —repuso Grace, que por un instante se había sentido libre de responsabilidades tras mucho tiempo—. ¿Tendría la bondad de sacarnos un par de vestidos de las maletas? A nuestra madre no le va a hacer ninguna gracia que tomemos el té con la ropa del viaje.

Sin dejar de sacudir la cabeza la gobernanta se acercó a un baúl y empezó a hurgar en él.

Los ruidos que entraban por las ventanas mantuvieron a Grace en vela toda la noche. El calor hacía imposible cerrarlas del todo. Al menos la brisa nocturna daba algo de tregua. Así que oyó el trinar de las aves nocturnas, los lejanos chillidos de los monos y el crujir de la maleza y la hierba. Harta ya de dar vueltas, se tumbó de espaldas y con los ojos abiertos como platos clavó la mirada en las cortinas, que bañadas por la luna habían adquirido una extraña palidez. El viento las mecía, como a los olvidados velos de la reina de las hadas. De cuando en cuando brillaba alguno de los bordados, tejidos en parte con hilo de oro. Cuando Grace lo descubrió y se lo dijo a Victoria, su hermana menor comentó: «Probablemente solo la reina tenga unas cortinas como estas».

De pronto Grace sintió el deseo de salir de la cama y asomarse a la ventana. Quizá hubiera animales exóticos recorriendo el jardín al abrigo de la noche. O serpientes. De camino no habían visto ninguna, pero en la ciudad sí, en la cesta de un joven encantador de serpientes. Se le encogieron los hombros al recordar cómo el muchacho había apaciguado y después hecho bailar a la cobra que, previamente, silbaba enfurecida. A lo mejor no era una mala idea llevar siempre a mano una flauta por si una cobra se cruzaba en su camino.

Llevó hasta la ventana un cojín y lo colocó sobre el alféizar. Este era muy bajo y pudo sentarse y contemplar gran parte del jardín.

Aunque nadie podía verla, Grace se tapó recatadamente las piernas flexionadas con el camisón y se quedó ensimismada mirando la luna, que parecía una enorme luciérnaga posada sobre la copa de los árboles.

En Inglaterra nunca había visto una luna así. Normalmente estaba rodeada de una neblina que anunciaba lluvia. En cambio, allí la luna era de un amarillo saturado, como un queso holandés y, a pesar de lo mucho que brillaba, la noche no perdía su tono violáceo.

De pronto algo oscuro salió de los árboles y remontó el vuelo. En un primer momento Grace pensó que era un pájaro, pero sus movimientos eran demasiado crispados.

Entonces cayó en la cuenta: ¡tenía que ser un murciélago! También en Tremayne House podían verse murciélagos en el

192

crepúsculo, pero no eran ni la mitad de grandes. En aquel momento el estimulante escalofrío que solo sentía al leer historias de terror le recorrió la espalda. ¿Eran esos enormes murciélagos vampiros chupasangre? ¿O se trataba más bien de los zorros voladores que en la India cuelgan de los árboles en manada?

Grace se apuntó mentalmente contárselo a Victoria a la mañana siguiente. Le entusiasmaría la idea de capturar un zorro volador con tal de horrorizar a su madre.

Al bajar la mirada distinguió algo blanco que brillaba entre los lóbregos setos.

En un primer momento pensó que era una ilusión óptica, pero luego lo vio moverse. Victoria habría afirmado sin dudarlo que se trataba de un fantasma, aunque el sentido común de Grace reconoció enseguida que era una persona vestida con unos pantalones bombachos de color blanco.

Cuando la luna iluminó esa figura Grace abrió los ojos como platos. ¡Era un hombre! ¡Un hombre con el torso desnudo! Sin querer, contuvo el aliento. Nunca había visto a un hombre de esa guisa. Aunque las mejillas se le pusieron coloradas y la temible voz de la señorita Giles resonó en su mente, no pudo apartar la mirada.

El hombre, sin saberse observado, llevaba bajo el brazo un bulto alargado envuelto en un trapo blanco. Parecía evidente que regresaba de algún lugar ignoto.

Cuando Grace pudo volver a respirar, un rayo de luz iluminó el rostro del desconocido. El negro bigotillo y la perilla destacaban sobre una piel demasiado blanca para ser de tamil y demasiado oscura para ser de inglés. Estaba claro como el agua: ¡se trataba del joven señor Vikrama!

Tras ese instante en que se hizo reconocible, la sombra recuperó el anonimato, pero Grace, como electrizada y con los carrillos ardiendo, siguió con la vista clavada en él.

¿De dónde vendría? ¿Por qué llevaba esos ropajes que le daban aquel aire tan oriental? ¿Dónde estaban su camisa y sus zapatos? ¿Qué contendría el paquete que portaba?

De pronto tuvo la sensación de que iba a mirar hacia arriba y se ocultó rápidamente tras las cortinas. El corazón le palpitaba a tal velocidad que parecía que fuera a salírsele del pecho; su latido retumbaba en sus oídos a un volumen insoportable. En vano intentó escuchar el sonido de sus pasos. Aunque su cuerpo no hubiera reaccionado de aquella manera probablemente no los habría oído, pues la hierba amortiguaba las pisadas de aquellos pies descalzos.

Cuando al fin se atrevió a asomarse de nuevo por detrás de la cortina, Vikrama ya había desaparecido.

La inquietud se apoderó de ella. El impulso de atravesar la casa para comprobar si iba a cruzar el patio así vestido fue tan irrefrenable que, sin pensarlo, cruzó la habitación de puntillas.

La casa estaba sumida en el silencio salvo por el leve murmullo que se colaba por las muchas ventanas abiertas y por las puertas entornadas. Grace recorrió a toda velocidad el pasillo, pasó por delante de la habitación de la señorita Giles, que roncaba plácidamente, y al fin llegó al pie de la escalera. Sin cejar en su empeño, clavó la mirada en el patio. ¿Estaría allí la mancha blanca?

No, solo se veía la fuente bañada por la luz de la luna. Detrás se erigía como una masa oscura el establo, y más allá el edificio de la administración. ¿Habría pasado ya Vikrama o se habría ido por otro camino?

Grace permaneció un rato asomada a la ventana del recibidor. El corazón le seguía latiendo a un ritmo desaforado. Su padre tenía un empleado que hacía cosas raras por las noches. ¿Debía contárselo?

No, mejor será no decir nada, pensó. No hasta que averigüe qué está pasando.

Al volverse reparó en las dos divinidades danzantes. Por primera vez se fijó en que ambas portaban en la mano derecha una pequeña espada o un puñal y flores en la izquierda. Sus pantalones eran parecidos a los de Vikrama. Entonces recordó las palabras del señor Cahill. ¿Era Vikrama hinduísta? ¿Vendría de celebrar alguna ceremonia sagrada? ¿Algún tipo de rito prohibido? ¿Por qué si no había desaparecido con tal celeridad?

Ardía en deseos de averiguarlo. Quizá deba empezar por observar un poco a Vikrama durante el día, pensó. Con esas cavilaciones regresó a su habitación. Antes de meterse en la cama no pudo evitar volver a asomarse a la ventana, pero esta vez no vio a ningún noctámbulo.

Tras conseguir dormirse en algún momento, llegada ya el alba a Grace le despertaron los gritos de los loros. Como no quería seguir acostada se deslizó hasta la palangana y se quitó el camisón. El agua se había mantenido agradablemente tibia durante toda la noche. Justo cuando hundió las manos dentro una mariposa se posó en el borde de porcelana como si no hubiera otro lugar el mundo donde estar. Grace se quedó quieta por miedo a mojar al animal sin querer. El señor Morris solía decir que el agua daña sus alas, y que por eso las cierran en cuanto se pone a llover.

Sin embargo, al animal no parecía asustarle el agua. De vez en cuando abría y cerraba las alas azules y negras. Se trataba de un hermoso ejemplar que habría hecho las delicias de cualquier entomólogo, y también de Victoria. Pero Grace no quiso condenar a la mariposa a una muerte segura, lo que ocurriría si despertaba a su hermana. Mientras el agua le acariciaba los antebrazos, observó a la mariposa hasta que finalmente el animal decidió levantar el vuelo. Grace la vio marcharse fascinada, presa de un extraño hechizo que jamás habría esperado vivir en ese lugar.

Tras su aseo matutino, Grace se sentó en la ventana y contempló la niebla que cubría la plantación como una manta. La luz de la mañana la dotaba de un tono azul pastel imposible de ver en Inglaterra. Ningún baile londinense ni ninguno de sus preciosos vestidos podía brindarle la sensación que la embargaba ante aquella vista. Sentía paz, sosiego y cierta seguridad; cosas que rara vez había experimentado en casa de sus padres y a las que tampoco había dado demasiada importancia.

Solo cuando la niebla cedió ante la luz del sol y Victoria empezó a moverse, Grace se apartó de la ventana. Estaba firmemente decidida a dejar de añorar el esplendor perdido y a buscar las nuevas maravillas que ese lugar podía ofrecerle, empezando por disfrutar las deliciosas horas de la mañana.

—¡Después del desayuno podemos ir al jardín y mirar por la ventana del despacho de papá! —propuso Grace a su aún adormilada hermana mientras le cepillaba el pelo.

—¿Y para qué? —repuso Victoria con desgana—. Preferiría ir a atrapar loros.

—Para eso necesitas una red.

—Seguro que por ahí habrá alguien que pueda hacernos una —afirmó Victoria frotándose los ojos.

—Aún en el caso de que consigas una, necesitas saber dónde encontrar los mejores ejemplares.

—Me conformo con atrapar uno de esos azules tan bonitos.

Grace miró el reflejo de su hermana en el espejo y arqueó una ceja, igual que hacía su padre cuando quería hacerle dudar de algo.

—¿De veras? ¡Eso lo dices porque no sabes si hay otros loros! ¿Y si los hay de color violeta?

—No me gusta el violeta —refunfuñó Victoria—. Si así fuera, me habría comprado una amatista en Chatham Street —añadió, señalando el supuesto zafiro que había colocado delante del retrato enmarcado de *Oscar,* su perrito muerto.

—Pero el rojo y el naranja sí que te gustan —dijo Grace mientras acababa de hacerle la trenza—. Puede que hasta los haya de los colores del arcoíris.

—¿Tú crees? —dijo Victoria con un brillo de curiosidad en los ojos.

—¡Pues claro! ¡Ya verás lo que va a lucir junto a tu loro azul en la pajarera!

—¿Pajarera? ¿Pero los loros no se tienen en jaulas?

–Sí, pero en una pajarera puedes tener más de uno. Y además así no podrán deslizarse entre los barrotes. –De pronto Grace recordó algo que casi había olvidado–. Por cierto, aquí también hay zorros voladores. El señor Norris te ha hablado de ellos, ¿verdad?

Los ojos de Victoria volvieron a brillar.

–¡Zorros voladores! ¡Claro que me habló de ellos! ¡Un montón! Viven en los árboles, a la espera de caer sobre sus víctimas desprevenidas…

–¡Pero si por el día duermen!

–¡Ya lo sé! Pero por la noche caen sobre sus víctimas. –Ante los gestos teatrales con los que Victoria subrayaba sus palabras, Grace tuvo que reprimir una carcajada.

–De acuerdo, demos un paseo. Y luego podrás fisgar en el despacho de papá cuanto quieras.

–¡Gracias, hermanita! ¡No te arrepentirás!

Satisfecha y sonriente, Grace empezó a recogerle la trenza en la nuca a su hermana. En realidad podía haber prescindido de la compañía de Victoria, pero la necesitaba como coartada. En el caso de que alguien la descubriera, podría alegar que estaba paseando por el jardín con su hermana y que sin querer habían ido a parar al lugar donde su padre se reunía con el joven.

Al recordar su imagen sintió un extraño cosquilleo en la tripa. Desde que se había levantado había recapitulado la escena una y otra vez, recordando nuevos detalles. La turgencia de sus músculos, esas pantorrillas tan fuertes, el cabello negro y alborotado coronando su cabeza…

–¿Por qué te has puesto colorada tan de repente? –preguntó Victoria arrancándola de su ensoñación–. ¿Has tenido algún pensamiento impuro?

A veces Grace se asustaba de lo bien que la conocía su hermana; era como un libro abierto para ella.

–¡Por supuesto que no! –negó Grace bajando la mirada para que Victoria no le preguntara si se trataba de algún hombre–.

Y ahora haz el favor de estarte quieta para que pueda recogerte la trenza.

El desayuno se celebró según la tradición familiar en el comedor que las hermanas habían visto la tarde anterior. Solo en caso de enfermedad y de que la velada se hubiera alargado hasta altas horas se servía en las habitaciones. Henry Tremayne le daba mucha importancia a pasar un rato con los suyos por la mañana, pues normalmente el trabajo y las obligaciones le ocupaban el resto del día y en el mejor de los casos volvía para la cena.

La estancia había abandonado el aire impersonal que tenía el día anterior. Ahora la mesa estaba decorada con flores blancas y naranjas, y la vajilla brillaba impoluta.

—Salta a la vista que mamá ha empezado a instalarse —señaló jovial Victoria.

—Y también que le ha ordenado al señor Wilkes que meta en cintura a las doncellas —añadió Grace. Como si hubiera oído su nombre a lo lejos, el mayordomo apareció de pronto tras ellas.

—Buenos días, señorita Grace. Buenos días, señorita Victoria. Se han levantado muy pronto. Espero que hayan pasado una buena noche.

—Ha sido un tanto agitada —dijo Grace mientras se acercaba a su sitio. El señor Wilkes la siguió y apartó la butaca para que pudiera sentarse—. Aunque supongo que es lo normal con estas temperaturas, ¿verdad?

—Tiene usted toda la razón, señorita —corroboró Wilkes antes de volverse hacia Victoria para ayudarle a sentarse.

—¿Qué tal ha dormido usted, señor Wilkes? —preguntó Victoria haciéndose la ingenua, aunque Grace sabía perfectamente que le encantaba descolocar al correcto mayordomo, pues no era ni mucho menos habitual que los señores se interesaran por el estado del servicio.

—Estupendamente, señorita Victoria —repuso el mayordomo tras una breve pausa. Luego se giró hacia Grace.

—¿Qué desean que les traiga?

–Un chocolate no estaría mal. ¿Tú qué dices, Victoria? Puede que así pasen mejor los cereales y la tostada.

–Oh, sí, chocolate, señor Wilkes –se sumó Victoria dando palmas.

Visiblemente contento por no tener que seguir contestando preguntas personales, el mayordomo abandonó el comedor.

Esa mañana Henry Tremayne se sentó a la mesa con aire de tener una dura jornada por delante. Claudia parecía agotada; mientras Victoria se tomaba a cucharadas el chocolate y Grace miraba la taza fijamente abstraída en sus asuntos, aprovechó para quejarse del calor que hacía en su dormitorio y de ese aire denso que podía cortarse con un cuchillo. De seguir así unos cuantos días acabaría teniendo migraña.

El desayuno que había preparado la rápida cocinera estaba compuesto de abundante fruta exótica, unos pastelillos y yogur.

En vano, Grace y Victoria buscaron los cereales por toda la mesa. Lo mismo le pasó a Henry mientras hojeaba un periódico que Wilkes le había proporcionado la tarde anterior.

–Extrañas costumbres ha implantado Richard en esta casa. Habrá que decirle a la cocinera que a partir de ahora se atenga a nuestros hábitos alimenticios.

–Pues a mí me parece que los mangos no están tan mal –dijo Victoria sin dejar de sorber, lo que provocó que su madre la taladrara con la mirada.

–Puede que esto sea un buen almuerzo para la gente de aquí, pero nuestros estómagos no están preparados para tanta novedad. Quién sabe qué clase de fruta es esta.

Grace miró a Victoria justo para verla entornar los ojos y decir:

–¡Mamá, haz el favor de probarlos, pero si son muy dulces! Además, ¡cómo iba a querer el servicio matar a sus señores!

Claudia resopló como si opinara lo contrario, pero luego se dejó llevar y probó uno de esos extraños pasteles.

Después del desayuno Grace y Victoria se retiraron antes de que apareciera por allí la señorita Giles; probablemente estaría soñando con el señor Norris. Como su padre aún no estaba en

199

el despacho y todavía faltaba tiempo para que volviera, las hermanas desaparecieron por un pasillo hasta ese momento inexplorado.

—¿De veras crees que no nos encontrará aquí? —susurró Victoria sin dejar de mirar por encima del hombro, como si fueran un par de espías a la fuga.

—Segurísimo que no. Aún no hemos visto esta parte de la casa, y ya sabes lo miedosa que es.

—Ya, pero pensé que fingía serlo solo para que el señor Norris la protegiera...

—Créeme, aquí no nos encontrará.

Y en media hora el señor Vikrama vendrá a ver a papá, pensó para sus adentros.

Mientras avanzaba, Grace tuvo que admitir que incluso ella sentía algo de miedo. Las habitaciones que utilizaban estaban remozadas y tenían un aspecto diáfano, pero había otras que estaban igual que el día en que su misterioso tío Richard sufrió el trágico percance.

—Quizá nos encontremos con el fantasma de nuestro tío —susurró oportunamente Victoria.

—¡Qué disparate! ¡Los fantasmas no existen! —replicó Grace, a pesar de que el murmullo del viento parecía decir lo contrario.

Después de pasar por delante de dos puertas sin intentar abrirlas, la curiosidad acabó venciendo.

Con mucho cuidado empujaron una puerta alta de madera oscura decorada con marquetería. Ante sus atónitos ojos se extendió lo que tenía aspecto de ser el cuarto de estar del señor de la casa. Los sillones y el sofá de debajo de la ventana estaban cubiertos con sábanas blancas, al igual que las dos enormes vitrinas y el escritorio. También había una mesa de billar, un piano y un globo terráqueo que curiosamente era el único objeto que no estaba cubierto, como si aún se precisaran sus servicios.

—¿No te parece extraño que esta casa no tuviera una señora? —preguntó Victoria mientras deslizaba la mano por el piano, cuya tapa estaba un poco descolgada—. Que yo sepa el tío Richard nunca se casó, ¿no?

—Ayer le atribuías un harén y ahora me vienes con estas —replicó Grace sarcástica.

—Era una broma. A pesar de ser la oveja negra de la familia, no creo que cayera tan bajo... ¿Verdad?

Grace negó con la cabeza mientras observaba el espléndido globo terráqueo. Debía de ser bastante antiguo, pues Ceilán figuraba como una colonia holandesa.

—Puede que no encontrara una mujer que le gustara. Ya conoces las historias de papá. Su hermano era bastante caprichoso.

—Quizá tuvo una amante que no era de su posición social.

Grace se incorporó bruscamente.

—¡De dónde te has sacado eso! —exclamó.

—¿Y por qué no? Muchos hombres acaudalados se enamoran de mujeres de baja estofa.

—Pero el tío Richard no. Solo pensaba en el trabajo, ni siquiera tenía tiempo para su familia.

—Pues no parece que fuera reacio a los placeres —dijo Victoria en un alarde de precocidad señalando al armatoste con pinta de mesa, o de sarcófago, que se escondía bajo la sábana—. ¡Por qué si no iba a tener una mesa de billar!

Antes de que a Grace le diera tiempo a detenerla ya la había destapado. Un objeto como aquel era imposible de encontrar en Tremayne House, ya que el señor Tremayne consideraba que semejantes entretenimientos eran más propios de pubs y de burdeles. Cuando en su club veía a alguien jugar al billar no tenía más remedio que hacer la vista gorda.

Con una exclamación de asombro, Victoria pasó la mano por el tapete verde que cubría la mesa. La cantidad de arañazos dejaban claro que había tenido mucho uso. De las pesadas bolas y de los tacos no había ni rastro.

—¡Deberíamos jugar una partida! ¡Quién sabe, puede que sea lo nuestro! —propuso Victoria.

—¿Y con qué se supone que vamos jugar? —dijo Grace señalando la mesa vacía.

—Seguro que las bolas están en algún armario. Voy a echar un vistazo.

—¡Victoria! —la reprendió Grace, pero Victoria empezó a abrir una puerta tras otra como si nada. Sabiendo que si intentaba detenerla peligraba su paseo juntas, Grace optó por dejarla hacer y se acercó a una pequeña cómoda que había junto a la ventana. Daba la impresión de que aquel no era su sitio, como si hubiera ocupado otro lugar y luego la hubieran desplazado allí. Que no estuviera tapada también era un indicio de que esa cómoda había estado en otro lugar.

Con el rabillo del ojo Grace vio movimiento y se volvió hacia la ventana. La espalda del señor Vikrama se estaba alejando. La investigación en torno a la cómoda tendría que esperar.

—Tenemos que irnos —dijo Grace mientras un ardor le recorría por dentro y la impaciencia se apoderaba de ella.

—Pero… ¿por qué? —Victoria alargó esas palabras como un niño que no tiene ganas de abandonar el cuarto de juegos.

—Porque la visita de papá ya está aquí. El joven de ayer, el capataz.

—¿Por eso quieres husmear por la ventana?

Acorralada, Grace tomó aire y afortunadamente recordó los argumentos que había estado rumiando durante la noche.

—Por él y por lo que vaya a decir. ¿No oíste cuando le dijo a papá algo sobre cómo llevar el cultivo de té? Creo que debemos escuchar lo que digan. Para mí, que nos vamos a tirar aquí una buena temporada.

Sin decir palabra, Victoria esbozó una amplia sonrisa cuando abandonaron el cuarto y se dirigieron hacia la entrada principal.

—¿Se puede saber qué te pasa? —dijo Grace, a quien los dientes de conejo de su hermana le sentaron como si le hubieran clavado un alfiler en el brazo.

—Nada —repuso Victoria con fingida inocencia.

—¿Es que te has vuelto loca? ¿Has visto algo en esos armarios que te ha hecho perder el sentido?

A Victoria se le escapó una risita maliciosa, pero enseguida se tapó la boca con la mano.

—No te preocupes, hermanita, me encuentro perfectamente. Lo que pasa es que me acabo de acordar de tu cara de vinagre durante el viaje, y también en el hotel. Y ahora resulta que te brillan los ojos cuando hablas del cultivo del té. Ya sabía yo que habría algo de tu agrado en nuestro nuevo hogar.

Grace luchaba por mantener la compostura.

—¡Nunca he dicho que no me gustara este país! —protestó, irguiéndose y subiendo la barbilla—. Lo único que lamento es no poder bailar ante la reina el día de mi puesta de largo.

—¡No le des tanta importancia! —Un destello de picardía asomó en los ojos de Victoria—. Seguro que papá encontrará un ricachón para ti. Y si no siempre puedes casarte con el señor Vikrama, cuyo nombre de pila sigue siendo todo un misterio.

—Mira que eres...

A Grace le habría encantado darle su merecido, pero se acercaban unos tacones de sobra conocidos para ambas.

—¡La señorita Giles! —susurró Grace, a quien la idea de pasarse el día deshaciendo las maletas y organizando el armario le hizo volver a sentirse muy unida a Victoria—. Venga, huyamos al jardín antes de que nos vea.

4

TREMAYNE HOUSE, 2008

Querido señor Green:

Estoy a punto de llegar a Nuwara Eliya y solo quería decirle que creo seguir la pista correcta. El señor Jonathan Singh, un investigador y escritor de lo más amable, se ha brindado a acompañarme a un pueblo donde se supone que hay un intérprete de nadi antiguo que quizá sea capaz de descifrar la hoja de palma que encontramos. ¡Ni se imagina lo impaciente que estoy! Además, hemos descubierto que la plantación de mis antepasados aún existe. Obviamente hace ya tiempo que está en otras manos; ahora es una empresa nacional. Sus empleados fueron muy amables por teléfono, y no pusieron ningún impedimento a que consultara sus antiguos archivos. Quizá allí encuentre más información sobre Grace y el resto de la familia. Sigo sin tener ni idea de en qué consiste el gran misterio, pero la estancia aquí y la investigación están siendo medicinales para mi alma. Me encantaría que la tía Emmely pudiera ver todo esto.

Espero que se encuentre bien. Reciba un cariñoso saludo.

Suya,

Diana Wagenbach

El mayordomo respiró profundamente y se recostó en la silla del despacho. La señorita Diana aún no había resuelto el misterio, pero iba por buen camino. Una vez descifrara la hoja de palma y visitara la plantación, seguro que la verdad saldría a la luz.

Tras releer el mensaje fue a la cocina, puso el cazo del agua a hervir y entró en el despacho del señor, en la planta baja. Allí,

204

junto al tapete del escritorio, había un sobre marrón. La última pista. Tenía que saber cuándo desvelarla, pues podía traer consigo más confusión que claridad. Con mucho cuidado sacó la foto y la observó detenidamente, como había hecho tantas veces durante los días transcurridos desde que la señorita Diana partiera. A él la imagen seguía sin decirle gran cosa, pero a su vez tenía que reconocer que era bastante curiosa.

Afortunadamente, ahora existían métodos modernos para transmitir la información. Con el mismo cuidado con el que se lleva una bandeja llena de tazas de té, Green llevó la foto a la impresora escáner, la depositó en el cristal y bajó la tapa.

La última pista, pensó mientras el rayo de luz recorría la imagen para poco después ofrecérsela en la pantalla del ordenador. ¿Resolvería la señorita Diana el enigma de su pasado? ¿Y cómo le afectaría?

Nunca nadie se había sentido tan satisfecho como él al resolver un misterio…

COLOMBO, 2008

El señor mayor y algo miedoso conducía con determinación, y con una exasperante lentitud, su minibús por una carretera de tierra rojiza que a Diana le recordaba un poco a los caminos que había visto en Australia. A izquierda y derecha se cernían sobre ellos palmeras y bambúes; en algunos lugares eran tan frondosos que sumían el camino en la más profunda oscuridad. Diana miró impaciente a Jonathan, a quien no parecían afectarle el ritmo parsimonioso ni los bocinazos cada vez que venía un vehículo de frente. Leía tan campante el periódico que había llevado consigo. Ni siquiera cuando estuvieron a punto de chocar contra un *tuctuc* que se les cruzó como una flecha al salir de una calle lateral despegó los ojos de las noticias.

—Teníamos que haber contratado a otro conductor —susurró Diana una vez recuperada del susto.

Jonathan cerró el periódico y lo dobló. Sus labios dibujaron una sonrisa y los ojos le brillaron.

—Los nativos recomiendan contratar a conductores mayores. Los jóvenes son más… impulsivos

—¿Impulsivos? ¡Más bien suicidas, como ese chico de antes! Conducía como en Colombo.

—Aquí fuera conducen aún más deprisa, como hay menos tráfico… Aquí lo llaman conducir al «estilo Colombo». Imagine por qué.

—Supe por qué nada más llegar. —Diana se aferró a la agarradera de nailon que tenía junto a la cabeza destinada a evitar que los pasajeros se golpearan contra la puerta en las curvas más pronunciadas.

—Créame, con el señor Gilshan estamos en buenas manos.

—Pero va a anochecer antes de que lleguemos al pueblo.

—Sí, ¿y qué?

—¿Y qué? —repitió Diana sin salir de su asombro—. Seguramente estará deseando volver a Colombo.

—Sí, pero no hoy ni mañana. ¿No quería visitar la plantación?

—Sí, pero…

—Me he tomado la libertad de tomarme una semana de vacaciones —la interrumpió Jonathan—. Ventajas de ser autónomo.

Diana prefirió no decir nada; sus ojos abiertos como platos ya eran lo bastante expresivos.

—¿No le parece bien? Pensé que necesitaría un poco de ayuda en Nuwara Eliya.

—¿Y su libro? ¿Y su editor? Además, no soy más que una desconocida…

Singh negó con la cabeza sin dejar de sonreír.

—No diga eso, ya no lo es. Me ha contado la historia de su familia. ¿O es que no se acuerda? Y además le prometí a Michael que la ayudaría.

—Lo sé.

—Como historiador, me resulta de lo más estimulante participar en su búsqueda. Siempre y cuando usted acepte mi compañía, claro está.

Diana agachó la cabeza avergonzada.

–Lo que pasa es que no sé cómo voy a compensarlo por todo esto. No deja de gastar su tiempo libre en mí, cuando debería dedicárselo a su mujer y a sus hijos.

–No estoy casado –adujo con gesto serio–. Ya no.

–¿Qué pasó? –soltó Diana sin pararse a pensar que no era asunto suyo–. Perdóneme, no quería ser desconsiderada.

–No se preocupe –dijo Jonathan sin cambiar de gesto–. Decidimos que era mejor que cada uno hiciera su vida, por emplear un eufemismo. No voy a negarle que resulta un tanto extraño tras cinco años de matrimonio, pero las cosas son como son. Ella quería crecer profesionalmente en la empresa de informática en la que trabaja, y yo, aprovechar la ocasión para dedicarme de una vez por todas a lo que realmente me apasiona y conocer mejor la patria de mis antepasados. Era imposible compaginar una cosa con otra, así que nos separamos.

–¿Tiene hijos?

–Una niña. Vive con su madre en Delhi.

–¿Y no va a verla de vez en cuando?

–Sí, los días de fiesta vuelo a Delhi y estoy con ella. Y también en vacaciones. Pero no quiero que se preocupe, aún dispongo de tiempo suficiente para dedicárselo a Rana. –En ese momento su rostro se iluminó ligeramente–. Además, ¿cuándo volveré a tener la oportunidad de emprender una investigación con una alemana de origen inglés? Usted es una de las personas más interesantes con las que me he topado en los últimos meses. Y no crea que eso es poca cosa; cuando trabajé en el museo tuve la oportunidad de conocer a gente muy influyente, jefes de Estado incluidos.

Diana se rio para sus adentros. En su fuero interno deseaba que Jonathan la acompañara a la plantación, pero jamás pensó que fuera a suceder.

En un momento dado el viaje a Ambalangoda llegó a su fin, y por suerte sin más percances. Diana lo supo cuando el conductor aparcó junto a unas chozas de pescadores rodeadas de palmeras.

Contenta de volver a pisar suelo firme echó un vistazo alrededor. De algún lugar provenía una música mezclada con griterío.

–Deben de estar de fiesta –dijo Jonathan tras escuchar un instante–. Seguro que gran parte del pueblo está allí reunido.

–Vaya, parece que no hemos escogido el mejor momento para venir.

–Todo lo contrario. La fiesta va a ahorrarnos una larga búsqueda. Habrá venido todo el mundo, y quizá también nuestro intérprete de *nadi*. Y en el caso de que haya decidido quedarse en casa, no faltará gente a quien preguntar.

Tras una caminata en la que pasaron por delante de chozas aparentemente vacías llegaron al lugar de donde provenían la música y el griterío.

Una multitud de hombres y mujeres vestidos con *sarongs* y saris de vivos colores se había reunido ante una casa engalanada con todo tipo de adornos. Una brillante limusina que no encajaba demasiado con el resto de la escena aguardaba frente a la casa.

–¡Vaya, qué suerte hemos tenido! –exclamó Jonathan–. Se trata de una boda. Vamos a poder asistir a una ceremonia *ponuwa*.

Jonathan se separó de Diana y se dirigió sin pensárselo hacia los invitados, que curiosamente no parecieron molestos por su presencia, sino todo lo contrario. Se pusieron a charlar con él despreocupadamente y de vez en cuando se giraban hacia Diana, que por vergüenza intentaba mantenerse al margen.

Jonathan volvió junto a ella con una sonrisa de oreja a oreja.

–Nos han invitado a la ceremonia. Creo que deberíamos quedarnos un rato.

–¿Y el intérprete?

–Me temo que en eso no hemos sido tan afortunados. A. Vijita lleva un par de días en el hospital. Aunque tampoco es de extrañar a sus ochenta y cinco años.

La mención del hospital trajo a la mente de Diana la imagen de Emmely conectada a las máquinas que la mantenían con vida.

–Espero que no sea grave.

—Dasmaya, el hombre con quien acabo de hablar, dice que volverá por su propio pie. Pero llevará algún tiempo.

Eso desbarataba todos sus planes. Y a tenor de su avanzada edad, era posible que no volviera nunca. Al ver la decepción en su rostro, Jonathan intentó animarla:

—Aquí la gente cree firmemente que son los dioses los que dictan el destino de los hombres. Confiemos en ellos. Ese anciano es poco menos que un santo... ¿Quién va a tener mejor relación con los dioses que él?

—¿Y si aun así se muere?

—En ese caso, ya encontraremos a alguien que nos ayude. No obstante, creo que lo mejor es ser positivos. Seguro que eso ayuda a Vijita.

Los reparos iniciales de Diana con respecto a la boda desaparecieron en cuanto empezó la ceremonia. Como si fuera una más de la familia, la colocaron cerca de la feliz pareja, que ocupaba un sofá de mimbre cubierto de flores. Cuando hicieron su aparición unos monjes budistas, un murmullo se extendió entre la multitud. Esos hombres, cuyos hábitos naranjas destacaban sobre su piel oscura y se abanicaban con hojas de palma, se acercaron a los novios para bendecirlos. En agradecimiento, la pareja les lavó los pies y los invitó a sumarse al banquete.

Durante la comida Diana no pudo apartar la vista de ellos. Había visto monjes budistas en las películas, pero nunca había compartido mesa con ellos.

Una vez saciaron su apetito, comenzaron con los cantos rituales, y los comensales, sentados en la posición del loto, postura que hasta entonces Diana jamás había logrado adoptar, escucharon con devoción.

Después los monjes se levantaron y uno de ellos dijo algo que llevó a todos los presentes a arrodillarse ante él uno tras otro para que les atara un lazo blanco en la muñeca.

Diana dudó por un instante. ¿Tendría derecho a recibir esa bendición? Al fin y al cabo ella no era budista...

—¡Deje que se lo ponga! —le susurró Jonathan—. Lo contrario sería una falta de respeto, y tampoco creo que vaya a hacerle daño la bendición de estos hombres.

Diana se arrodilló y miró al monje, cuyo rostro estaba surcado por cientos de arrugas. Sin dejar de sonreír, el anciano le acarició la frente y le ató el lazo blanco en la muñeca.

—Trae buena suerte —le susurró Jonathan mientras recibía su lacito—. La vamos a necesitar en nuestra búsqueda.

Diana asintió, se quedó ensimismada mirando su lazo blanco y pensó en el desconocido intérprete de *nadi,* de cuya recuperación dependía tanto.

5

Henry Tremayne se sintió algo extraño al entrar en el despacho de su hermano. Una parte del alma de Richard parecía seguir allí, ya que al ver el cuarto daba la sensación de que acababa de abandonarlo para darse una vuelta por la plantación. Los labios de Henry esbozaron una sonrisa amarga. Durante años y años había renegado de su hermano por haber desatendido sus obligaciones familiares. Sin embargo, al reconocer su mano en la disposición de los libros y los útiles de escritorio que había sobre la mesa de caoba, sintió una inclinación hacia Richard cercana al cariño.

El motivo de su rencor no le era ajeno. De joven, Henry soñaba con llegar a ser científico; de buena gana habría ejercido como químico o como físico. Pero como no había nadie más para encargarse de la hacienda y su padre murió justo después de que él se graduara en Eton, no tuvo más remedio que hacerse cargo de Tremayne House. Precisamente él, que alimentaba su resentimiento imaginándose a su hermano en el extranjero disfrutando de su libertad y viviendo aventuras que él jamás viviría, ya que sobre su cuello se cernía un yugo que en principio estaba destinado a Richard...

Un toque en la puerta arrancó a Henry de sus pensamientos. La visión del reloj le dijo que ya era la hora de su reunión.

—¡Adelante! —exclamó situándose detrás de la mesa.

Al entrar, el señor Vikrama se puso firme y luego inclinó la cabeza en señal de saludo.

—Buenos días, señor. Espero que haya pasado una buena noche.

—A ese respecto solo puedo decirle lo mismo que le dije esta mañana a mi mayordomo: he dormido como un tronco. No me habría sentido mejor ni en el regazo de mi madre.

Cuando Henry le tendió la mano al joven vio que sus labios esbozaban una leve sonrisa. Entonces se dio cuenta de que dirigía la mirada hacia la ventana, pero cuando se volvió no vio nada fuera de lo normal.

—Me alegra oír eso, señor —dijo Vikrama recobrando el gesto serio—. Algunos europeos al principio tienen problemas para adaptarse a nuestro clima.

—Hemos pasado el tiempo suficiente en Colombo para acostumbrarnos. De todos modos, la primera noche que pasé en este país estaba tan cansado que habría podido dormir junto a la turbina de un barco. Siéntese, por favor.

Henry señaló la silla que estaba frente a su escritorio. Con una agilidad que él había perdido hacía años su interlocutor se sentó en el lugar indicado.

—Así que usted es algo así como el capataz de la plantación.

—Podría decirse que sí. Su hermano tuvo a bien conferirme esa tarea.

Henry dedicó un instante a observarlo. ¡Costaba creer que ese hombre tan educado y ostensiblemente inteligente fuera el hijo de un peón y una tamil!

—¿Cuánto tiempo estuvo al servicio de mi hermano?

—Desde que cumplí los catorce años —repuso Vikrama—. Pero vivo en la plantación desde niño. Mi madre trabajaba aquí como recolectora. El señor Richard me mandó a mí y a otros niños a la escuela para aprender a leer y escribir. En su opinión, eran más rentables los trabajadores formados que los incultos, especialmente en un negocio tan sensitivo como el del té. Creo que esa idea la tomó del señor Taylor, el primer inglés en adquirir plantas de té.

Henry se acordaba bien de que Richard mencionó a James Taylor en una de sus primeras cartas. Por aquel entonces aún intentaba hacer comprender su decisión, o al menos conservar el amor de su hermano.

Henry fingió no estar interesado en nada de lo que le contaba, pero aquella carta, que solo se dignó a leer una vez, se le había quedado tan grabada en la memoria que aún recordaba que James Taylor había viajado de Calcuta a Ceilán con una caja de esquejes bajo el brazo con la intención de hacer la competencia al cultivo de café, por entonces aún imperante. El destino le fue favorable, los cafetales se transformaron en plantaciones de té y con el tiempo el cultivo se extendió más y más.

Henry dejó a un lado los recuerdos, carraspeó y dijo:

—¿Y dónde empleó mi hermano a esos jóvenes que se afanó en educar?

—Principalmente en tareas administrativas. A no ser que el alumno hiciera el tonto y no aprovechara la oportunidad. —Un recuerdo lejano hizo sonreír por un instante a Vikrama—. Mi madre siempre me insistía en que fuera el mejor. Decía que solo así llegaría a ser alguien. Como podrá imaginarse los demás la tomaban por loca, pero el señor Richard supo ver mis capacidades y apostó por ellas. Gracias a él he llegado a ser el hombre que ahora está sentado frente a usted, y por eso lamento tanto su trágico fin.

—Créame que no es el único. —Henry apoyó los codos sobre la mesa y juntó las manos como si fuera a rezar. El lado oculto de su hermano lo desconcertaba tanto como ese joven que tenía delante, cuyas capacidades sobrepasaban claramente a las que pueden adquirirse en la escuela—. Pero le aseguro que haremos lo posible por mantener vivo el espíritu de mi hermano. ¿Sigue en pie esa escuela de la que me habla?

—Ya lo creo, señor —asintió Vikrama—. La lleva un antiguo compañero mío de clase, y se encarga de enseñar a los jóvenes tamiles todo aquello que pueda serles útil.

—¿Y qué hay de los cingaleses?

Una ligera expresión de desprecio asomó en los ojos de Vikrama.

—Ellos prefieren seguir su propio camino. No encontrará a muchas familias dispuestas a mandar a sus hijos a la escuela.

213

—En fin, también ha de haber en el mundo gente que se encargue de los trabajos menos refinados, ¿no le parece? —Henry se incorporó—. Ardo en deseos de ver sus dotes de mando, y espero que no se quede para usted solo sus conocimientos en lo que al té respecta.

—Haré todo lo que esté en mi mano.

Los dos hombres se levantaron y abandonaron el despacho.

Jadeando, Grace se apretó contra el muro de la casa. El corazón le latía sin freno, como si la hubieran pillado haciendo algo prohibido.

—¿Es que has perdido el juicio? —le susurró a su hermana—. Apuesto a que Vikrama nos ha visto.

—De ser así se lo habría dicho a papá, ¡y entonces él se habría asomado a la ventana! —le espetó Victoria—. Podías mostrar un poco más de valor, sobre todo porque ha sido idea tuya venir a espiarlos.

Grace iba a responderle, pero el crujir de la gravilla hizo que las palabras se quedaran en su garganta.

—¡Que vienen!

Rápidamente se levantaron y se ocultaron tras un rododendro con flores blancas a través de cuyas ramas observaron a su padre y al capataz. Sin desviar la mirada del frente, los dos hombres se dirigieron hacia el edificio de administración. Como la cosa no prometía demasiado, Grace decidió esperar allí un rato y recobrar la calma.

—Deberíamos adelantarnos e ir a los galpones del té —propuso impaciente Victoria—. Probablemente sea el próximo lugar al que vayan.

—¿No crees que la gente se extrañará de vernos aparecer por allí sin un motivo aparente?

—También se extrañarán cuando nos vean perseguir a escondidas a papá. Venga, vámonos antes de que nos pille el jardinero.

Lo cierto era que un hombre de tez oscura estaba podando un seto no muy lejos de ellas. Se podía oír el chasquido regular de las tijeras cada vez que los loros de los árboles daban una pequeña tregua.

—Está bien, vamos.

Grace se puso de pie, se quitó de la manga una hojita que se le había enganchado, se estiró la falda y con su hermana de la mano recorrió el camino como si se tratara de un inocente paseo. Dos hombres bajaron la cabeza al cruzarse con ellas, y una mujer con una cesta de té vacía en la cabeza les sonrió amigablemente.

Los galpones les dieron la bienvenida con un aroma abrumador. El olor que desprendían las latas de té en la cocina no era más que un pálido reflejo del verdadero aroma del té. Sobre parrillas y tablones había extendidas hojas en distintas fases de marchitamiento. Mientras algunas hojas aún estaban frescas y despedían olor a verde, en otras parrillas había hojas marrón claro, marrón oscuro e incluso rojizas. Junto a los galpones, se disponían unas mesas frente a las que se sentaban mujeres que enrollaban las hojas cuyo marchitamiento ya había finalizado.

Más impresiones no podían haber recibido de una sola vez Grace y Victoria.

—¡Ahí vienen! —susurró Victoria, cuyos despiertos ojos habían estado observando el edificio de la administración. Las dos muchachas se escondieron tras los galpones en un rincón donde se apilaban unas cestas.

Si las concentradas trabajadoras se habían percatado de su breve visita, no lo dejaron entrever. Ni siquiera en presencia de su nuevo señor y de su capataz interrumpieron su faena.

—Estos son los galpones del té, donde el té se trata a mano, como es costumbre también en China —explicó Vikrama mientras Henry Tremayne echaba un vistazo a las construcciones, cuya techumbre estaba cubierta de hojas de plátano y de palma—. Una vez el té adquiere el grado adecuado de fermentación, se lleva a los secadores. Nuestro maestro tetero, el señor A. Soresh, es un auténtico experto en reconocer el grado de fermentación exacto. Hasta ahora todas las cosechas que han salido de nuestra plantación han sido excelentes.

Henry no decía palabra. Se limitaba a mirar a su alrededor como si un vendaval lo hubiera transportado a un lejano país de cuento.

—Parece que ha logrado impresionarlo —susurró Grace desde su escondrijo—. No es frecuente ver a nuestro padre quedarse sin habla.

—El señor Vikrama sí que es impresionante —añadió Victoria guiñando un ojo—. ¡Lástima que sea demasiado joven para él!

—¿Te casarías con un nativo? ¡A mamá le daría un infarto!

—Olvidas que el señor Vikrama es medio inglés. He leído que los mestizos gozan de gran prestigio social. Forman una casta aparte.

—¿Una casta? —se extrañó Grace, pero antes de que pudiera responder Victoria, su padre y Vikrama reemprendieron la marcha.

En cuanto les dieron la espalda, Grace y Victoria rodearon los galpones y alcanzaron otro edificio. De una de las ventanas salió un chorro de aire caliente justo cuando ellas se agazapaban debajo.

—En los últimos tiempos su hermano empezó a implantar maquinaria en la producción —prosiguió Vikrama—. Evidentemente, la calidad es inferior a la del té manufacturado, pero a cambio obtenemos mayor cantidad de producto a mejor precio, lo cual se ajusta perfectamente a las necesidades de los clientes con menor poder adquisitivo.

Del siguiente edificio salía el ruido inconfundible de una máquina en funcionamiento. Esta vez, a pesar de que su padre y Vikrama estuvieron dentro un buen rato, no se atrevieron a mirar por la ventana. Las explicaciones sobre el funcionamiento del artefacto llegaban tan amortiguadas a través del muro de arcilla que solo alcanzaron a escuchar fragmentos que fueron incapaces de recomponer en un todo.

Una vez inspeccionadas todas las dependencias, se adentraron en la vegetación por un sendero hecho con tablas.

Después de seguirlos a una buena distancia entre la maleza, apareció ante ellos una especie de aldea que consistía en unas

216

chozas de madera con techos de hojas de palma entre las que unos niños jugaban con un perrito.

—Aquí debe de ser donde viven nuestros trabajadores —dijo Victoria, que estiraba el cuello presa de la curiosidad. Acto seguido, Grace tiró de ella para abajo.

—¡Nos van a descubrir por tu culpa!

—Descuida, Vikrama está hablando con un viejo. ¿Te has fijado en que aquí los hombres llevan falda?

—Se llama *sarong* —la corrigió Grace.

—¿Y tú cómo sabes eso? —preguntó Victoria sorprendida de que su hermanita mayor, a quien solo parecían interesarle los bailes y los salones de té, le tomara la delantera.

—Oí a unas personas hablar sobre ello en el hotel. Por cierto, el vestido de las mujeres se llama sari.

Un brillo en los ojos de Victoria delataba que se moría de ganas por escandalizar a su hermana.

—Podíamos probar nosotras a ponernos un sari. A juzgar por sus vientres desnudos, parece evidente que no llevan corsé…

—Vic… —Grace se tapó la boca con la mano al ver la mueca de satisfacción que se dibujó en el rostro de su hermana. Victoria había conseguido una vez más su propósito—. No lo dices en serio, ¿verdad? Esos vestidos son una indecencia. A mamá…

—Le entraría migraña solo con vernos, ya… —Victoria terminó la frase—. ¿Pero no te parece que con este calor los corsés oprimen aún más?

Grace no se dignó a contestar. Ahora también ella se atrevió a asomar la cabeza por encima de la maleza. Justo en ese momento Vikrama rompió a reír. Echó la cabeza para atrás y soltó una carcajada tan sincera que hasta su severo y contenido padre se dejó contagiar. Grace también se rio. Le habría encantado saber qué clase de broma había provocado semejante explosión de júbilo.

Pero los dos hombres se despidieron de los trabajadores y emprendieron el camino de vuelta.

—¡Vámonos de aquí pitando! —le susurró Grace a su hermana, y acto seguido corrieron agazapadas hacia la maleza. Solo

217

repararon en que quizá su padre las había visto cuando ya estaban al abrigo de un arbusto.

Miles de estrellitas centelleaban bajo los parpados de Grace cuando intentó contener su aliento entrecortado. No estaba muy acostumbrada a correr.

Cuando abrió los ojos vio a Victoria entre las ramas.

—¡Van hacia los cultivos!

Grace sopesó abandonar la persecución. Salvo en los galpones, apenas habían podido escuchar nada, por lo que era poco probable que fueran a averiguar algo sobre el apuesto capataz. Pero Victoria estaba entusiasmada con el asunto, y ella no iba a ser menos, así que se levantó y exclamó:

—¡Venga, pues! ¡Tras ellos!

La siguiente marcha fue bastante más larga y transcurrió por unas escaleras de madera reforzadas con tablones. Mientras su padre y Vikrama iban subiendo peldaños a bastante distancia, las dos hermanas charlaban animadamente, aunque por dentro Grace se lamentaba de que la suave brisa que corría no tuviera la suficiente fuerza como para traer hasta sus oídos la conversación de los dos hombres. Ahora solo se escuchaba el crujir de los árboles de alrededor. Hasta los gritos de los loros eran menos frecuentes.

¿Cuánto más habrá que subir para llegar a la plantación?, se preguntaba Grace con la mirada puesta en el Pico de Adán, cuya cima se elevaba en el cielo como un montón de azúcar. El graznido de un pájaro que volaba en círculos sobre ellas las hizo estremecerse. El animal recordaba a un grifo, pero Grace puso enseguida en duda la existencia de dicha criatura.

Aterrada, se quedó quieta al ver que se acercaban unas recolectoras. Pero Victoria tiró de ella.

—Haz como si fuera normal que estemos aquí —le espetó a su hermana mayor.

Pero Grace estaba segura de que las mujeres se extrañarían al verlas, sobre todo después de haberse cruzado con los dos hombres que iban por delante. Con tanta cavilación casi le pasó inadvertida la riqueza del colorido de los ropajes de esas mujeres.

Sus saris eran de una tela sencilla, pero lucían esplendorosas envueltas en rosa chillón, naranja abrasador y un amarillo que competía con el del sol. A su lado, embutidas en sus pálidos vestidos, Grace y Victoria parecían gallinas frente a loros.

Cuando se acercaron a ellas, las mujeres dejaron su discreta conversación. Concentradas en su camino, pasaron junto a Grace y Victoria cargadas con sus cestas. Cuando se hubieron alejado un trecho, a Grace le vino a la memoria la rara cantinela que aquel anciano tan extraño le había recitado en Colombo.

Un escalofrío le recorrió la espalda.

«Escucha siempre a tu corazón y síguelo. Si no lo haces, traerás la desgracia sobre ti y aquellos a quienes ames.»

Las palabras que hacía apenas unos días le habían parecido un sinsentido ahora la dejaron paralizada.

—¿Puede saberse qué mosca te ha picado?

Victoria le tiró de la manga y las palabras se esfumaron de su mente, y su cuerpo volvió a la vida.

—No es nada —repuso Grace confusa—. Estoy bien. Sigamos.

Victoria la miró extrañada, pero Grace se puso a andar con paso decidido y a su hermana no le quedó más remedio que seguirla.

Las recolectoras destacaban entre las verdes plantas de té como los primeros capullos de rosa de la primavera. Henry Tremayne estaba abrumado ante la verde exuberancia que ahora le pertenecía.

—Este es el mayor de los tres campos de té —le explicó Vikrama abarcando toda la extensión con un ademán—. De aquí recogemos el té que las mujeres enrollan a mano en los galpones. Los otros dos campos y el nuevo, el que acabamos de roturar, están pensados para la producción industrial. El té crece más frondoso, pero la calidad de las hojas es peor debido a la altitud.

Henry observó al joven: cuando hablaba del té los ojos le brillaban como si le estuviera mostrando su propia plantación.

—Parece estar muy unido a la plantación.

—Que yo recuerde siempre ha sido mi casa. No puedo imaginar un lugar más hermoso en todo el mundo. Además, da a mi pueblo pan y trabajo… Por un lugar así es imposible sentir animadversión.

Impresionado por sus palabras, Henry se sumió en sus pensamientos. El muchacho es realmente bueno, se dijo, puede que hasta peligrosamente bueno si el brillo de sus ojos no solo se debiera a su entrega incondicional.

—Cuénteme algo sobre el té que se produce aquí —dijo cuando el silencio entre ambos empezaba a hacerse incómodo.

Antes de empezar Vikrama esbozó una ligera sonrisa.

—Originalmente la planta viene de Assam, pero gracias a las aportaciones del señor Taylor en el arte del injerto llegamos a crear una variedad propia que con el tiempo ha llegado a denominarse Ceilán.

—Como esta isla.

—Exacto. Y le aseguro que llegará el día en que lograremos imponernos al resto de variedades.

Conteniendo el aliento, Grace y Victoria escucharon las explicaciones de Vikrama. Cuánto le habría gustado hacer saber a su hermana lo impresionantes que encontraba los conocimientos de ese hombre, pero se habían acercado más de la cuenta, por lo que no podían hablar sin que su padre las oyera.

Cuando al fin emprendieron el regreso, las hermanas permanecieron ocultas entre los arbustos de té, y no se levantaron hasta que los dos hombres estuvieron fuera de su alcance.

—¿Y ahora qué? —preguntó Victoria quitándose los trocitos de hojas secas que se le habían pegado al vestido.

—Quedémonos por aquí un rato —dijo Grace, que no quería volver a encerrarse entre los sofocantes muros de la casa—. Podríamos ir a ver los elefantes que utilizan para desbrozar el bosque. ¿Qué te parece?

Victoria asintió con los ojos iluminados, pero acto seguido se lo pensó dos veces.

—Mamá va a echarnos en falta. Casi es mediodía, y la señorita Giles ya le habrá dicho que no sabe dónde estamos.

—Ya le diremos luego dónde hemos estado. Puede que incluso se lo imagine, ya que ayer estuvimos hablando de los elefantes. Quizá de camino veamos alguna mariposa bonita.

Eso terminó de convencer a Victoria. Aunque la única indicación que tenían era que el campo recién desbrozado estaba en lo alto de la falda de la montaña, Grace tomó decidida el camino que atravesaba el campo de té. De cuando en cuando se cruzaban con una recolectora, pero bastaba con que Grace la mirara para que la mujer bajara la cabeza y continuara con su labor.

Al rato llegaron a una parte de la selva donde resonaba el atronador barritar de esos animales. El terreno era abrupto y casi intransitable, pero al menos había un ancho camino pedregoso repleto de enormes huellas de elefante. Un montón de raíces y ramas aplastadas ribeteaba la senda. Habían llegado.

—¡Cuidado por donde pisas! —advirtió Grace a su hermana con la mirada clavada en el suelo para no meter el pie en un socavón—. Como te caigas rodando montaña abajo vas a acabar hecha un amasijo de huesos irreconocible.

—¡Sería la mar de divertido! —repuso Victoria tan contenta—. ¡Siempre he querido saber cómo se sienten los dados!

—¿Los dados? —preguntó extrañada Grace evitando por los pelos tropezar con una raíz que las lluvias habían hecho brotar del suelo.

—¡Pues claro! ¡Ellos también ruedan y ruedan dentro del cubilete! —Victoria soltó una carcajada—. Y no es por nada, pero quien debe tener más cuidado eres tú; no soy yo quien acaba de tropezar.

De pronto oyeron unas voces y se detuvieron. Poco después aparecieron tres hombres guiando a un elefante. Este no iba tan engalanado como los del templo de Colombo. Uno de los hombres sujetaba la cadena que rodeaba su pata derecha clavándosele en las carnes. Grace dio un respingo al ver más signos de maltrato en el animal. ¿Era ese el motivo por el que Vikrama no había llevado hasta allí a su padre? ¿No había querido sobrecogerlo con el trato que se les daba a las bestias de tiro? También Victoria estaba conmovida por el animal, por cuya rugosa piel gris corrían regueros de sangre.

—Será mejor que nos vayamos —dijo Grace agarrando a su hermana de la mano, que se dejó llevar sin rechistar.

Durante el descenso no se dirigieron la palabra. Al llegar al campo de té decidieron tomar un camino distinto al de la ida.

Puede que así veamos algo que nos levante el ánimo, pensó Grace acongojada; luego decidió que hablaría muy seriamente con su padre sobre los elefantes.

Siguieron recorriendo el camino en silencio. Grace se dio cuenta de lo mucho que le había afectado a su hermana lo que acababan de ver.

—Hoy me he despertado muy pronto —dijo al fin Grace—. Y he visto una mariposa azul muy grande. Te habría encantado.

—¿Y por qué no me has despertado? —preguntó Victoria sin verdadero interés, pues aún no había podido borrar la imagen del elefante de su mente. Al momento Grace se sintió estúpida. Victoria ya no era una niña pequeña a la que se pudiera embaucar con una bonita historia.

—Estabas tan dormidita… Y además era muy pronto. Pero estoy segura de que volverá. Y entonces…

De pronto un jinete disparó desde la maleza. Victoria gritó asustada. Sin dudarlo un momento, Grace la agarró de la muñeca, y justo a tiempo logró echar a un lado a su hermana y evitar que acabara bajo los cascos del caballo. Presa del miedo, el zorro rojo se irguió sobre sus patas traseras, mientras el jinete intentaba desesperadamente mantenerse en su montura. Tardó un rato en volver a controlar al animal.

—¡Maldita sea, niñas! ¿Qué demonios se os ha perdido aquí?

El hombre que les lanzaba esa mirada furibunda en la que se mezclaban el miedo y la ira era moreno y tenía barba. Su vestimenta y su acento lo señalaban como miembro de la aristocracia inglesa.

Grace se incorporó y se recompuso un poco el vestido.

—Perdónenos, señor, somos nuevas aquí. No sabíamos que usted cazaba por este lugar.

El hombre la miró de arriba abajo. El rencor que reflejaba su rostro se relajó un poco.

—Ustedes deben de ser las hijas de los recién llegados. Los Tremayne, si no me equivoco.

Cuando Grace asintió, el hombre bajó del caballo y se acercó a ella sin dejar de mirarla a los ojos.

—Mi nombre es Dean Stockton. Encantado de conocerla, señorita…

—Grace. Grace Tremayne. Ella es Victoria, mi hermana menor.

El hombre tomó su mano y se la besó. Luego se giró hacia Victoria y le dedicó una sonrisa.

—Perdóneme, he estado a punto de arrollarla. Pero es que aquí arriba no suele venir nadie, y me temo que se me ha pegado el temerario estilo de montar local. Deberían ver cómo conducen los coches de caballos.

Grace prefirió no contestar. Había algo en ese hombre que no le gustaba. ¿Su aliento? ¿Su risa? ¿El extraño brillo de sus ojos?

—¿Quieren que las acompañe a casa? —Su sonrisa se agrandó al ver el miedo en los rostros de las dos hermanas—. Como acaban de comprobar, pasear por este lugar puede resultar peligroso. Jamás me perdonaría que les sucediera algo malo a las hermosas hijas de mi nuevo vecino.

—Es usted muy amable —repuso Grace con afectación—. Pero no quisiéramos robarle ni un segundo más de su precioso tiempo. Si hemos encontrado el camino para llegar hasta aquí, seguro que también daremos con el de vuelta. Buenos días, señor Stockton.

Grace agarró a su hermana de la mano y se la llevó a tirones. Mientras se alejaban notó la mirada de aquel hombre clavándosele en la espalda durante un buen rato, hasta que al fin montó en su caballo y empezó a trotar. Su temor de que pasara junto a ellas no se cumplió, desapareció por un camino lateral.

—¿Por qué has sido tan grosera con él? —preguntó Victoria oliéndose que su hermana no iba a abrir la boca en todo el camino.

—¡Ha estado a punto de arrollarte! —exclamó Grace sin dejar de dar zancadas como si llevara puestas las botas de siete leguas—. ¡Y encima nos echa la culpa!

—Pero se ha disculpado. Y sabía quiénes somos. En cuanto nos ha reconocido ha sido muy amable.

—Demasiado amable, me parece a mí —repuso Grace enfadada. Ni siquiera ella sabía el porqué de su inquina; al fin y al cabo no era más que un desconocido—. Y por si me lo preguntas, te diré que no tiene nada de especial que estuviera al tanto de nuestra llegada. Seguramente a estas alturas ya lo saben todos. ¿No viste todas esas villas cuando vinimos? Esa gente está ávida de novedades. Como nos descuidemos llegará el día en que seamos nosotras las que nos abalancemos sobre los recién llegados a esta montaña.

6

A la mañana siguiente un pariente de la pareja llevó a Diana y a Jonathan a una pequeña estación de ferrocarril para tomar el tren a Nuwara Eliya. Aunque era muy temprano, el tren que apareció entre la niebla iba bastante lleno. Sin embargo, a pesar de las estrecheces, el comportamiento de la gente era ejemplar y nadie se molestó porque Diana o Jonathan lo empujaran sin querer.

Pasadas unas estaciones se quedaron un par de asientos libres, por lo que no tuvieron que ir todo el trayecto de pie.

—Nuwara Eliya también es conocida como la pequeña Inglaterra —dijo Jonathan cuando se empezaron a ver por la ventana colinas verdes—. Supongo que imagina por qué.

Diana estaba fascinada por el paisaje. De vez en cuando un punto blanco rompía la monotonía del manto verde. Alguno de esos puntos llevaba allí unos doscientos años.

—Esa villa de ahí arriba es muy inglesa —comentó Diana sonriendo—. Tremayne House es parecida, pero el paisaje que la rodea no es tan bello.

—Hay muchas villas como esa, más que plantaciones. Hubo una época en que los ingleses adoraban estas tierras, puede que por el fuerte contraste respecto a su fría patria. Aunque cuando arreciaba el monzón seguro que se acordaban de ella; quizá por eso se sentían como en casa nada más llegar. Además aquí, al contrario que en la costa, nunca hace ese calor infernal.

—Al parecer, ha estado aquí antes, ¿no? —señaló Diana sonriendo. Con sus conocimientos Jonathan habría sido un gran guía turístico.

—Llevo años viviendo en este país, y créame: no hay nada que cause más alegría a un nativo que ver a un extranjero sacar pecho al enseñar su patria.

—Pero si atendemos a su línea genealógica no se puede decir que usted sea extranjero.

—No obstante, tengo la nacionalidad inglesa y la india, pero no la de Sri Lanka. De modo que soy tan extranjero como usted. Lo único que nos diferencia es que yo tengo permiso de residencia. —Jonathan miró brevemente por la ventana—. Por cierto: no ha escogido el mejor momento para venir. El monzón está al caer.

—En realidad no quisiera quedarme mucho tiempo. Solo lo suficiente para averiguar algo más sobre mi familia.

Al oír sus palabras, Jonathan esbozó una sonrisa, pero no dijo nada al respecto.

Entre tanto, el tren llegó a una pequeña estación al pie de la montaña.

—Nos bajamos aquí —dijo Jonathan antes de levantarse y alcanzar la bolsa de viaje de Diana de la red llena de petates que, amenazadoramente, había estado bamboleándose sobre sus cabezas durante todo el viaje.

Abrirse paso entre los demás pasajeros se antojaba difícil, aunque por suerte el maquinista no tenía ninguna prisa. El hombre esperó pacientemente a que todos los viajeros abandonasen el tren y luego el revisor dio la señal de partida. Mientras el tren reemprendía su marcha con su traqueteante carga, abandonaron la estación tomando un camino de tierra señalizado con un letrero que aseguraba que conducía al Hotel Hills.

—Es uno de los edificios con más solera del lugar. En la época colonial era una pensión para viajeros. Creo que será un buen punto de partida para su búsqueda.

—No habrá por casualidad un intérprete de *nadi* por aquí, ¿verdad?

—No, segurísimo que no. Aquí hay demasiada impronta inglesa. Pero le garantizo que Vijita saldrá del hospital. Ya vio

226

la rica decoración del altarcito que hay en su honor. Y nuestra sanidad está a la última, al menos en Colombo, que es a donde se lo llevaron, así que no hay de qué preocuparse. En cuanto vuelva descifrará su hoja.

Tenía que haber ido a la biblioteca de Colombo, pensó Diana, pero rápidamente recordó las objeciones que puso Jonathan. En cuanto se presentara allí con una hoja de dudosa procedencia los intérpretes del museo se negarían a atenderla.

Tras una caminata en pendiente de un cuarto de hora apareció el hotel entre los árboles. Bajo la luz del sol la fachada parecía una perla reluciente sobre un paño de terciopelo verde.

−¡Haga el favor de volverse! −exclamó de pronto Jonathan.

Al seguir su indicación, Diana se vio recompensada con unas vistas arrebatadoras. Las verdes colinas se estrechaban como amantes dispuestos a no separarse jamás.

−Allí abajo queda nuestra estación.

Al mirar hacia el punto que señalaba Singh, Diana solo pudo ver los raíles que serpenteaban entre las colinas como una arteria luminosa.

−Tiene incluso un aire a los Highlands −comentó Diana sonriendo cuando se giró de nuevo hacia Jonathan. Al hacerlo, notó que él la había estado observando todo el rato.

Turbado, bajó la cabeza un momento.

−Sí, pero nuestro clima es algo mejor incluso en invierno.

−¡Eso no se lo discuto!

Entrar en el recinto del hotel fue para Diana como volver a Tremayne House. Ambos edificios necesitaban una reforma, pero el hotel estaba algo más descuidado; carecía de la inestimable ayuda de un genio todo terreno como el señor Green, capaz de ocuparse tanto de la casa como del jardín. Situado bajo la terraza, el jardín del hotel, que en su día debió de ser espléndido, estaba totalmente asilvestrado. En cuanto a la terraza, baste decir que daba la impresión de que en cualquier momento aparecería por una esquina un *gentleman* con levita y marquesota dispuesto a disfrutar a la sombra de un buen puro indonesio y una ginebra.

Los veraneantes con los que se cruzaron eran principalmente asiáticos. Diana creyó distinguir a unos cuantos japoneses y a otros que probablemente fueran de Tailandia. A dos americanos, cuya ruidosa conversación era imposible no escuchar, los delató su acento.

La recepción debía de tener el mismo aspecto que hacía ciento cincuenta años. Los atendió un atildado joven enfundado en una camisa blanca resplandeciente, en contraste con su tez oscura.

—¿En qué puedo ayudarles? —dijo en un inglés marcado por su fuerte acento.

Cuando Jonathan le pidió dos habitaciones en su lengua, el joven se acercó rápidamente a un antiguo tablero del que colgaban unas cuantas llaves de latón. Ni rastro de las modernas tarjetas de acceso o de los pesados llaveros con el número de la habitación, tan habituales en Alemania por desgracia, y tan incómodos para guardar en el bolsillo.

—Dice que hay dos habitaciones libres, pero que están en distintos pisos —le susurró—. ¿Qué prefiere, arriba o abajo?

—Lo cierto es que me da igual —admitió Diana.

Jonathan sonrió.

—Pues en ese caso, quédese con la de arriba. Así podrá disfrutar de las maravillosas vistas.

Cuando el conserje volvió con las llaves le pidió a Jonathan sus datos para anotarlos en el registro. Realizado el trámite, bastó un toque de campanilla para que apareciera un muchacho dispuesto a acompañar a Diana a su habitación.

—Nos vemos aquí abajo en una hora, ¿de acuerdo? —propuso Jonathan echándose su bolsa al hombro.

Diana asintió y siguió al botones por la escalera ligeramente inclinada.

La habitación no estaba equipada de manera tan moderna como la del Grand Oriental de Colombo, pero a Diana su encanto la sedujo al instante. Allí sí que había un ventilador de techo como los de las películas antiguas, esos que sin dejar de girar observaban desde lo alto el destino de los protagonistas.

Jonathan no había exagerado con respecto a las vistas. Las plantaciones de té y las villas aisladas brillaban al sol como las casas de las revistas de viajes.

¿Habría estado allí Jonathan con su mujer?, se preguntó espontáneamente, para luego caer en la cuenta de que se había separado antes de decidir trabajar por su cuenta y recorrer el país.

Tras deshacer el equipaje se quitó la ropa y se metió en la ducha. Mientras disfrutaba al sentir caer sobre su cuerpo el agua templada dejó vagar sus pensamientos. Debería llamar al bufete, le susurró la mala conciencia, pero en ese momento estaba tan excitada con lo que iba a encontrarse en la plantación que no quiso pensar en el trabajo.

Tal y como habían quedado se encontraron sobre la una del mediodía en el vestíbulo. Jonathan también se había dado una ducha y olía de maravilla, a madera de sándalo y limón.

—Me he tomado la libertad de reservar una mesa en la terraza. Puede que ya hayan preparado el té helado.

El aire de fuera había cambiado en las últimas horas. Su olor le recordó a Diana esos días de verano en los que llueve repentinamente tras muchos días sin hacerlo, y la tierra caliente absorbe con avidez la humedad de la tormenta.

—Me temo que tendremos que adelantar la excursión a la plantación. Si no me equivoco, pronto llegará el monzón, lo que significa que no dejará de llover en un mes.

En realidad, a Diana no le importaba lo más mínimo, pero la razón había hecho acto de presencia para recordarle sus obligaciones en el bufete y no era capaz de quitarse de la cabeza esa llamada pendiente.

—Tengo algo para usted —dijo Jonathan cuando se sentaron. Después sacó del bolsillo del pantalón un grueso sobre gris.

Diana arqueó las cejas en señal de sorpresa.

—¿Qué es?

—Es información que he recopilado sobre la plantación. Podía habérsela dado antes, pero pensé que era más adecuado hacerlo in situ.

Diana sintió que el corazón se le salía del pecho, y le empezaron a temblar las manos.

–Muchas gracias.

–He de admitir que resulta refrescante tener una excusa para no dedicarme al tema del terrorismo en este país. Ahora estoy escribiendo ese capítulo, y le aseguro que es cualquier cosa menos alentador.

–El atentado en el aeropuerto fue hace tres años, ¿verdad?

Jonathan asintió.

–Así es. Y desde entonces no solo nuestra línea aérea está en poder de los Emiratos Árabes Unidos, sino que además tenemos que adoptar cada vez más medidas de seguridad. El sur y el oeste del país están a salvo de los Tigres, pero aún debemos obrar con cautela.

–Se refiere a los Tigres de Liberación de Tamil.

Jonathan volvió a asentir.

–Aquí para abreviar solemos llamarlos los Tigres. Al principio eran una organización en defensa de los derechos del pueblo tamil, pero ahora son una banda terrorista que no duda en cometer atentados, asesinatos y secuestros.

De ahí todas las advertencias, pensó Diana, y recordó que en los preparativos del viaje había ignorado olímpicamente las instrucciones de los folletos y las recomendaciones de seguridad.

–¿Conoce alguien las causas del conflicto?

–Ya existían tensiones mucho antes de la época colonial. Durante su dominio, los ingleses dieron privilegios a los tamiles provenientes del sur de la India por ser un pueblo que conocía la escritura. Los emplearon en la Administración y en puestos de oficina, ocuparon los mandos medios en las plantaciones e incluso llegaron a formar parte del funcionariado en las ciudades. En cambio, a los cingaleses los trataron como mera fuerza de trabajo y padecieron una explotación terrible. Dadas las circunstancias, no tardaron en considerar a los tamiles colaboradores del opresor. Cuando la época colonial tocó a su fin y los ingleses se fueron, la ira del pueblo cingalés, demográficamente muy superior, recayó sobre los tamiles. En el año 1983 se produjo un espantoso pogromo contra ellos, y en los años siguientes incluso se planteó prohibirles hablar su lengua. Fue entonces cuando surgieron los Tigres de Liberación de Tamil.

Solo vagamente recordó Diana alguna noticia sobre conflictos en el sur de la India y Sri Lanka.

—Entre tanto, en esta parte de Sri Lanka han vuelto a convivir en paz tamiles y cingaleses. Sin embargo, en el norte la reivindicación de un estado tamil independiente ha cobrado fuerza. Pero el Gobierno no va a darse por aludido tan rápido. De hecho puede que nunca lo haga.

Durante el breve silencio que se había producido, Diana reflexionó sobre lo profundas que eran las heridas que ambos grupos étnicos acumulaban. ¿Llegarían a encontrar en algún momento la verdadera paz?

—Con sus conocimientos podría ser también un magnífico periodista —concluyó.

Jonathan asintió.

—Puede ser. Pero créame, cuando acabe con el proyecto que tengo entre manos volveré a dedicarme a la historia antigua. Al fin y al cabo, soy historiador. ¿Alguna vez ha oído hablar del reino de Kandy?

—Está muy cerca de aquí, ¿no?

—En efecto. Ese será mi próximo proyecto. Investigaré la historia de los antiguos reyes y del famoso Templo del Diente. Allí se custodia ni más ni menos que una muela del mismísimo Buda.

—Ensimismado, Jonathan sonrió para sí, como si no pudiera esperar para ponerse a ello—. Entre una cosa y otra no viene mal algo ligerito.

—No creo que investigar un reino olvidado sea algo «ligerito».

—Lo importante es buscar en el lugar idóneo, lo demás viene dado. Y en mi opinión, la Vannattuppūcci Tea Company va a ser un filón inagotable.

Como si hubiera revisado el contenido del sobre cientos de veces, extrajo un prospecto que además de publicidad incluía una breve historia de la plantación.

Jonathan señaló el párrafo en cuestión y esbozó una amplia sonrisa.

—¡No me lo puedo creer! —exclamó estupefacta Diana.

—Créaselo. Y apostaría los honorarios que voy a percibir por mi libro a que encontrará lo que busca.

Esa misma noche Diana y Jonathan prepararon la subida a la plantación. No había transporte público hasta allí, a lo sumo un par de elefantes de los que utilizaban para trabajar en el campo. Pero Jonathan había dado con un hombre en el hotel dispuesto a llevarlos hasta un punto intermedio.

Diana experimentó un arrebato de felicidad solo con pensar que al fin podría ver el lugar donde había vivido su tatarabuela.

¿Con qué se encontraría allí? ¿Se conservaría alguna documentación de aquellos tiempos? ¿O se estaría aferrando a algo inexistente?

Un toque en la puerta de su habitación la sacó de sus pensamientos.

—Adelante —dijo pensando que era una empleada del hotel que venía a rellenar el mueble bar.

—Ah, veo que ya casi está lista.

Jonathan se apoyó en el marco de la puerta sonriente. Diana se puso de pie y se apartó de la cara un par de mechones rebeldes.

—Sí, me llevo solo lo necesario. No sabemos si encontraremos algo en la plantación.

—Y si no al menos habrá visto el lugar donde vivieron sus antepasados. Es muy importante encontrar las propias raíces.

Diana hizo un esfuerzo por sonreír.

—Ojalá pudiera robarle un buen pedazo de su optimismo.

—No hay problema: creo que tengo suficiente para los dos —dijo Jonathan extendiendo los brazos.

¡Cuánto le habría gustado dejarse caer entre esos brazos!, a pesar de saber que no era una invitación a un abrazo, sino solo un gesto de apoyo a sus palabras. Sin embargo, se lo prohibió a sí misma. Eres una mujer casada. Puede que tu matrimonio haya fracasado, se dijo, ¡pero no por ello te vas a tirar a su cuello!

Y además, a Jonathan quizá le hubiera asustado una reacción así.

—En realidad no he venido a verla hacer el petate —señaló él, enigmático—. He descubierto algo que debe ver de inmediato. Puede que le ayude en su investigación.

—¿De qué se trata?

—Ahora mismo lo verá. Acompáñeme al club.

Diana arqueó las cejas en señal de asombro.

—¿Usted cree que debo?

La pregunta no iba en serio; todo el mundo sabe, incluida Diana, que en los antiguos clubes de caballeros hacía ya mucho tiempo que admitían la entrada a las señoras.

—¡Por supuesto que sí! ¿O es que no le valgo como acompañante? No obstante, no le vendría mal un traje de noche para bajar.

—¿Un traje de noche? —se extrañó Diana—. ¿Habla en serio o se trata de una de sus bromas?

—Me temo que el club exige cierta etiqueta a sus clientes. Antes, cuando iba a entrar, me han ofrecido una corbata. En el momento en el que iba a rechazarla, vi lo que pretendo enseñarle, así que no me ha quedado otra que acceder y ponérmela.

Diana observó el cuello abierto de su camisa.

—¿Y dónde está la corbata?

—Desgraciadamente, al salir tuve que devolverla. Puede que al verme de nuevo el portero vuelva a ofrecérmela. Si no esa, un modelo igual de ridículo…

—De acuerdo entonces. ¡Ahora mismo estoy con usted!

Diana cerró la puerta, fue corriendo al armario, ahora más vacío por las cosas que se llevaba a la excursión, y se preguntó qué habría descubierto Jonathan. ¿No sería una treta para pasar con ella una agradable velada en uno de los clubes más famosos de la zona?

Tras decidirse por el mismo conjunto que llevó la noche que fueron a cenar salió a la puerta.

Jonathan estaba apoyado en la pared de enfrente. La miró de arriba abajo. Le recordó al Philipp de las primeras citas. Por entonces, aún pensaba que había nacido de pie; un sentimiento que con el tiempo se había volatilizado.

—Ya sé que no es un traje de noche —se disculpó un poco avergonzada, aunque sabía de sobra que el gesto de Jonathan no era de decepción—. Pero no creo que me vayan a negar la entrada por eso, ¿no?

—Siempre puede intentarlo poniéndose una corbata.

Diana se echó a reír a carcajadas; adoraba ese humor inglés. En la puerta del club estaba el portero, que no tenía nada que ver con los gorilas musculados que trabajan en las discotecas alemanas. Con amabilidad, pero también con determinación, le indicó a Jonathan que era preciso llevar corbata, y todo ello como si no hubieran vivido la misma escena hacía un momento.

Las corbatas que tenían en el armarito eran las más espantosas que Diana había visto jamás. Debían de ser de los setenta o de los ochenta, pues eran anchísimas y de colores chillones. Tras una rápida inspección, Diana respiró aliviada al ver que al menos estaban limpias y planchadas, de modo que su usuario podía ponérselas sin temor a impregnarse del sudor de su predecesor.

Sin duda, como una nueva demostración de su gran sentido del humor, Jonathan eligió la más espantosa de todas: una a rayas amarillas y azul turquesa con rombitos rosas en las franjas amarillas.

—Aunque explotara una bomba en este antro su corbata seguiría siendo lo más escandaloso del local —le dijo al oído Diana, cuando el portero los invitó a entrar. Mientras luchaba enconadamente por no volver a soltar una sonora carcajada.

—Sabía que coincidiría plenamente con mi elección.

Con una sonrisa de oreja a oreja la condujo a través de la concurrencia. Algunos de los allí presentes no podían evitar mirarlos con ojos de asombro, pero no acababa de estar claro si lo que más llamaba la atención era que Diana no llevara traje de noche o la estrambótica corbata de Jonathan, que para colmo no pegaba en absoluto con su ropa.

Con todo, nadie mostró su desaprobación, y si hubiera sido así Diana ni se habría enterado, pues tenía la mirada clavada en las fotografías antiguas que colgaban de las paredes, en las que aparecían los distinguidos miembros del Hills Club en los años dorados del hotel. Jonathan confirmó su presentimiento.

—Mire los nombres que hay al pie de esa foto —dijo señalando una vieja fotografía con una textura similar a la de Grace, protegida por un cristal. La diferencia era que en esta las personas salían tan apiñadas que costaba distinguir sus rostros a primera vista.

La mayoría eran hombres ataviados con elegantes trajes mirando al frente con cierta expresión de fastidio, debida en primer lugar a que no era costumbre sonreír a la cámara, y también a que el tiempo que entonces llevaba hacer una foto era ostensiblemente mayor.

Con el corazón acelerado, Diana echó un vistazo a los nombres: Emmerson Walbury, Trent Jennings, Dean Stockton, Henry Tremayne…

Empezó a contar hasta llegar al cuarto hombre por la izquierda: Henry Tremayne era alto y rubio; saltaba a la vista de quién había heredado su hija el color de pelo.

—¡Si no lo veo no lo creo! —exclamó.

—¡Pues ahí lo tiene! —repuso Jonathan—. Un antepasado suyo fue socio de este club. Seguramente ya sabrá que solo admitían a los miembros más distinguidos de la sociedad.

—Ya me imagino, igual que en Inglaterra. Hoy en cierto modo sigue siendo así.

Jonathan le dio un tiempo para observar bien la imagen.

—¿Cómo se siente? —le preguntó.

Diana notó que un escalofrío le recorría la espalda.

—Como si me hubieran permitido ver el pasado a través de una ventana —respondió—. ¿Sería posible conseguir una copia?

Al fin y al cabo, es la única foto que se conserva del padre de mi tatarabuela. No sé por qué, pero ni siquiera está en la galería de antepasados de Tremayne House…

—Creo que sí. Luego le pregunto al portero. Después de lo de la corbata me debe una.

—¡Pero si la eligió usted mismo! —exclamó Diana entre risas.

—¿Acaso no vio el surtido? ¡Imposible decir cuál era la más tremebunda! —Jonathan soltó una carcajada—. Espere un momento, le preguntaré ahora mismo. Por una cantidad adecuada no debería poner peros.

Antes de que Diana pudiera llamarle la atención por pretender sobornar al portero ya se había ido.

En menos de diez minutos Diana tuvo en sus manos la foto. Por veinte dólares el portero se había prestado a descolgarla personalmente y abandonar su puesto para ir a hacer una copia, la cual, por cierto, era de una calidad excepcional.

—¡Qué caro!

Diana le lanzó a Jonathan una mirada cargada de reproches.

—¿Usted cree? En mi opinión es un precio bastante razonable por obtener una nueva pista. Y si al final no le sirve de nada, al menos sabrá qué aspecto tenía su antepasado.

Diana se quedó ensimismada observando la fotografía. Así era la selecta sociedad de los barones del té y del comercio. Saltaba a la vista que el local, salvo por algunas pequeñas reformas, apenas había cambiado; en líneas generales estaba tal como entonces.

¿Qué le hiciste a Grace?, preguntó Diana a Henry Tremayne mientras pasaba el dedo por su rostro. ¿Qué te llevó a romper con tu hija y a desheredarla?

El resto de la velada la pasó con Jonathan en el club tomando té helado y un frugal tentempié compuesto en su mayoría por frutas de la región. Un ambiente así era el más propicio para hablar de su búsqueda, de la plantación y de todo lo que la rodeaba, pero como era un tema inagotable, cuando consideraron que lo decente era marcharse para que pudieran cerrar el club, se fueron a dormir.

Aunque en realidad no era necesario, Jonathan la acompañó a su habitación.

—Nunca se sabe qué suerte de bribón inmoral puede acechar a una dama a estas horas...

Con una sonrisa en los labios, Diana le recordó que ya no vivían en los años de Henry Tremayne; aunque tuvo que admitir que en ese hotel daba la impresión de que el tiempo se había detenido.

Una vez en la cama, Diana empezó a oír la lluvia contra el cristal de la ventana. El monótono sonido la arrulló, y cayó en un profundo sueño.

7

Las esperanzas de Grace de no volver a ver al insolente señor Stockton se vieron frustradas a la mañana siguiente. En el desayuno, justo entre los cereales con miel y azúcar moreno y los maravillosos pastelillos que hasta su madre se había acostumbrado a tomar, su padre le anunció a la familia:

—Ayer tuve un feliz encuentro con uno de nuestros vecinos. Su nombre es Dean Stockton, y es el dueño de la plantación que se encuentra al oeste de la nuestra. Accedió a dar un rodeo para poder charlar un rato conmigo. Todo un gesto, ¿no os parece?

—Ya lo creo. ¿Y mereció la pena la conversación?

—Sin duda fue muy satisfactoria. Me da la impresión de que ha hecho suya la hospitalidad local, pues se ofreció a mandarme a algunos de sus trabajadores para ayudar a desbrozar la selva.

¿Habrá sido antes o después de nuestro encuentro?, se preguntó Grace mientras notaba cómo se le encendían las mejillas. Acto seguido miró a Victoria, que se limitó a arquear las cejas.

—También me dijo que había tenido el placer de conocer a mis hijas —añadió su padre—. No recuerdo que me comentarais nada al respecto.

Grace carraspeó para aclararse la voz.

—No me pareció importante. Faltó un pelo para que arrollara a Victoria con su caballo.

—¿Y se disculpó? —preguntó su madre.

¡Como si eso fuera lo más importante!, rabió Grace para sus adentros. ¿Y qué pasa con Victoria? ¿Ni siquiera le vas a preguntar si se ha hecho algo?

—Naturalmente que se disculpó, y nosotras aceptamos sus disculpas —repuso Grace antes de bajar la vista hacia el plato.

—Pues no me dijo nada de vuestro accidente. ¿Estás bien, Victoria?

—Muy bien, papá. Grace me apartó de su camino justo a tiempo. Y luego se enfadó con él por haber estado a punto de matarme.

Cuando Grace miró agradecida a su hermana, esta le guiñó un ojo.

—Oh, parece que tenemos una heroína en la familia.

—¡No fue ninguna heroicidad, papá! —exclamó Grace—. Me limité a cumplir con mi deber, que no es otro que cuidar de mi hermana.

—¿Puede saberse qué hacíais ahí arriba? —preguntó su madre, cuya mirada escrutadora iba de una hija a la otra.

—Queríamos ver a los elefantes desbrozar la selva —dijo Victoria adelantándose a su hermana—. Prometiste llevarnos, papá.

—Por cierto, uno de los elefantes estaba en un estado deplorable —intervino Grace, que la noche anterior había olvidado sacar el tema—. Creo que los trabajadores los maltratan. Deberías hacer algo al respecto inmediatamente.

Su padre la miró extrañado. La propia Grace se asombró de lo arrogantes que habían sonado sus palabras cuando en realidad no había pretendido serlo. Si quería ayudar a los elefantes tendría que ser mucho más amable y no arriesgarse a que su padre hiciera oídos sordos a sus súplicas.

El problema era que la sola idea de que Stockton pudiera volver a comérsela con los ojos le resultaba de lo más desagradable.

—Me ocuparé de los elefantes —dijo Henry Tremayne secamente sin dejar de mirar a su hija—. ¿Existe algún otro motivo por el que estés tan enfadada?

Sí, Stockton, pensó Grace para sus adentros. Pero se limitó a decir:

—He dormido un poco mal. Creo que es por este aire tan pegajoso.

—Pues tendrás que acostumbrarte. Y también a todo lo demás.

—No habría estado nada mal, aunque solo fuera por cortesía, que hubierais aceptado la ayuda del señor Stockton —dijo su madre llevando nuevamente la conversación por los derroteros de antes, ya que temía que el desayuno acabara en una discusión.

¿Ayuda?, se dijo a sí misma Grace no sin sorna. Me besó la mano de la manera más impropia. Y eso por no hablar de su mirada, que aún sentía pegada a la piel. ¡Y para colmo era como unos veinte años mayor que ella!

—Pues a mí me pareció más apropiado rechazarla. Al fin y al cabo, ahí fuera era yo la responsable de Victoria.

A Grace no le pasó inadvertido que sus padres intercambiaron varias miradas. Pero en vez de regañarla por el tono insolente de sus palabras, su padre posó en el plato su taza de té y dijo:

—Todo esto me suena a que no has sido demasiado amable con el señor Stockton. Pero espero que eso cambie pronto. Lo he invitado a tomar el té con nosotros esta misma tarde. ¿Algo que objetar, querida?

La sola idea de volver a recibir visitas hizo que los ojos de su mujer se iluminaran.

—¡Por supuesto que no! De hecho deberíamos invitar a toda la familia. ¿Está casado ese señor?

—Sí que lo está. Y también tiene un hijo. Es un poco mayor que Grace y ya es el administrador de su plantación.

—Pues entonces les haré llegar la invitación inmediatamente. Siempre que no tengas nada en contra, claro está.

—No nos hará ningún daño conocer a nuestros vecinos —sentenció su padre antes de volver a concentrarse en su desayuno.

Grace se quedó de piedra, pero al poco recapacitó y recordó que una dama debe poner freno a sus sentimientos, o al menos disimularlos.

Oponiéndome no haré más que empeorar las cosas. Es evidente que han organizado el té para castigarme por mi comportamiento arisco.

Sus padres dieron por bueno su silencio.

Solo Victoria se dio cuenta de que seguía enfadada, por lo que después del desayuno le propuso dar una vuelta por el jardín.

—¿De veras es tan grave que venga a visitarnos? Pero si en el fondo no te ha hecho nada… Solo quería ser amable. A veces la primera impresión es engañosa. Además, tú no tienes que hacer nada durante el té. Mamá se encargará de todo. Él ni siquiera se fijará en ti, y antes de que te quieras dar cuenta todo habrá acabado.

—Tienes razón. —Grace agachó la cabeza avergonzada—. No sé qué me ha pasado. Pero es que a veces noto que la gente no es sincera. ¿No te pareció demasiado amable para ser la primera vez que nos veíamos? Y luego ese beso en la mano. Un momento antes parecía que iba a pegarnos con la fusta.

—Es verdad. Pero papá habría reaccionado igual si alguien se le metiera delante del caballo. Sabes bien que puede haber accidentes. Piensa en el tío Richard.

—El tío Richard se cayó del Pico de Adán, no de un caballo.

—¡Una caída es una caída! —insistió Victoria. Entonces algo le hizo girar la cabeza—. ¡Mira! ¡El señor Vikrama! ¿Y si le pido que cace un loro para mí?

—¡Sería mejor que aprendieras a cazar mariposas!

—¡Pero un loro quedaría muy bien en el salón de mamá!

—En ese caso, que sea rojo. La señorita Giles dijo ayer que había encargado seda roja de la India.

Como si hubiera notado que lo observaban, Vikrama alzó la mano para saludar y les dedicó una sonrisa.

—¿Y qué te dice tu intuición de él?

Grace apartó la vista rápidamente.

—¿Qué quieres decir?

—¿Qué opinas del señor Vikrama?

—No sabría decirte. Aún no he intercambiado ni una palabra con él.

—Pero lo hemos espiado cuando estaba con papá. A mí me parece encantador.

—A tu edad no creo que tengas un criterio formado. —Nada más decirlo Grace supo que el comentario traería cola.

—¿Un criterio formado? —saltó como un resorte Victoria—. ¡Mira quién fue a hablar! ¡Pero si estás tan verde como yo!

—De eso nada. Yo llevo vividos cinco años más que tú.

—¡Cuatro! —la corrigió Victoria—. Y el señor Norris dice que la intuición y el olfato para catar a las personas no dependen de la edad. Hay gente muy joven que sabe perfectamente lo que hace.

—Estoy segura de que nunca ha dicho eso.

—No, pero lo piensa. Y además yo soy muy madura para mi edad.

Victoria levantó la barbilla, pero Grace no tenía ganas de seguir discutiendo. Se había quedado hipnotizada mirando a Vikrama. Estaba hablando con dos mujeres que gesticulaban como locas. ¿Qué estaría sucediendo?

A esa distancia era imposible saberlo, y no iba a acercarse más para descubrirlo. De pronto se preguntó si estaría casado o si al menos tendría novia. Ya tenía edad para ello, y era lo bastante guapo como para que alguna mujer se hubiera fijado en él. Probablemente las recolectoras bebían los vientos por él. Y además, con el puesto que tenía en la plantación, era todo un partido.

—¿Soñando despierta, Grace? —le preguntó Victoria mientras le pellizcaba el brazo.

Grace la miró sobresaltada. Poco después sintió un ligero dolor.

Victoria sonrió pícara.

—Te preguntaba si crees que lo volveremos a ver por aquí.

—¿A quién te refieres?

—Al señor Norris. Como no venga tendremos que buscarle otro apaño a la señorita Giles. Un nativo nos valdría. Puede que incluso el señor Vikrama.

Grace intentó que no se le notaran los celos.

—No creo que ella quisiera. A fin de cuentas no es inglés. —Grace volvió a mirar a Vikrama, que se despidió de ellas con una sonrisa y se dirigió hacia el edificio de administración–. Decididamente no es el hombre que le conviene.

Por la tarde Grace estaba sentada en el salón con su madre y Victoria a la espera de que llegaran su padre y el señor Stockton. En su patria, Grace adoraba que los visitaran en Tremayne House. De vez en cuando pasaban por allí escritores y pintores, normalmente recomendados por algún conocido. Ahora solo podía pensar en que el cuello de su vestido de noche rosa rascaba y que el tiempo pasaba tan despacio que más que una espera aquello parecía una maldición.

¿Qué anécdotas les contaría Stockton? Grace no se moría por saberlo. Seguro que hablaría del negocio del té hasta matarlos del aburrimiento y luego aprovecharía para hacer preguntas impertinentes, como, por ejemplo, si Grace ya había celebrado su puesta de largo, lo que avivaría en ella el deseo de estrangularlo con su propio pañuelo Ascot.

Cuando se oyó un ruido de cascos, las tres mujeres Tremayne respiraron aliviadas al unísono. La visita había llegado, podían empezar. Grace lanzó una mirada furtiva al reloj. Una hora. Puede que dos. Luego él se iría y ella tendría tiempo para escribir a su amiga Eliza Thorton, que ahora estaría sudando la gota gorda en su clase de danza, muerta de ganas de que empezara la temporada de bailes.

Mientras la voz del mayordomo resonaba en el recibidor, Grace miró a su hermana. Habían acordado mirar a los ojos a Stockton para luego comparar impresiones.

Stockton llegó solo. ¿Dónde estaba su padre? Las dos hermanas se miraron sorprendidas.

–¡Ah, señor Stockton! –exclamó su madre al tiempo que se levantaba para recibir a su invitado–. Me alegro mucho de conocerlo. Mi marido me ha hablado mucho de usted.

–Espero que bien –repuso él con gentileza sin prestar aún la más mínima atención a Grace y a Victoria–. Sería una vergüenza poner un pie en su salón sin ser digno de ello.

—A no ser que mi primera impresión me engañe, diría que no tiene usted nada que temer —replicó coquetamente Claudia para acto seguido presentarle a sus hijas—. Estas son Grace y Victoria.

—Ya tenemos el gusto —dijo Stockton haciendo una leve reverencia—. Espero que se hayan repuesto del susto.

—¡Por supuesto, señor Stockton! —exclamó Victoria antes de mirar a su hermana.

Grace se esforzó por sonreír. Quizá lo he juzgado mal, pensó. Mejor será no enfadar a mamá.

—Somos conscientes de que no hubo mala intención por su parte —dijo al fin, y acto seguido le tendió la mano.

Al cogérsela para besarla, Stockton sonrió.

—Me alegra mucho oír eso. Me torturaba la idea de que se hubiese enfadado conmigo.

—No exagere —intervino Claudia—. Mi hija es un poco impulsiva, y muy protectora con su hermana pequeña.

—Ambas son grandes cualidades para una futura esposa —afirmó Stockton sin dejar de sonreír, palabras que acompañó con una nueva reverencia no exenta de sorna.

Afortunadamente los cumplidos tocaron a su fin y Claudia condujo a su invitado a la mesa del té.

—Perdónenos si la bollería es un poco distinta de la que usted tiene por costumbre tomar. Mi cuñado no enseñó a la cocinera a hacer unos *scones* como Dios manda.

—No le eche la culpa a su cuñado —adujo Stockton—. Mi cocinera también va un poco por libre, pero es muy trabajadora, y al fin y al cabo eso es lo que cuenta.

Cuando se sentaron Grace se sintió un poco tensa. Hasta ese momento Stockton no había hecho nada para provocar su ira. Sin embargo, el ambiente estaba cargado, como cuando un temporal se va formando lentamente hasta estallar con toda su violencia. ¿Había sido su alusión al matrimonio? En realidad no tenía nada en contra de dicha institución, y el adivino predijo que se casaría…

—Siento mucho lo que le sucedió a su cuñado y hermano —prosiguió Stockton—. Fue un *shock* para todo el mundo, y yo personalmente puedo asegurarle que nunca he dado crédito a los rumores insidiosos que corren por todas partes.

¿Rumores insidiosos? Grace miró primero a Victoria. Luego a su madre. Pero ella siempre había sido un modelo de autocontrol. Por mucho que le hubiera afectado ese comentario no dejaría que se le notara, y además su educación tampoco le permitía interesarse por las habladurías.

Bastó un campanillazo para que apareciera una sirvienta tamil, a quien Claudia había asignado la tarea de servir las viandas. Carecía de la destreza de las sirvientas inglesas, pero la estricta mirada de su señora hacía que Rani pusiera sus cinco sentidos en la labor encomendada.

Al mirar a Stockton de soslayo, Grace reparó en que tenía los ojos clavados en el sari azul chillón de la muchacha.

—¿Permite al servicio utilizar el ropaje tradicional de la zona? ¡Qué moderna es usted!

La pálida tez de Claudia enrojeció por un instante.

—Desgraciadamente, hemos constatado que no hay un solo uniforme en toda la casa. Resulta evidente que mi cuñado permitía al personal trabajar con esa ropa. Tienen que venir en el próximo barco que atraque en Colombo.

—No pretendía ser una crítica —aclaró Stockton mientras removía el té y aspiraba profundamente su aroma—. Yo encuentro de lo más estimulante la vestimenta de esas mujeres. Es tan vistosa que me recuerda a los loros que se posan en las ramas de los árboles. Con todo el verde que nos rodea siempre se agradecen unas pinceladas de color, ¿no le parece?

Mientras Stockton bebía, Grace aprovechó para mirar a su madre. Seguro que ya no le parecía tan atento. Hacer referencia al atuendo del servicio en Inglaterra siempre se ha entendido como una crítica a la anfitriona.

—Su té es excelente de verdad —señaló Stockton tras probarlo—. He de admitir muerto de envidia que esta cosecha supera incluso a la mía. *First flush,* ¿verdad?

Claudia se lo quedó mirando sin saber qué decir.

–Me va a disculpar por no poder responderle. Aún no estoy familiarizada con el cultivo del té.

–Oh, discúlpeme usted a mí si es que la he puesto en un compromiso. Como me dedico a esto desde muy joven me paso el día soltando tecnicismos sin reparar en que quizá los demás no me entiendan.

–¿Qué es eso del *first flush*, señor Stockton? –preguntó Victoria interesada.

–El *first flush* o primer brote es una de las cuatro cosechas del té.

Stockton miró a Grace como si hubiera esperado que fuera ella quien formulara la pregunta. Nerviosa, bajó los párpados, pero aun así sintió la sonrisa de aquel hombre sobre ella.

–Principalmente se aplica a la variedad *darjeeling,* pero con la variedad *assam* también es posible distinguir las distintas cosechas. El té que producimos aquí es en su mayoría *assam,* aunque ahora prefiramos llamarlo *ceilán.*

Al recordar las explicaciones que Vikrama le había dado a su padre, en el rostro de Grace se dibujó una sonrisa que no le pasó inadvertida a Stockton.

–Su hija es un primor, señora Tremayne. ¿Ya ha celebrado su puesta de largo?

Grace no contaba con que la pregunta llegara tan pronto. Afortunadamente no respondió ella, sino su madre.

–No, desgraciadamente no ha habido tiempo –dijo Claudia avergonzada–. La muerte de mi cuñado ha sido tan repentina que hemos tenido que postergarla. Pero pensamos celebrarla el año que viene, si es que nos establecemos aquí definitivamente.

–Bien, pues si todo sale como espera, le insto desde ya a que busque una buena modista para la joven dama. La sociedad de Nuwara Eliya es pequeña, pero de gusto muy refinado. Con un bonito vestido, su hija sin duda estará en condiciones de hacer perder la cabeza a todos los mozos del lugar.

—Eso ha sido muy amable por su parte, señor Stockton —repuso Claudia halagada—. Quizá su señora podría aconsejarme al respecto.

—Lo hará con mucho gusto.

Grace se sintió aliviada al ver que Stockton al fin apartaba la mirada, aunque eso no significó que dejara el tema.

—¿Qué opina de que sus hijas conozcan a mis chicos? —volvió a la carga tras probar un pastelillo—. George tiene veinte años y Clara catorce. Creo que se llevarán bien.

Tal y como lo dijo daba la sensación de que esperaba que Grace y su hijo se gustaran. Por fin, Grace supo qué significaban esas miradas: me mide como a una yegua.

Habría querido dar un salto y salir corriendo, pero se contuvo. Se limitó a rogar en silencio por que ese dichoso té se acabara cuanto antes.

—¡Con mucho gusto, señor Stockton! —oyó decir a su madre—. De hecho planeaba celebrar una pequeña reunión. Pero antes quería conocer a las demás señoras.

—En mi opinión, basta con que les mande unas invitaciones. Puedo asegurarle que mi mujer arde en deseos de conocerla. En Nuwara Eliya las noticias corren como la pólvora. No me cabe la menor duda de que las demás damas también están ávidas de conocerla.

Tal y como la miraba, también él estaba ávido de juntarla con su hijo; de eso Grace estaba convencida. Pero antes de que pudiera seguir enredando, unos pasos resonaron en el salón. Un instante después su padre entró por la puerta.

—¡Dean, qué alegría verlo de nuevo! —Henry Tremayne saludó efusivamente a su invitado, y Grace a duras penas pudo contener un suspiro de alivio, pues estaba convencida de que la atención de Stockton ahora se centraría en su padre y en el té.

Pero se equivocaba.

—Perdone el retraso —se disculpó su padre mientras tomaba asiento—. He tenido que ir al campo nuevo a ver cómo va todo. Mi hija me previno de cierta anomalía.

—¿Qué clase de anomalía?

Como si ya supiera a quién se refería su padre, Stockton volvió a clavar su mirada en Grace.

—Un elefante estaba herido, lo que la hizo sospechar que los trabajadores lo habían maltratado. En realidad, el animal se había hecho la herida peleando con otro elefante, así que mis trabajadores optaron por llevarlo a otro lugar para evitar más conflictos.

Henry observó a su hija, que se puso roja como un tomate. No tenía que haberla tomado con papá. La próxima vez dejaré mi ira solo para Stockton, se dijo Grace.

El té se alargó casi hasta la noche. Grace logró zafarse de la compañía de Stockton con el pretexto de un ligero mareo. A decir verdad, la conversación no volvió a girar en torno a su boda ni a su puesta de largo, pero aun así sintió un enorme alivio al librarse de las persistentes miradas de aquel hombre.

Salió con la intención de tomar el aire y así quitarse a Stockton de la cabeza, y en la puerta se dio de bruces con el señor Vikrama, que al parecer se dirigía al interior de la casa.

—Discúlpeme, señorita —se disculpó Vikrama recomponiéndose—. No quería…

—Soy yo quien ha de disculparse, señor Vikrama —repuso inmediatamente Grace—. No está bien salir sin mirar, casi lo arrollo—. Por un instante se hizo el silencio entre ambos— ¿Viene a ver a mi padre? —preguntó pasados unos instantes Grace—. Ahora mismo está en el salón con el señor Stockton.

—Oh —dijo él reculando—. Entonces será mejor que vuelva más tarde.

—No veo por qué —se aventuró a decir Grace—. Si es algo importante, mi padre sabrá disculpar la intromisión.

—No lo es —repuso Vikrama, e inmediatamente la miró como si hubiera dicho demasiado—. Hablaré más tarde con él. No corre prisa.

En cuanto se dio la vuelta Grace lo detuvo.

—¡Señor Vikrama!

—¿Sí? —repuso él. Al mirarla hizo que a Grace le subiera tal calor por las venas que se olvidó de lo que quería decirle. ¿Quería decirle algo en realidad? Avergonzada, buscó algo para que no creyera que había perdido el juicio.

—Mi hermana está loca por los loros. ¿Podría enseñarle a atrapar uno?

Con un gesto que oscilaba entre la incredulidad y la sorpresa, Vikrama respondió:

—Claro. Pero he de decirle que las jaulas y las pajareras no son lugares en los que esos animales vivan felices. Lo que les gusta es volar en bandadas, y lo realmente gratificante es tener la suerte de ver un hermoso ejemplar posado en la rama de una palmera.

A Grace se le hizo un nudo en la garganta. De pronto le vino a la mente la imagen de aquel pájaro trastornado que había visto en casa de unos conocidos. Probablemente el animal estuviera loco, pero de tristeza.

—No obstante, si su hermana tiene tantas ganas, puedo atrapar uno para que lo vea.

—Sería muy amable por su parte —repuso ella—. Para serle sincera, casi tengo yo más ganas de ver loros que ella. Pero le prometo que en cuanto lo hayamos visto de cerca lo liberaremos.

Vikrama asintió satisfecho. Justo cuando se disponía a marcharse a Grace se le ocurrió otra cosa.

—¿Podría usted explicarme en qué consisten las distintas cosechas del té? El señor Stockton ha estado hablándonos del *first flush*.

La misma sonrisa que iluminó el rostro de Vikrama al enseñarle la plantación a su padre volvió a aparecer. ¿Acaso un hombre podía adoptar distintas sonrisas? Grace estaba tan embelesada que casi no oía lo que decía.

—¿Tiene usted un momento? —preguntó Vikrama—. La escalera no es lugar para tratar estos asuntos.

—¡Claro que lo tengo!

Grace lo siguió escaleras abajo y luego a través del jardín hasta los rododendros donde se escondió con Victoria para espiarlo.

—¿De modo que ahora quiere saberlo todo sobre el té? —preguntó Vikrama con interés.

Grace asintió sin pensarlo dos veces. Tenía preparada su respuesta.

—Ya que voy a vivir aquí, debería saber algo sobre el té, ¿no le parece? Si mi madre no trae al mundo un hermanito, llegará el día en que me convierta en la dueña de Vannattuppūcci. —De pronto le vino a la mente un nuevo interrogante—. ¿Qué significa Vannattuppūcci? —preguntó antes de que Vikrama pudiera abrir la boca—. Es una palabra de su lengua natal, ¿no?

Vikrama asintió.

—Significa «mariposa». Su tío reparó en que abundaban hermosos ejemplares de mariposa en la plantación, y decidió ponerle ese nombre.

—Hace un par de días yo también vi una mariposa. Era azul y preciosa. Por desgracia, se fue tan rápido como vino.

—Algunas personas creen que las mariposas son las almas de los muertos. Por su parte, los hindúes piensan que tras la muerte los hombres se reencarnan en animales. Quizá esa mariposa era su tío, atraído por el deseo de saber cómo va su plantación.

A Grace le gustó la idea, a pesar de que no le ligaba a su tío sentimiento alguno. En cambio, en los ojos de Vikrama asomó un brillo de sincera tristeza; era evidente que apreciaba mucho a su señor.

Sin embargo, apenas concedió un instante a sus emociones.

—En cualquier caso, creo que se alegrará mucho del interés de su sobrina por la obra de su vida. Quería que le explicara los períodos de cosecha, ¿no es cierto?

Grace asintió y Vikrama le explicó las cuatro cosechas del té. Así fue como supo que el *first flush* es la recogida de la hoja joven tras el invierno, mientras que el *second flush* alude a la cosecha veraniega, que era en la que se encontraban. El *rain flush* tiene lugar en época del monzón, y finalmente el año acaba con el *autumn flush,* la última recolecta antes de que llegue el invierno.

—Si quiere le explico en qué se diferencian. Ha de saber que cada *flush* da un té diferente. El del *first flush* es claro y amargo, mientras que el del *second flush* es más suave, pero también más oscuro. Basta con fijarse mientras se está bebiendo un té.

Grace quiso decir algo, pero las palabras se le encallaron en la garganta. Su padre y el invitado salieron por la puerta y cruzaron el patio. Stockton miró alrededor, como en busca de algo. Finalmente la vio. Grace se quedó perpleja y luego bajó la mirada avergonzada.

—¿Qué sucede? —se interesó Vikrama.

—Me da que mi padre ya puede atenderlo —dijo desencantada—. Acaba de despedirse de su invitado.

Vikrama arqueó las cejas de asombro. Grace no quiso entretenerlo más.

—He de irme. Muchas gracias por las aclaraciones, señor Vikrama.

Entonces se recogió un poco la falda y se fue a todo correr por el camino de tierra que llevaba a la casa.

Los labios de Dean Stockton esbozaron una sonrisa mientras abandonaba la plantación. Tal y como le había parecido cuando estuvo a punto de arrollar a la hermana, la joven Grace prometía. Tenía temperamento y coraje, era apasionada y parecía sana; reunía todas las cualidades que se podían esperar de una nuera.

Su mujer no era en absoluto así. La delicada Alice había estado a punto de morir en su segundo parto, y las criaturas que había traído al mundo eran enclenques. George, su hijo, se pasaba el día disecando pájaros en lugar de interesarse por el cultivo del té. Su hija Clara, de salud muy frágil, no salía de su cuarto durante la mayor parte del año.

Antes todo aquello no le había importado demasiado, pero había llegado a una edad en la que tenía que empezar a pensar qué iba a ser de su plantación cuando él faltara.

Grace venía de la lejana Inglaterra, pero aun así se notaba que podía llegar a amar el té. Y además, parecía tener mano izquierda con los trabajadores, ¿pues qué otra cosa iba a llevarla a hablar con el capataz de su padre?

La otra explicación que halló al respecto le dejó la boca seca. ¿Estaría ese tipo trabajándose a la joven?

Solo con imaginarla desnuda en brazos de aquel salvaje, Dean Stockton se excitó de tal modo que tuvo que detener su caballo. En ese momento, a salvo de las molestas miradas de la sociedad y de su pálida mujer, pudo dar rienda suelta a su fantasía, que le ofreció el rostro enrojecido de esa joven mujer y sus tirabuzones rubios cayéndole por los hombros desnudos y por unos pechos turgentes que se movían bajo las pasionales embestidas. Entonces se transformó en el salvaje que yacía entre sus muslos y…

Entre jadeos se aflojó el cuello. Tenía que recuperar la compostura. La cena estaba lista y su familia lo esperaba; no podía presentarse en casa con los ojos encendidos de deseo. Aunque hacía mucho que su esposa se acostaba en un lecho frío, aún conservaba ese sexto sentido que poseen todas las mujeres que las alerta de que pueden perder a su marido. De no andarse con cuidado notaría lo que tenía en mente.

Mientras espoleaba a su caballo intentó pensar en otra cosa. Pero ni siquiera al cruzar el portón de su plantación se le fueron de la cabeza los labios carnosos y los ojos azules de Grace Tremayne.

Me encargaré de que se case con George, se dijo a sí mismo. Cueste lo que cueste.

A la mañana siguiente, cuando Grace y Victoria daban un paseo en compañía de la señorita Giles, Vikrama apareció con una jaula de caña en la mano. Dentro había un loro de color rojo fuego con la cola verde y azul que no paraba de alborotar.

—¡Buenos días, señoras! —exclamó al tiempo que realizaba una leve reverencia—. Ha llegado a mis oídos que la señorita Victoria quería ver de cerca un loro. Casualmente esta mañana he encontrado de camino este ejemplar que estaré encantado de entregarle a condición de que luego vuelva a dejarlo en libertad.

Mientras la señorita Giles examinaba al ave como si esperara encontrar un circo de pulgas en su plumaje, los ojos de Victoria brillaron impacientes.

—¡Muchas gracias, señor Vikrama! ¡Le prometo darme prisa en dibujarlo!

—¡Pero señorita Victoria! —exclamó indignada la señorita Giles—. No querrá acercarse a ese bicho pulgoso…

—Este pájaro está completamente sano y no hará ningún daño a su protegida, *madame* —intervino Vikrama lanzándole una mirada cómplice a Grace—. Aunque le recomiendo que no lo agarre. Un picotazo de loro puede ser muy doloroso.

—¿Le ha picado alguna vez un loro? —preguntó excitada Victoria mientras sostenía la jaula.

—Sí, de niño muchas veces. Hay que agarrarlos por detrás con mucho cuidado de que el animal no llegue con el pico a los dedos. Si no se le hace daño, la probabilidad de salir ileso es mayor, aunque nunca se sabe.

—No sé yo si…

—Señorita Giles —tomó la palabra Grace—. Le pedí al señor Vikrama que atrapara un loro para poder observarlo. Ha sido muy amable por su parte, y le estamos muy agradecidas. ¿Cómo si no a través de la observación va a aprender algo de biología mi hermana? Por desgracia el señor Norris no está aquí para aleccionarla.

La mención al profesor particular de las muchachas hizo que las mejillas de la señorita Giles se ruborizaran. Grace comprobó satisfecha que había hecho entrar en razón a la gobernanta.

Cuando se volvió sonriente hacia Vikrama, vio un brillo en sus ojos que hizo que se le acelerara el corazón.

—Vamos, Victoria, dibujemos el loro —propuso, poniendo su mano en el hombro a su hermana. Antes de alejarse, Grace le dedicó a Vikrama otra sonrisa, y no se le escapó que fue correspondida.

8

La lluvia estaba dando al traste con los planes de Diana. Los siguientes dos días siguió lloviendo a mares. Subir a la plantación en esas condiciones era imposible. Y no porque no hubiera nadie dispuesto a llevarlos, sino porque el ya de por sí arriesgado estilo de conducción de la gente se había vuelto aún más peligroso.

—¿Puede ser que el monzón haya llegado un poco antes? —le preguntó a Jonathan en el desayuno—. En el tren mencionó que vendría pronto.

—Por poder ser… Pero no creo que estas sean lluvias monzónicas. Quizá en los próximos días tengamos oportunidad de ir a la plantación.

Diana asintió un poco decepcionada. Deseaba con todas sus fuerzas llegar a alguna conclusión lo antes posible; todo lo que tenía eran fragmentos inconexos, y encima la hoja de palma aún estaba por descifrar. Harta de darle vueltas al asunto, decidió desechar las peregrinas suposiciones que se le habían pasado por la mente mientras contemplaba por la ventana el paisaje verde y las nubes bajas. No, no prejuzgaría a sus antepasados. Dejaría que hablaran los hechos, y solo cuando ya no hubiera nada más que encontrar le permitiría a la fantasía rellenar los huecos.

Poco antes de que Jonathan fuera a buscarla para ir a cenar encendió el portátil para mirar el correo. La conexión del hotel era bastante lenta, así que todo tardaba una eternidad en cargarse.

Da gracias de que al menos haya Internet en este lugar perdido, se dijo mientras intentaba conectarse.

Cuando al fin vio aparecer en la pantalla la bandeja de entrada de su correo suspiró aliviada.

Que Eva la tuviera al corriente seguía siendo una buena noticia. También Philipp le había escrito tres correos, todos ellos sin asunto, como dando por hecho que iba a abrirlos.

Diana reprimió el impulso de borrarlos. Los leeré más tarde; puede que hasta me haya notificado el divorcio.

El correo del señor Green prometía ser mucho más agradable. Le informaba brevemente de los últimos acontecimientos en Tremayne House; en concreto, de la necesidad de contratar a un albañil, pues una parte del canalillo de desagüe del edificio principal se había desprendido. Luego le rogaba que abriera el archivo adjunto y le echara un vistazo. Se trataba de una foto titulada «IMG7635489». ¿Habría fotografiado el señor Green el nuevo canalillo?

Diana suspiró al ver el tamaño del archivo. ¿Cómo iban a descargarse cinco megas con aquella conexión? Quizá sea mejor abrirlo cuando estemos de vuelta en Colombo, pensó. ¿Por qué tomarse tantas molestias para ver la foto de un canalillo?

Pero la curiosidad era muy grande. Dejaré que se vaya descargando mientras cenamos. Cuando hayamos acabado ya tendré la foto bajada.

Hizo clic en el botón de abrir y acto seguido se levantó y fue en busca de Jonathan.

Durante la cena charlaron sobre la dominación colonial en Sri Lanka y los tamiles.

—Si nos queda tiempo deberíamos visitar alguno de los templos que hay en las montañas —propuso él—. Los hindúes no reparan en gastos a la hora de construirlos, aunque no dispongan de recursos para vivir. Para ellos sus dioses son muy importantes.

Diana había visto uno de esos templos en un libro de viajes. La idea de tener delante una de aquellas maravillosas construcciones, poder tocar su colorida fachada y oler el aroma de las miles de flores que se ofrendaban la sedujo.

256

—Sería estupendo. ¿Sabe si hay algún templo en los alrededores?

—Hay uno muy cerca de Vannattuppūcci. Y otros dos un poco más lejos. En cuanto deje de llover deberíamos poder visitarlos sin problemas. Aunque —Jonathan alcanzó su vaso de té, que ya se había enfriado un poco—, la historia de su familia tiene preferencia.

—Puede que la historia de mi familia esté más ligada al hinduismo de lo que parece. —Diana suspiró—. ¡Ay! ¡Ojalá estuvieran las cosas un poco más claras! Todo lo que tengo hasta ahora son suposiciones y vaguedades que aún no guardan relación con el secreto.

—Me temo que esa precisamente es la naturaleza de los secretos —musitó Jonathan con aire reflexivo. Sobre sus ojos se cernía la misma sombra que cuando mencionó a su exmujer. ¿Tendría él también un secreto?

Mientras lo observaba, crecía en el interior de Diana la necesidad de saber más de él. La historia de su malogrado matrimonio y de su hija quizá fuera suficiente tratándose de un desconocido, pero durante esos días había descubierto en él tantos matices, que se moría de ganas por conocer de dónde salían. Por otro lado, cada vez que lo miraba a los ojos durante un tiempo prolongado, se hacía mayor el deseo de que la abrazara y la besara… Y también de que le hiciera sentir en la cama lo que Philipp llevaba tanto tiempo sin darle.

El resto de la velada lo pasaron concentrados en una especie de mapa mental que trasladaron a una servilleta. Después de poner en común todo lo que sabían e intentar relacionar la información, Diana creyó tener al menos una idea general de cómo fue la vida de sus antepasados. En cuanto al secreto, quizá lo descubrirían directamente en el lugar donde sucedieron los acontecimientos.

De camino a la habitación, Diana sacó del bolso el prospecto de la plantación y lo dobló hasta tener delante el número de teléfono. Como al día siguiente era lunes probablemente habría alguien para atenderla y fijar una cita; siempre que la dichosa lluvia lo permitiera.

Cuando entró en la habitación ya casi ni se acordaba de la foto, pero cayó en la cuenta al ver un nuevo icono en la pantalla.

El ordenador indicaba que ya se habían descargado todos los datos. Al hacer clic sobre el icono, lo primero que apareció ante ella fue la superficie blanca de una imagen con mucho grano, como la foto que tenía de Grace delante de la plantación. Luego los píxeles comenzaron a alumbrar un paisaje que nada tenía que ver con Sri Lanka. La fotografía tenía que haber sido tomada en Europa en la década de 1960, a juzgar por los bordes gastados y las manchas de moho que la afeaban. Para sorpresa de Diana se trataba de un cementerio en cuyo centro una cruz sobresalía del resto.

Al día siguiente se cumplió el pronóstico de Jonathan: la lluvia de los días pasados no era la del monzón. Las nubes se habían abierto un poco y dejaban paso a algún que otro rayo de sol. El brillo de las gotas en el follaje le hizo pensar a Diana en el cuento de la princesa que quería una diadema de gotas de rocío porque el brillo del agua le recordaba al de las piedras preciosas. Emmely se lo contó varias veces, y cuando el señor Green regaba el césped ella se imaginaba paseando por un jardín donde las rosas eran rubíes.

Ay, Emmely, pensó con la mirada fija en el escritorio. Por qué no me habrás dejado unas pistas un poco más claras…

Cuando llamaron a la puerta Diana estaba guardando todas las pistas en una bolsa de plástico para protegerlas de posibles lluvias. Tenía el presentimiento de que sería útil llevarlas consigo. Quizá encajen con lo que encontremos en la plantación, se dijo.

—¡Adelante!

Jonathan asomó por la puerta. Llevaba ropa para caminar y una bolsa de viaje colgada al hombro.

—Qué me dice, ¿nos atrevemos?

—¡Por supuesto! —repuso Diana—. Mi avión sale en cinco días. No nos queda mucho tiempo. Además he llamado a la plantación esta mañana. La secretaria me ha dicho que es un buen momento para visitarlos. El director se encuentra allí estos días, y estará encantado de enseñárnoslo todo.

Jonathan había conseguido un todoterreno que les evitaría atravesar la jungla a pie.

—Cuando dijo que íbamos a andar de lo lindo se trataba de una de sus bromas, ¿no? —preguntó escéptica Diana tras subir al vehículo.

—En una situación normal habríamos ido andando —repuso Jonathan—. Atravesar la selva a pie puede ser una experiencia de lo más gratificante. Pero con este tiempo es mejor que nos lleven. Y además, así evitamos toparnos con algún oso bezudo. Los machos jóvenes pueden resultar peligrosos si se asustan.

Antes de que Diana pudiera decir nada el conductor arrancó y dio comienzo el ajetreado viaje. Con el ruido que hacía el motor era casi imposible mantener una conversación, y además el miedo a volcar o a quedarse atascados le hacía un nudo en el estómago. ¿Cuánto tardarían en llegar a socorrerlos en caso de que necesitaran que los rescataran?

Cada vez que miraba a Jonathan él le devolvía un gesto sereno y reflexivo, pero al rato la cara de póker que ponía para tranquilizarla dejó de surtir efecto.

Una vez que su cabeza repasó todas las posibilidades de morir en esa jungla, se entregó resignada al traqueteo y volvió a pensar en la extraña foto que le había mandado el señor Green. Un cementerio en un lugar abandonado de la mano de Dios. ¿Por qué le habría enviado esa foto?

Ella aún no le había preguntado de dónde la había sacado ni por qué se la había mandado, lo haría nada más regresar de la plantación.

9

Inspirada por la visión del loro, Victoria se pasaba el día con un bloc en la mano presta a plasmar en el papel todas las impresiones que el entorno pudiera brindarle. Y a eso se unió que los animales parecían conspirar para que la niña no tuviera que pasar mucho tiempo fuera para verlos, pues aparecían ante ella a menudo, de modo que Victoria no tardó en hacerse con una bonita colección de dibujos de loros, mariposas y otros insectos. Solo el zorro volador se resistía a ser inmortalizado.

—¿No puedes preguntarle al señor Vikrama dónde encontrar un zorro volador? —preguntó Victoria tras intentar por enésima vez dar con el esquivo animal.

Grace asintió, no sin notar que la sola mención de su nombre hacía que la sangre se le subiera a las mejillas. No sabía por qué, pero siempre que veía al capataz se apoderaba de ella una inquietud que no alcanzaba a explicarse. Él siempre se mostraba amable y complaciente con ella, y no caía en la babosería de Dean Stockton. En cambio, cuando se lo encontraba, ella tenía la sensación de ir mal vestida, mal peinada o de comportarse como una mocosa. ¿Qué diantres le pasaba?

Cuando el señor Norris llegó, los paseos matutinos tocaron a su fin. Victoria empezó a recibir clases diariamente, mientras que Grace fue condenada a echar una mano a la señorita Giles con la ropa, que con el trasiego del viaje necesitaba un buen repaso.

Cuando se hartaba de tanta tarea doméstica solía colarse en la habitación donde Victoria recibía las clases de botánica del señor Norris; una materia en la que no era especialmente ducho, pero que probablemente se veía obligado a impartir por el empeño de su padre en que la menor de sus hijas se familiarizara con la fauna y la flora locales.

Lo cierto era que Grace envidiaba un poco a su hermana por estar aún en edad de ir a la escuela y no tener que ocuparse de la casa. Especialmente, una mañana en la que el profesor particular de los Tremayne hablaba de las flores autóctonas.

—El arbusto que tiene a la entrada aquí se llama *frangipani*, en latín *plumeria*. Los hay de distintos colores y formas, aunque predominan los de flor amarilla y roja. Este arbusto, de la familia de las apocináceas, crece en toda la península del Indostán.

—¿Lo hay también de flor azul? —preguntó Victoria tras apuntarlo todo en su cuaderno.

—He de confesarle que no lo sé, pero quién sabe, puede que Dios también haya querido darle a esta planta ese color—. El señor Norris se quitó sus gafitas redondas y las dejó sobre la mesa—. Puede que usted o su hermana encuentren algún ejemplar azul en uno de sus paseos.

Al volverse, Victoria pilló in fraganti a Grace. Un gesto de incredulidad se dibujó en el rostro de la menor al ver a su hermana en clase pudiendo hacer cualquier otra cosa.

—Solo quería escuchar un ratito —dijo Grace algo apurada. Aunque hacía tres años que ya no recibía clases, de pronto adoptó las formas de una alumna respetuosa con su profesor—. Disculpe la intromisión.

El señor Norris sonrió de oreja a oreja.

—Mis alumnos no dejan de sorprenderme —musitó Norris como si hablara solo—. Cuando le daba clases quería huir a toda costa de mis garras. Y ahora que ha abandonado el pupitre para siempre, vuelve por su propio pie a mi humilde rincón.

—Es que antes no solía hablar de plantas y animales exóticos —repuso Grace.

—Eso es cierto. Y he de admitir que aunque me inclino más por lo mineral, la naturaleza de este lugar me tiene subyugado. —Tras una breve pausa volvió a ponerse las gafas—. Si usted lo desea y se lo permiten sus obligaciones, por mí no hay inconveniente en que asista a mis clases. Queda exenta del gravoso dictado, por supuesto.

—Doy por hecho que yo no me libro del dictado, ¿verdad, señor Norris? —dijo Victoria con cara de circunstancias.

—Por supuesto que no —aseveró Norris con gesto serio—. La señorita Grace ya acabó la escuela, y seguramente no podrá venir siempre. Un día de estos se casará y tendrá que fundar su propio hogar. Para que usted también lleve a buen puerto semejante empresa cuando tenga edad para ello, señorita Victoria, hemos de seguir avanzando en nuestras clases. La semana que viene sin ir más lejos tendrá que escribirme una redacción.

Victoria soltó un largo suspiro y clavó la mirada en su cuaderno.

Mientras el señor Norris exponía las bondades del cocotero, Grace se distrajo mirando un poco por la ventana. Justo en ese momento vio pasar al señor Vikrama, que probablemente iba a los galpones de secado a comprobar que todo estuviera en orden. Grace recordó lo que le había contado acerca de las cosechas del té. ¿Sabría esas cosas el señor Norris?

Al contrario que la pasada noche, Vikrama vestía como un inglés: pantalones marrones metidos en unas botas de caña alta, chaleco y camisa beis de manga corta. La caja que llevaba bajo el brazo parecía importante.

Siempre está yendo a alguna parte, pero ¿adónde?, se preguntaba. De buena gana habría salido corriendo tras él para preguntárselo. Reprimió el impulso y observó las palmeras lejanas, mientras la voz del profesor caía sobre ella como una lluvia de verano.

La época del monzón trajo consigo días grises, lluvia constante y un poco de frío que propiamente no podía llamarse así, pues las temperaturas, a pesar de bajar algunos grados, se mantenían por encima de las del verano inglés.

Como no podían salir de casa, a Grace y a Victoria se les hacían los días eternos, en especial a esta última. No es que las clases le parecieran una pérdida de tiempo, pero echaba terriblemente en falta la distracción de los paseos vespertinos.

La mayor parte del tiempo libre lo pasaban ambas hermanas en el jardín de invierno, donde habían instalado sus caballetes. En apenas unos segundos el aire fresco de la lluvia quedaba solapado por el olor a óleo, trementina e imprimación.

—¿Te acuerdas de aquella vez en el lago? —dijo Victoria mientras pasaba el pincel por el ala azul de un loro.

—¿Te refieres al día en que nos pintaron? —preguntó Grace mientras empezaba a pintar de rosa pálido la rama de un franchipán.

—Sí —respondió Victoria entusiasmada—. ¡Qué época tan bonita! Volvíamos loco al pobre pintor mientras él intentaba plasmarnos en el lienzo.

—No sé cómo puedes acordarte —repuso Grace asombrada. Incluso para ella aquella tarde en el lago era un recuerdo borroso. Entonces tenía nueve años, y le costó horrores quedarse quietecita como pedía el pintor. Al final, y a pesar de las reprimendas de su madre, no tuvo más remedio que levantarse y caminar un rato porque se le habían quedado dormidas las piernas de tanto estar sentada en aquella orilla plagada de moscas.

—¡Pero si ya tenía cinco años! —protestó Victoria—. Recuerdo incluso cosas que hice a los cuatro.

—¿Como por ejemplo? —preguntó Grace ocultándose tras el caballete para que su hermana no la viera sonreír. Aunque no era propio de sus dieciocho años, le encantaba hacer rabiar a Victoria.

—¡Como cuando papá me levantó en brazos para que pusiera el ángel en la punta del árbol de Navidad! ¡Y qué me dices de cuando nos perdimos en el bosque en pleno invierno porque no recordabas el camino de vuelta!

Grace resopló por el tono de reproche de su hermana.

—Tuvieron que venir a rescatarnos. ¿Cuánto tiempo vas a estar recordándome esa historia, hermanita?

—¡Hasta que dejes de dudar de mis recuerdos de infancia!

De pronto Victoria abrió los ojos como platos y dejó el pincel sobre su paleta repleta de distintos tonos de azul.

—¿Puede saberse qué sucede ahora? —dijo Grace preparándose para una de las bromas de Victoria.

—Parece que al señor Vikrama le interesa el arte moderno.

Cuando Grace se volvió, él dio un paso atrás. Era evidente que llevaba un rato observándolas. Victoria lo saludó con la mano. Él le devolvió el saludo, hizo lo propio con Grace bajando levemente la cabeza y se fue. Grace se quedó tiesa como un palo. ¿Por qué no podía girarse y volver a concentrarse en el cuadro? ¿Por qué no podía dejar de mirar el trozo de jardín donde la huella de sus botas desaparecía lentamente?

Esa noche Vikrama no hizo acto de presencia. Con el aguacero que estaba cayendo, que sonaba como si un fantasma tamborileara con la punta de los dedos sobre el tejado y las copas de los árboles, lo que fuera que hiciese por las noches se antojaba irrealizable. Grace se lamentó por ello; se había acostumbrado a verlo pasar a esas horas intempestivas, y su curiosidad iba en aumento cada vez que lo veía meterse entre los arbustos y reaparecer al cabo de un rato.

Después de una semana pasada por agua, la lluvia dio una tregua y el patio se secó lo suficiente como para no hundirse en el barro hasta las rodillas. Grace se atrevió a cruzarlo e ir a los galpones del té. Aunque las parrillas de secado estaban vacías, encontró a Vikrama comprobando la estabilidad de las construcciones. Tras la temporada de lluvias enseguida llegaba la cosecha, así que el capataz no tenía demasiado tiempo para reparar los daños y organizarlo todo.

—¡Señorita Grace! —exclamó sorprendido al verla—. Si necesitaba mis servicios podía haber mandado a una sirvienta.

—Estoy aquí porque quiero hacerle una pregunta. Además, la casa se me estaba cayendo encima. En Inglaterra ni en sueños habría pensado que un día me moriría por salir un rato fuera.

Vikrama sonrió, pero no dejó de trabajar.

264

—Su patria debe de ser fría y húmeda. Aquí también tenemos humedad para dar y tomar, pero la temperatura es mucho más agradable. Hágame caso y levántese antes los próximos días. Así podrá ver cómo la montaña y los campos de té sueltan vapor por el calor del sol. A la luz del alba es un espectáculo incomparable.

—Ya he tenido el placer de contemplarlo —repuso Grace para, acto seguido, enmudecer. ¿Se atrevería? ¿Cuándo volvería a tener una oportunidad para preguntárselo?—. Le he visto vagar por el jardín de noche —dijo al fin con el corazón a cien—. Al menos me pareció que era usted.

Vikrama se puso tenso. Todos los músculos de su cuerpo se contrajeron, y sus rasgos se endurecieron.

—¿Adónde va a esas horas con ese extraño atuendo?

—No sé a qué se refiere, señorita.

Entonces Grace intuyó que habría sido mejor callarse. Lo que Vikrama hiciera por las noches no era asunto suyo. Sabía que su empleado era hinduista. Tenía que haber supuesto que, tratándose posiblemente de algún ritual sacro, sería un tema delicado. Lo que tengo que hacer antes de nada es informarme bien sobre las creencias de los nativos. Grace retrocedió carraspeando. No quería empeorar aún más las cosas.

—Creo que lo mejor es que me vaya.

—Señorita Grace, yo…

Pero Grace ya había emprendido el camino de vuelta a casa como alma que lleva el diablo.

La explicación que ella misma se había dado le parecía plausible, pero aun así Grace no paraba de dar vueltas en la cama. En cuanto cerraba los ojos aparecía ante ella el rostro de Vikrama. Parecía furioso, aunque también un poco asustado, como si temiera ser descubierto. Como hija del dueño podía haberle exigido que desvelara su secreto. Si hubiera sido preciso, incluso podía haberlo amenazado con denunciar sus oscuras prácticas. Pero no quiso llegar tan lejos, y ahora se alegraba de no haberlo hecho. Si no, no se atrevería a volver a mirar a Vikrama a la cara, y además el incidente podía costarle el puesto. Había visto las condiciones en que vivía el común de los mortales en esas tierras, y no iba a ser ella quien pusiera en apuros a ese hombre.

En cualquier caso la curiosidad por saber en qué consistía esa supuesta ceremonia sagrada había estado aguijoneándola durante todo el día, así que, con el mayor de los sigilos para no despertar a Victoria, Grace se levantó y se deslizó hasta el alféizar de la ventana.

No me va a quedar más remedio que seguirlo a escondidas.

Grace calculaba las posibilidades de perseguir a su capataz sin ser vista mientras observaba como hipnotizada el trozo de hierba frente a los arbustos donde tenía lugar el misterioso ritual nocturno. Pero esa noche Vikrama no apareció. La sombra de un loro fue la única presencia en la pradera iluminada por la luna.

Pasado un rato, cejó en su empeño de mirar por la ventana. Volvió a la cama y echó a un lado la sábana, que le pesaba como una manta. Sintió un peso enorme en el corazón. *Ahora que sabe que lo he visto, seguro que ha encontrado otro camino para llegar a su lugar secreto...*

10

Contra todo pronóstico llegaron ilesos a la plantación, y eso que al *jeep* le costó lo suyo recorrer esos caminos tan embarrados. Diana se había pasado el viaje temiendo que se despeñaran por un terraplén en cualquier momento. Pero el conductor siempre recuperaba el control del vehículo; unas veces en silencio y otras maldiciendo, como si la máquina hubiera tenido algo que ver en el asunto.

–Menos mal que no era el monzón, si no habríamos necesitado un helicóptero –dijo Jonathan guiñando un ojo.

Como iban a necesitar al conductor para la vuelta, Jonathan le dio dinero y un paquete de cigarrillos, y le dijo que tendría que esperarlos.

Se presentaron ante el portero automático que había en el portón, y Diana intentó echarle un vistazo al edifico principal, oculto entre palmeras y rododendros. Probablemente el constructor intentara evitar que las miradas curiosas pudieran alcanzar su vivienda desde fuera.

La verja debía de llevar ahí más de cien años, parecía de la época victoriana, con esas puntas historiadas en forma de lanza.

También la disposición del jardín era genuinamente inglesa. Diana intentó imaginarse a Grace y a Victoria con sus vestidos blancos y sus puntiagudos parasoles a juego paseando por los cuidados caminos de tierra.

Finalmente apareció un hombre vestido con un pantalón caqui y una camisa militar a juego. Diana le echó unos cincuenta años. Bastaba con verlo para comprender que estaba acostumbrado a dar órdenes y a que estas se cumplieran. Con gesto despreocupado, pulsó un botón y la alta verja se abrió.

—Usted debe de ser la señora de Alemania —dijo aquel hombre de rasgos sorprendentemente europeos mientras le tendía la mano a Diana—. Yo soy Jason Manderley, el director de la Vannattuppūcci Tea Company.

Diana se presentó e hizo lo propio con Jonathan.

—¡Qué bueno que haya encontrado un momento para atenderme!

Una amplia sonrisa se dibujó en el rostro de Manderley.

—El placer es todo mío. Mi secretaria me ha contado que es usted descendiente del fundador.

La única que queda, pensó Diana, pero se limitó a asentir.

—Entre mis antepasados hay una Grace Tremayne que fue hija de Henry.

El nombre pareció decirle algo a Manderley.

—Pues entonces seguro que nuestros archivos tendrán algo que ofrecerle. Acompáñeme y se los mostraré.

Manderley los condujo por cuidados caminos que iban dejando a los lados antiguas construcciones; a pesar de estar vacías, no daban sensación de abandono.

—Esos son los antiguos galpones de madurado y secado. Hasta 1950 estuvieron aquí las parrillas donde se secaban las hojas. —Luego señaló al edificio recién pintado que ocupaba la parte central—. Ahí era donde las mujeres enrollaban el té a mano. Antiguamente, Vannattuppūcci era conocida por vender el mejor té artesanal. Por desgracia, con el tiempo los propietarios tuvieron que implantar el uso de maquinaria, pues llegó un momento en que el té manufacturado dejó de ser rentable. No obstante, no hace mucho hemos vuelto a sacar una pequeña producción para *gourmets* dispuestos a pagar un poco más por semejante exquisitez.

Mientras Manderley hablaba, Diana creía escuchar entre el murmullo de las palmeras y las heveas las voces de las mujeres que vivieron y trabajaron allí. La extraña paz interior que experimentó en la Tremayne House volvió a apoderarse de ella y atemperó sus nervios. Era como si hubiera llegado a casa. ¿Llevaría en los genes la herencia de Grace?

–No sé hasta qué punto está familiarizada con la historia del té de Sri Lanka –prosiguió Manderley mientras recorrían el caminito de piedras que daba a la casa.

–Me temo que no mucho –repuso Diana–. Hasta ahora mi investigación se ha centrado más en personas y objetos. Mi empeño es recabar toda la información posible sobre mi tatarabuela y sobre ciertas cosas que encontré en casa de mi tía.

–¿Y qué es lo que ha encontrado?

Diana se detuvo un instante y sacó de la cartera una foto.

–¡Madre mía! –exclamó Manderley–. ¡Pero si es nuestra plantación! Incluso puedo decirle dónde fue tomada. ¡Venga, se lo mostraré!

Se salieron del camino para tomar un sendero que llevaba directamente a los campos de té.

Se detuvieron delante de unos cultivos con aspecto de estar recién plantados. Al comparar el lugar con la foto, Diana reconoció la montaña, pero la pradera donde posaba Grace y los campos de té de la ladera ya no estaban.

–Hace unos años volvimos a sembrar en esta parte de la plantación. Pero por razones que aún desconocemos estos campos no dan la misma cosecha que los otros. Las recolectoras creen que sobre ellos pesa una maldición.

–¿Una maldición? –Un escalofrío recorrió el espinazo de Diana.

–Sí, aún hoy en día se escuchan esas historias. Pero no son más que pura superstición. Si le enseñara la foto a alguna de esas mujeres, seguro que tomarían a su tatarabuela por un fantasma. Puede que incluso por el fantasma que le ha robado parte de su fertilidad a estos campos. Yo, en cambio, prefiero pensar que con esos cultivos hemos traspasado un límite natural. Cuanto más alto plantes el té, más flojas serán las cosechas. Como con todo en este mundo, la cuestión está en dar con el equilibrio adecuado, y debe ser que aquí la balanza se inclina y llega un punto en que el clima resulta dañino para el té. Usted misma está comprobando que aquí arriba el aire es más frío que al pie de la montaña.

Sin embargo, Diana estaba segura de que el escalofrío no se debía al frescor del aire. Quizá las recolectoras tuvieran razón.

—Si lo desea puede usted ver más de cerca el lugar —le sugirió Manderley—. O traerse aquí la documentación que precise. El archivo es un lugar muy frío repleto de objetos sin vida. Si quiere puedo proporcionarle una mesa y una modesta tienda de campaña.

—¡Qué amable por su parte, muchas gracias!

—Y ahora, si le parece, veamos qué tesoros esconden nuestros archivos.

Cuando Manderley empezó a caminar, Diana se quedó algo rezagada para hablar con Jonathan.

—¿Lo ha oído? Puede que haya una maldición.

—Deberíamos examinar detenidamente ese lugar. Quizá encontremos alguna pista.

Manderley se volvió.

—¿Decía algo?

—No, nada. Solo comentaba algo con el señor Singh.

Manderley asintió y siguió su camino.

Mientras lo seguían, Diana reparó en un curioso árbol que había junto a la casa y que le resultó familiar.

—¿Un manzano? —le preguntó extrañada a Manderley, pues no era un árbol que creciera en esas tierras.

—Los ingleses tenían la costumbre de introducir elementos de la vieja patria en el nuevo entorno. Trajeron zorros para poder cazarlos y plantaron árboles frutales de su tierra. Este frutal de corteza nudosa le debe su existencia a Richard Tremayne. Aunque no debió de tardar en apreciar el sabor de nuestra fruta, ya que fue el único que plantó.

Todo un símbolo de la singularidad de los ingleses en estas tierras, le vino de pronto a la cabeza a Diana, que enseguida pensó en comentarle la idea a Jonathan para su libro, suponiendo que él no hubiera llegado a la misma conclusión.

Poco después llegaron a la antigua casa familiar, que ahora albergaba las oficinas de la administración. Dos pisos de color blanco, cuyos muros se abrían en estrechas ventanas, se elevaban hacia el cielo. Entre elementos típicos de la antigua arquitectura inglesa, Diana distinguió algunos toques de neoclasicismo continental y cierta influencia local sabiamente combinados para no llamar demasiado la atención.

—¿No les parece espectacular? —señaló Manderley con entusiasmo—. En la década de 1970, el antiguo propietario barajó la posibilidad de convertir el edificio en un hotel. Vacaciones en mitad de los campos de té con una oferta culinaria acorde al entorno. La idea nunca llegó a materializarse debido a que el hombre no estaba por la labor de invertir el dinero que se precisaba. Y cabe decir que fue una suerte, ya que las manadas de turistas habrían deteriorado el edificio, por no hablar de lo que su molesta presencia habría supuesto para la plantación. No obstante, ofrecemos gustosamente alojamiento a las visitas que por unos motivos u otros desean quedarse unos días.

—Estamos alojados en un hotel estupendo que hay aquí cerca —repuso Jonathan.

—Oh, pues permítanme instalarles a que lo dejen. No pienso cobrarles ni una rupia por las habitaciones.

La idea de alojarse en la casa de sus antepasados llenó de júbilo a Diana. Qué diría Emmely si pudiera enterarse...

—Creo que deberíamos aceptar la generosa oferta del señor Manderley —propuso Diana mirando a Jonathan—. Siempre y cuando no molestemos a nadie.

—Por supuesto que no, a no ser que pretendan montar una fiesta salvaje. Las habitaciones de los invitados tienen una entrada aparte. Y de las comidas me encargo yo personalmente. Mi mujer es una cocinera excelente que se alegrará mucho de conocerlos.

—¿Y todo eso totalmente gratis? —se asombró Jonathan.

—¿Por qué no? —La sonrisa del director era tan cordial que desarmaba a cualquiera—. Considérense mis invitados. De lo único que tendrán que encargarse es de recoger su equipaje.

Nada más pisar el vestíbulo, que tenía el aire de un museo, salieron a recibirlos dos mujeres jóvenes vestidas con ropa de oficina. Sobre las faldas largas de color negro y caqui llevaban camisas modernas, pero de corte clásico. Saludaron brevemente a Manderley y desaparecieron en dirección a otro edificio.

—Seguramente vayan a la central de envíos a asegurarse de que todo esté en orden —les explicó Manderley mientras atravesaban un suntuoso vestíbulo que dejaba claro que las cosas les iban bien.

Diana reparó en una mancha clara en la pared bajo la que había algunos ramos de flores.

—Señor Manderley, ¿qué significan esas flores?

Una sonrisa triste asomó en el rostro de aquel hombre.

—Antes ahí había colgado un cuadro precioso. Shiva y Ganesha danzando o algo por el estilo. El cuadro fue… destruido.

—Los trabajadores lo utilizaban como una especie de altar, ¿no es cierto? —intervino Jonathan señalando las flores.

—Sí, y como puede ver aún hoy siguen haciéndolo. El lugar donde estaba colgado el cuadro es sagrado, por los motivos que sean.

—¿Por qué no lo han reemplazado? —preguntó extrañada Diana.

El director vaciló, como si conociera una historia que no quería contar.

—Eso debería preguntárselo al dueño, yo me limito a llevar los negocios. En cualquier caso, el cuadro desapareció hace mucho, puede que incluso en tiempos de los Tremayne. Quizá encuentre algo al respecto en los archivos.

Rápidamente conminó a Diana y a Jonathan a que lo acompañaran a la planta baja, esquivando así más preguntas sobre el cuadro, lo que no impidió que Diana se propusiera investigar acerca de su destrucción.

—Como es costumbre en las casas señoriales inglesas, aquí también el personal trabaja «abajo» mientras que los señores viven «arriba».

Sus palabras le recordaron a Diana la serie de televisión *Arriba y abajo* que veía de niña y que le había inducido a acribillar a preguntas a su tía y al señor Green acerca del servicio.

—Como ya no hay servidumbre hemos trasladado aquí el archivo. —Manderley abrió con decisión la puerta tras la que se extendían un sinfín de armarios y estanterías. A primera vista, Diana solo vio libros de contabilidad; los verdaderos tesoros debían de estar ocultos en los armarios.

—¡Esto es realmente impresionante!

—Entren sin miedo, se trata más bien de una biblioteca particular que de un lugar acondicionado para resguardar documentos del paso del tiempo. Aquí las condiciones atmosféricas son ideales para la conservación del papel. El aire no es ni demasiado seco ni demasiado húmedo; seguro que los archivos de Europa nos envidiarían por ello.

Al cruzar aquella puerta, Diana vio un escritorio antiguo parecido al que había en Tremayne House y sintió como si hubiera entrado en un país de cuento. Junto al secreter de cuero había una lámpara Tiffany con la pantalla un poco deteriorada. Tenía una serie de muescas en el borde que no habían sido restauradas. ¿Tendrían algún significado?

—Póngase cómoda e indague cuanto quiera. Aunque tendrá que dejar sitio a mis empleados en caso de que necesiten consultar algún documento.

—No hay problema —repuso Diana, que por primera vez tenía la sensación de estar en el lugar adecuado—. De ningún modo quisiera ser un estorbo.

—No lo es. Estoy encantado con que por fin alguien se interese por la historia de este lugar. ¿No tendrá inconveniente en que utilice los resultados de su investigación con fines publicitarios, verdad?

—No, a no ser que descubra cosas terribles… —Diana vaciló.

—No se preocupe, no estoy interesado en los asuntos privados. Pero es posible que averigüe generalidades sobre la plantación. Si fuera así, sería estupendo poder incluirlas en nuestro escueto folleto informativo.

Diana asintió.

—De acuerdo. Si averiguo algo estaré encantada de compartir la información con usted.

Mientras Jonathan se encargaba de recoger el equipaje del Hotel Hills Club y de la cancelación, Diana se dirigió al archivo. Su ordenador aún estaba en el hotel, pero tenía una libreta que podía usar en el caso de tener que anotar algo importante. También su guía de Colombo, que aunque no guardaba relación directa con la plantación, le servía para llevar las fotos que había ido recopilando.

Dos horas más tarde Jonathan estaba de vuelta.

—Espero no haber olvidado nada —le dijo a Diana al darle su bolsa; enseguida pudo comprobar que no se había limitado a meter las cosas de cualquier manera, sino que había vuelto a hacer la maleta como Dios manda.

Entre tanto la tarde había extendido un velo de seda púrpura sobre la plantación. El sol había convertido los árboles y las palmeras en negros perfiles como recortados a tijera, similares a los fondos de una película de dibujos animados, y los gritos de los pájaros que anunciaban su reposo nocturno o su despertar habían subido de intensidad.

—A juzgar por lo que pesa, seguro que me ha traído todo lo necesario —dijo Diana agradecida—. Lo más importante era el ordenador. De la ropa interior y de los vestidos puedo llegar a prescindir en un momento dado.

Al instante Jonathan arqueó las cejas.

—¿De veras?

Diana tardó un momento en captar el doble sentido de sus palabras.

—¡Por supuesto que no! Me refería a que puedo ir tirando con menos. La ropa se puede lavar…

Aún perpleja comprobó que se había puesto colorada al verlo sonreír.

—Creo que lo he traído todo. Ni siquiera deshizo parte de su maleta. De alguna manera anhelaba en su fuero interno que nos hospedaran aquí, ¿no es cierto?

Jonathan le guiñó un ojo, se echó su propia bolsa al hombro y la acompañó a la casa.

—El señor Manderley ha venido a verme antes y me ha dado las llaves de nuestras habitaciones —le dijo Diana mientras atravesaban el vestíbulo con las llaves tintineando en su bolsillo—. Cree que las habitaciones pertenecieron en su día a las hermanas Tremayne. Desgraciadamente, no queda nada del mobiliario original, aunque en la mía hay una chimenea y una ventana que bien podrían ser de entonces.

—Quién sabe, quizá encuentre un diario secreto en la chimenea —repuso Jonathan sonriendo.

—Para serle sincera, lo estoy deseando. Pero no creo en ese tipo de carambolas. Es como esperar acertar todos los números de la primitiva.

—Nunca se sabe. —Jonathan echó un vistazo al pasillo—. A saber qué esconden estos muros. Puede que hasta dé con un fantasma a quien preguntar. La gente de Sri Lanka cree firmemente que hay espíritus velando por los vivos.

—Pensaba que la mayoría de los tamiles eran hinduistas.

—Y lo son, pero también creen en los espíritus. Algunas almas desoyen la llamada de los dioses y no se reencarnan, sino que permanecen en el mundo de los espíritus como sombras.

Su repentino silencio incitó a Diana a percibir la extraña atmósfera de la casa.

Al llegar a la primera puerta Diana le dio su llave.

—Como estaba aquí en el reparto de las habitaciones, he elegido la mejor —bromeó Diana—. La mía tiene unas bonitas vistas al jardín.

Jonathan entró en su habitación, abrió la ventana y sonrió.

—Yo tampoco puedo quejarme de las vistas, y dudo seriamente de que sea tan egoísta como para escoger la mejor habitación.

Diana sonrió de oreja a oreja.

—Me da que antes nuestras habitaciones eran solo una. ¡No tiene más que ver el tabique que las separa!

Hasta un lego en la materia era capaz de ver que la pared estaba demasiado cerca de la ventana.

—Tiene razón. Debió de ser muy grande. Quizá fuera un salón de baile.

Diana negó con la cabeza.

—No, el antiguo salón de baile es hoy día una especie de sala de reuniones. Si este era el cuarto de las dos hermanas Tremayne debieron de vivir como unas reinas.

—Bien, pues si es así miraré en la chimenea…

Diana señaló hacia la estufa de cerámica que había en la pared derecha.

—No creo que encuentre nada ahí dentro. A lo sumo habrá servido para quemar papeles viejos.

—Esperemos que entre ellos no hubiera información importante de sus antepasados.

Justo cuando Diana iba a llevarle la contraria recordó el secretismo de Emmely. No sería de extrañar que los Tremayne intentaran hacer desaparecer cosas que no quisieran hacer públicas.

—En cualquier caso estoy contento con mi habitación —dijo Jonathan rompiendo el silencio—. Si encuentro algo significativo se lo haré saber inmediatamente.

Una vez deshicieron las bolsas, Diana y Jonathan se dirigieron al archivo, donde ella le mostró con orgullo lo que había encontrado hasta el momento.

—Solo he podido meterle mano al primer armario. Con tanto papelote no hay quien se aclare…

—No me extraña —repuso Jonathan, cuyos ojos brillaban ávidos mientras acariciaba con la yema de los dedos las tapas de piel de los libros de contabilidad—. Tenga en cuenta que esto no es un museo, sino un archivo privado. Lo importante aquí es el negocio del té y no el estudio de documentación antigua. El pasado es secundario en la era de la productividad.

—Pues me temo que hasta en eso aún hoy sigue repercutiendo —repuso Diana sin poder dejar de mirarlo a la cara. Era la primera vez que se fijaba en que le palpitaban ligeramente las sienes y en los pelillos que coronaban sus cejas puntiagudas.

—Habrá que llegar hasta el fondo de la cuestión—dijo él mientras terminaba de observar los tomos. Entonces sus miradas se encontraron—. Pero no con el estómago vacío. ¡Me muero de hambre!

Como el señor Manderley amablemente había puesto a su disposición la cocina, Jonathan se ofreció a preparar un poco de arroz al estilo tamil.

—Con leche de coco —le explicó ya frente al fogón—. Aquí es tradición comerlo así en los cumpleaños.

Diana lo observaba absorta. ¿Qué diría Michael si los viera? Cuando vuelva se lo contaré todo con pelos y señales. Creo que se lo debo después de lo que ha hecho por mí.

A la media hora estaban sentados a la mesa. Para acompañar el arroz, Jonathan había preparado un par de mangos frescos que le compró al conductor del *jeep*. El hombre se había hecho con una caja entera que se había empeñado en llevar a su familia cuanto antes.

—Queramos o no vamos a pasar aquí encerrados una temporadita —comentó mientras alcanzaba un trozo de mango—. El conductor no volverá antes de cuatro días.

—¡Cuatro días! —exclamó asustada Diana—. Pero si mi avión…

—¿No cabría la posibilidad de retrasar su vuelta?

Justo cuando iba a decir que no una vocecilla le susurró: «¿Por qué no?».

—Por supuesto que sí.

El rostro de Jonathan se iluminó.

—¡Espléndido! Las prisas no van a ayudarnos en nuestra investigación. Hay que examinar a conciencia esos armarios. No queremos pasar nada por alto, ¿verdad?

11

Tal y como prometió, el señor Stockton llevó a Henry al célebre Hills Club, donde le presentó a otros propietarios de plantaciones y demás personalidades. Aquella gente no titubeó demasiado a la hora de acogerlo y hacerlo miembro de tan distinguido círculo. Al fin y al cabo, Henry Tremayne era de buena familia, y la tragedia de su hermano suscitaba interés allá por donde fuera.

En agradecimiento por haberle facilitado la en apariencia fundamental pertenencia al club y todos esos contactos de los que sin duda en el futuro sacaría partido, invitó a Henry Stockton junto con toda su familia y otros miembros del club a la fiesta de recepción que Claudia llevaba planeando hacía tiempo.

Los días previos a la recepción el señor Wilkes aleccionó a las sirvientas y solicitó con éxito la incorporación de un nuevo criado, un joven tamil que acababa de terminar la escuela que Henry generosamente había decidido mantener en funcionamiento. También la cocinera disfrutó del buen hacer y de la veteranía del mayordomo. Wilkes le enseñó a preparar *scones,* y también a adaptar la receta del bizcocho para el té con los ingredientes de la zona. Cuando al fin vio que la verdura y el pescado que había pedido llegaban puntualmente, el mayordomo se sintió en el séptimo cielo. Con su ayuda, Claudia Tremayne iba a demostrarle al señor Stockton, a pesar de que no le había caído especialmente bien, y a su familia cómo atendía a sus invitados un buen anfitrión, por más que los uniformes de las criadas aún no hubieran llegado.

Para dicha recepción lo propio era que sus hijas llevasen vestidos nuevos; o al menos que lo parecieran. Como no estaban para afrontar los dispendios que requería ir a la última, la señorita Giles tuvo que arreglar los vestidos de las chicas con ayuda de una revista de moda que Wilkes consiguió en Colombo.

Dos muchachas tamiles que aparte de las tareas de recolección también remendaban la ropa de las demás trabajadoras le echaron una mano. Grace estaba segura de que las constantes risitas que intercambiaban esas jóvenes indígenas mientras cosían se debían a lo aparatosos que resultaban a sus ojos tanto refajo y tanta puntilla. Victoria tenía razón: allí las mujeres no llevaban bajo esos cómodos ropajes ningún tipo de justillo o corsé. El trabajo duro las mantenía esbeltas; y su oscura tez parecía aceptar mejor el paso de los años que la piel de las mujeres blancas.

En los momentos en que la señorita Giles le ajustaba el corpiño, y prácticamente la dejaba sin aire para respirar, sentía envidia de ellas.

Harta de tanto retoque, Grace abandonó el cuarto de costura con la excusa de ir por algo de beber. Justo cuando la señorita Giles se disponía a llamar a una sirvienta a golpe de campanilla, Grace la disuadió alegando que bastante tarea tenían ya encima y se fue a toda prisa.

Se dirigió a la cocina. En Tremayne House, a su madre no le hacía ninguna gracia que sus hijas merodearan por la cocina, pues desconcentraba al servicio, que no estaba acostumbrado a verlas por allí.

Ya desde lejos se oían gritos. La cocinera daba órdenes a sus ayudantas en un áspero tamil que, aunque Grace no entendía en absoluto, bastaba con oírlo para saber que no estaba satisfecha con ellas. Sigilosamente, se asomó a la puerta. Era la primera vez que veía a la cocinera, una mujer tamil de unos cuarenta años. Las demás sirvientas eran más o menos de su edad, y reaccionaban como resortes a las órdenes de la cocinera. El distinguido señor Wilkes permanecía ajeno a ese jaleo limitándose a limpiar la plata.

Tras observar brevemente el trasiego sin que el servicio se diera cuenta, reparó en que había una niña oculta bajo la mesa. Era evidente que la pequeña no debía estar allí. Se habría colado en un despiste y ahora estaba atrapada en la penumbra bajo esa mesa robusta.

Sin embargo, no parecía demasiado asustada; de hecho había rapiñado unas piezas de fruta.

Al saberse descubierta, la niña se quedó inmóvil y se puso pálida. La fruta que sujetaba desapareció entre sus deditos. Si el señor Wilkes hubiera descubierto el hurto, a buen seguro que la habría sacado de ahí a tirones de oreja, pero Grace se limitó a sonreírle. La señorita Giles la habría amonestado recordándole que pasar por alto un robo no era forma de educar a una niña, pero al ver a la pequeña mirarla con aquellos ojazos negros y los mofletes manchados de fruta, no tuvo corazón para delatarla.

Al poco, la pequeña se relajó y sus ojos se dirigieron a la puerta por la que se había colado, que aún seguía entornada.

Grace supo de inmediato lo que tenía que hacer. Resuelta, se desprendió del marco de la puerta y entró en la cocina.

—¡Buenos días, señor Wilkes!

Al momento todas las miradas se posaron en ella. Las sirvientas abrieron los ojos como platos, la cocinera se hizo un tajo en el dedo sin querer, y el señor Wilkes dejó caer el cubierto que tenía en la mano.

—¡Buenos días, señorita Grace! —El mayordomo se puso derecho e hizo que las doncellas y la cocinera se pusieran firmes—. Discúlpeme por no haberla visto antes.

Aprovechando que todos los presentes salvo Grace le daban la espalda, la pequeña ladronzuela puso pies en polvorosa. Grace contuvo la risa y dijo:

—Solo he venido a ver cómo marcha todo en la cocina.

—Entiendo que la envía su señora madre.

Grace dejó que así lo creyera. Saber que había bajado por cuenta propia a ver cómo iba todo le habría hecho caer de espaldas.

—Los preparativos marchan viento en popa, y puedo asegurarle que todo estará al gusto de *madame* Tremayne. Somos conscientes de la enorme responsabilidad que han depositado en nosotros, y todos haremos cuanto esté en nuestras manos para satisfacer los deseos de la familia Tremayne —dijo mirando de reojo a las sirvientas que acababan de ganarse una reprimenda.

—Mi madre estará encantada de oírlo, señor Wilkes. Prosiga tranquilamente con sus quehaceres… Por cierto, ¿sería tan amable de servirme un té helado?

Una hora más tarde se estaban probando los vestidos arreglados. Al mirarse reflejada en el espejo, y a pesar de que el vestido a rayas azules y blancas era precioso, Grace se puso un poco triste. Ahora que empezaba a olvidarse de los bailes y de las puestas de largo tenían que recordárselos con el asunto del vestido. Hacía un par de días había oído chismorrear a la señorita Giles y al señor Norris.

«Es una vergüenza que la señorita no haya sido presentada en sociedad», dijo entre suspiros la gobernanta, a lo que el señor Norris contestó: «De camino he visto muchas casas señoriales y plantaciones; seguro que en alguna de ellas habrá un marido para la señorita Grace».

La sola idea de que ese marido proviniera de la familia Stockton hizo que se le revolviera el estómago mientras acariciaba la tela azul claro de su vestido, ahora adornado con nudos, lazos y unos encajes traídos de Colombo.

—¿Qué le parece, señorita Grace?

La señorita Giles estaba de pie a su lado con la mirada expectante de un pintor que espera la crítica favorable de su mecenas.

—Ha quedado muy bien —repuso Grace convencida en su fuero interno de que aunque la mona se vista de seda mona se queda. No obstante, a juzgar por cómo era el cabeza de familia de los Stockton, no desentonaría demasiado entre ellos.

—Mejor sería llevar uno de esos vestidos que usan aquí las mujeres —intervino Victoria desde el rincón opuesto del cuarto—. Seguro que no pican tanto como el encaje de mi escote.

—¡De ningún modo! —Claudia se había asomado por la puerta para dar el visto bueno a los vestidos de sus hijas. Ella también iba a llevar un vestido arreglado, pero ya estaba listo desde la víspera–. ¡Vosotras sois damas inglesas, no recolectoras de té!

Grace notó la mirada que lanzó una sirvienta que hablaba inglés perfectamente. Si su madre también se había dado cuenta, no lo dejó ver.

Como un sargento en plena inspección, Claudia caminaba alrededor de sus hijas escrutando cada doblez, el lugar preciso en que estaba cada perla y el largo de las faldas. Una vez se dio por satisfecha, miró a la gobernanta y asintió.

–Buen trabajo, señorita Giles. Estoy segura de que mis encantadoras hijas concitarán todas las miradas en la recepción.

En puertas de la fiesta Vannattuppūcci experimentó la misma transformación que la vieja Tremayne House de las grandes ocasiones, en las que el paso del tiempo y las grietas de las paredes desaparecían como por arte de magia. El salón de actos, probablemente en desuso desde hacía años, fue adecentado por un ejército de sirvientes. Como el servicio no daba abasto, Claudia echó mano sin pensarlo de unas cuantas trabajadoras del té. A pesar de que aún tenía reparos hacia su nuevo hogar, estaba convencida de que sería una velada triunfal.

La tarde previa al baile Grace estaba sentada junto a la ventana nerviosa como un flan. Sabiendo que Dean Stockton y su familia estaban en camino, quizá lo mejor sería echar a correr por el jardín y desaparecer.

–¿Crees que alguno de esos *gentlemen* me sacará a bailar? –Victoria levantó el brazo derecho y realizó una pirueta.

Grace se dio la vuelta. Al menos su hermana parecía disfrutar. Claro que ella no estaba en edad de merecer...

–Podrías tomarte este baile como tu puesta de largo –sugirió Victoria con la intención de levantar el ánimo a su hermana–. Al fin y al cabo, vas a ser presentada a la sociedad de Nuwara Eliya.

–Y puede que el señor Stockton me cuelgue del brazo de su hijo.

—Quién sabe, a lo mejor su hijo es guapo. Aunque no lo soportes, no me negarás que el padre es apuesto…

—Qué sabrás tú —musitó Grace, y mientras volvió a dirigir la mirada hacia la ventana se preguntó qué haría esa noche el señor Vikrama. Seguro que no estaba invitado; en realidad, no era más que un empleado. Con los Cahill era distinto. El señor Cahill le había preguntado a su padre si no sería molestia que su mujer y su hija asistieran, y este, por cortesía y porque se sentía obligado ante su abogado, había transigido. En cualquier caso, Grace prefería ver a esas dos mosquitas muertas que había conocido en uno de sus paseos antes que a Stockton y a su hijo.

Antes de que Victoria pudiera iniciar una discusión al respecto, alegando que tenía ojos en la cara y que sabía perfectamente cuando un hombre era guapo y cuando no, apareció la señorita Giles. La gobernanta no podía permitirse estar al nivel de las elegantes damas, pero en la medida de sus posibilidades se había puesto sus mejores galas.

También ella y el señor Norris eran empleados, pero al estar al cargo de la educación de las muchachas tenían permiso para asistir al baile.

—¡Está usted arrebatadora, señorita Giles! —exclamó Victoria revoloteando alrededor de la gobernanta—. ¡Esta noche el señor Norris no va a querer dejar de bailar!

En realidad la señorita Giles venía a soltarles un discurso acerca de las buenas maneras en un baile, pero el piropo de Victoria la descolocó tanto que no pudo hacer otra cosa que enrojecer. Volver en sí le llevó unos segundos preciosos, y ella misma concluyó que ya era tarde para charlas.

Cuando Grace se despegó de la ventana, sintió una desagradable opresión en la boca del estómago. En algún momento la velada tocará a su fin, se dijo. Solo tengo que comportarme como una dama en sociedad e intentar no avergonzar a mi familia.

En la escalera las esperaban sus padres. Claudia llevaba un vestido azul de tafetán adornado con puntillas blancas. Henry tenía un aire de lo más festivo con su levita gris combinada con un chaleco negro y un pañuelo corbatero rojo oscuro en el que destacaba un alfiler de perla.

Ambos escrutaron durante un buen rato a sus hijas, hasta que Claudia se adelantó y retocó por última vez los lazos que adornaban el vestido azul claro a rayas de Grace.

—Creo que vais a dejar a esa gente boquiabierta, lo cual no sería ningún milagro tratándose de ingleses que no ven nuestras queridas costas desde hace años.

—Querida, haz el favor de no hacer juicios prematuros sobre la gente de aquí. Los caballeros que conocí en el club eran educadísimos además de cultos. No creo que sus familias se hayan asilvestrado.

Después, se inclinó hacia su mujer y le dio un beso. Fuera se oyó el traqueteo de un coche de caballos.

—Ya están aquí. ¡Mostrémosles nuestra mejor cara! —Henry Tremayne se sacudió una mota de polvo inexistente del hombro de su chaqueta y se cuadró mientras Wilkes se apresuraba a abrir la puerta.

En los minutos que siguieron, una buena parte de la sociedad de Nuwara Eliya cruzó las puertas de Vannattuppūcci. Los carruajes se detuvieron en la glorieta y los distinguidos invitados subieron la escalinata de la entrada.

—¡Ah, ahí están los Stockton!

La llamada de atención de su padre golpeó como un latigazo a Grace, que no pudo evitar que se le descompusiera el rostro.

—No mires así a esa gente —le susurró su madre—. Vas a asustar al muchacho.

¡Justo lo que quería! A pesar de que George Stockton guardaba ciertas similitudes con su madre, pues era pálido y pelirrojo, Grace no vio nada en él que la atrajera. Imaginárselo como su marido era del todo imposible.

Stockton precedía a su familia como un gallo emperejilado, embutido en una levita verde clara de brocado. Primero dirigió su mirada a sus padres y luego a Grace. Un gesto de complacencia se dibujó en su rostro cuando Henry se adelantó para darle la bienvenida.

–¡Cuánto me alegro de tenerlo aquí, señor Stockton!

–La alegría es toda mía –repuso Stockton, y acto seguido presentó a su familia. El pelirrojo George, en cuyo rostro asomaba una barba incipiente, tenía una hermana que había heredado el pelo negro del padre, aunque le daba un aspecto de fragilidad con esa piel casi traslúcida y aquellos brazos tan delicados.

Grace saludó cordialmente a todos al tiempo que reparó en que el muchacho no le quitaba el ojo de encima, como si su padre le hubiera hablado de ella.

¡Sus sospechas se confirmaban! Stockton quería casarla con su hijo. Y a juzgar por el entusiasmo de su propio padre… ¡No cabía la menor duda de que no lo veía con malos ojos!

–¡Hay que ver lo guapas que están sus mujeres, señor Tremayne! –exclamó Stockton tras besarle respetuosamente la mano a Claudia.

–Permítame devolverle el cumplido –repuso cortés Henry–. Y, además, tiene usted un apuesto heredero. Lo felicito, seguro que el joven le da muchas alegrías.

–Ya lo creo –dijo Stockton poniéndole la mano en el hombro a su hijo–. Y créame: arde en deseos de conocer a su hija. Al fin y al cabo, llegará el día en que ambos dirijan las plantaciones, ¿no es cierto?

A Grace no le pasó inadvertido el significado de esas palabras. Al ser mujer no podría dirigir la plantación sola, sino a la vera de un hombre. O ni siquiera eso, ya que el hombre se encargaría de los negocios.

Semanas atrás no habría objetado nada al respecto. Tal y como se esperaba de ella, se habría resignado a asumir las obligaciones de una buena esposa.

Pero ahora bullía en su interior un atisbo de desobediencia, hecho que le sorprendía y a la vez le asustaba. Quizá con otro hombre distinto a George Stockton estaría dispuesta a respetar las convenciones sociales, pero no con ese muchacho que ya de lejos daba la impresión de ser más delicado que ella.

Por suerte llegaron otros invitados y Henry y Claudia tuvieron que despedirse de los Stockton. Escapar de las miradas del señor Stockton y de las garras de George hizo que los saludos y los cumplidos de los demás le sonaran a Grace mucho más agradables. Incluso le pareció que algunos decían esas cosas de corazón, y el hecho de no sentirse constantemente observada como una vaca en una feria de ganado ayudó a que esa otra gente le despertara simpatía.

Una vez hubieron llegado todos los invitados, su padre dijo unas palabras de agradecimiento a la distinguida sociedad de Nuwara Eliya por darle tan cálida acogida a él y a su familia en aquel bonito lugar que era nuevo para ellos. No dedicó demasiado tiempo a recordar a su hermano, pues, como orador experimentado que era, sabía perfectamente que un tema escabroso podía apagar los ánimos. Así que rápidamente dio por comenzada la fiesta y ordenó a los músicos, que había reclutado con ayuda de Wilkes en Colombo, que empezaran a tocar.

Harta ya de tanta charla, cortesía y sonrisa impostada, Grace salió a dar un pequeño paseo. Tuvo que admitir que los invitados no eran muy distintos de la sociedad londinense. A pesar de llevar allí muchos años, sus costumbres y usos apenas habían cambiado.

En el jardín encontró la tranquilidad que ansiaba, y también una oscuridad que iba en aumento a medida que se alejaba de las luces. Antes jamás habría salido a caminar por la tierra con un vestido tan bonito, pero las últimas semanas la habían cambiado. No sabía bien qué, pero algo había sucedido. Su aversión hacia aquel lugar se había transformado en un sentimiento radicalmente opuesto, su interés por el cultivo de té crecía sin cesar y vivir allí, al igual que a Victoria, ahora le parecía una gran aventura.

—Señorita Grace —susurró una voz.

Al volverse se encontró a Vikrama a su lado. En vez de su ropa de faena llevaba un misterioso atuendo que fascinó tanto a Grace que no podía apartar su mirada de él. Con esa camisa negra ligeramente abierta por el cuello y las mangas un poco remangadas, los pantalones anchos del mismo color y los pies desnudos, Vikrama parecía un caballero oriental sacado de una de las historias que Grace había leído de niña. Esos hombres también solían vestir de negro, pero al contrario que ellos él no llevaba el rostro tapado. La luz de la luna le otorgaba cierta palidez, a pesar de sus rizos negros, sus pobladas cejas oscuras y esa barba que siempre llevaba tan bien recortada. En ese momento le pareció aún más apuesto de lo que lo recordaba.

—Señor Vikrama, yo...

Vikrama la detuvo con un ademán.

—Le pido disculpas. Mi reacción no fue nada apropiada. Debe de pensar que me dedico a algún tipo de actividad ilegal. Créame, no es así.

Grace sonrió aliviada. Gracias a Dios no estaba enfadado con ella.

—Jamás pensé semejante cosa —repuso—. Lo que pasa es que soy muy curiosa, característica por la que mi madre antes siempre me estaba reprendiendo. Con el paso de los años aprendí a reprimirla, pero al llegar aquí, donde todo es nuevo y estimulante, me temo que ha vuelto a despertarse.

—La curiosidad no siempre es mala —adujo Vikrama—. A veces sirve de ayuda para abrir la mente a otras culturas.

—¿Es de algún poeta famoso? —preguntó Grace arqueando las cejas.

—No, es mío. Es mi propia experiencia. Y la de mi gente. Nosotros también somos muy curiosos, en especial con la gente nueva. Por eso encontrará aquí muchas personas dispuestas a prestarle su ayuda. Hacerlo les brinda la oportunidad de conocerla.

Ambos se sumieron en el silencio. A lo lejos sonó un grito extraño, probablemente de un pájaro.

—No tenía ningún derecho a preguntarle —reconoció compungida Grace—. Puede que sea un empleado de mi padre, pero su vida privada le pertenece solo a usted.

Vikrama le lanzó una mirada misteriosa. Algo se le posó en los labios que le hizo sacudir ligeramente la cabeza. Luego musitó:

—*Kalarippayatt.*

Grace lo miró asombrada.

—¿Cómo? ¿Qué es eso, un saludo?

Vikrama sonrió.

—Es lo que yo hago. *Kalarippayatt.*

—¿Y qué es?

—Un arte marcial. La practico cada noche con un par de amigos. El curandero de la aldea es el *gurukal,* el maestro. Soy uno de sus discípulos.

—¿Y en qué consiste ese arte marcial? —preguntó Grace casi sin aliento. Quién iba a imaginarse que tras el amigable y correcto capataz se escondía un guerrero…

—Luchamos con espada y escudo, y también con los pies y las manos. En realidad, es más una danza que un ciego intercambio de golpes. Cuando practicamos, luchamos con nuestro enemigo, no contra él.

Grace intentó imaginárselo. ¿Llevarían todos la misma indumentaria que Vikrama? ¿Qué ruido harían las espadas al chocar? ¿Cómo las moverían? ¡Nada que ver con las obras de teatro sobre Ricardo III, eso seguro!

—Hay una historia muy interesante acerca de esta lucha —prosiguió Vikrama mientras caminaba a su lado con las manos cruzadas en la espalda. De pronto sus movimientos le resultaron ágiles como los de un felino. ¿Eran realmente así o la imaginación de Grace le estaba jugando una mala pasada ahora que sabía que practicaba esa lucha?

—¡Cuéntemela, por favor!

—En el pasado los gobernantes indios eran tan sabios que en las batallas preferían evitar derramamientos de sangre innecesarios. Así que ambos bandos mandaban de avanzadilla a un luchador de *kalarippayatt* de la guardia personal del príncipe en cuestión para que se batieran a vida o muerte. Tras el duelo, el príncipe del guerrero que resultaba muerto se daba por vencido.

—Suena de lo más razonable —admitió Grace impresionada; hasta ese momento solo había oído hablar de los guerreros sijs, conocidos por su osadía y crueldad.

—Y lo era. Pero desgraciadamente esa tradición fue cayendo en el olvido, ya que las guerras internas entre príncipes indios fueron remitiendo y tuvieron que empezar a medirse con ejércitos invasores ajenos a aquella costumbre. No obstante, los guerreros *kalarippayatt* siguen siendo la guardia de élite del marajá.

Fascinada por la historia, Grace siguió caminando en silencio.

—Nosotros practicamos el *kalarippayatt* del sur, por más que ya no se nos permita hacerlo a la luz del día.

Grace estaba tan entusiasmada que ni siquiera se dio cuenta de que de pronto Vikrama había enmudecido, como si hubiera hablado más de la cuenta.

—¿Y cómo es esa lucha? —Sus ojos brillaban como centellas—. ¿Podría ir a verlos alguna vez?

Vikrama frunció el ceño.

—Me temo que no es tan sencillo. A nuestros ejercicios de lucha solo asisten los hombres. Las mujeres se abstienen, y no por que lo tengan prohibido, sino porque no les gusta, ya que su presencia supondría una distracción y podría inducir a los luchadores a cometer imprudencias con tal de llamar su atención.

—Nosotros somos igualitos —sonrió Grace—. Un joven inglés es capaz de hacer cualquier locura para gustar a una chica.

—Quizá exista la posibilidad de que nos viera a escondidas —transigió Vikrama—. Pero para eso debería conocer a fondo el terreno. Yo podría llevarla, pero a saber cuándo tendría la posibilidad de traerla de vuelta.

A Grace le ardían las mejillas como si hubiera estado mirando durante horas el fuego de una hoguera. ¡Todo era tan emocionante! En la vieja y querida Inglaterra no pasaban cosas así.

Pero entonces se dio cuenta de que Vikrama se había puesto serio de repente.

—¿Qué sucede? —preguntó preocupada al ver que él se ponía frente a ella y le agarraba los brazos suavemente.

—Es vital que no le cuente nada de esto a su padre. Por favor, guarde en secreto todo lo que le he dicho.

Grace no salía de su asombro.

—Pero…

—Aún no sé qué tipo de hombre es su padre. En los años de la conquista de la India los ingleses intentaron acabar con los guerreros *kalarippayatt*. Me consta que en algunas plantaciones castigaban duramente a quienes descubrían practicando esta lucha. Ha de saber que aún hoy está prohibida.

—No pretenderá usted... —dijo Grace con el poco aire que le quedaba.

—No, no vamos a atacar a los ingleses. Ni siquiera somos tantos como para siquiera planteárnoslo. Los pocos hombres que como yo la practican, solo pretenden mantener viva una tradición. Por eso cruzo a hurtadillas de noche el patio y busco el cobijo de la jungla para reunirme con los otros. Y por eso no quería decirle a qué me dedico a esas horas intempestivas.

La comparación con el caballero de cuento no iba tan desencaminada. Grace necesitó un momento para asimilar lo que acababa de oír. Ese joven tan encantador practicaba una lucha prohibida por los colonialistas que podía suponerle un duro castigo. Y le había confiado su secreto ni más ni menos que a la hija de su señor.

—¡Pero cómo se le ocurre contármelo a mí! —exclamó alterada—. ¡Ahora mismo podría ir a decírselo todo a mi padre!

—Ya lo creo que podría —dijo Vikrama con una sonrisa—. Pero sé que no lo hará. Lo sé desde que no delató a la pequeñuela que le robó fruta a su cocinera. Quizá usted no lo sepa, pero eso los señores lo consideran robo, y aunque solo se trate de comida constituye un delito grave que se castiga con la pena de azotes.

—Puede que sea así, pero no tratándose de una niña.

Vikrama asintió con tristeza.

—A los niños también se los azota. No se tiene en cuenta el sexo ni la edad del ladrón.

Grace meneó la cabeza en señal de asombro.

—¿Cómo sabe lo de la niña?

—Ella misma me lo contó. Es la hija de unos amigos a los que precisamente he visitado hoy. Por eso me ha encontrado aquí. Estaba volviendo a casa.

Con una nueva sonrisa Vikrama le soltó los brazos. Y aunque no le había apretado con fuerza, Grace seguía sintiendo la presión de sus manos; y con ella, una extraña y arrebatadora excitación.

—Prometo no decir nada —susurró al fin—. Pero usted tendrá que prometerme que será más cuidadoso —añadió antes de que él pudiera responder—. Por cruel que sea el castigo por robo, seguro que si lo descubren le esperará uno mucho peor.

—No se preocupe, señorita Grace. Mientras nadie sepa lo que hago, no hay castigo que temer. Ahora lo mejor será que la acompañe a su casa. Imagino que la estarán echando en falta en el baile.

Mientras desandaban el camino en silencio, Grace se preguntó si realmente habrían notado su ausencia. Probablemente su padre y su madre tenían tantas cosas que contarle a los Stockton que ni siquiera se habían dado cuenta. Y Victoria habría hecho migas con otros niños y, en el peor de los casos, estarían haciendo rabiar a las sirvientas o intentando acercarse al vino.

—¡Señor Vikrama, menos mal que ha encontrado a mi hija!

Grace se estremeció al ver a su padre. Aunque no habían hecho nada malo le preocupaba que pudiera hacerse una idea errónea.

—Me encontraba indispuesta y decidí salir un momento a tomar el aire —se apresuró a decir.

—Y el señor Vikrama se ha encargado de velar por tu seguridad.

—Iba de camino a casa, señor —repuso Vikrama sereno y cumplido—. Me he tomado la libertad de ir a visitar a unos amigos a la aldea de los recolectores. Y al ver a su hija algo desorientada me he brindado a acompañarla.

—Ha sido muy amable de su parte. Ven, Grace, quiero presentarte a un par de personas.

Cuando ella se volvió hacia Vikrama este hizo una suave reverencia y, tras lanzarle una mirada penetrante, se retiró.

Inmediatamente vio aparecer a Stockton por detrás de su padre, lo que significaba que había estado escuchando la conversación. Su sonrisa, entre irascible y burlona, resultó transparente para ella. Cuando había estado a punto de llevarse por delante a Victoria, Grace se negó rotundamente a que las acompañara, y en cambio ahora había aceptado de buen grado la compañía de un tamil. Grace hizo como si no se hubiera dado cuenta, pero la mirada de Stockton se le clavó en el omóplato como una flecha.

En el salón de baile, enseguida se sintió fuera de lugar. Sonreía como se esperaba de ella e incluso dejaba caer algún que otro comentario simpático, pero cada vez que tenía la oportunidad posaba la mirada en la ventana para toparse con una oscuridad que parecía el lomo de una bestia descomunal.

¿Estará ahora practicando esa lucha?, se preguntaba. ¡Cómo le gustaría salir fuera para verlo! Pero además de que no quería que peligraran él ni su secreto, su padre no la dejaría volver a escaparse. Cada dos por tres él o su madre requerían su presencia para hablar con algún invitado. Llegó un momento en que ya no fue capaz de asociar los nombres a las caras, pues eran tantos que resultaba imposible memorizarlos.

Después de lo que a Grace le pareció una eternidad, la recepción tocó a su fin. Los Stockton se despidieron, aunque no sin que Dean le soltara a su padre una ristra de cumplidos referidos a sus «preciosas hijas» y amenazara con volver pronto de visita. Los demás invitados también fueron yéndose; unas damas algo achispadas rieron como locas al ver a un hombre dando bandazos como un marinero en la cubierta de un clíper cargado de té.

—La hija de los Stockton es más aburrida que una ostra —le dijo Victoria de camino a su habitación—. ¿Has visto lo pálida que está? Siempre está enferma. El médico no sale de esa casa.

Grace, que apenas le había prestado atención, se limitó a decir:

—Ajá...

—Quizá te preguntes por qué lo sé. Pues porque una de sus manías es precisamente alardear de los muchos males que la tienen postrada en la cama. Según ella, en estos momentos sufre de mareos y taquicardias. De hecho ni siquiera quería venir a la fiesta, pero su madre se empeñó.

Grace siguió sin hacer ni caso a su hermana incluso cuando llegaron a su habitación y empezaron a desvestirse.

—Mary Cahill sí que es interesante. ¿Viste a la hija del señor Cahill?

Grace meneó maquinalmente la cabeza a modo de respuesta.

—Te digo yo que no tendrá ningún problema para pescar al marido adecuado. Porque ninguna de las dos somos varones, que si no ya nos habría echado el lazo.

Cuando se dio cuenta de que su hermana no la estaba escuchando Victoria se calló y se volvió hacia ella.

—¿Te encuentras bien? Te noto muy callada.

—No es nada. Lo que pasa es que estoy muerta de cansancio. Papá y mamá me han presentado a todos y cada uno de los invitados. No sabría decirte qué hijo o qué hija pertenece a qué familia.

—Pues cuantos más hijos hayas conocido, mayores son tus posibilidades de no acabar emparentada con los Stockton, ¿no crees? —Victoria soltó una carcajada, pero en cuanto vio que su broma no le hacía gracia a su hermana mayor, se sentó junto a ella en el borde de la cama.

—¿Dónde estabas cuando papá salió a buscarte?

—Dando un paseo —respondió Grace. Mientras se desabrochaba los botones del vestido, solo pensaba en meterse en la cama o sentarse a solas junto a la ventana para poder reflexionar.

—¿Un paseo? ¿Sola y a oscuras? —Las pupilas de Victoria se dilataron como si hubiera visto algo espantoso—. Podía haberte atrapado un monstruo.

—Dudo mucho de que por aquí haya monstruos. Los únicos que casan con ese apelativo estaban en el baile. En los galpones del té todo estaba tranquilo. Me cuesta creer que exista algo así como unos fantasmas del té.

—¡Nunca se sabe! —Victoria levantó el dedo índice en señal de advertencia—. Cada lugar tiene sus fantasmas, y este no es una excepción. Puede que el tío Richard recorra por las noches los campos de té para inspeccionar sus dominios.

El tono lúgubre, como de novela de terror, que su hermana había empleado con maestría, hizo que un escalofrío le recorriera la nuca.

—Tonterías —concluyó Grace mientras se levantaba para quitarse el vestido—. El fantasma del tío Richard no vaga por esos campos. Si no ya se nos habría aparecido. No olvides que los fantasmas necesitan público.

Besó a su hermana en la frente, se quitó el resto de los refajos hasta quedarse en ropa interior y se metió en la cama. Finalmente, Victoria claudicó y entre suspiros hizo lo propio.

Sin embargo, aquella noche Grace no se asomó a la ventana. Con los ojos como platos se limitó a escrutar el blanco techo de su habitación mientras daba vueltas a las preguntas que le quitaban el sueño.

Las más importantes tendría que habérselas planteado directamente a Vikrama en su paseo nocturno. ¿Tenía mujer? ¿O novia?

Consternada, comprobó que sentía algo muy cercano a los celos sin siquiera conocer la respuesta.

Para no seguir torturándose con esas mujeres fruto de su fantasía intentó imaginarse cómo sería aquella enigmática lucha. ¿Se batirían a espada como los caballeros? ¿O más bien luchaban como en esos combates que se organizaban en los patios traseros de Londres? Naturalmente jamás había visto ni lo uno ni lo otro, pero las novelas baratas de Victoria se bastaban y se sobraban para avivar su imaginación. Excitada pero exhausta, cerró los ojos y se sumergió en un sueño intranquilo plagado de imágenes perturbadoras de hombres extraños envueltos en ropajes no menos extraños.

Las semanas que siguieron a la fiesta Grace exprimió cualquier posibilidad de conocer la vida de las recolectoras, familiarizarse con los alrededores y de paso encontrarse como por casualidad con Vikrama, quien poco a poco iba dejando aflorar su carácter y sus sentimientos bajo su intachable sentido del deber.

Aún seguía desapareciendo cada noche tras los arbustos para volver a salir de entre la maleza después de unas horas. Pero a veces miraba al frente, y en cuanto la veía asomada a la ventana, sonreía. En otras ocasiones iba tan inmerso en sus pensamientos que no se paraba a mirar, y entonces Grace se desesperaba intentando imaginar qué pensaba.

Pero las horas de vigilancia no tardaron en exigir su tributo, y Grace empezó a levantarse cada vez más tarde.

—Ya no vienes nunca por clase —le reprochó Victoria una mañana mientras ella se desperezaba—. El señor Norris ha preguntado por ti. Y papá está extrañado de que lleves dos semanas pidiendo que te traigan el desayuno a la habitación.

—Ahora me dedico a observar la vida en la plantación —repuso esquiva, rezando para que su hermana no descubriera el verdadero objeto de sus paseos solitarios.

—¿Y qué haces por las noches cuando todos dormimos?

Al ser pillada en falta, Grace no pudo hacer otra cosa que callar.

—Últimamente te veo muy a menudo asomada a la ventana mirando la luna. ¿No serás sonámbula, verdad?

—Qué va… Lo que pasa es que con tanta claridad me cuesta dormir —respondió con la esperanza de que Victoria se lo tragara. Al fin y al cabo, desde su cama no podía ver qué pasaba fuera.

—También he observado que te pasas el día sonriendo para tus adentros, como cuando se tiene una buena idea —añadió Victoria animada por creerse cerca de desvelar los secretos de su hermana mayor—. No serás como esos poetas que le dedican odas a la luna, o como ese pintor alemán que no hace más que paisajes nocturnos…

—¿Te refieres a Caspar David Friedrich? No, me temo que Dios no me ha concedido ese don. —Al constatar la inocencia de su hermana, Grace se sintió algo más segura—. Créeme, lo único que pasa es que desde que llegamos siempre me despierto a la misma hora, y solo pasada la medianoche puedo volver a conciliar el sueño.

—No suena muy normal —constató Victoria—. Deberías contárselo a un médico.

—Pero si aún no tenemos médico, tontuela —repuso Grace, y acarició el pelo de su hermana—. Además, me encuentro perfectamente. Quizá se deba a que aquí el día transcurre de distinta manera que en Inglaterra. He leído en uno de los periódicos de papá que aquí el sol sale varias horas antes que en nuestra vieja patria. Puede que me esté costando acostumbrarme a este nuevo horario. Ten en cuenta que también anochece antes.

Cuanto más hablaba, más le gustaba su explicación. Ni siquiera el señor Norris podría objetarle nada.

Durante la cena su padre sacó el tema. Cuando Grace le dio esa respuesta tan convincente, Henry le lanzó una mirada cargada de reproches a su madre.

—A nuestra hija le cuesta aclimatarse a este lugar. ¿No puede hacer nada al respecto la señorita Giles?

—¿Y qué quieres que haga para combatir el insomnio? —le espetó Claudia desconcertada—. ¿Cantarle nanas? —Luego se volvió hacia Grace y sonrió—. Querida, creo que lo primero que haremos será no llamarte para desayunar. Pero tú tendrás que esforzarte para volver a tener un ritmo de vida razonable.

—Lo haré —prometió ella con decisión, aunque en su fuero interno seguía asomada a la ventana viendo a Vikrama meterse entre los arbustos ataviado con esa extraña vestimenta.

Entre los puntos que trataron el señor Stockton y su padre durante la recepción estaba el de la conveniencia de contratar trabajadores ingleses en la plantación para tareas organizativas y supervisar la labor de las recolectoras. Henry contrató un segundo capataz, un rubio de facciones anchas llamado Jeff Petersen que había trabajado en una granja de ovejas en Nueva

Zelanda, cuyo rasgo más característico, además de su descomunal nariz, era llevar siempre consigo un látigo de piel trenzada. A pesar de hablar bajo, sus palabras siempre sonaban como una amenaza. Tenía aspecto de no tolerar el más mínimo fallo; en cuanto se ganara la confianza de su jefe implantaría con mano dura su disciplina.

Vikrama no estaba nada contento con la nueva incorporación. El té no tenía nada que ver con las ovejas, y las recolectoras no necesitaban que las azuzaran. Hasta entonces habían dado lo mejor de sí mismas porque apreciaban la vida en la plantación, porque apreciaban a Richard Tremayne incluso después de muerto, y porque su casta, el lugar en el mundo que los dioses les habían prescrito, les deparaba una vida de miseria fuera de la plantación.

—Discúlpeme, señor, ¿acaso no está satisfecho con mi trabajo? —le preguntó Vikrama a Henry en una de sus reuniones diarias. El nuevo capataz aún no se había incorporado, pero ya se respiraban vientos de cambio.

—Todo lo contrario, querido amigo. Estoy muy satisfecho con usted. Tanto es así que he decidido nombrarle mi administrador.

Vikrama lo miró sorprendido.

—Pero el señor Cahill…

—El señor Cahill es mi abogado, y sé a ciencia cierta que desempeña ese cargo a la perfección. Pero creo que usted desperdicia su talento siendo solo un capataz. El señor Petersen estará bajo su mando. Si hiciera algo que su experiencia desaconsejara, está facultado para darle las instrucciones que estime pertinentes.

Aun así, Vikrama no se quedó tranquilo. Conocía a las trabajadoras y sabía cómo motivarlas sin usar el látigo, y bastaba ver a Petersen para saber que todo eso cambiaría en cuanto campara a sus anchas por los campos.

—No parece muy contento con mi decisión.

—Usted es quien manda, señor. Sé que todo lo que hace es por el bien de la plantación.

Henry le lanzó una mirada escrutadora y luego asintió.

—Tómese un té conmigo, señor Vikrama. Tenía usted razón; producimos un té de primerísima calidad.

Vikrama aceptó su invitación y al poco rompió el silencio para decir:

—¿Se ha dado cuenta de que las mujeres cantan mientras trabajan en los campos?

Henry frunció el ceño. ¿A qué venía esa observación?

—Cuando me enseñó la plantación no me pareció oír nada.

—En efecto, pero fue porque nos vieron aparecer. Pruebe a acercarse a los campos de té sin ser visto y podrá oír sus cantos.

—Eso está muy bien, y seguro que es una experiencia muy grata, ¿pero qué relación guarda con nuestra conversación?

—Ninguna, señor. Solo quería que lo supiera. Sus bellos cantos muestran lo contentas que están. Mientras esos cantos planeen sobre las plantas, Vannattuppūcci seguirá produciendo un té excelente, y usted obtendrá fama mundial.

Henry encontró sus palabras disparatadas, pero no dejó entrever su extrañeza. ¿Qué demonios había querido decir? No era propio de un hombre inteligente como él decir esas cosas a la ligera…

De pronto se vio aguijoneado por la desconfianza. ¿Acaso ese muchacho le estaba amenazando con poner a esa gente en su contra de no plegarse a sus deseos?

Henry escrutó el semblante de su capataz, y a pesar de mostrarse impasible, no pudo quitarse la sensación de que algo bullía en su interior. No pienso quitarle el ojo de encima, en ningún momento, se dijo.

En cuanto llegaron las nuevas incorporaciones algo cambió en la plantación. La productividad subió, y en los campos no volvió a oírse la voz de las recolectoras. Las mujeres trabajaban más rápido, pero ya no cantaban. Cantar, en opinión del señor Petersen, las distraía de su tarea.

Henry Tremayne no percibió el cambio. Había ignorado las palabras de Vikrama, y su administrador no insistió.

También Vikrama había cambiado. Se había vuelto más esquivo e introvertido. Sabía que Petersen y su gente no se dejarían mangonear por un mestizo, y que en caso de conflicto el señor Tremayne se pondría de su parte.

Lo achacaba a haber acompañado a la hija de Tremayne la noche del baile. Seguro que Stockton le había hecho ver que aquello no era apropiado. Stockton, el mismo con quien el amo Richard había competido a muerte y al que en su fuero interno Vikrama creía responsable de su muerte. ¿Acaso iba a servir de algo decírselo al señor Tremayne?

Lo mejor era callar. Al fin y al cabo, los ingleses siempre acababan haciendo piña, bien que lo sabía él. Y también era aconsejable mantenerse lo más alejado posible de sus hijas, por mucho que le doliera esquivar a Grace. La inigualable Grace, que con su piel blanca tanto se distinguía de las demás mujeres. Nunca había sentido tanta simpatía hacia una mujer en tan poco tiempo.

Pero por el bien de su gente estaba obligado a evitarla. Cualquier cosa con tal de que Tremayne no se hiciera una idea equivocada…

Aunque su padre ignoraba la transformación de Vikrama, Grace era muy consciente de ella. Cuando se cruzaban ya no se paraba a charlar de manera distendida con ella. Era verla y retroceder, y a veces incluso hasta se ponía firme, lo que provocaba que Grace, presa de la inseguridad, se retrajera y se refugiara en sus pensamientos, en los que él ocupaba a menudo el papel protagonista. Pero cuando la decepción se disipaba, se preguntaba qué podía estar motivando esa actitud. ¿Había problemas en la plantación? ¿O los problemas eran más bien con su padre? A ella no le había pasado inadvertida la llegada de los hombres recomendados por Stockton, ni que Vikrama pasaba la mayor parte del tiempo metido en la oficina en vez de estar a pie de campo. ¿Tendría Stockton algo que ver en todo eso?

299

A pesar de no tener pruebas, el odio hacia su vecino no paraba de crecer.

Una mañana cálida y soleada, mientras en el cuarto de estudio Victoria sudaba la gota gorda con el dictado del señor Norris, Grace decidió que iba siendo hora de escribir a sus amigas de Londres. Pensó hacerlo al poco de llegar, pero con tanto que ver y tanta novedad no había podido.

De pronto un alarido estridente la hizo mover abruptamente la pluma. Un rayajo atravesó lo escrito como una cicatriz.

Pero eso era lo de menos. Creyendo que debía de haber sucedido algo se apresuró a mirar por la ventana, y al no ver nada extraño salió de su cuarto.

Sorprendentemente, nadie salvo ella parecía haberse enterado del estruendo. Al asomarse a las altas ventanas del recibidor vio a un montón de gente congregada junto a los galpones del té. Los gritos seguían resonando en el patio. ¿Qué estaba pasando?

En un primer momento pensó en avisar a su padre, pero había abandonado la plantación al alba, y su madre estaba otra vez en la cama con migraña.

Ya que nadie iba a hacer nada, se arremangó la falda y salió corriendo.

El sonido agudo y siseante que se intercalaba entre los gritos hizo que se le helara la sangre. Lo había oído antes una vez, en Plymouth, donde habían embarcado hacia Ceilán.

Las mujeres se apartaron sorprendidas al verla pedir paso.

Petersen golpeaba con su látigo a una mujer atada a una palmera.

Grace se quedó paralizada al ver la sangre correr por su ropa hecha girones.

—¡Basta! —exclamó, pero él volvió a restallar el látigo contra la espalda de la mujer.

Grace se estremeció, pero siguió avanzando. Algunos hombres retrocedieron asustados; uno le dijo algo a Petersen que Grace no llegó a entender.

Estaba claro: solo una cosa pararía al capataz. Cuando, sin pensárselo, Grace se puso delante de la mujer, se detuvo.

Petersen soltó un gruñido de ira. Luego pareció reconocerla.

—¡Apártese, señorita Grace!

Menudo insolente, pensó enfurecida. ¿Cómo se le ocurre darme órdenes?

—¡Si no ceja en su empeño será a mí a quien golpee! —le espetó a Petersen, que había vuelto a levantar el brazo—. Y créame, le va a costar explicarle a mi padre por qué a su hija le cruza la cara una herida sanguinolenta.

De pronto el tiempo pareció detenerse. El renacido murmullo de las recolectoras enmudeció.

Petersen se mordió el labio, como si sopesara los pros y los contras de un nuevo latigazo. Finalmente bajó el brazo.

—¡Es mi deber castigar a esa mujer! —rugió—. Ha robado.

—¿Qué ha robado, señor Petersen? ¿Té?

—Ha osado comer del manzano.

Grace soltó una bocanada de aire y meneó la cabeza perpleja.

—¿La azota por arrancar un par de manzanas? ¿De ese árbol? —Grace señaló un árbol cuyo aspecto evidenciaba que no era propio de esas tierras. ¿Qué habría impulsado a su tío Richard a plantarlo ahí para luego relegarlo al olvido?—. ¿Ha probado alguna vez alguno de sus frutos?

—Jamás me atrevería, señorita —repuso Petersen sacando pecho.

—¡Pues debería! —le espetó—. ¡Esas manzanas no sirven ni para cocinar! ¡Por eso siguen ahí! ¡Cualquiera que tenga ganas puede arrancar una y comérsela!

—Pero qué diría su padre si…

—¡A mi padre no le importa nada ese manzano! Y aunque no fuera así, jamás consentiría que se azotara a una mujer por semejante motivo. Castigos como ese, señor Petersen, son más propios de la Edad Media que de una sociedad civilizada como la nuestra. ¡Haga el favor de soltar a esa mujer! ¡Y encárguese de que la curen!

El capataz apretó los dientes, pero como Grace no parecía arrugarse enrolló su látigo. Finalmente no pudo evitar decir:

301

—¡Informaré a su padre de lo sucedido!

—No dude en hacerlo. Pero tenga cuidado, señor Petersen, ¡porque si no seré yo quien le informe!

Por un instante sus miradas se cruzaron, y al mirar los ojos del capataz, Grace supo que ese hombre encontraría la manera de devolvérsela. Pero si soy la hija del dueño, se dijo. Al fin y al cabo, un día seré yo quien dirija la plantación, con marido o sin él.

Cuando su padre volvió, apenas tardó unos minutos en enterarse del incidente y llamar a Grace. Nada más entrar en el despacho, vio que junto a su padre estaba Vikrama más blanco que la pared.

—¡Siéntate, Grace! —le ordenó su padre visiblemente enfadado.

Mientras Grace se sentaba en la silla que había delante de su escritorio, su padre se levantó y se puso a dar vueltas por la estancia como un león enjaulado. Grace dirigió la mirada a Vikrama, pero al ver su gesto de espanto la apartó. Probablemente su padre le pondría un castigo ejemplar por su impulsividad.

—El señor Petersen me acaba de contar el incidente de esta mañana.

—¡Ha azotado a una mujer, papá! —exclamó ella—. ¡El resto no son más que mentiras!

—¡Grace!

El tono empleado por su padre la hizo enmudecer.

—Perdón.

Grace agachó la cabeza y a duras penas contuvo la rabia. ¿Iba a castigarla porque el capataz se había comportado como un verdugo medieval?

—¡No hace falta que te diga que tu comportamiento no es propio de una joven dama! ¡Podías haber resultado herida!

—¿Así que permites que el señor Petersen azote a las recolectoras? ¿Por arrancar unas manzanas que no nos hemos dignado a tocar?

—Es una cuestión de principios. ¡Un robo es un robo!

—¡Eso, en todo caso, es robar por necesidad! Que yo sepa en Inglaterra el robo no se castiga a latigazos.

—No, pero se despide al ladrón y no se le dan referencias.

—¡En realidad tendrías que indemnizarla por los daños causados! —Grace echaba fuego por los ojos. Aquel hombre no era su padre, sino una perversa marioneta dirigida por Stockton—. ¿Desde cuándo nos comportamos como bárbaros?

Henry Tremayne frunció los labios. Las mejillas se le enrojecieron. Todo indicaba que estaba a punto de estallar. Grace sintió cómo se le contraía la boca del estómago. No era miedo, sino el reconocimiento de que su padre no estaba de su lado. Probablemente en su disputa con Petersen habría tomado partido por él.

—¡Que sea la última vez que te inmiscuyes en los asuntos de mis empleados! —dijo con voz queda, aunque no por ello sus palabras dejaron de sonar amenazantes y cargadas de ira—. Por tu falta de respeto, te castigo a no salir de casa en todo el día. Bajo ningún concepto quiero verte por ahí fuera. ¿Me has oído?

Grace miró a su padre desconcertada. La última vez que la castigó a no salir de casa fue hacía ocho largos años. Ocurrió en una fiesta al aire libre a la que asistió con un vestidito blanco de puntillas y se empeñó en subirse a un árbol para ver el parque desde lo alto. El vestido quedó hecho una pena y ella tuvo que pasarse el resto del día aburrida y sola en su cuarto porque su madre se llevó a la pequeña Victoria.

No hablas en serio, estuvo tentada de decir, pero esas palabras se le quedaron formando una bola en la garganta. Volvió a mirar a Vikrama, cuyo gesto no alcanzó a interpretar, y finalmente se levantó de la silla.

Su padre la miró con los ojos desencajados.

—Mañana espero recibir una disculpa de tu parte. Puedes irte.

Grace tenía el corazón encogido. Habría llorado de rabia y decepción, pero retuvo las lágrimas al volverse y abandonar lentamente el despacho. Siguió controlándose al cruzar el recibidor. Junto a la escalera vio a su madre charlar con la señorita Giles acerca de la imagen de las divinidades bajo la que no cesaban de aparecer flores puestas por unas manos invisibles. Llevaban instalados ya un mes y aún no habían visto a sus devotos, que parecían estar al acecho hasta encontrar el momento oportuno para depositar sus ofrendas.

Grace pasó por delante de ellas sin hacer ruido y enfiló el pasillo. Allí, al cobijo de la penumbra, dejó que las lágrimas manaran libres. Lloró en silencio por la injusticia cometida contra ella y por la falta de interés por el bienestar de los empleados mostrada por su padre. Sin duda aquello era lo peor.

Al llegar al final del pasillo se detuvo. Oyó claramente que su hermana canturreaba. Probablemente estaría sentada frente al caballete pintando.

Sabía que en cuanto cruzara la puerta con esa cara le preguntaría qué había pasado. Y aunque también sabía que Victoria se pondría de su lado, prefirió no hablar del tema para que no se enterara del inmenso dolor que le había causado su padre.

Tras meditarlo un rato decidió encerrarse en el cuarto de estar de su tío. Que ella supiera, su padre aún no había tomado posesión de esa estancia. De modo que dio media vuelta y encaró la puerta que hacía unas semanas habían abierto su hermana y ella.

Hasta allí llegaban las voces de su madre y la señorita Giles. Como si temiera que fueran a oírla, Grace giró el pomo de la puerta con el mayor de los sigilos.

Nada más cruzar el umbral, sintió como si una extraña magia se apoderara de ella; como si el tío Richard en persona la hubiera estado esperando para consolarla. Las lágrimas se secaron y se le aclararon las ideas. La terrible injusticia sufrida pasó a un plano secundario y nuevos pensamientos ocuparon su mente.

¿Quién era Richard Tremayne?

En ese momento Grace sintió en el alma saber tan poco de él. ¿También la habría castigado por salir en defensa de una mujer afincada en su propiedad? ¿Cómo trataba a su gente? Lo poco que le había oído a Vikrama sobre él siempre había sido elogioso.

No tardó en renunciar a la esperanza de que Richard hubiera podido dejar algún testimonio. No era propio de los hombres de la familia Tremayne escribir diarios. A poco que Richard se pareciera a su hermano, había que imaginarlo como un hombre enérgico, apegado al aquí y al ahora y no muy dado a ensimismarse en sus recuerdos o pensamientos.

Que ella lo hiciera descendiendo de los Tremayne tenía que deberse a la herencia materna. Su madre también se pasaba el día inmersa en sus pensamientos, pensamientos que el médico señalaba como causa de sus migrañas, pero a los que ella no estaba dispuesta a renunciar.

Cuando cerró la puerta el llanto desesperado quedó reducido a un débil sollozo, similar al de un niño que, al momento siguiente, olvida por qué lloraba. Atravesó la estancia con parsimonia, pasando la mano por encima de las sábanas para palpar el contorno de los muebles que yacían ocultos debajo. Levantó la tapa del piano y apretó una tecla blanca. La nota que siguió a su gesto sonó desafinada; era evidente que nadie lo había tocado desde antes de la muerte de su tío. ¿Por qué lo había adquirido entonces? ¿Quizá para aprender a tocar?

Tampoco eso le pareció muy probable. Más bien lo querría para impresionar a sus amigos y camaradas del club.

Llevada por un impulso repentino, se acercó a la pequeña cómoda estilo Imperio que había debajo de un paisaje que mostraba un lago y una casa señorial. De primeras pensó que se trataba de Tremayne House, pero al ver que no era así quedó un poco decepcionada. El cuadro no tenía ningún valor sentimental; su tío debió de colgarlo ahí para decorar las paredes austeras.

Quitó la sábana que cubría la cómoda y abrió el primer cajón. La expectación hizo que se le acelerara el pulso. ¿Encontraría allí algo con lo que poder hacerse una idea del tío Richard?

Al quejido de la madera seca le siguió la visión del forro de terciopelo rojo que cubría el receptáculo. Las marcas que había en la tela dejaban claro que algo había albergado en su interior, algo que faltaba hacía tiempo. Grace pasó los dedos por el terciopelo y tras cerciorarse de que el cajón estaba vacío, lo cerró y siguió con el de más abajo. En ese había unos cuantos papeles sueltos, facturas amarillentas con caracteres tamiles, una lata de tabaco vacía y una cadenita de latón rota; baratijas de las que quedan después de vaciar un cajón y llevarse lo importante.

En el último, que se resistió a abrirse lo suyo, tampoco parecía haber nada. Pero al tirar de él, además del consabido quejido, sonó un golpecito sordo, como si la madera chocara contra un tope. Espoleada por aquel ruidito, Grace intentó abrirlo de nuevo… y finalmente obtuvo su premio.

Si habían puesto el objeto tan atrás a propósito o si había acabado allí al forcejear, Grace no podía saberlo, aunque tampoco quiso darle mayor importancia; se limitó a extraerlo con el mayor de los cuidados. El medallón era muy antiguo. La plata estaba bastante manchada y la cadena, casi negra. Con las manos temblorosas, trató de abrirlo, pero en un primer intento no lo logró. ¿Se estaría resistiendo a revelar su contenido?

Oyó voces acercarse a la puerta y se quedó paralizada. ¿Querrían la señorita Giles y su madre hablar con ella? Grace luchó contra el impulso de salir de allí corriendo y fingir que venía de hablar con su padre. En lugar de eso, se acurrucó contra la pared junto al cuadro y se aferró con ambas manos al medallón como si fuera un objeto mágico que pudiera volverla invisible. Las voces pasaron de largo y se desvanecieron. Luego sonó una puerta. Nuestro cuarto, pensó aterrada. Ahora Victoria le dirá a mamá que no me encuentro allí, que papá me mandó llamar.

¿Irían a buscarla? ¿Pero por qué tenía tanto miedo? Esa habitación no era más que parte de la casa.

Mientras intentaba aminorar el ritmo de su respiración, sentía cómo el medallón se iba calentando entre sus manos y volvió a oír un ruido. Unos pasos se acercaban; esta vez no oyó voces. Las dos personas –su madre y la señorita Giles– pasaron por delante de la puerta del despacho sin detenerse y se dirigieron nuevamente hacia el recibidor.

Grace respiró aliviada y miró de nuevo el medallón. Sin la ayuda de un abrecartas o de un alfiler no conseguiría abrirlo. Se colgó al cuello esa cadena que desprendía un fuerte olor a óxido y ocultó el medallón debajo de la pechera. Luego cerró el cajón, tapó la cómoda y tras echar un último vistazo al cuadro abandonó la habitación.

Como suponía, Victoria estaba sentada frente al caballete pintando una composición de flores de franchipán con un chal plateado de fondo.

—¡Ah, eres tú! Creí que era la señorita Giles de nuevo. ¿Cómo ha ido la conversación con papá?

—No muy bien que digamos —respondió Grace.

—He oído lo que hiciste. No se habla de otra cosa en toda la plantación. Se lo contó un trabajador al señor Norris mientras yo fingía estar inmersa en mis deberes. Fue muy valiente por tu parte.

—¿Tú crees? —Grace se tumbó en la cama entre suspiros—. Me ha castigado a no salir del cuarto en todo el día. Pero lo peor fue que me regañó delante del señor Vikrama, ¡como si fuera una niña pequeña!

—¿Castigada sin salir? —dijo Victoria arqueando las cejas—. ¡Pero si tienes dieciocho años! ¡Cómo se le ocurre!

Grace se encogió de hombros indignada.

—Está claro que así no se trata a un adulto. Ya no sé qué pensar. Hace un par de semanas se suponía que era libre de hacer lo que se me antojara.

—Aunque ya no estemos en Inglaterra, somos gente civilizada que no permite atrocidades como la pena de azotes. Ten por seguro que papá le dará un escarmiento a ese capataz. ¡Pero tienes que comprender que él es el dueño de Vannattuppūcci y no tú!

—¿Y quién iba a ayudar si no a esa pobre mujer? No había nadie para detener a ese salvaje. —Nada más decirlo pensó en Vikrama, pero luego recordó que su padre no lo dejaba ni a sol ni a sombra.

Sin siquiera tocar la cena que una de las doncellas le había llevado a su cuarto, Grace se sentó junto a la ventana abierta. Eso no podía prohibírselo su padre. Los verdes arbustos se desdibujaban tras un mar de lágrimas mientras se entregaba a la autocompasión. En cuanto Victoria bajó al comedor, se echó a llorar desconsolada.

¿Por qué no le había dado la razón? ¿Cómo había sido capaz de castigarla en presencia de Vikrama?

Eso y el hecho de que Petersen anduviera mofándose de ella, eran dos cuchillos al rojo que tenía clavados en el pecho.

Su padre la había traicionado. ¡Jamás pensó que algo así llegara a suceder!

—¡Eso fue una estupidez!

Grace se sobresaltó. Al asomarse a la ventana vio a Vikrama vestido con su atuendo negro. Estaba pálido y los ojos le brillaban. ¿Qué hacía tan cerca de la casa? Como alguien lo viera…

Pero Grace no encontró fuerzas para echarlo.

—No tuve más remedio —dijo enjugándose las lágrimas con el dorso de la mano—. No pude soportar ver cómo desollaba a latigazos a esa mujer. ¡Por el amor de Dios, pero si no hizo más que arrancar un par de manzanas agrias!

—Agrias o no pertenecen a su padre —repuso Vikrama.

¿También él estaba de su parte? De pronto sintió un anhelo irrefrenable de volverse a Londres. Se había dejado engañar por el hermoso paisaje. Ahora veía claro que en cuanto los hombres se alejan lo suficiente de su patria dejan salir a la bestia que llevan dentro.

—¡Esas manzanas también son mías! ¡Yo misma las habría arrancado del árbol para dárselas! —insistió obstinada.

—Eso habría sido otra cosa. Pero el caso es que se ha cometido un robo. Avisaré a las mujeres para que no vuelvan a hacerlo. Ahora tenemos un nuevo amo que ignora las costumbres de su predecesor.

El desprecio que destilaron sus palabras asustó a Grace.

—¿Significa eso que mi tío permitía a la gente comer manzanas del árbol?

Una sonrisa nostálgica asomó en el rostro de Vikrama.

—Así es.

—¿Y por qué no se lo ha dicho a mi padre? De saberlo…
—Grace se detuvo al ver la triste expresión de sus ojos.

—Las cosas han cambiado un poco desde que contrató a esos hombres —dijo bajando la voz—. Me ha convertido en su perro faldero, en un hombre que apenas tiene ya nada que ver con la gente de ahí fuera. Tengo que acompañarlo a reuniones y darle instrucciones al capataz. Pero sé que en cuanto aprendan lo esencial me volveré superfluo y con todo el dolor de mi corazón tendré que irme. No nos engañemos, un mestizo tamil no puede ocupar un cargo importante en la plantación.

Maldito Stockton, rabió Grace; solo él ha podido meterle ese soniquete en la cabeza a papá.

—No creo que mi padre piense así. Él aprecia sus capacidades y por eso lo quiere a su lado; aún no anda muy ducho en el cultivo del té.

—Puede ser —admitió Vikrama mientras se miraba las manos, que en vano procuraban no temblar—. Seguro que me equivoco. Lo único que me tranquiliza es que aún mantengo una buena relación con los trabajadores y las recolectoras. Confían en mí, y bajo mi mando han trabajado de buen grado para su señor. Pero ahora los hombres de Petersen patrullan por la plantación innecesariamente armados, y Petersen azota a una mujer por el supuesto robo de unas manzanas. —El temblor se extendió por todo su cuerpo; era evidente que ardía en deseos de leerle la cartilla a Petersen y a los suyos. Luego miró a Grace. Su mirada casi la derritió—. Le agradezco mucho que diera la cara por mi gente y que defendiera a Naala.

—¿Se llama Naala?

Vikrama asintió.

—Intentaré acordarme.

—Los verdugones que deja el látigo la acompañarán toda la vida. Jamás olvidará quién se lo hizo y por qué. Pero tampoco olvidará que la hija del amo evitó que fuera aún peor. Nadie lo olvidará en mi pueblo.

De pronto sus rostros se acercaron tanto que casi podía haberla besado. Pero en lugar de eso bajó la mirada hacia el suelo y se apartó.

—¡Señor Vikrama! —exclamó antes de que pudiera marcharse.

—¿Sí, señorita Grace?

—¿Sería posible…? —titubeó ella al pensar que quizá se estuviera propasando.

—¡Dígame! —Vikrama había recuperado la sonrisa.

—¿Podría usted enseñarme un poco de tamil? —dijo al fin alentada por su cambio de humor.

—Pero si aquí casi todos hablamos inglés.

—Lo sé, pero… cuando pasó lo que pasó me habría gustado consolar a Naala en su lengua. Y también me habría gustado entender lo que decían las mujeres de alrededor. Creo que sería un buen gesto por mi parte entender su lengua… ¿No le parece?

El corazón pareció salírsele por la garganta y volvió a hacerse presente el dichoso nudo del estómago. De pronto se sentía estúpida. Vikrama tenía razón, allí todos hablaban inglés. Y después del incidente de esa mañana seguramente la gente no querría que los señores entendieran su lengua; así podrían quejarse sin que los castigaran.

—El tamil no es una lengua fácil —señaló Vikrama tras observarla un instante—. Pero haré lo que esté en mi mano para que lo aprenda. —Dicho lo cual se dio media vuelta y desapareció entre la maleza.

Grace lo vio marcharse con una sonrisa en los labios. Luego se acordó del medallón. Lo sacó para mirarlo de nuevo y justo cuando iba a buscar una horquilla Victoria entró por la puerta.

Rápidamente volvió a ocultarlo bajo el cuello de su vestido.

—¿No comes? —preguntó extrañada su hermana al ver la bandeja intacta.

—Sí, iba a empezar a hora.

—Deberías. ¡Ese ave está exquisita! Además, no hay motivo para que sigas enfadada. Papá ha dicho que va a dar un escarmiento a Petersen por haber azotado a esa mujer. Probablemente lo único que le molestó fue que te entrometieras.

No, lo que le molestó fue comprobar que ya no soy la niñita buena que solía ser, pensó Grace para sus adentros, pero se limitó a asentir.

—Mañana por la mañana me disculparé ante él —afirmó sabedora de lo que tenía que hacer para recuperar su libertad.

A la mañana siguiente, después de que su padre le levantara el castigo tras oír sus disculpas, Grace se acercó a las viviendas de las recolectoras. Naala era una más de las mujeres que vivían con sus hijos junto a los campos de té. No tenía marido, pero sí dos criaturas. El hijo mayor ya tenía edad para trabajar, mientras que su pequeña solo tenía tres o cuatro años. Al ver llegar a Grace sus ojos se abrieron como platos y rápidamente se metió en la casa.

A Grace se le cayó el alma a los pies al ver la «casa», que en honor a la verdad habría que llamar choza o cabaña. La madera de las paredes estaba carcomida, y el techo, cubierto con unas hojas de palma que distaban mucho de ser impermeables. Grace casi se avergonzó de vivir rodeada de lujos.

Poco después, la niña volvió a aparecer y con un gesto la invitó a pasar. Dentro estaba oscuro, y en el aire flotaba un olor a hierbas medicinales y sangre seca.

Junto al catre donde Naala yacía boca abajo, había una mujer mayor con la piel más oscura que una cáscara de nuez. La vida había surcado de arrugas su rostro hasta formar un mapa. Con sus ojos negros miró de arriba abajo a Grace.

—Tú ser la joven ama.

Grace necesitó un momento para entender lo que dijo; tenía un acento muy marcado. Luego asintió.

—Así es.

—Tú ayudar Naala.

—Sí, y he venido a ver cómo está.

—Estar mal —dijo la mujer mientras bajaba un poco la sábana que cubría la espalda de Naala. Había cubierto las heridas con una pasta que en vez de taparlas hacía que destacaran aún más. Eran como fauces sangrientas abiertas en la piel.

Horrorizada, Grace se tapó la boca con la mano.

–Debería verla un médico.

La anciana meneó la cabeza.

–No médico. Yo cuidar de ella. Mi medicina y el tiempo curar heridas.

Sus palabras destilaban tal convicción que Grace desechó la idea de llamar a un médico. No obstante, dudaba de que la medicina tradicional bastara. Si las heridas llegaran a infectarse podría contraer gangrena, y Grace sabía por un artículo que en una ocasión leyó en un periódico lo espantosa que era la muerte por esa terrible enfermedad.

–¿Puedo volver para ver cómo va?

–Ama poder ir donde quiera –repuso la anciana mientras volvía a tapar a Naala.

Grace se sintió inútil. Deseaba ayudar a esa mujer, pero no sabía cómo.

El silencio que se formó entre ellas acabó siendo tan incómodo que prefirió despedirse, no sin antes prometer que volvería a pasarse por allí en los días venideros.

Para regresar, optó por cruzar los campos de té, que ese día parecían un suave manto verde. Bajo las miradas de sorpresa de las recolectoras, que enseguida volvían a su tarea, recorrió el angosto camino sin quitarle ojo a las nubes que adoptaban dramáticas formas sobre el azul del cielo. ¿Traerían lluvia?

–¡Señorita Grace! –oyó a alguien gritar.

Se protegió los ojos de la luz y distinguió a Vikrama. Ese día llevaba un chaleco y las mangas de la camisa remangadas. Tanto sus pantalones oscuros como sus botas estaban polvorientos. Era evidente que venía de montar a caballo.

–¿Sí, señor Vikrama? –dijo sonriente Grace.

–¿Aún sigue interesada en aprender nuestro idioma?

–¡Pues claro! –repuso–. Precisamente, ahora mismo acabo de lamentar no hablarlo. He visitado a Naala. La mujer que estaba con ella es una curandera, ¿verdad?

Vikrama asintió.

—Vino ayer de la aldea para sanar sus heridas. Ya verá qué pronto Naala estará otra vez trabajando.

A Grace no le pasó inadvertido ese sutil reproche. ¿Cuándo dejará de verme solo como la hija del dueño?

—Lo primordial es que las heridas se cierren y que no se le infecten. Sé por los libros lo que hacían en los viejos veleros: no era raro que los hombres que eran azotados murieran por sus heridas agangrenadas. No quiero que Naala muera.

—Es usted muy distinta a las mujeres inglesas que conozco, señorita Grace.

—¡Me lo tomaré como un cumplido! —repuso con una sonrisa—. Durante mucho tiempo yo también quise ser así, pero este lugar tiene algo mágico.

—Sí, transforma a las personas... Siempre que se dejen. —Vikrama rio para sí meditabundo y luego entrelazó las manos por detrás de la espalda—. ¿Qué le parece si mañana diéramos nuestra primera clase? Tengo la mañana libre.

—¿Y va usted a pasarla dándome clase?

—No tengo otra cosa que hacer. Y además puede resultar más beneficioso de lo esperado. Quizá su padre llegue algún día a interesarse por el tamil, y entonces será usted quien le enseñe.

Grace estuvo a punto de soltar una carcajada. ¿Su padre dejando que ella le enseñara? ¿Después de haberla castigado como a una chiquilla por tomar sus propias decisiones?

—Así lo haré si algún día llegara a mostrar interés —dijo por no quedar ante Vikrama como una mocosa enfurruñada—. ¡No sabe cuánto se lo agradezco! ¡Seré puntual!

Al llegar a casa a Grace le entraron las dudas. ¿Debía contárselo a su padre? Entonces recordó la mirada del capataz, esa mirada que clamaba venganza por su intromisión. Si por un casual la viera andar con Vikrama, seguramente inventaría una mentira que pondría a ambos en dificultades. No, lo mejor era poner las cartas boca arriba.

313

Cuando, durante la cena, nerviosa y un poco asustada, se lo comunicó a sus padres, recibió miradas de asombro.

—¿Pero por qué quieres aprender esa lengua inculta cuando aquí casi todo el mundo habla inglés? —preguntó su madre, que sabía perfectamente que su hija aún estaba resentida por el castigo.

—Quiero saber lo que esa gente piensa realmente —se explicó Grace mirando a su padre, cuya expresión no era nada halagüeña.

Al instante se dio cuenta de que sus palabras podían malinterpretarse. Pero ya era tarde.

—¿Insinúas que podrían estar conspirando contra nosotros? El rostro de su padre se tornó serio.

—No, yo solo… —Grace se detuvo. No quería causar la impresión de que esa gente tramaba algo contra sus amos. De lo contrario, Petersen no tardaría en azotar a otra mujer—. Yo solo quiero poder hablar con ellos. Me cuesta entenderlos por su acento, y además sería un buen gesto poder hablar su lengua.

—¡Margaritas a los cerdos! —resopló Henry para luego llevarse su vaso a los labios y vaciarlo de un trago—. Pero si esa gente no entiende más que de órdenes y obligaciones. Ellos mismos se sorprenderían si sus amos los trataran con cordialidad. —Grace frunció los labios. ¿Era eso un no?— Aunque he de admitir que sería una ventaja conocer su lengua. Al menos así, en caso de que tramaran rebelarse, lo sabríamos con tiempo. Me sería de gran utilidad que pegaras el oído cuando hablan entre ellos. De ese modo podría saber lo que piensan.

Grace tuvo la sensación de haberse tragado una piedra. El olor de la carne asada se volvió insulso de repente. Su padre quería que los espiara. Ahora se arrepentía de habérselo contado. Con todo el trabajo que tenía seguro que no habría tenido tiempo para interesarse por los secretos de su hija.

—¡Pues entonces yo también quiero aprender tamil! —exclamó Victoria.

—¡Tú ya tienes más que suficiente con las clases y los deberes del señor Norris! —exclamó su padre—. Hace unas horas me enseñó tu último dictado. ¡Parece mentira que una jovencita como tú tenga una letra tan espantosa!

Mientras Victoria hacía pucheros, Grace estuvo a punto de soltar un suspiro de alivio. Amaba a su hermana más que a nada en el mundo, pero por razones que ella misma ignoraba, no quería tenerla a su lado cuando Vikrama le diera clase.

—De acuerdo, Grace, el señor Vikrama podrá enseñarte. Pero a condición de que no le impidas cumplir con sus obligaciones.

—Él mismo se ha brindado a darme las clases fuera de su horario de trabajo.

—Y la señorita Giles también asistirá. En calidad de acompañante.

—¿De carabina? —exclamó Grace—. ¿Qué crees que va a pasar ahí?

—Espero que nada, por eso precisamente te acompañará. Si no estás de acuerdo no habrá clases.

Grace resopló, aunque era consciente de que no podía tensar más la cuerda. Que su padre le permitiera aprender esa lengua era una concesión que no podía poner en riesgo.

—De acuerdo, padre, la señorita Giles también vendrá —dijo en tono dulce—. La pobre se va a aburrir como una ostra.

—Ya se llevará labor para pasar el rato —dijo Claudia feliz por no tener que andar buscando ocupación para la gobernanta—. A mí también me parece muy bien que no estés a solas con ese hombre. Puede que sea un buen empleado, pero no sabemos nada de su vida privada. —Dirigió una mirada a su marido como si él pudiera ilustrarla—. Ha sido muy atrevido por tu parte pedírselo, podía haberte malinterpretado.

Grace volvió a fruncir los labios. ¿Qué creían, que iba a abalanzarse sobre ella como un crápula?

—Lo que tú digas, madre —repuso al fin. Acto seguido, aunque ya no tenía más hambre, se metió un trozo de carne en la boca para que nadie esperara que dijera algo más.

—¿Cómo se te ha ocurrido eso de aprender tamil? —le preguntó sorprendida Victoria, cuando las dos estaban en su habitación—. Creía que no podías soportar este país. Al menos eso decías hace tres semanas.

Grace sonrió ensimismada mientras observaba su costura. Hacía unos días había empezado a bordar una flor de franchipán en un pañuelo de seda.

—Es por la mujer de ayer. A la que azotaron.

—Explícate —la exhortó Victoria con gesto de no estar comprendiendo nada.

—Las demás mujeres murmuraban cosas que me habría gustado entender.

—¿Entonces vas a hacer de espía para papá?

—¡Pues claro que no! —respondió indignada Grace—. Dudo de que esa gente sea capaz de decir algo malo de nosotros.

—Puede que eso haya cambiado desde que el capataz azotó a esa mujer.

—Esperemos que no sea así. En cualquier caso, no pienso andar fisgando por ahí y ganarme aún más su desconfianza. Lo único que quiero es poder hablar con ellos.

Grace volvió a concentrarse en su bastidor. Acababa de terminar el contorno de otro pétalo cuando Victoria volvió a la carga.

—¿Te gusta el señor Vikrama? ¡Di la verdad!

Grace se pinchó un dedo con la aguja.

—¡Deja de decir disparates!

—¡No lo niegues! Soy tu hermana, y veo cómo te brillan los ojos cuando hablan de él. Y cuando eres tú quien lo menciona, ya ni te digo. No me extraña que papá te haya endosado a la señorita Giles.

¿Tanto se me nota?, se preguntó Grace asustada. Las mejillas se le pusieron rojas como tizones.

—Lo cierto es que es muy agradable —admitió—. Y también guapo, ¿no te parece?

—Tiene aires de dandi londinense, solo que este dandi ha tomado mucho el sol.

Los ojos de Victoria brillaron de complacencia.

—¡Y tú qué sabrás de dandis! —dijo Grace fingiendo indignación.

—¿Te has olvidado de nuestra fiesta de despedida? —repuso Victoria sentándose en el alféizar frente a su hermana mayor—. El señor Hutchinson vino en son de guerra. Y eso que tiene una mujer rica y, a decir de las otras damas, encantadora.

Al recordar a ese supuesto dandi Grace recobró la seguridad en sí misma y se echó a reír.

—¡Ya me acuerdo de esa chaqueta estampada! ¡Parecía un espantapájaros!

—¡No pegaba nada en un hombre de su edad! —añadió Victoria—. Las chicas jóvenes se rieron de él de lo lindo.

Ambas muchachas rieron a carcajadas.

—¿Sabes? Creo que no he sido sincera del todo —dijo Victoria una vez se hubo repuesto—. Creo que echo un poco de menos Londres y sus fiestas.

—¿De veras?

Mientras hablaba, Grace se dio cuenta de que ya no lamentaba no poder bailar en presencia de la reina. Algo había llenado el vacío de la oportunidad perdida. Algo que aún no sabía nombrar, aún no, pero que era mucho más satisfactorio que el lujo y el boato de los salones de baile.

—Me pregunto si yo tendré una puesta de largo. —Victoria dejó colgar las piernas y empezó a taconear contra la madera de debajo del fajón de la ventana—. ¿Crees que algún día volveremos a Inglaterra?

—Vas a tener que darle mucho la tabarra a papá, pero quién sabe… —Grace estaba convencida de que sería en vano, pero no quería quitarle la ilusión a Victoria.

—Por cierto, he oído que en Nuwara Eliya se celebra anualmente un gran baile para debutantes —dijo Victoria—. Lo hacen en un hotel de la zona. Lo financian los miembros del Hills Club para que sus señoras no se aburran y tengan algo que hacer.

Grace le guiñó el ojo a Victoria, que le devolvió una sonrisa maliciosa.

—Pero no creo que tengan preparada a una doble de la reina, ¿verdad?

—No, pero me han dicho que cuelgan una copia del retrato oficial —afirmó Victoria—. Así que también nosotras bailaremos delante de la reina.

Las dos hermanas estallaron nuevamente en carcajadas.

12

Diana se levantó a eso de las seis de la mañana. Una niebla se cernía sobre la plantación bañándolo todo en una extraña luz azulada. Como si aquello influyera en su canto, los loros lanzaban apocados gritos esporádicos. Por lo demás, en la plantación reinaba el silencio. Solo se oía el lejano crujir de las hojas de té, que llegaba a sus oídos como si fueran los susurros de los elfos.

Diana se levantó y fue descalza hasta la ventana. Al sentir el frío de las baldosas bajo los pies se desperezó, a lo que también ayudó la vista que tenía ante sí. La luz era totalmente distinta a la de Europa, la niebla allí no tenía nada de deprimente; más bien parecía el velo de una novia deseosa de mostrarle el rostro a su amado.

Diana se sentó en el alféizar y observó los rasgos de su propia imagen reflejada en el cristal. ¿Habría en ese cuarto algún resto de Grace? ¿Por dónde debía empezar a buscar?

Cuando la luz de la mañana cobró más intensidad y la niebla dio paso al sol, vio que en la parte inferior del marco de la ventana había una pequeña muesca. Era casi imperceptible, pero una vez descubierta Diana ya no podía dejar de verla.

Una mariposa, pensó Diana mientras su corazón se aceleraba como si acabara de encontrar el diario de Grace Tremayne. Entonces se bajó del alféizar y se agachó para examinar el marco. Al observarla de cerca, comprobó que se trataba de una talla complicada y minuciosa. ¿Sería de Grace o de Victoria?

La abuela de Emmely tenía fama de ser una magnífica pintora y dibujante. Por desgracia, el tiempo había devorado casi toda su obra, aunque en el salón de Tremayne House había dos carboncillos suyos que Diana recordaba vagamente. ¡Lo que daría por poder compararlos en ese mismo instante con la mariposa!

Se le pasó por la cabeza pedirle al señor Green una foto escaneada de los dibujos, pero luego se le ocurrió otra idea. Fue por su cámara, que en lo que llevaba de viaje solo había utilizado un par de veces.

Tras hacerle dos fotos comprobó algo frustrada que, en la imagen, la mariposa perdía respecto a la original, pero para una comparación valían de sobra.

Diana levantó la vista de la cámara y reparó en que justo donde estaba la mariposa la ranura que había entre el marco de la ventana y la pared se hacía más pronunciada. ¡Había incluso sitio para ocultar algo!

Siguiendo su corazonada abrió la ventana y se inclinó sobre la ranura. En un primer momento no vio nada. ¡Necesito más luz!, se dijo, y acto seguido se fue corriendo hacia la mesilla donde estaba su móvil; la débil iluminación de la pantalla le bastaría.

¡Hay algo en la ranura! ¿Una nota? ¿Un trozo de tela? Con los dedos fue incapaz de sacarlo. Quizá con unas pinzas…

Rápidamente apartó la cámara y sacó su neceser del cajón de la mesita de noche. Por lo que pudiera pasar, siempre iba a todas partes con sus pinzas de depilar. Poco después estaba intentando alcanzar con ellas la punta de papel grisáceo que se ocultaba en la ranura, tarea que no resultó nada sencilla. Evidentemente, su difícil accesibilidad era el motivo por el que nadie lo había encontrado. Cuando por fin logró atraparlo y lo sacó con sumo cuidado se dio cuenta de que no era un simple papel o un trozo de tela.

¡Era una carta! ¡Una carta oculta en una ranura!

—¡No puede ser! —murmuró, incrédula, al tiempo que su corazón se aceleraba.

«A modo de despedida, 1907», decía. Estaba lacrada con un sello que, cómo no, mostraba una mariposa.

¿Quién la habría escrito? ¿Victoria? La letra era parecida a la de la carta del panteón, aunque el trazo era más maduro y denotaba cierta inquietud, como si su autora hubiera estado muy alterada en el momento de escribirla. Un dato más a favor era que Victoria había regresado a Inglaterra.

Diana sopesó en su mano el grueso sobre marrón. Era evidente que contenía más de una hoja. ¿Qué habría en su interior? ¿Un último mensaje para un ser querido? ¿Se escondería ahí el motivo de la mala conciencia de Victoria?

Aunque la curiosidad la estaba matando, Diana decidió abrirla más adelante. Entre la muerte de Richard Tremayne y esa carta mediaban veintiún años, y en ese tiempo pudieron haber sucedido muchas cosas... A pesar de que cabía la posibilidad de que ahí estuviera escrita parte de la historia, decidió buscar más pistas antes de leerla.

Tras dedicar un rato a digerir lo que le había sucedido en lo que llevaba de mañana, se levantó y metió la carta en su bolso para evitar la tentación de abrirla. Luego buscó el portaplanos que contenía la hoja de palma; Jonathan lo había guardado cuidadosamente entre su ropa. Al abrirlo sonó un suave crujido.

—¿Predijiste el destino de alguna de las dos muchachas? —murmuró Diana mientras pasaba el dedo cautelosamente por los símbolos ilegibles—. Mira que si no tienes nada que ver con el asunto...

El silencio siguió a sus palabras, un silencio que no contenía respuesta alguna.

Cuando empezó a oírse ruido en el patio y llegaron los primeros empleados de la compañía, Diana volvió a meter la hoja de palma en su estuche y se abstuvo de volver a mirar la carta de 1907 que acababa de encontrar. Cada cosa a su tiempo, se dijo antes de meterse en el pequeño cuarto de baño que compartía con Jonathan.

No debía de estar aún despierto, ya que la ducha estaba seca y el agua caliente tardó una eternidad en salir.

Una vez lista, se disponía a salir al pasillo cuando la puerta contigua se abrió. Ver a Jonathan en camiseta y pantalón de pijama supuso para ella toda una novedad.

—¡Buenos días! —le dijo Diana con una sonrisa de oreja a oreja a pesar de ver que aún tenía cara de sueño. La respuesta fue más un gruñido que un saludo entusiasta, pero seguro que después de una ducha las cosas cambiarían.

—¡Espero que haya pasado una buena noche! —exclamó el señor Manderley al verla entrar en la cocina. Diana iba dispuesta a hacer el desayuno, se sentía en deuda por la cena que la pasada noche había preparado Jonathan, pero tuvo que cambiar de idea al ver que ya estaba todo listo.

—Me he permitido prepararles el desayuno —dijo un sonriente Manderley—. Acabo de ir al archivo para recoger unos libros que necesito para un análisis de mercado y he podido ver que ya ha recopilado unas cuantas cosas.

—Sí, la verdad es que esos viejos armarios dan mucho de sí. Menos mal que cuento con ayuda.

—Su novio es científico, ¿verdad?

Diana se quedó de piedra.

—¿Novio?

Manderley la miró confuso.

—¿No son…? Oh, discúlpeme, no era mi intención… Lo que quería decir es que ustedes…

—No, a Jonathan… al señor Singh, quería decir, me lo recomendó un amigo, y amablemente se ha brindado a ayudarme en mis investigaciones.

—Todo aclarado entonces.

Para ocultar su apuro Manderley se giró y puso el cazo del agua en el fuego pequeño.

—He hecho un descubrimiento —dijo Diana para romper el embarazoso silencio—. En el marco de la ventana de mi habitación hay una mariposa tallada.

—Lo sé —asintió el director ya repuesto del bochorno—. Suponemos que la hizo una de las hijas de Tremayne, o quizá un admirador secreto.

—¿Tuvieron las muchachas algún amigo especial? Lo único que sé al respecto es que Grace se casó con un capitán.

—¿Un capitán? —Manderley la miró extrañado.

—Sí, un capitán alemán. Es de las pocas cosas que sé de mi tatarabuela. Seguramente fue ese el escándalo que la obligó a romper con la familia.

—Me temo que no voy a poder arrojar demasiada luz a este asunto, aunque seguramente le será muy útil investigar a los Stockton. En los últimos años ha aparecido mucha documentación de la plantación vecina. Desgraciadamente, las cosas no iban bien y salió a concurso. Por lo que sé hay varias menciones a la familia Tremayne.

Los ojos de Diana se abrieron como platos. ¡Stockton era el hombre que aparecía junto a Henry Tremayne en la foto del club!

—¡Gracias por la pista! —exclamó entusiasmada—. Si es posible, iré a ver esos documentos.

Manderley asintió amablemente para luego dirigir la mirada a la puerta.

—Buenos días, señor Singh. La señora Wagenbach y yo estábamos hablando de su investigación.

—El señor Manderley me ha remitido amablemente al archivo documental de la plantación vecina. Al parecer, la familia Stockton tiene información sobre los Tremayne. ¿No es fantástico?

—¿Stockton? ¿No es ese el hombre de la foto del Hills Club?

—¡El mismo!

—¡Por lo visto se las arregla usted sola fenomenalmente bien! —intervino Manderley, y luego miró con cierta premura su reloj—. Discúlpenme, he de ir a un acto que celebramos en la plantación. ¡No se olviden de que el agua para el té está en el fuego!

El director salió pitando antes de que Diana pudiera darle las gracias por el desayuno. Entre tanto, el agua ya estaba hirviendo. Manderley había dejado preparadas una lata de té y dos tazas; era evidente que no contaba con desayunar con ellos.

Mientras el aroma embriagador del té se extendía por la cocina Diana sacó las tostadas y Jonathan puso el mantel.

—Y bien, ¿qué tal ha pasado la noche en su parte de la habitación? —preguntó Diana cuando estaban sentados a la mesa mientras untaba margarina y mermelada de naranja en su tostada. Sin saber muy bien por qué no quiso decir nada de su hallazgo en el marco de la ventana. Era como si quisiese guardarse un triunfo por si la investigación llegaba a un callejón sin salida.

—No especialmente bien, la verdad. Ya me ha visto cuando iba de camino a la ducha.

Diana lo observó detenidamente. Tenía cara de no haber pegado ojo.

—¡No habrá visto un fantasma! En el hotel no parecía tener problemas de sueño.

—No, y normalmente no los tengo. Lo que pasa es que tengo un montón de cosas rondándome por la cabeza. En general, logro vaciar la mente y duermo como un bebé, pero hay algo en este lugar que da alas a los pensamientos. Tanto a los buenos como a los malos.

¿Qué estaba intentando decirle?

—Puede que no fuera buena idea postergar su trabajo —comenzó Diana, presa de un ataque de culpabilidad—. Lo he arrastrado a este lugar mientras en casa lo espera un editor impaciente.

—No es eso —le espetó rápidamente—. Se trata de mi exmujer.

—Ah, disculpe entonces.

Apurada, Diana le dio un mordisco a la tostada y pasó el trago con el mejor té de Ceilán que jamás había probado. Estaba claro que Manderley los había proveído de una lata de té artesanal.

—Ayer me mandó un mensaje informándome de que ha conocido a alguien —prosiguió Jonathan de improviso—. Un informático de Melbourne. Incluso está barajando la posibilidad de mudarse a Australia y llevarse a Rana con ella. Lo que implica que ir a ver a mi hija se va a complicar considerablemente. Por no hablar de que tendrá que abandonar su actual colegio.

—Cuánto lo siento.

—No se preocupe. Hace ya tiempo que me esperaba algo parecido. O mejor dicho, Rana me lo insinuaba en sus cartas. No tiene edad como para darme detalles, pero bastaba con leer lo que me escribía para saber que algo le preocupaba.

—¿Y por qué no solicita su custodia? Al fin y al cabo, usted es ciudadano indio.

—Para eso tendría que mudarme a Delhi, y por tanto abandonar Sri Lanka y todos los proyectos que me atan a este lugar.

Diana recordó todo lo que Jonathan le había contado sobre el reino de Kandy.

—Suena terriblemente egoísta, ¿verdad? —dijo él. Esbozó una sonrisa irónica y le dio un sorbo al té.

—¿Y si se trajera a su hija a Sri Lanka?

—Eso daría al traste con el argumento del cambio de escuela, ya que traerla aquí también implicaría un traslado. Y además está muy unida a su madre. —Con un suspiro volvió a dejar la taza en el plato—. Espero que mi libro sea un bombazo; si no, no sé cómo voy a costearme las visitas a Australia.

—¿Su exmujer no puede permitirse pagarle de vez en cuando un vuelo a la niña?

Jonathan meneó la cabeza.

—Rana solo tiene ocho años. No creo que ninguna madre en su sano juicio accediera a meterla sola en un avión salvo por razones de fuerza mayor. Me ponga como me ponga voy a tener que contentarme con ver a mi hija muy de vez en cuando.

Al ver lo afectado que estaba, sin pensárselo dos veces Diana le agarró la mano.

—Encontrará una solución, estoy segura. Y si hace falta volveré locos a los editores de mi país para que compren los derechos de su libro.

Jonathan esbozó una sonrisa soñadora y aparcó el tema con un ligero movimiento de cabeza.

—Tenemos que hablar de esos documentos y de sus planes al respecto. Entiendo que quiere usted visitar esa plantación, ¿es así?

Diana asintió.

—Sí, siempre que podamos llegar hasta allí. Nuestro chofer no vuelve hasta dentro de tres días. —Dicho lo cual, recordó que aún tenía que cambiar la reserva de su vuelo.

—Seguro que el señor Manderley podrá prestarnos un vehículo. Aunque no le va nada en ello parece entusiasmado con nuestro proyecto.

Al oír el modo en que dijo «nuestro» a Diana se le enterneció el corazón, pero optó por ocultar su sonrisa tras la taza de té.

Media hora después iban de camino al archivo. La plantación estaba en plena actividad. En el patio los trabajadores voceaban y las mujeres pasaban adecentándose el sari sin dejar de llevar sus cestas al hombro. En algún lugar del edificio sonaba un teléfono, y tras una puerta se oía el tableteo de alguien escribiendo en un ordenador.

En cambio, abajo, en las antiguas dependencias del servicio, todo estaba en calma. El zumbido de los tubos de neón era lo único que llenaba el pasillo. En el archivo, motas de polvo flotaban dentro de los rayos de sol que caían sobre la mesa. De un día para otro habían traído otra mesa que estaba lista para acabar llena de papeles y de libros de contabilidad.

Jonathan se frotó las manos y luego abrió las puertas de un armario. Con algo cercano a la devoción, observó ese amasijo de papeles y sonrió.

—No sabe lo que he echado de menos este caos documental. Antes al museo nos llegaban constantemente joyas como esta que había que examinar y catalogar. A veces resultaba pesado, pero ahora me doy cuenta de lo mucho que lo extrañaba.

—Pues ala, dese el gustazo —lo animó Diana de camino a su mesa—. He encontrado un par de libros de la época que nos interesa. En cuanto sepa qué contienen me pongo con los siguientes.

Tras asentir con determinación, Jonathan se zambulló en el viejo armario.

–Si no me engañan mis ojos, Henry Tremayne se hizo cargo de la plantación en 1887 –dijo Jonathan asomando la cabeza tras una pila de libros; había tardado dos horas en ordenar cronológicamente el contenido del armario–. Toda la documentación anterior se refiere a un tal Richard Tremayne.

–Henry debió de llegar un par de meses después de conocer su muerte –repuso Diana recordando el telegrama–. Recibió un telegrama donde se le notificaba que su hermano se había despeñado en el Pico de Adán.

–¿Era escalador?

Diana se encogió de hombros.

–Ni idea. Más bien tiendo a pensar que era amigo de dar largos paseos. ¿Mucho me equivoco o ahí arriba hay un templo?

–Es un lugar de peregrinación –aclaró Jonathan–. Aún hoy en día el camino es muy escarpado. Si no vas con cuidado es fácil despeñarse. Hace más de cien años la ascensión debía de ser mucho más peligrosa.

–Si nos diera tiempo me gustaría visitarlo –dijo Diana sin apartar la vista del libro que la ocupaba.

–¿Se sabe en qué lugar tuvo Richard el accidente?

Diana negó con la cabeza.

–Me temo que no. Quizá en su momento levantara acta la Policía, pero en caso de que esos papeles existan no creo que se encuentren aquí.

–Los ingleses eran muy meticulosos con todo lo que los concernía. Seguro que en algún sótano o en un armario como este hay apilados cientos de documentos. Pero para encontrarlos necesitaría más tiempo, y no sé si entre tanto sus clientes podrán prescindir de usted.

Tenía razón. En algún momento tendría que terminar esa aventura. Su vieja vida la esperaba en casa. Pero eso era algo en lo que prefería no pensar. El día antes había decidido no mirar el correo electrónico, y quizá fuera bueno para su actual tarea seguir sin hacerlo durante un par de días.

Al caer la tarde en Vannattuppūcci Diana se recostó quejumbrosa y se masajeó con los dedos el rabillo de los ojos. ¿Cuántos libros llevaba revisados? Filas y filas de cifras hermosamente caligrafiadas, aunque carentes de significado. Más de una vez se había sentido tentada de leer la carta que había encontrado, pero se había mantenido firme aferrándose a las palabras de un antiguo profesor, quien siempre conminaba a los futuros juristas a no recurrir a las pruebas hasta el momento adecuado.

Jonathan se levantó.

—Deberíamos tomarnos un pequeño descanso, ¿no le parece? ¿Le apetece dar un paseo por la plantación?

—Buena idea —dijo Diana apartando los papeles que tenía en la mesa.

Un calor agradable envolvió a Diana al bajar la escalinata de la casa señorial. Tras horas sometidos a luz artificial, sus ojos tuvieron que acostumbrarse a la del sol. A su alrededor todo eran vivos colores, lo que hizo que Diana intentara imaginarse cómo se sentía Grace Tremayne cuando salía a pasear, cobijada bajo una sombrilla para conservar la palidez de su piel.

—Vayamos primero al jardín —propuso Jonathan—. He visto desde mi ventana unos viejos rododendros dignos de ser admirados.

Jonathan olvidaba que compartían la misma vista, pero Diana no quiso recordárselo.

Por un camino de grava que no dejó de crujir bajo sus pies rodearon la casa hasta llegar al jardín. En el medio habían plantado una especie de antena. Probablemente ese artefacto garantizaba que todos tuvieran cobertura en el móvil, un confort que también allí parecía haberse hecho imprescindible.

Jonathan tenía razón: los rododendros eran viejos y magníficos. Los colores de sus flores iban del blanco al rojo púrpura.

En mi vecindario de Berlín hay algunos aficionados a la jardinería que matarían por unos ejemplares así, pensó Diana sin poder evitar sonreír. Pero más que los rododendros abundaban los arbustos de franchipán, que tampoco daban la sensación de tener menos tiempo que sus vecinos. Quizá estuvieran allí desde antes de que existiera la plantación.

Ante tal esplendor floral a Diana le vinieron a la mente las flores secas, que en su día fueron blancas con el centro rojo, que encontró entre las hojas de la vieja guía. Sin duda provenían de ese jardín. Aquello la fascinó de tal manera que se acercó al arbusto y tocó los carnosos pétalos. ¡Cuántas veces habrían hecho lo mismo Grace y Victoria! ¡Y qué decir de su dulce aroma! Diana no se había dado cuenta hasta entonces, pero al acercarse reconoció el embriagador olor con el que se había despertado.

—Nuestra flor nacional —mencionó Jonathan acercándose por detrás—. Lo que la orquídea es para Tailandia, lo es el franchipán para la India y Sri Lanka. Estos arbustos crecen por todas partes.

—Y en mi país hay que ir al jardín botánico o a un buen vivero para verlos.

Diana dedicó un buen rato a contemplar el arbusto, y recordó las pequeñas escenas de niñas que colgaban de las paredes de Tremayne House. Solo que en vez de niñas imaginó a muchachas en la flor de la vida. De pronto, una extraña melancolía se apoderó de ella, y deseó poder ver a sus antepasadas por una ventana. Sin embargo, hasta ese momento solo había podido asomarse a un vano cegado por una lámina opaca que únicamente le ofrecía alguna grieta por la que mirar; y la vieja carta que había encontrado era el picaporte que, en última instancia, quizá le permitiera abrirla.

Tardó un rato hasta que logró apartar la vista del franchipán. Al girarse, vio la fachada trasera de la casa señorial en todo su esplendor y reparó en que el jardín tenía la típica estructura de los jardines ingleses. El de Tremayne House era parecido, aunque algo menos frondoso.

Cuando llegaron al ala de la casa donde estaban sus habitaciones, Jonathan se detuvo de pronto.

—¡Mire ahí! —Señalaba un hueco en la cerca y una línea donde clareaba la hierba formando una especie de camino trillado. ¿Adónde llevaría?— ¿No le apetece saber adónde conduce?

Diana se volvió hacia la casa. ¿Le parecería mal al señor Manderley que anduvieran humeando por ahí? Al no ver a nadie en las ventanas asintió y siguió los pasos de Jonathan.

Llegado a un punto, el camino se difuminaba entre la maleza.

—¿Qué probabilidad hay de que nos topemos con una serpiente? —preguntó escéptica Diana. No era raro encontrarse serpientes en un jardín, por cuidado que estuviese. Y la hierba estaba tan alta que la hacía sentirse insegura.

—No muy alta —repuso Jonathan—. No soy biólogo, pero creo que las serpientes nos temen más que nosotros a ellas. Me preocupan más los tigres, aunque tampoco suelen dejarse ver. Por otra parte, ya habrá notado que estamos rodeados de monos y de loros.

Tras abrirse paso por la maleza durante un trecho, y con la sensación de no poder seguir adelante, una techumbre de hojas de palma se erigió entre la vegetación.

—¿Una cabaña? ¿Aquí?

—¡Echemos un vistazo! —dijo Jonathan enérgicamente al tiempo que apartaba una rama. A pesar de que el sendero desaparecía por tramos, devorado por la naturaleza, lograron alcanzar la construcción. La cabaña, levantada con tablas y maderos, le recordó a Diana a los chamizos que vio en la costa, solo que esta era más alta y evidentemente no estaba pensada para protegerse de las salpicaduras de la marea.

La techumbre estaba muy deteriorada por las inclemencias del tiempo, y el conjunto entero estaba algo escorado por la acción del viento. Tenía un aspecto triste, como si mirara hacia las heveas y las palmeras recordando permanentemente tiempos pasados y mejores.

—¿Qué uso podía tener una construcción así? —preguntó Diana mientras echaba un vistazo a la pequeña explanada de la entrada hecha con listones de madera; aunque la hierba crecía

330

descontrolada entre las ranuras aún se vislumbraba su estructura original.

—No estoy seguro. Puede que fuera la casa de un gurú, un guía espiritual. O un lugar de reunión para los habitantes de una aldea cercana.

—¿Aquí arriba, en mitad de la jungla? —objetó Diana.

—Habría que preguntárselo a los aldeanos. Voy a echar una ojeada por dentro.

Jonathan subió las escaleras y echó un rápido vistazo al interior. Al poco se volvió con una sonrisa de oreja a oreja y un palo en la mano.

—Creo que ya sé lo que era esto.

Diana arqueó las cejas.

—¿Y lo ha deducido gracias a ese palo?

—No es un palo, sino un arma de madera para ejercitarse. No quisiera equivocarme, pero creo que esto fue una escuela de lucha.

Diana se acercó, subió la escalera y echó un vistazo desde fuera: había numerosos objetos y muebles de mimbre tirados por el suelo y cubiertos de polvo.

—¿Una escuela de lucha? ¿Es que aquí hay algo parecido al karate?

—¡Algo mucho mejor! ¡El *kalarippayatt!*

Jonathan remarcó sus palabras blandiendo el palo y agitándolo en el aire.

—¿Perdón?

—Es el nombre de un arte marcial: *kalarippayatt.*

Jonathan le explicó a grandes rasgos en qué consistía, a lo que Diana respondió admirada:

—Sabia manera de medir las fuerzas. Cuando pienso en que toda esa pérdida y aniquilación que trajeron las guerras mundiales podía haberse evitado…

—Esta opción también entraña sus riesgos —objetó Jonathan—. Imagínese que los «malos» cuentan con el mejor guerrero; entonces, bastaría con vencer en el duelo para someter a todo un pueblo.

—Tiene usted razón, no suena muy justo que digamos.

Diana reparó en que Jonathan observaba el edificio con auténtica devoción. Daba la impresión de estar muy ligado a aquella lucha ancestral.

—¿Practica usted ese arte marcial?

Jonathan sacudió la cabeza.

—Me temo que soy más hombre de pensamiento que de acción. Es un arte marcial muy exigente. La mayoría de los luchadores empiezan a practicarlo desde niños. En ese sentido es parecido al judo o al karate. Los luchadores se saludan ceremoniosamente armados de espadas o con las manos desnudas y se enzarzan en un complejo baile de posturas y maniobras que requiere mucha atención y estar familiarizado con el asunto para poder seguirlo. Es fascinante verlos practicar.

Diana levantó el labio inferior mientras imaginaba a los jóvenes alumnos sentados a lo largo del porche intentando observar a los luchadores que practicaban en la plataforma de madera de la entrada.

—¡Una escuela de lucha junto a la plantación de mis antepasados! ¡Quién lo diría!

—Probablemente la clausuraran en la época de Henry Tremayne y a partir de entonces cayera en el olvido. Aunque también es posible que los hombres de la aldea se reunieran aquí para ejercitarse. De ser así, me quito el sombrero ante su valentía, ya que si los dueños de la plantación llegaban a descubrirlos quién sabe lo que les habrían hecho.

Diana no había llevado la cámara, tampoco esperaban dar con semejante descubrimiento, y no podían fotografiarlo.

—Más adelante vendré para fotografiarlo todo —dijo Jonathan—. Un hallazgo así será un buen complemento para mi libro.

—¿De veras? —se extrañó Diana con una sonrisa—. Pero si solo es una antigua escuela de lucha…

—Y también un testimonio de la tradición tamil durante la época colonial. No olvide que los actuales conflictos tienen su origen en ese momento.

Volvieron a meterse entre la maleza, y esta vez Diana creyó ver a un mono volar por encima de su cabeza. No pudo apreciar más que un trozo de piel marrón, que también podría ser el plumaje de un pájaro extraño, pero prefirió pensar que era un mono.

En cuanto dejaron atrás la cerca se toparon con el director.

—¡Atiza! ¿De dónde salen? —exclamó sorprendido Manderley, que llevaba un par de hojas de té pegadas a su pantalón caqui.

—Hemos descubierto algo —contestó Diana—. ¿Sabía que justo detrás de la plantación hay una antigua escuela de lucha?

—¿Una escuela de lucha?

Diana señaló el hueco de la cerca.

—¿Nunca había reparado en ese caminito?

Manderley negó con la cabeza.

—Hasta ahora no. Ando demasiado atareado como para fijarme en la hierba.

—Pues debería echarle un vistazo. Está algo deteriorado, pero sin duda tiene gran valor histórico —intervino Jonathan—. Si se decidiera a restaurarla, quizá podría utilizarla como casa de invitados, o incluso emplearla como reclamo turístico. No quedan muchas escuelas de lucha clandestina de la época colonial. Los ingleses se mostraron implacables con ese tipo de prácticas, y los luchadores que, a pesar de todo seguían ejercitándose, no solían contar con una instalación así.

Manderley abrió los ojos como platos. Diana conocía aquella mirada; era similar a la que adoptaban sus clientes cuando les explicaba el potencial que encerraba una buena estrategia de defensa.

—Lo pensaré. En cualquier caso, les quedo agradecido por la información. —Se despidió con un ademán y siguió su camino.

—Deberíamos volver al trabajo, ¿no le parece? —dijo Jonathan.

—Desde luego.

Diana se giró para mirar otra vez el hueco de la cerca. Luego se volvió hacia la casa señorial y buscó la ventana de estilo oriental que daba a su habitación.

De pronto tuvo una idea. ¿Sería posible que Grace o Victoria hubieran visto deslizarse por el angosto sendero a los luchadores? ¿Habrían osado llegar hasta la escuela de lucha?

Diana meneó la cabeza. Probablemente no; no eran más que dos modosas señoritas. Sin embargo, no quiso renunciar a la sugestiva idea de imaginar a Grace observando a esos fornidos hombres en plena lucha.

13

La señorita Giles no mostraba ningún entusiasmo cuando llegaba la hora de acompañar a clase a Grace. Tener que oficiar de carabina no era algo que se le diera especialmente bien, aunque prefirió verlo como una oportunidad para cruzarse más a menudo con el señor Norris. En todo caso, ella no era quién para cuestionar las órdenes de su señor.

En la mochila que Grace llevaba al hombro, además de unos cuantos pliegos de papel de los que tenía su padre en el despacho, había un tintero lleno de tinta fresca, una pluma, un portaplumas, un plumier con plumas de repuesto y un lápiz.

Grace se sentía un poco como si hubiera vuelto a la infancia, a los años en los que tenía que presentarse en el cuarto de estudio con su material escolar lista para que el señor Norris le diera clase. Cuando vio a Vikrama plantado delante de la puerta, su corazón se aceleró y se puso muy nerviosa. Abrigaba la esperanza de que se presentara con la ropa típica de los tamiles, pero al verlo con la misma indumentaria que había llevado ese día a la plantación tampoco quedó decepcionada. Olía maravillosamente bien a jabón, llevaba una camisa blanca de rayas rojas finas que parecía nueva y se había arreglado la barba; un auténtico dandi.

El lugar que eligieron para dar la clase fue una pradera cercana al nuevo campo de té desde donde había una buena vista del Pico de Adán. Grace se estremeció de placer ante la idea de subir ahí arriba algún día y, según contaban los marineros, poder ver toda la isla.

En cambio, la señorita Giles no parecía compartir su afición por la naturaleza; no paraba de hacer observaciones sobre el estado del terreno, y cuando no se quejaba era porque estaba espantando algún insecto.

—¿Dónde vamos a sentarnos? —vociferó tras Grace y Vikrama.

—¡Ahí arriba, señorita Giles! —exclamó él, y señaló hacia unos peñascos que muchos años antes rodaron por la ladera a causa de un desprendimiento.

—¿Pretende que nos sentemos en unas rocas?

—Solo temporalmente, señorita Giles —repuso Vikrama en un tono cordial y sereno que sorprendió a Grace, a quien poco a poco la gobernanta estaba empezando a sacar de quicio—. Tengo pensado pedirle al señor Tremayne una mesa y sillas. La decisión de la señorita Grace de aprender tamil fue tan repentina que aún no sé si realmente las clases serán de su agrado.

Cuando la miró expectante, Grace no pudo hacer otra cosa que asentir. ¡Pero cómo no iban a ser de su agrado! Aunque solo fuera porque él era el maestro…

Una vez encontraron acomodo y la señorita Giles se reclinó a la sombra, Vikrama empezó con unas cuantas frases sencillas y algo de vocabulario. Lo que a ella le parecía impronunciable, él lo decía con envidiable facilidad. Con una paciencia proverbial escuchaba los intentos fallidos de la muchacha, al tiempo que soportaba la tediosa letanía de la señorita Giles sin dejar de sonreír amablemente.

Al término de la clase Grace, estaba exhausta, pero también colmada de una satisfacción rara vez experimentada. ¡Al fin tenía la sensación de hacer algo con sentido!

Las esperanzas de sus padres de que aquello fuera un capricho pasajero se disiparon en la cena, cuando les contó entusiasmada el significado de las palabras que había aprendido.

—¡Es asombroso lo rica que es esta lengua! ¡Y la escritura es increíble! ¡Es como escribir empleando un código secreto!

Aunque en absoluto era su intención alentar la desconfianza de su padre con respecto a sus trabajadoras, pensó que hablándole de códigos secretos se aseguraría la continuidad de las clases. Si quería enterarse de algo, ella le contaría lo que sabía: que esas mujeres bajo ningún concepto preparaban una revuelta.

—Yo también quiero aprender tamil —gimoteó Victoria esa noche al verla ejercitar aquella caligrafía en un cuadernillo que le había tomado prestado al señor Norris.

—Es más complicado de lo que crees —repuso Grace sin apartar la vista del papel—. Aprende primero francés y luego ya podrás dedicarte a aprender la lengua de los nativos.

—¡Pero si el francés aquí no me sirve de nada!

—Cómo que no, siempre podrás hablarlo con las damas cuando te inviten a una reunión de sociedad. ¡Tú misma has oído lo bien que suena cuando lo emplean!

—No tengo el menor interés en perder el tiempo con sus aburridas hijas. ¡Pero si ni siquiera les gusta pasear ni ver plantas!

Cuando Victoria se quedó callada, Grace notó que había algo más tras sus palabras.

Apoyó la pluma en el escritorio y se acercó a su hermana, que rehuyó su mirada.

—¿Qué te pasa, Victoria?

—¿Te gusta el señor Vikrama? —Al decirlo sus ojos la fulminaron.

Grace tomó aire e intentó disimular.

—Pues claro que me gusta. Es muy atento.

—Si estuvieras enamorada de alguien me lo dirías, ¿verdad? —insistió Victoria.

Entonces Grace se quedó sin habla. ¿Podía contárselo? Sabía lo que su padre y su madre opinarían al respecto. ¡Jamás tolerarían su unión con un nativo!

¿Pero qué pensaría ella? Le gustaba Vikrama, punto. Aunque no quisiera admitirlo, la profecía de la hoja de palma la perseguía, y bajo ningún concepto estaba dispuesta a atraer la desgracia sobre su familia.

Grace agarró a Victoria del brazo.

—¡Por supuesto que te lo diría! Pero no tengo nada que contarte al respecto. Vikrama es un profesor amable y muy paciente, nada más.

Las dos hermanas se fundieron en un abrazo durante un buen rato. Luego Grace le dejó examinar su cuaderno para que se

337

convenciera de que no contenía más que caracteres que ni mucho menos daban como para formar un diario secreto.

Poco a poco Grace fue aprendiendo a decir las primeras frases en tamil, y comprobó con alborozo que sabía emplearlas cuando iba a visitar a Naala para interesarse por su salud. Las heridas ya habían curado, pero Vikrama tenía razón: las cicatrices no desaparecerían nunca; ni tampoco el recuerdo de quién fue el responsable. De momento, la gente de la aldea miraba a Grace con recelo, pues la curandera se había encargado de que todos supieran quién era.

Con la llegada del período de reposo, los coloridos saris desaparecieron de los campos de té y a las plantas se les dio la oportunidad de crecer. Las recolectoras pasaron a ocuparse del empaquetado, lo que no significó que el señor Petersen dejara de hostigarlas. Mientras su mirada de ave rapaz sobrevolaba sus cabezas, no había lugar para la «dejadez», según decía él mismo. En cuanto una mujer se distraía y perdía el ritmo de las demás empaquetando, se ponía junto a ella y dejaba que su látigo enrollado le rozara la espalda en señal de advertencia. Aunque le habían prohibido azotar a las trabajadoras, ninguna de ellas se sentía segura. En cuanto tenían la ocasión, iban a quejarse a Vikrama, que no podía hacer gran cosa. Mientras Petersen no azotara a otra mujer gozaría del favor de Tremayne.

Grace evitaba en la medida de lo posible al capataz y a sus hombres, y cuando se cruzaba con Petersen y este le dedicaba una de sus repulsivas sonrisas, procuraba ocultar su ira.

Si por ella fuera, las cosas podían seguir así para siempre, pero un día su padre aprovechó el momento de la cena para hablar con ella.

—Me temo que tendrás que dejar tus clases por el momento. Necesito al señor Vikrama a tiempo completo. Hay que llevar al día la contabilidad y redactar nuevos contratos comerciales.

Grace se quedó helada, pero a su vez comprendió que no tenía sentido protestar. El trabajo era más importante que las clases, y al fin y al cabo el sustento de la familia dependía de la plantación.

Como se había quedado sin nada que hacer por las tardes, empezó a dar largos paseos y a sentarse en el jardín con su caballete para pintar del natural esos hermosos franchipanes y rododendros. Un día recibieron la visita de un fotógrafo que tenía por encargo retratar a todos los miembros de la familia con la hacienda al fondo, pero por desgracia se puso a llover y solo dio tiempo a que posara Grace.

Una noche, mientras hacía guardia en la ventana para ver pasar a Vikrama, Victoria empezó a gemir en sueños. Al principio pensó que se trataba de un animal salvaje, un mono de esos que tanto le gustaban a su hermana. Pero al volverse y verla tiritar, Grace se alarmó y corrió hacia ella.

—Vicky, tesoro, ¿qué sucede?

Victoria no respondió. Cuando Grace le puso la mano en la frente se asustó de verdad. ¡Estaba ardiendo!

Presa del pánico, se apartó de la cama y por un instante se quedó quieta estrujando la pechera de su camisón. Tras dar un par de vueltas sin sentido salió corriendo del dormitorio. Había que llamar a un médico. Tenía que haber alguno en Nuwara Eliya.

A pesar de no ser lo más correcto entrar sin llamar en el dormitorio de sus padres, abrió la puerta, atravesó la estancia y meneó el hombro de su padre.

—¿Papá, me oyes?

Henry Tremayne emitió un gruñido involuntario y luego preguntó:

—¿Qué haces aquí, Grace?

—Victoria está enferma. Tose y tiene mucha fiebre. Necesitamos un médico.

Antes de que su marido pudiera reaccionar, Claudia se levantó como un resorte. Lo había oído todo.

—Henry, manda a Wilkes a buscar a Desmond, ese médico que conociste en el club.

Sin mediar palabra, Henry Tremayne se levantó, se puso su bata y salió como una centella del dormitorio.

Grace volvió junto a su hermana. Ni siquiera se fijó en lo que hizo su madre, aunque seguramente se habría levantando y se estaría poniendo la bata. Antes de que Grace doblara la esquina oyó a su madre ordenar a una sirvienta atraída por el alboroto que pusiera agua a calentar.

Dónde se había metido su padre era algo que ignoraba; probablemente estaría despertando al señor Wilkes.

Victoria se retorcía en su cama entre espasmos febriles. Cuando Grace se acercó no cesaba de mover la cabeza de un lado a otro.

—Victoria, tesoro —la exhortaba, pero ni su voz ni sus sacudidas eran capaces de arrancarla de la pesadilla. ¿Qué le estaba pasando a su hermana?

—¡Apártate de ella, Grace! —exclamó su madre desde la puerta.

Grace, que se disponía a acuclillarse junto a la cama de su hermana, la miró desconcertada.

—Pero madre…

—Quién sabe si esa fiebre es contagiosa. Esperaremos al médico.

—¡A saber cuándo vendrá!

—Hasta entonces no podemos hacer nada. Apártate de la cama, Grace. No quiero tener a mis dos hijas enfermas.

Abatida y con el corazón encogido por la preocupación, Grace se sentó en su cama. Su madre parecía temer tanto esa rara fiebre que había contraído Victoria que ni siquiera se atrevía a poner un pie en la habitación. Eso enfureció a Grace. Si ella no podía, debería ser su madre quien intentara despertar a Victoria, o al menos tranquilizarla. Pero nada de eso ocurrió. Como un vacilante ángel de la muerte, se quedó quieta en el umbral con la mirada fija en la cama.

El médico tardó una eternidad en llegar. Al parecer había tenido que ir a por él Henry Tremayne en persona.

El doctor Desmond, un hombre de barba roja y aspecto afable, cuyo desaliño dejaba a las claras que había sido sacado de la cama a tirones, saludó escuetamente a Claudia y a Grace y sin perder un instante se acercó a Victoria.

Como si la presencia del médico le confiriera un aura de protección, Claudia reunió el valor necesario para entrar en el cuarto. Por detrás, en el recibidor, se oía a Henry impartiendo órdenes.

Poco después aparecieron dos doncellas con sendos baldes llenos de agua caliente y fría. Claudia les indicó que los pusieran sobre dos sillas preparadas a tal efecto y luego les mandó retirarse.

El doctor Desmond le hizo un rápido reconocimiento a Victoria. Tras auscultar sus pulmones con el estetoscopio y tomarle el pulso, le introdujo un termómetro debajo de la lengua y miró su reloj.

—Lo que me temía —dijo. Guardó el estetoscopio en su maletín para luego dirigirse a los baldes y lavarse las manos—. La pequeña ha contraído la malaria. ¿Le ha picado algún mosquito?

Claudia miró a Grace; al fin y al cabo ella pasaba más tiempo con Victoria.

—No, no que yo sepa —repuso Grace preocupada—. Pero nos pasamos la mayor parte del día fuera, y Victoria no es de las que se quejan por la picadura de un bicho.

—Los mosquitos, joven dama, no son unos bichos sin importancia. Sepa usted que son portadores de graves enfermedades. De modo que si alguna vez le ha picado uno será mejor que me lo diga de inmediato.

Grace pidió ayuda con la mirada a su madre, pero esta estaba como abstraída, su piel se había vuelto cetrina; parecía haber envejecido diez años de golpe.

—No, que yo sepa —repitió Grace.

—A veces las picaduras sanan muy rápido, pero sus consecuencias son devastadoras.

—¿Qué vamos a hacer, doctor? —preguntó bruscamente Claudia cruzando los brazos y acariciándose los hombros.

—Voy a recetarle quinina, en Colombo la conseguirán sin dificultad. Mézclela en la dosis que le indico. Además, tendrán que estar atentos a que su temperatura corporal no alcance valores letales. Su hija parece fuerte, pero no deja de ser una niña, así que... —Al ver a Grace taparse la boca entre sollozos el médico se detuvo—. Pero no nos pongamos en lo peor. Ocúpense de que la muchacha no tome calor, si es necesario mójenle todo el cuerpo. Y para prevenir, no estaría de más que ustedes también tomaran un poco de quinina mezclada en el agua. —Se sentó en el escritorio de Grace y escribió una notita—. Tenga, déselo a uno de sus sirvientes y que vaya a por ello inmediatamente. Hasta ese momento lo importante es mantener la fiebre controlada.

Grace agarró la receta y salió corriendo del dormitorio. En el pasillo se encontró con su padre.

—El doctor Desmond dice que hay que ir a la ciudad a por esto inmediatamente.

—¿Qué tiene? —Bastó una mirada fugaz a la receta para saberlo sin que Grace tuviera que decírselo—. ¡Malaria! ¡En nuestra casa!

—Nosotros también tendremos que tomar el medicamento —añadió Grace.

Su padre asintió. Acto seguido se giró y recorrió el recibidor a grandes zancadas. Unos instantes después un jinete cruzó el patio al galope.

Una vez se despidió el médico, habiendo asegurado repetidas veces que la malaria solo se transmite por la picadura de mosquito y no por contacto físico, Claudia llamó de nuevo a las doncellas.

—Creo que lo mejor es que no digamos a nadie de qué se trata —le dijo a su hija mayor antes de que llegaran—. No queremos que el pánico cunda por toda la plantación.

Grace asintió. Hasta ese momento la malaria no era más que una palabra mencionada de cuando en cuando en las crónicas de viajes a África y Asia. No tenía ni idea de lo contagiosa que podía llegar a ser la enfermedad, de cuáles eran sus síntomas ni de las probabilidades de sobrevivir a ella. Le pareció razonable no querer desatar el pánico. Aunque, por otra parte, ¿no lo

342

descubrirían por sí mismas las doncellas? Al fin y al cabo, vivían en un país donde la enfermedad existía...

Se pasaron toda la noche intentando que le bajara la fiebre, pero por más que se apresuraban a enfriar los paños en el agua enseguida volvían a estar calientes. Victoria empezó a gemir; los períodos de calma se alternaban con terribles espasmos.

Cuando comenzó a clarear, Grace era como una marioneta incapaz de predecir sus movimientos, como si estuvieran dirigidos por un titiritero invisible. El balde de agua fría estaba turbio, y los paños arrugados habían cobrado un aspecto animal.

Su madre se había sentado para descansar unos minutos, pero ya llevaba dormida tres horas. Grace no quiso despertarla. Cuando hubiera amanecido del todo ella misma se echaría un rato, pero hasta entonces quería aguantar.

Miró a Victoria y se echó a llorar. La débil luz del alba hacía aún más evidente lo demacrada que la había dejado la enfermedad. Las oscuras ojeras le daban al rostro de su hermana un aspecto cadavérico, aunque sus rojas mejillas confirmaban que aún quedaba vida en ese cuerpo; una vida que corría el riesgo de extinguirse.

Al fin su madre se despertó y se desperezó entre quejidos.

—Ya no tengo edad para dormir en cualquier parte.

Pero en cuanto recordó el porqué de su incómoda siesta se levantó y se acercó tambaleándose a la cama.

—¿Cómo se encuentra? —preguntó como si su hija fuera médico.

—Yo diría que igual —repuso Grace—. Como puedes ver sigue ardiendo, y el agua ya no está fría.

—Traeré más.

Con un imprevisto gesto amoroso le acarició el pelo a Grace, luego rozó delicadamente la frente de Victoria con la yema de los dedos y finalmente se volvió.

Nada más irse Claudia, Vikrama se asomó por la ventana. Grace, que velaba el lecho de Victoria para cambiarle los paños mojados de la frente se precipitó hacia él. Sintió un poco de vergüenza por sus ropas sudadas y su pelo estropajoso, ¿pero cuál se supone que es el aspecto de quien cuida a una enferma?

—He oído que su hermana está enferma.

Grace asintió y le lanzó una mirada cargada de preocupación a Vikrama, que tenía el rostro enrojecido por la carrera.

—Anoche vino un médico de Nuwara Eliya. Uno de nuestros sirvientes ha ido a buscar quinina, pero por desgracia aún no ha vuelto. Mi madre ha ido a por más agua fría, pero la fiebre no cede. Al menos ha dejado de tener escalofríos, aunque pueden volverle en cualquier momento.

—¿Malaria, verdad? —preguntó Vikrama con solemnidad.

—¿Cómo lo sabe?

—La quinina es el medicamento con que los ingleses la combaten. Y cuando aquí alguien tiene fiebre suele ser malaria. —Vikrama agarró su mano—. Por favor, tenga cuidado.

Grace meneó la cabeza asustada.

—No se preocupe, no pienso enfermar.

—Esperemos que no. Iré a la aldea y le preguntaré a la curandera si puede ayudarnos.

—¿Tendrá quinina?

—No, pero sí algún otro remedio. He de darme prisa.

Vikrama echó a correr. Grace lo vio alejarse. Luego volvió a ocupar su lugar junto a la cama de Victoria, sobre la que se cernía una nube de miasma ponzoñoso. Sin dejar de tiritar, la muchacha movía la cabeza de un lado a otro, y sus labios se movían como si quisiera decir algo. Pero no emitía ningún sonido.

Mientras se le encogía el corazón y un sollozo le subía a la garganta, Grace quitó el paño que cubría la frente de Victoria y lo mojó de nuevo en el agua, ya tibia. Por favor, Dios mío, no te lleves a mi hermana, rogaba en silencio. Si piensas que he pecado castígame a mí y no a ella.

A media mañana la fiebre le subió tanto que Victoria, en pleno delirio, empezó a proferir un confuso galimatías sobre monos y loros. Llegado ese punto, a Grace y a su madre no les quedó más remedio que mandar traer una bañera y meterla entera en agua fría.

Los dientes de la muchacha tabletearon cuando el agua circundó su piel, pero al rato cesaron de hacerlo y el rojo intenso de sus mejillas fue perdiendo intensidad. Cuando sacaron a Victoria de la bañera su piel estaba helada, pero en pocos minutos volvió a calentarse.

—¡Maldito recadero! —masculló Claudia furiosa tras ordenarle a una doncella que trajera más agua—. Seguro que se ha largado con el dinero para la receta.

—Ya verás como vuelve —dijo Grace para tranquilizarla—. Ya has visto cómo es el terreno, y tras las últimas lluvias los caminos estarán embarrados.

Pero Claudia no escuchaba.

—Maldito país —farfulló—. ¿Por qué no venderíamos la plantación?

—No culpes a la plantación, madre —dijo Grace acariciándole el brazo—. El culpable fue un dichoso mosquito. Ya nos podía haber dicho el señor Cahill que le echáramos quinina al agua como hace aquí todo el mundo.

Nada más decirlo, Grace pensó que su madre le preguntaría de dónde se había sacado eso, pero Claudia estaba tan sumida en su enfado y sus preocupaciones que ni siquiera se dio cuenta.

En cuanto la doncella cambió el agua de la bañera volvieron a ponerse manos a la obra. Entre tanto tuvieron la impresión de que Victoria se había despertado, pues tenía los ojos abiertos, pero no tardaron en constatar que no veía.

A mediodía Claudia perdió los nervios del todo.

—¡Quiero que ahora mismo alguien se monte en un caballo y vaya a Colombo a buscar a ese maldito sirviente!

Antes de que Grace pudiera detenerla ya había salido del dormitorio. Acto seguido alguien golpeó el cristal de la ventana.

Con el corazón a cien, Grace se volvió. ¡Vikrama!

Tras poner el paño medio frío sobre la frente de su hermana, Grace corrió a la ventana.

Vikrama se sacó una bolsita de tela del bolsillo. En cuanto Grace abrió la ventana se la dio y le dijo:

—Esto es de parte de Kisah. Échaselo en el agua.

—¿Es quina?

—Sí, pero además lleva otras hierbas que son buenas para la fiebre. Me dijo que en un primer momento se pondrá peor, pero que luego empezará a mejorar.

—¿Podría el remedio ser peligroso para ella?

Vikrama negó con la cabeza.

—Es lo que tomamos aquí contra la malaria. Debí decírselo a su padre, pero di por hecho que ustedes, como todos los ingleses, le echaban quinina al agua.

—Pues no dé nada por supuesto; no teníamos ni idea.

Vikrama la miró preocupado.

—Bébaselo usted también. No vaya a ser que…

—Me encuentro perfectamente —repuso Grace halagada por su interés—. Pero aun así seguiré su consejo.

Sus miradas se cruzaron por un instante; luego Vikrama volvió a salir corriendo.

—¡Muchas gracias! —exclamó Grace al verlo marchar, él se giró y le dedicó un saludo.

Ya sola, abrió la bolsita. La mezcla de hierbas le recordó al estiércol, aunque su olor era mucho más agradable. ¿Cómo mezclarlo en el agua sin que su madre se diera cuenta? ¿Qué diría si se enterase de que le había dado a Victoria un remedio indígena? Seguro que tras superar el *shock* tiraría las hierbas a la basura.

Por un momento le entraron las dudas. ¿Valdría realmente para algo esa medicina? Escucha a tu corazón, le susurró una voz que provenía de su interior.

Luego volvió a pensar en cómo la curandera había resucitado a Naala. Fue un proceso lento, qué duda cabía, pero la recolectora ya estaba trabajando de nuevo.

Como Claudia aún estaba instando a su padre a que mandara a alguien en busca del sirviente, Grace fue al aparador, sacó dos vasos, los llenó de agua y sin pensárselo dos veces echó un poco del contenido de la bolsita. Tras beberse uno de un trago, le llevó el otro a Victoria.

¿Hacía bien dándoselo a beber? Si era venenoso ella sería la primera en notar los efectos. Al ver que el agua no parecía hacerle nada en el estómago, abrigó ciertas esperanzas. En el peor de los casos, no tendría efecto alguno, lo cual tampoco iba a matar a Victoria.

—Victoria, querida —le susurró cariñosamente a su hermana mientras incorporaba un poco su cuerpo castigado por la fiebre—, tienes que tomarte esta medicina.

Victoria respondió con unos gemidos ausentes, que hicieron que Grace la sacudiera con cuidado de no hacerle daño.

—Vamos, querida, abre los ojos. Solo tienes que tomar un poco, nada más.

Todo lo que consiguió fue un nuevo gemido. Presa del pánico, Grace miró hacia la puerta y aguzó el oído. No se oían pasos, pero su madre no tardaría en volver. Y además en cualquier momento podía aparecer una doncella con más agua fría.

—Victoria, por favor.

Entonces, los ojos pegados de la muchacha se abrieron un poco. Grace tenía serias dudas de que Victoria se estuviera enterando de algo, pero ese leve gesto la animó a ponerle el borde del vaso en los labios.

Superado el temor a que se atragantara, Grace logró que su hermana le diera un sorbo a la parduzca agua. Su agrio sabor hizo que se despertara un poco, y mientras Grace le hablaba para tranquilizarla acabó bebiéndose medio vaso antes de volver a caer en un profundo sueño.

Una vez volvió a dejarla acostada en su cama, Grace se dirigió a la ventana y derramó el resto del bebedizo. Luego, mientras se guardaba la bolsita bajo el refajo, rezó en voz baja para que el remedio surtiera efecto y salvara a su hermana.

La advertencia de la curandera se cumplió: tras tomar el bebedizo Victoria empeoró. La tiritona dio paso a un terrible delirio, y por último la muchacha se quedó quieta como un cadáver. A Grace se le agarrotó el estómago. Y no porque el brebaje le hubiera sentado mal, sino porque temía haber cometido un grave error. ¿Y si el supuesto remedio mataba a Victoria?

Miró a su madre, que daba vueltas por el cuarto sin cesar de frotarse las manos para calmar los nervios. En ese momento Grace deseó con todas sus fuerzas que las hierbas surtieran efecto. Entre tanto, su padre asomó por la puerta para interesarse por el estado de Victoria, pero no se atrevió a acercarse a su lecho.

Ya entrada la tarde, y sin que hiciera falta que nadie fuera en su busca, apareció el recadero. Grace, que justo en ese momento había ido al comedor a por un poco de fruta, fue la primera en verlo llegar, y también en constatar que cuando se detuvo, el caballo estaba al límite de sus fuerzas. Nada más verlo dejó el frutero donde pudo y salió corriendo sin reparar en que justo encima estaba la imagen sagrada, en la que cada vez ponían menos flores.

El recadero, un joven trabajador de la plantación, subió exhausto la escalinata. Detrás pudo ver al caballo tambalearse casi como él para finalmente sentarse en el suelo.

Grace abrió la puerta y salió a su encuentro.

El muchacho, bañado en sudor, le dijo que venía directo de la farmacia y le entregó un paquetito envuelto en papel marrón.

—*Nanri.* —Grace se lo agradeció en tamil y le indicó que fuera a sentarse a la cocina para inmediatamente ir corriendo a la habitación con el paquete.

Al verla entrar por la puerta Claudia dio un salto.

—¡Lo ha traído! —gritó excitada Grace antes de que le preguntaran—. ¡Casi revienta al caballo, pero aquí está!

Claudia soltó un suspiro de alivio. Como las manos no paraban de temblarle dejó que Grace preparara el medicamento. Cuando se inclinó junto a la cama para darle el agua de quinina a Victoria, reparó en que el sudor de su frente casi se había secado.

Cuidadosamente la incorporó y le habló con todo el cariño que la angustia le permitía. Victoria volvió a abrir los ojos, pero esta vez, aunque los tenía vidriosos, pareció orientar la mirada y, a pesar de costarle un rato, abrió la boca y tragó mucho mejor que antes.

Quizá se engañaba a sí misma, quizá el anhelo nublaba parcialmente su entendimiento, pero tenía la sensación de que el estado de Victoria se estaba estabilizando.

Una vez tragó el agua de quinina, Grace volvió a recostarla en su almohada empapada y le apartó el pelo de la cara.

Durante las horas siguientes Grace no se separó de ella. El estómago se le rebelaba, pero a pesar de tener mucha hambre, no se permitió probar bocado. Se turnaba con su madre para cambiarle los trapos húmedos, y a pesar de que seguían calentándose enseguida Victoria parecía estar algo más tranquila; tanto que el delirio dio paso a un plácido sueño.

–Parece que la quinina le ha sentado muy bien –dijo Claudia al final del día. El agotamiento había dibujado bajo sus ojos dos sombras negras que sacaban a la luz sin ningún tipo de piedad los treinta y ocho años que solía ocultar bajo una capa de polvos y maquillaje–. Sigue teniendo la fiebre muy alta, pero tengo la sensación de que al menos no empeorará.

Tenía razón, pero cuando Grace se acostó en su cama tras dos días en vela estaba segura de que el verdadero remedio habían sido las hierbas de la aldea tamil y no la quinina.

En los días siguientes Victoria continuó con mucha fiebre y frecuentes ataques de escalofríos, pero la malaria empezó a remitir. Cuando la fiebre bajó, Victoria estaba visiblemente recuperada. Débil y demacrada, pasaba el día en la cama recostada en su almohada alimentándose a base de una macedonia que la cocinera sabía hacer como nadie. Pasado un tiempo incluso pidió papel y lápiz para entretenerse.

Aunque aquellos días también habían sido agotadores para Grace, ahora se sentía más libre y serena que nunca. Que el ángel de la muerte ya no rondara el lecho de su hermana empezó a dejarle tiempo para pensar en otras cosas. Lo primero que quería hacer era darle las gracias a Vikrama por su pronta y eficaz ayuda.

No dejaba de asomarse a la ventana, y en cuanto tenía oportunidad le preguntaba a Grace por el estado de Victoria. Ahora que el doctor Desmond había asegurado en su último reconocimiento que la joven estaba fuera de peligro, Grace aprovechó un rato perdido en una tarde nubosa para ir en busca del administrador.

Lo encontró en los galpones del té, controlando la calidad de las hojas secas.

—Señor Vikrama, ¿podría hablar con usted un momento?

El administrador se volvió hacia ella y asintió. Luego dijo algo en tamil a las mujeres y se alejó de los galpones.

—¿Qué sucede? Espero que no se trate de su hermana. Las doncellas me cuentan que es una joven muy valiente.

Grace sonrió con desenfado por primera vez en muchos días.

—No es nada malo, no se preocupe. Victoria está mucho mejor. El doctor Desmond opina que ya está fuera de peligro. Está un poco débil, pero ya se recuperará.

Vikrama respiró aliviado.

—Cuánto me alegro. La última vez que la vi, Kisah me preguntó por la hija del amo.

—Puede decirle que su medicina funcionó de maravilla y que todos le estamos muy agradecidos.

—No se lo dijo a su madre, ¿verdad? —inquirió Vikrama tras lanzarle una mirada escrutadora.

—No, ella… —Grace agachó la cabeza avergonzada—. Seguro que habría pensado que se trataba de un veneno. Se lo di a Victoria a escondidas.

—Confió en mí.

Grace lo miró a los ojos.

—Sí, y sigo confiando en usted.

El atisbo de una sonrisa suavizó la mirada de Vikrama.

—Puede que lo que haya hecho que su hermana sanase fuera su ofrenda a Shiva y a Ganesha.

—¿Mi qué?

—Dejó fruta debajo de la imagen de los dos dioses, ¿no es cierto?

Tras meditar un momento, Grace cayó en la cuenta. Había dejado olvidado el frutero debajo del cuadro.

—Una doncella anda por ahí diciendo que usted le hizo una ofrenda a los dioses. Por eso ahora todos creen que Shiva y Ganesha han salvado a su hermana.

Vikrama sonrió a Grace, esta vez sin tapujos, y sin pensárselo levantó la mano y le apartó un mechón de pelo de la mejilla. El tacto de sus dedos hizo que Grace se estremeciera como si le hubiera dado un calambre. Turbada por la ternura del gesto, se apartó.

—Discúlpeme, no pretendía... —Vikrama bajó la mano y se puso colorado.

—No se preocupe, no pasa nada —dijo Grace apartándose el pelo de la cara con un gesto inquieto. El corazón estaba a punto de salírsele por la garganta y las mejillas le quemaban. Ardía en deseos de que volviera a tocarla, pero por culpa de haber reculado ahora ya no era posible—. Solo quería darle las gracias. Todos le estamos muy agradecidos.

—Para mí es un placer poder ayudarles.

Vikrama hizo una reverencia y acto seguido volvió a clavar la mirada en ella. Grace se perdió en la negrura y el misterio de sus ojos... Nunca la habían mirado así, ni tampoco antes había sentido ese tremendo deseo que ahora invadía secretamente su regazo y que se resistió a abandonarla mientras corría de regreso hacia casa.

—Hemos recibido una invitación de los Stockton —dijo Claudia en mitad de la cena—. Ahora que Victoria se encuentra mejor y ha recuperado en parte sus fuerzas quizá podamos atrevernos a ir.

—Así lo veo yo también —se sumó Henry a su esposa mientras se limpiaba la boca con la servilleta—. ¿Tú cómo lo ves, Victoria?

Los ojos de la muchacha, aún sombreados por la recién pasada enfermedad, se iluminaron.

—¡Oh, sería estupendo! Así podré contarle a su hija lo de mi enfermedad y darle envidia. Creo recordar que ella aún no ha tenido malaria…

—Será mejor que no les digas nada a los Stockton de tu enfermedad —intervino su madre—. No vaya a ser que crean que aún hay riesgo de contagio. No vayamos a preocupar innecesariamente a su madre teniendo como tiene una hija con la salud tan delicada.

—Pero si el doctor Desmond dijo que la malaria no se transmite de persona a persona.

—Yo no estaría tan seguro al respecto, señorita —repuso su padre—. La ciencia está en constante movimiento; quién sabe qué nuevos descubrimientos hará la próxima semana. Quizá se demuestre que la malaria sí que es contagiosa entre los humanos y entonces habremos puesto en peligro a nuestros amables vecinos.

Henry soltó una risita y luego se limpió briosamente la boca en la servilleta. Claudia le dio una palmadita en el brazo, y Victoria hizo un puchero.

Grace había guardado silencio todo el tiempo. La sola idea de tener que pasar una velada en compañía del aburrido de George la hacía enfermar. ¡Por no hablar de las miraditas del padre! Sus padres debían de estar ciegos para no darse cuenta.

En su fuero interno deseó contraer la malaria. Unos trabajadores le habían contado que gracias a la curandera tamil nadie había enfermado de gravedad, ni mucho menos muerto.

—¿Qué te pasa, tesoro? —le preguntó Henry a Grace—. Estás muy callada. ¿Acaso no te alegras de hacer una excursioncita?

—Claro que sí, padre.

—Pues parece que te hubiéramos puesto para cenar una caja de limones.

–Es que no me encuentro bien. Tengo un ligero malestar –se disculpó, a falta de una excusa mejor, para no motivar un rosario de preguntas por parte de su padre.

–Oh, pues esperemos que en un par de días te encuentres mejor. Sería una lástima que no pudieras acompañarnos.

Para Grace no sería ninguna lástima, pero sabía que eso no cambiaría las cosas, así que asintió con una sonrisa y preguntó:

–¿Cuándo será la visita?

–El próximo domingo, después de misa. Si queréis podéis venir con nosotros a la iglesia de Nuwara Eliya.

No es mala idea, así podré rezar porque George Stockton no se interese en mí, pensó Grace esperando que no se le notara la sorna en la mirada.

La semana pasó volando. Tanto la señorita Giles como Grace y Victoria tuvieron que arreglarse los vestidos que iban a llevar a la visita.

–De esta guisa voy a parecer una doncella más –refunfuñaba la señorita Giles en los momentos en que creía que nadie la escuchaba. Si sus quejas hubieran llegado a oídos de Claudia Tremayne seguro que le habría echado una reprimenda a la gobernanta, pero ni Victoria ni Grace tenían la intención de chivarse. Mientras Victoria recuperaba las clases perdidas durante su convalecencia, Grace dedicaba muchas horas a la costura y soñaba despierta con reanudar sus clases con Vikrama entre puntadas desganadas a sus bordados y encajes. El administrador no había vuelto a encontrar un momento para ella, y Grace temía olvidar la caligrafía y el vocabulario que tanto empeño había puesto en aprender.

La tarde del domingo, después de asistir a misa en la recién inaugurada iglesia de Nuwara Eliya y de tomar un almuerzo frugal, los Tremayne se pusieron en marcha. El camino atravesaba la maleza, estaba transitado por carros de carga y era tremendamente abrupto. De cuando en cuando topaban con un búfalo pastando en mitad del sendero que los miraba fijamente como si no acabara de entender qué se les había perdido allí a esos hombres y a sus caballos. Sobre sus cabezas, los loros y los monos se asomaban desde las copas de los árboles. Cada dos por tres, junto al coche de caballos aparecía una de esas juguetonas bestezuelas de color marrón, como si fuera un vigilante encargado de informar al resto del clan sobre quién perturbaba la tranquilidad de la jungla.

Todo este aluvión de sensaciones pasó inadvertido a Grace, que bastante tenía con convencerse a sí misma de que la cosa no era para tanto. En realidad, también en Inglaterra su padre la había obligado en más de una ocasión a hacer visitas a gente que no era de su agrado, pero que suponían una fuente de financiación para la familia. Además, tampoco Stockton iba a morderla; al menos mientras su familia estuviera delante.

Después de recorrer un trayecto de aproximadamente una hora, apareció ante sus ojos la plantación de los Stockton. La mansión señorial de tres pisos brillaba como una perla en medio de un mar de terciopelo verde. Había bastantes más campos de té que en Vannattuppūcci, y también más edificios dedicados a la intendencia. La propiedad estaba protegida por una alta e historiada verja que hizo exclamar a Henry:

—¡Sin duda es el mejor trabajo de herrería que jamás he visto!

—Nuestra verja tampoco se queda atrás —señaló Grace sin poder contenerse. La casa podía ser todo lo espléndida que se quisiera, pero para su gusto resultaba demasiado ostentosa para un hombre que ni siquiera gozaba de un título nobiliario. Los Tremayne, que tampoco eran nobles, siempre se habían conformado con habitar casas de dos pisos.

Mientras el cochero rodeaba la glorieta que circundaba la escalinata de la entrada, Claudia aprovechó para dar instrucciones a sus hijas.

—Espero que las dos os comportéis como Dios manda y no hagáis ningún comentario fuera de lugar. Tú, Victoria, te abstendrás de molestar a la hija de la casa con tus historias sobre la malaria, y tú, Grace, haz el favor de poner mejor cara que la que traes y de tratar a los Stockton con el debido respeto.

A ver si cunde el ejemplo y ellos hacen lo propio, pensó Grace, pero prefirió callarse; lo último que quería era enzarzarse en una discusión con su madre.

En el instante en que ambas asintieron obedientes, el carruaje se detuvo.

Los Stockton, incluidos la hija enfermiza y el hijo patibulario, que a pesar de su flaco pescuezo parecía estar a punto de asfixiarse con su pañuelo Ascot, los estaban esperando en el recibidor al que los condujo el estirado mayordomo.

—¡Bienvenidos, queridos míos! —canturreó Alice Stockton con los brazos abiertos mientras su marido le estrechaba la mano vigorosamente a Henry al tiempo que aprovechaba para comerse con la vista a Grace, que recibió su mirada como una impertinente caricia en la mejilla.

Tras los saludos, en los que Grace no pudo evitar que Dean Stockton le besara la mano, fueron conducidos al salón, una lujosa estancia circular que se ocultaba tras una puerta corredera. Claudia no fue la única en quedarse boquiabierta al ver los preciosos muebles de mimbre, las soberbias alfombras y las pinturas paisajísticas que decoraban las paredes.

El té fue servido en un juego de porcelana china, y la bollería resultó ser inmejorable. Grace observó cómo su madre se moría de envidia al contemplar esos *scones* antes de poder hincarles el diente.

A ella en cambio le pareció estar comiendo piedras, y no por los *scones,* que eran de primera, sino por las miradas lujuriosas que George y Dean Stockton le lanzaban indistintamente. Una vez pilló a George relamiéndose los pálidos labios, gesto que provocó que un escalofrío le recorriera la espalda. Rápidamente clavó la vista en su taza de té, lo que no impidió que Dean Stockton le preguntara:

—Seguro que en estas fechas desearía estar en Londres, ¿no es cierto? Ahora es cuando se celebran los mejores bailes.

—Para serle sincera, echo mucho de menos Londres —repuso Grace con frialdad—. Aunque no hay mejor cura contra la nostalgia que observar la naturaleza y la vida que pueblan Vannattuppūcci.

La respuesta había sido de lo más atinada; tanto que nadie habría podido ponerle pegas. Y nadie de los presentes lo hizo, pero Dean Stockton la aprovechó para llevar las cosas a su terreno.

—¿Qué le parece si luego George le enseña la plantación? Como el señor de este pedazo de tierra que algún día será, estoy seguro de que para él será un orgullo.

—Por supuesto —dijo su hijo poniéndose rojo como un tomate—. Si ese es su deseo…

¿Qué otra cosa podía hacer Grace ante las miradas inquisidoras de sus padres salvo consentir? Cuando, conforme a lo esperado, aceptó, todos asintieron sonrientes.

La que más sonrió fue Victoria, que luego aprovechó un momento de descuido para hacerle una burla a su hermana.

Grace seguía la conversación solo a ratos; su atención se centraba en contemplar el árbol de franchipán con chillonas flores rosas que había en mitad del jardín inglés. Los franchipanes de Vannattuppūcci eran realmente hermosos, pero ese ejemplar tenía algo especial. Luego, cuando salga a pasear con George, quizá pueda admirarlo de cerca, pensó. O mejor aún: le propondría jugar al escondite. Así ella se sentaría en la hierba detrás de ese árbol, y se quedaría allí sin hacer ruido, y él se volvería loco buscándola.

Si por ella fuera el té podía haberse alargado durante horas, pero llegó el temido momento en que la charla se extinguió. Dean invitó a Henry a su despacho para enseñarle algo y Victoria se fue con Clara a su cuarto. Las señoras decidieron reposar un rato en un rincón sombrío del salón, y Grace tuvo que encaramarse al brazo de George Stockton.

En ese instante envidió a su hermana pequeña, pues habría preferido escuchar la tediosa retahíla de enfermedades de Clara a tener que verse forzada a hablar con un hombrecito que no tenía nada interesante que contar.

George la llevó al jardín –a una excursión a la plantación o al poblado de los recolectores se opuso categóricamente, pues no estaba dispuesto a malgastar la tarde observando a los indígenas–, y plegándose a sus deseos se dirigieron al espléndido franchipán. Lo que en primera instancia parecía un solo árbol resultó ser en realidad un montón de troncos entrelazados entre sí. ¿Sería obra de la naturaleza o de la diestra mano de un jardinero? Fuera como fuese el resultado era de una belleza impresionante.

–Un poco más allá hay un árbol de Bodhi. Los nativos afirman que Buda alcanzó la iluminación bajo uno igual –dijo George que, debido a la costumbre, no veía nada especial en el árbol que tenían delante–. Ese es el motivo por el que profesan un absurdo culto hacia esta planta. Tanto es así que hemos tenido que prohibirles terminantemente poner flores a sus pies, cosa que hacían todo el tiempo.

Grace no pudo evitar pensar en la imagen de los dioses del recibidor de su casa. Después de que las doncellas vieran las frutas que ella dejó sin querer bajo el cuadro y de que Victoria se curase, habían vuelto a poner un montón de flores a los pies del cuadro. En ese momento deseó encarecidamente que su padre, persuadido por Stockton, no se lo prohibiera a sus trabajadores.

Cuando se pusieron debajo de ese árbol de amplias ramas, Grace descubrió un par de loros.

–¡Oh, mire ahí! –exclamó entusiasmada–. ¿No son preciosos esos pájaros?

George miró brevemente hacia donde ella señalaba y luego dijo:

–Hace poco me cobré un loro verde y logré disecarlo sin que perdiera un ápice de su naturalidad.

Espantada, Grace abrió los ojos como platos; gesto que el joven Stockton debió de malinterpretar como un signo de admiración, ya que añadió:

–Ha de saber que el disecado de animales es mi gran pasión. De esa forma puedo conservar una gran cantidad de insectos y mariposas. Si lo desea, puedo enseñarle mi colección.

357

Grace recordó los trofeos que su padre guardaba en su despacho de Tremayne House; animales que ni siquiera había cazado él, pero que tenía como recuerdos, y que allí seguirían cuando ella fuera mayor, mirándola con esos ojos negros de cristal que le producían escalofríos.

—No, gracias —se opuso tajantemente—. Prefiero ver a los animales en su entorno.

Si con eso esperaba desviar a George de su tema favorito se equivocó. Con un entusiasmo insospechado, el pálido muchacho empezó a describirle con pelos y señales todo el proceso del disecado, lo que provocó que a Grace se le revolviera el estómago. Y ya cuando le confesó que andaba pensando en hacer una joya con plumas de loro para regalársela a su madre por Navidad, Grace creyó llegar a su límite.

—¡Me va a tener que disculpar, creo que no me encuentro bien! —dijo con más vehemencia de la que venía al caso.

—¡Permítame acompañarla! —se ofreció George, pero ella negó con la cabeza.

—No, no es necesario. No quisiera estropearle la visión de su próximo… objeto.

Dicho lo cual se dio la vuelta e intentó alejarse de él lo más dignamente posible. Cuando creyó estar a una distancia prudencial del hijo de Stockton, echó a correr como si huyera de los fantasmas de todas las criaturas que George había disecado.

Una vez en la entrada de la casa, intentó calmarse un poco. Si hasta entonces sus reparos hacia George Stockton podían tildarse de ridículos, ahora sí tenía una razón de peso para que le resultara abominable.

Nada más doblar una esquina y encarar la preciosa puerta de cristal, oyó las voces de su madre y la señora Stockton. Por el tono que ambas empleaban supo que le convenía quedarse a escuchar.

—Querida, nuestro hijo está loco por su hija mayor —dijo Alice con efusividad—. Desde que la conoció en el baile no puede quitársela de la cabeza.

—Y eso que solo se vieron un momento —añadió Claudia entre suspiros—. Aún no alcanzo a entender lo sucedido esa noche, nunca se había comportado así.

—Es el clima de aquí, que altera mucho a los jóvenes. Aunque vivo aquí desde hace veinte años, aún no he logrado acostumbrarme del todo. Pero tenga por seguro que nuestro George y su Grace harían una pareja estupenda, siempre que tomara en consideración esa feliz unión, claro está.

Grace contuvo la respiración. ¿Era ese el verdadero motivo de la invitación?

—Querida señora Stockton, hace ya tiempo que venimos barajando esa idea. Solo hace falta que los muchachos se acostumbren el uno al otro.

Grace tuvo que taparse la boca para no gritar de espanto. No podía creer que su madre quisiera casarla con ese alfeñique. Precisamente ella, que se había casado con un hombre apuesto como su padre.

De pronto le entró tal mareo que tuvo que apoyarse en el marco de la puerta. Pero no había tiempo para un ataque de debilidad, pues por detrás oyó la voz de Stockton, que otra vez le estaba dando consejos a su padre sobre cómo llevar la plantación.

A Grace le costó sopesar cuál de los dos males era peor. Finalmente se recompuso un poco y entró en el salón.

—¡Ah, pero si eres tú, Grace! —dijo su madre con dulzura—. Precisamente estábamos hablando de ti.

Lo apropiado en ese momento habría sido decir algo discreto y comedido, pero a Grace no le salieron las palabras. Lo único que habría sido capaz de decir después de haberlas escuchado, prefirió ocultarlo tras la malograda sonrisa que dibujaron sus labios.

Poco después entraron en el salón Stockton y Henry. Las cejas del señor de la casa se arquearon de asombro al ver a Grace sola junto a su madre.

—¿Dónde ha dejado a mi hijo? —preguntó jovialmente al tiempo que la taladraba con la mirada—. ¿No habrá dejado al pobre chaval ahí fuera buscándola con la excusa de jugar al escondite, verdad?

—No, por supuesto que no —respondió Grace lo más educadamente posible bajando con timidez la mirada para que no se notara la repulsión que le habían provocado las descripciones de George y que aún entonces seguían asqueándola—. Debe de estar en el jardín.

—Ah, seguramente se ha quedado ensimismado observando algún bicho —dijo Stockton algo contrariado y con cierto retintín. Era evidente que a él tampoco le entusiasmaba la afición de su hijo—. La pasión de George por la taxidermia no conoce límites, pero estoy seguro de que un buen día llegará una mujer bonita que le quite esas cosas de la cabeza.

Dicho lo cual volvió a clavar la mirada en Grace.

—¿Le importa si me llevo a la joven dama a ver nuestro mirador? —preguntó dirigiéndose a Henry—. Ya que el jardín no ha sido de su agrado, puede que lo sean las maravillosas vistas de las montañas y de su plantación.

—¡Por supuesto que no! —repuso Henry apremiando con la mirada a su hija.

La sola idea de quedarse a solas con Stockton en un lugar retirado le produjo un profundo malestar, pero aun así logró esbozar una sonrisa.

—Si lo desea puede acompañarnos.

Henry declinó la invitación.

—No, gracias. Creo que me quedaré aquí escuchando conversar a las damas.

Ni siquiera papá quiere pasar más tiempo con él, pensó airada Grace mientras se levantaba con el corazón a cien y las manos heladas para tomar la mano que Stockton le ofrecía solícito.

Stockton la miró sonriente y juntos salieron del salón. Mientras bajaba en silencio la escalinata, Grace se preguntó dónde estaría ese dichoso mirador. ¿Estaría lejos? Entonces incluso deseó encontrarse con George o con Clara y Victoria, y que se apuntaran a la excursión, pero, como si Stockton los hubiera encerrado en una mazmorra, ninguno de ellos se dignó a aparecer.

—Venga conmigo, no queda lejos —dijo Stockton con tanta amabilidad que Grace empezó a desconfiar. Pero enseguida recobró la calma al recordar que sus padres andaban cerca y que hasta el momento, a pesar de sus extrañas miradas, Stockton no había hecho amago de abalanzarse sobre ella.

Subiendo por una escalera de tablones de madera con unos peldaños lo suficientemente suaves como para que Grace pudiera remontarlos remangándose ligeramente la falda, llegaron a la altura de los campos de té de la ladera. Las vistas y el aroma que desprendían las plantas hicieron que olvidara por un momento que Stockton seguía a su lado.

—Ya hemos llegado —dijo este innecesariamente, pues Grace ya había visto el mirador. Era una plataforma que reposaba sobre un saliente, con una cadena de metal para proteger al observador de una posible caída. Un pequeño telescopio brillaba al sol.

Grace tuvo que admitir que las vistas desde ahí arriba eran impresionantes. A lo lejos se veía al Pico de Adán, la montaña donde su tío encontró la muerte.

—Gracias al catalejo se puede ver la cima de la montaña —dijo Stockton a sus espaldas, lo que provocó que Grace tuviera la sensación de notar su aliento en la nuca—. Espero que no tenga vértigo.

—No creo —repuso ella con una mezcla de congoja y curiosidad.

—Es usted valiente. Eso me gusta.

Stockton posó la mano con suavidad sobre la espalda de Grace.

Cuando ella se inclinó para mirar por el telescopio su cadera chocó contra el cuerpo de Stockton. Sobresaltada miró a un lado; no sabía lo cerca que lo tenía.

—Puede regular el alcance de la lente con eso.

Antes de que pudiera apartarse de él, ya la había rodeado. Su mano le rozó el pelo como sin querer, y luego su brazo le tocó la espalda. Mientras la abrazaba, su mano giró el tornillo de ajuste. Luego la retiró, aunque no sin rozarle la cintura.

Grace se estremeció. ¿Cómo se atrevía a manosearla de ese modo?

Al instante se sintió algo ridícula. Probablemente esté sacando las cosas de quicio, se dijo intentando concentrarse en las vistas. Y por un momento lo consiguió y logró ver la escarpada cima del Pico de Adán, y luego, al bajar un poco el telescopio, pudo echarle un vistazo a sus campos de té y a la casa señorial de Vannattuppūcci. ¡Ahí estaba, como un diamante en un manto de terciopelo verde!

Luego oyó jadear a Stockton. En un primer momento pensó que se encontraba mal, pero cuando se volvió hacia él se encontró con dos ojos que la escrutaban con un extraño y oscuro brillo. Aunque no tenía demasiada experiencia con los hombres, supo instintivamente que se trataba del brillo del deseo, de la concupiscencia. Esas sensaciones hicieron que su cuerpo se estremeciera y que sin saber por qué se lamiera los labios.

—Grace —susurró Stockton de manera casi ininteligible mientras sus labios dibujaban una sonrisa.

Aquel susurro y su mirada torva la hicieron retroceder, pero el telescopio y la cadena se lo impidieron. Stockton avanzó hacia ella e hizo ademán de agarrarla del pelo.

—¡Por favor, vámonos de aquí! —susurró asustada y con la boca seca—. ¡Me estoy empezando a marear! ¡Se lo ruego!

La mano de Stockton se detuvo a mitad de camino. Tras un instante de vacilación, la voracidad retrocedió en el profundo negro de sus ojos.

—Como desee, señorita —dijo trabándose un poco, e inmediatamente le tendió la mano. Pero esta vez Grace no la aceptó; prefirió bajar sin ayuda las escaleras.

Durante el camino de vuelta Grace tuvo que controlarse para no echar a correr. Stockton ya no se le acercaba; más bien se

362

mantenía a una distancia respetuosa. Pero tener que ir delante con sus ojos clavados en la espalda le asustaba casi tanto como lo que había oído decir a su madre y a la señora Stockton.

Al volver al salón comprobó que tanto George como Clara y Victoria se encontraban de nuevo allí.

—Y bien, ¿qué tal las vistas? —preguntó su padre sin notar que algo le pasaba a su hija.

—Espectaculares —dijo Grace escuetamente.

Entonces notó que la señora Stockton miraba a su marido con gesto interrogante. El deseo ya se había borrado del rostro de Dean, pero debía de quedar algo, un mínimo residuo que solo Alice sabía detectar. El resto de la tarde Grace no fue capaz de mirar a la señora Stockton a la cara, por más que no hubiera sido su mano la que intentara agarrarle del pelo ni la que antes hubiera intentado descaradamente rozarla.

Por suerte el suplicio solo duró una hora más y luego pudieron emprender el camino de regreso a Vannattuppūcci. Durante el trayecto, la cabeza de Grace hervía de tal manera que fue incapaz de abrir la boca. El malestar motivado por el paseo con Stockton se juntó con la ira por haberse enterado de que planeaban casarla con George.

Pero nadie se percató, ya que Victoria no paraba de hablar de la nueva batería de enfermedades que Clara Stockton decía padecer.

—Me costó un imperio, pero no le dije nada de mi malaria —musitó al ver que su padre la miraba mal.

Cuando finalmente el carruaje se detuvo, Grace notó que la ira se le había agarrado al estómago. ¡Según la señora Stockton, su noviazgo con George ya era cosa hecha! No alcanzaba a entender por qué su madre la entregaba al primer hombre que había llamado a la puerta. ¿Solo porque sus respectivas plantaciones eran vecinas y porque los Stockton eran ostensiblemente más ricos que ellos?

Qué diría si supiese que también el padre le había echado el ojo… Probablemente pensaría que todo es fruto de mi imaginación, pensó desilusionada.

Nada más llegar a su cuarto se quitó enfadada el sombrero y lo arrojó al rincón contiguo a la ventana. Luego se soltó el pelo y dejó que sus rizos camparan a sus anchas. Victoria, que iba justo detrás de ella, cerró la puerta asustada.

—¿Qué te pasa? ¿Se te ha metido un bicho por debajo del sombrero?

En vez de contestar, Grace se quitó el vestido y se giró hacia su hermana con unos ojos de loca que hicieron que Victoria reculara asustada.

—¡Estás para que te encierren en un manicomio, chica!

—¡Harías mejor mandando allí a la señora Stockton! —bufó Grace—. ¡Es ella quien piensa que George y yo haríamos una pareja estupenda! ¡Y mamá le da la razón! ¡Como si no hubiera más hombres jóvenes por aquí!

Entonces se mordió la lengua y no le contó a Victoria que Stockton la había acosado en el mirador.

—Sí que los hay, pero tú no te casarías con ninguno, ¿no es cierto? —repuso astutamente Victoria, y se quitó el sombrero con mucha más delicadeza que su hermana.

—Claro que lo haría. ¡Pero nunca con uno como George Stockton! ¿Cómo se le ocurre a mamá casarme con ese mamarracho? ¡A que no sabes cuál es su *hobby:* ¡disecar animales muertos! Cuando me llevó a pasear por el jardín me contó cómo les saca las tripas con un gancho. ¡Te digo yo que ese chico no es normal!

Por un momento los ojos de Victoria se iluminaron de gozo; con lo curiosa que era le habría encantado ver el proceso del disecado.

—Deberías contárselo a mamá.

—No me escucharía. Parecía encantada con la proposición de la señora Stockton. ¡Y eso que solo llevamos aquí dos meses!

—Si nos hubiéramos quedado en Londres seguramente ya tendrías un prometido.

364

—Pero te aseguro que no se dedicaría a matar animales para luego rellenarlos de serrín.

—Sabes perfectamente que mamá piensa que una chica debe casarse lo antes posible —prosiguió Victoria sin dejarse impresionar—. Ella acababa de cumplir dieciocho años cuando conoció a papá.

Estuvo a punto de estallar y regañarla por hablar así de su padre, un hombre sin aficiones cruentas que, gracias a su cuna plebeya, no tenía que celebrar cacerías del zorro; pero entonces recordó lo mucho que había sufrido por el injusto castigo que le impuso tras su intervención. Amaba a su padre, por supuesto que sí, pero ese amor se había ocultado tras un oscuro velo desde que llegaron a la plantación. Y ni siquiera sabía si ese distanciamiento se debía a que ella había cambiado o a que había cambiado él.

—Sé que algún día tendré que casarme. De hecho, si hace un año me hubieran dicho que iba a ser la esposa de un rico terrateniente me habría vuelto loca de contenta. Pero ahora…

De pronto se quedó callada. ¿De verdad en Inglaterra habría aceptado sin más que sus padres le eligieran el marido?

En Inglaterra habría asistido a todos los bailes de la temporada y al menos habría podido elegir pretendiente. Puede que hasta me hubiera enamorado de alguno que no tuviera un padre que me mirase como un lobo hambriento a su presa.

¡El amor! Ese era el quid de la cuestión. De niña anhelaba conocerlo, pero conforme se fue haciendo mayor intentó convencerse a sí misma de que los intereses familiares estaban por encima… Pero no es fácil enterrar el germen de un anhelo bajo la disciplina y el deber.

—No amo a George Stockton ni creo que llegue a amarlo nunca. ¿No se ha dicho siempre que bastan unos instantes para saber si alguien te gusta o no?

—También se dice que muchas mujeres tardan en acostumbrarse a sus maridos y que luego de ahí surge al amor.

—Es verdad, pero no creo que precisamente tú, que te derrites leyendo novelas románticas y que conoces de cabo a rabo la obra de Jane Austen, seas de las que acaben acostumbrándose. ¿Acaso me equivoco? ¿No te gustaría tener a tu propio señor Darcy?

Mientras decía estas cosas, Grace tuvo la certeza de haber encontrado el suyo.

—¡Yo soy más del coronel Brandon! —puntualizó efusivamente Victoria.

—Pues el coronel Brandon, como desees —repuso Grace—. El caso es que George Stockton no tiene nada que ver con ninguno de los dos. Puede que un día herede una próspera plantación, pero estoy segura de que hay otros como él por aquí cerca. Sin embargo, parece que lo único que interesa en este mundo a nuestros padres es que me case con ese chico. Con la de jóvenes herederos apuestos que deben de andar por ahí sueltos...

—Pero si te casaras con George no te irías lejos. Ya sabes que nuestro padre espera que te hagas cargo de la plantación.

—En realidad, debería hacerme cargo de Tremayne House —repuso Grace—. Para serte sincera, ahora mismo preferiría estar allí.

Eso no era verdad del todo; había algo que la ataba a ese lugar. Aunque con tal de no casarse con George Stockton sería capaz de emigrar a los confines del mundo.

—¿Qué se te ha perdido a ti en ese viejo caserón? —preguntó Victoria algo desconcertada—. Reconoce que aquí el clima es mejor, y que la casa es mucho menos deprimente.

—Lo admito, ¡pero al menos allí siento que estoy en mi lugar!

En cuanto la vio echarse a llorar, Victoria se sentó a su lado y le acarició el hombro.

—Quizá recapaciten. Además, no quiero que te vayas de aquí. Puede que el joven Stockton tampoco quiera casarse contigo; o que se caiga de su caballo y se mate acompañando a su padre en una de sus galopadas. Nadie sabe lo que le tiene reservado el destino.

Un silencio sepulcral siguió a la visita a casa de los Stockton. Grace estaba siempre de morros; no se dejaba ver salvo en las comidas. Claudia no parecía sentirse responsable del malestar de su hija, y Henry tenía demasiadas cosas en la cabeza como para siquiera darse cuenta.

Mientras, desganada, removía la comida en su plato con la impresión de haberse comido ya un montón de esas dichosas y pegajosas gachas, rumiaba para sus adentros su frontal oposición a comprometerse con George Stockton.

No cabía ninguna duda al respecto: una mujer ha de cumplir con su deber y casarse. ¿Pero por qué con él? Al mismo tiempo, se preguntaba qué había sido de esa hija obediente que solo soñaba con su puesta de largo y con una boda esplendorosa.

Mientras se obligaba a probar el huevo pasado por agua que acababan de servirle, llegó a una conclusión: nadie podría ocupar un lugar en su corazón porque ese lugar ya estaba ocupado; y lo ocupaba un hombre del que ni siquiera sabía si aún era libre.

14

A la mañana siguiente, a Diana y a Jonathan les estaba esperando un nuevo desayuno, pero en lugar del señor Manderley encontraron una tarjetita en la que se disculpaba por haber tenido que irse a Colombo y los informaba de que solo se ausentaría un día.

—Vamos a echarlo de menos —dijo Diana esbozando una sonrisa—. ¿A quién le preguntaremos ahora cuando nos surja una duda?

—Esto está lleno de gente amable más que dispuesta a dejar lo que sea que esté haciendo para ayudarnos —respondió Jonathan, que le devolvió la sonrisa y le hizo entrega de una funda de CD—. He encontrado un par de cosas sobre el *kalarippayatt* para usted. Incluso hay un vídeo donde podrá hacerse más o menos una idea de en qué consiste esa lucha. Puede incluirlo en su dosier.

—¿De dónde ha sacado el CD? —preguntó Diana sorprendida.

—De las administrativas. Ya sabe, no hay deseo que no se cumpla ni puerta que no se abra cuando se tiene una sonrisa tan encantadora como la mía. Échele un vistazo al material. Merece la pena.

Diana observó la funda y leyó el título, que obviamente había escrito Jonathan.

—¿Qué hay de su proyecto? —preguntó—. No logro quitarme de encima la mala conciencia por robarle su precioso tiempo.

—Sinceramente, no creo que me esté robando nada. Ya le dije ayer que pienso incluir en mi libro todo lo que descubra. A decir verdad, les estoy muy agradecido a Michael y a usted por haberme mostrado una nueva perspectiva. Los historiadores tendemos a ver las cosas con la frialdad del teórico. En cambio, aquí —dijo extendiendo los brazos— existe la posibilidad de experimentar de cerca determinados aspectos del conflicto. ¿Se puede pedir más?

Las horas siguientes pasaron volando, pero lo único nuevo que Diana sacó en claro fue una receta de quinina extendida por un tal doctor Desmond. El resto de hojas sueltas, entre las que Diana esperaba encontrar alguna carta personal, resultaron ser albaranes y correspondencia comercial. Al menos, algunas estaban escritas de puño y letra por su antepasado, Henry Tremayne. Aún sin tener nociones de grafología, Diana se imaginó al dueño de la plantación como un hombre de voluntad férrea. ¿Qué pudo suceder?

De nuevo le vino a la mente el funeral de Emmely. El incidente, el escándalo, como decía Victoria en su carta, debió de ser lo bastante grave como para que aún hoy resonara, aunque débil, su eco. Nadie sabía ya qué pasó, pero todo el mundo había oído que se trataba de algo gordo.

—¡Oh, Dios! —exclamó de pronto Jonathan.

Diana se volvió asustada.

—¿Qué pasa?

—Creo que he encontrado algo importante.

Entonces le dio un cuadernillo en muy mal estado con las hojas onduladas y manchas de humedad. No tenía título, y en las primeras páginas no había más que caracteres de escritura tamil.

—¿Qué dice aquí? —preguntó expectante señalando los borrosos signos—. Sabe de sobra que no leo tamil.

—No tiene sentido, deben de ser ejercicios de caligrafía. Más adelante encontrará lo que creo que puede ser un verdadero tesoro.

Diana pasó las páginas hasta dar con el hallazgo de Jonathan.

—¡No me lo puedo creer! —exclamó Diana casi sin aliento. El pulso se le aceleró como si estuviera esperando el pistoletazo de salida para echar a correr.

Tras los ejercicios de caligrafía, había unas anotaciones tan diminutas que requerían una lupa para ser leídas. Los renglones estaban muy juntos, como si el autor hubiera querido aprovechar hasta el último espacio libre de papel. Cualquiera que echara una mirada superficial a esos renglones pensaría que se trataba de garabatos sin sentido, pero Diana, que ahora tenía la cara pegada al papel como si se hubiera vuelto miope de pronto, distinguió letras.

—Quien quiera que escribió esto tuvo que emplear una pluma extrafina —dijo Diana posando el cuaderno en la mesa—. Tendré que pedirle una lupa al señor Manderley.

—Alguien que escribe tan pequeño es evidente que intenta ocultar algo —afirmó Jonathan erigido en maestro de la ocultación—. ¡Quizá le aguarden ahí los secretos de Grace o Victoria!

—Si este cuaderno realmente perteneció a una de las hermanas no debió de parecerle lo bastante importante como para llevárselo a Inglaterra. Será mejor no hacerse ilusiones, seguramente no sea nada.

—Solo lo sabrá cuando lo lea, ¿no le parece?

Diana asintió y abstraída pasó los dedos por las páginas; tenían el tacto de la lija fina.

—¿Sabe qué? Voy a ir a pedirles una lupa a las administrativas. Seguro que la del sari rojo, la que antes me dio el CD, me proporcionará también una lupa si le pongo ojitos.

¿Por qué al oír ese comentario le habían entrado celos?

Diana sabía la respuesta, pero prefirió dejarlo pasar y concentrarse en el cuaderno.

—¡Ahora mismo vuelvo!

Jonathan se levantó y abandonó el archivo. Diana lo vio marcharse pensativa y luego acercó el cuaderno a su cara. Al hacerlo, notó cierto aroma a canela, el mismo que tenían los objetos del cofre. Al intentar descifrar esa letrita microscópica se puso a llorar, y entonces, como si la humedad hubiera transformado sus pupilas en lupas, logró leer las primeras frases.

No sé por dónde empezar. Estoy hecha un lío y no tengo en quién confiar. Como aquí no tengo amigas, plasmaré mis pensamientos en este cuaderno y en cuanto esté lleno lo quemaré. Quizá así pueda ordenarlos y darles un sentido...

Antes de que pudiera continuar, Jonathan entró por la puerta con una lupa y una cestita con fruta.

—Las administrativas me pusieron esto en la mano cuando decliné su invitación a almorzar.

Diana arqueó las cejas.

—¿Ya pasó la hora de comer?

Un rápido vistazo a su reloj de pulsera confirmó sus sospechas.

—El señor Manderley vela porque no nos quedemos en los huesos. Pero yo soy investigador, y sé lo absorbente que puede llegar a ser el pasado. De modo que siga leyendo tranquilamente y si encuentra algo que merezca la pena hágamelo saber. Mientras, seguiré buscando perlas ocultas.

Diana le sonrió agradecida y echó mano de la lupa. Antes de enfrascarse en el cuaderno alcanzó un plátano. Mientras lo pelaba y se lo comía a lentos bocados, se preguntó quién sería esa persona tan desesperada por contarle a alguien sus tribulaciones.

Cuando se hubo comido la fruta, sacó el sobre que había encontrado bajo el sarcófago de Deidre. La tinta era del mismo color que la del cuaderno. No sería de extrañar que ambos escritos hubieran sido redactados en ese lugar. Pero a quién pertenecería el cuaderno, ¿a Victoria o a Grace?

Al contrastarlas, comprobó que las dos escrituras se parecían, como si ambas manos hubieran tenido el mismo maestro. Sin embargo, cada una tenía sus peculiaridades. La letra de la carta de Victoria era más infantil y juguetona, mientras que la otra era más recta y angulosa; las prisas habían obligado a su autor o autora a no darle demasiada importancia a escribir con buena caligrafía.

371

¿Será de Grace? ¿Volcaría aquí los pensamientos directamente salidos de su alma?

Con el corazón a cien Diana agarró la lupa y empezó a leer.

Tras la lectura de la primera página, tuvo claro que la redacción era de Grace. El escrito tenía el tono recatado de un texto victoriano, y sin embargo traslucía claramente el torrente de emociones íntimas que la impulsó a escribirlo.

Al llegar a un pasaje determinado Diana resopló y levantó la vista del papel.

—¿Sabe qué? —dijo cerrando el cuaderno.

—¡Dígame! —exclamó sobresaltado Jonathan por detrás de una pila de papelotes.

—¡Tenemos que ir a la plantación de Stockton!

—¿Ahora mismo?

—¿Por qué no?

—Me pregunto qué le habrá impulsado a tomar esa decisión tan repentina. ¿Ha encontrado algo en el cuadernito?

—¡Y tanto! —repuso Diana—. En él mi tatarabuela relata que la «gran desgracia», así la llama, comenzó con una visita a la casa de los Stockton. Ahora que tengo una pista concreta me gustaría seguirla cuanto antes.

Jonathan puso las manos en alto.

—¡De acuerdo! ¡Usted manda! ¡Veamos a cuánto queda de aquí!

Dicho lo cual se levantó y se acercó al mapa que estaba colgado en la pared junto a la puerta. A juzgar por el tono amarillento del papel debía de ser antiguo, pero seguro que los caminos seguían siendo los mismos.

—Si está dispuesta a pegarse una buena caminata podríamos estar allí en tres horas —concluyó tras estudiar detenidamente los caminos que llevaban al norte.

—En ese caso, lo estoy. Tengo que echarle un vistazo a la plantación Stockton, y también a toda la documentación que puedan tener allí.

Jonathan asintió sonriente y agarró su bolsa.

Aunque saltaba a la vista que la plantación no pasaba por su mejor momento, la casa señorial se erigía majestuosa entre la decadencia que la rodeaba. La pintura de la fachada se había descascarillado, y algunas ventanas se veían tapiadas con listones de madera, pero Diana, que estaba plantada delante de la entrada junto a Jonathan, pudo imaginarse perfectamente cómo era la vida allí hacía ciento veinte años.

—¡Disculpe! —exclamó Jonathan de improviso.

Diana, que se había quedado embobada mirando la fachada, vio a un hombre vestido con mono de trabajo cruzar el patio a toda prisa.

—¿Qué querer? —dijo el hombre en un espantoso inglés que hizo que Jonathan se pasara al tamil. Diana no entendía ni jota, pero estaba segura de que estaría explicándole el porqué de su visita y pidiéndole permiso para echar un vistazo.

El hombre dijo algo y puso pies en polvorosa.

—¿Y bien? —preguntó Diana expectante.

—Ha ido a por las llaves. Dice que el administrador no está, pero que si le prometemos dejarlo todo como lo hemos encontrado, podemos ver la casa.

Jonathan la miró sonriente y luego dijo:

—La casa es impresionante. Me extraña que la plantación haya quebrado; al fin y al cabo, está en la misma zona que Vannattuppūcci.

—Quizá todo dependa del dueño —dijo Diana, mientras pellizcaba una hiedra esmirriada. Al ver esa planta, que no pintaba nada en aquel lugar, pensó que quizá los Stockton nunca pretendieron adaptarse al país—. Lo que Grace Tremayne escribe de él es todo menos lisonjero.

—¿Era un canalla?

—Más bien un mujeriego. Me interesa saber qué fue de él. Puede que así nos acerquemos más a Grace.

Antes de que Jonathan pudiera hacerle más preguntas apareció el hombre haciendo tintinear las llaves. El quejido que emitieron los goznes del portón al abrirse hizo que a Diana se le pusiera la piel de gallina.

—Vamos allá —dijo Jonathan animoso, para luego seguir los pasos algo indolentes del hombre.

Diana vio que en mitad del césped había un cartel que decía en tres idiomas «Se vende».

—¿Qué haría usted con un edificio así? —le susurró a Jonathan al oído.

—Montar un balneario. O quizá un museo. Los tiempos en que la aristocracia inglesa podía construir en un lugar como este su casa de campo decididamente han pasado.

—Las plantas de té siguen ahí —objetó Diana—. Quizá algún día vuelvan a producir té en estas tierras.

—Es posible. Veo en el señor Manderley un buen candidato. De hecho, los campos de té lindan con los suyos. Aunque no creo que le hiciera ninguna gracia mantener dos casas señoriales. Me temo que el señorío de Stockton solo puede aspirar a ser un lugar de visitas guiadas.

Qué lástima, pensó Diana, a pesar de las cosas que había leído en el diario.

Ya delante de la casa, Diana vio una grieta en el muro que le hizo preguntarse si habría habido un terremoto en la zona. Debajo de dos ventanas de la planta alta había dos desconchones enormes. La puerta original había sido reemplazada por una nueva que rompía la armonía del conjunto de la orquesta como una disonancia estridente. En Alemania la Sociedad para la Defensa del Patrimonio ya habría hecho saltar las alarmas, pensó Diana herida en el alma.

Tras dejar atrás la horrible puerta, inmediatamente tuvieron la sensación de estar rodeados por las sombras de un tiempo pasado. Aunque faltaban muebles, ya que las marcas en las paredes denunciaban su ausencia, Diana pudo hacerse una idea de lo lujosa que había sido la casa en tiempos. Casi con devoción observó la escalera de mármol que conducía al primer piso. Desde un cuadro con un marco grueso y dorado, un hombre moreno y apuesto embutido en una elegante levita la miraba desde arriba. Atraída por el retrato de manera casi mágica, Diana subió corriendo las escaleras.

El cuadro no tenía título, pero al ver el paisaje con los campos de té al fondo y reconocer a lo lejos la casa señorial supuso que ese señor era Dean Stockton. Además, a pesar de haber centrado la atención en Henry Tremayne, conservaba un recuerdo esquemático de él por la foto del Hills Club.

A simple vista no parecía un hombre que necesitara ir detrás de una muchachita. Sus rasgos angulosos sugerían disciplina y seriedad; la barba cuidada y el pelo meticulosamente peinado y salpicado de canas denotaban cierta vanidad. Que el pintor hubiera idealizado su figura o que sencillamente hubiera eliminado la barriga que suelen lucir los hombres de esa edad era algo que ya no se podía saber. En cualquier caso, Dean Stockton tenía una facha impresionante, y solo la insondable negrura de sus ojos dejaba ver algo de los deseos reprimidos de un caballero victoriano.

Diana se giró y supo que Jonathan la había estado mirando todo el tiempo.

—¿Ese no es el hombre de la foto del club? —Él tampoco lo había olvidado.

—Supongo que sí. Quién sino el dueño de la plantación iba a estar retratado a tamaño natural presidiendo el recibidor.

—Quizá encontremos algo que nos aclare un poco más la relación entre los Stockton y los Tremayne. Solo tenemos una hora, así que cuanto antes nos pongamos a registrar las habitaciones, mejor.

Diana asintió. Mientras bajaba las escaleras, sintió cómo los ojos muertos de Stockton le taladraban la espalda.

Muchas habitaciones estaban completamente vacías. Los cables desnudos que colgaban por las paredes permitían deducir que habían sido oficinas, pero ya no quedaba ni rastro del mobiliario.

Después de inspeccionar la planta baja sin encontrar nada —hasta lo que Diana pensó que había sido el salón estaba vacío—, subieron al primer piso pasando por delante del retrato de Stockton.

Algunas puertas estaban cerradas con llave. Al mirar por el ojo de la cerradura, se adivinaban estancias que no habían sido utilizadas desde los años dorados de la plantación.

—Mire, acabo de encontrar algo así como un pequeño museo privado.

Tras la puerta que Jonathan acababa de abrir estaba una de las pocas habitaciones amuebladas que quedaban. Nada más entrar Diana supuso que se trataba del despacho de Dean Stockton. Las altas estanterías habían sido aligeradas de los ejemplares valiosos; solo quedaban libros irrelevantes y mal conservados apilados sin criterio alguno. Los muebles o bien estaban asegurados o sencillamente resultaban demasiado pesados para los ladrones. En los amplios alféizares de las ventanas había montañas de papeles: documentos desordenados de distintas épocas, periódicos amarillentos y cuadernos con las tapas gastadas.

Al observar con más atención, Diana descubrió una pila de folletos con una foto del señor de la casa en sus mejores años en la portada. Amarillentos y quemados por el sol, estaban apilados de cualquier manera sobre una cómoda con los bordes desportillados.

Diana abrió uno de esos cuadernillos. Su cuerpo se puso a temblar al descubrir que el propietario se había tomado la molestia de editar la historia de la plantación en dos idiomas: inglés y cingalés.

Junto a una narración sucinta de los hitos más relevantes, encontró un retrato familiar de los Stockton que le confirmó la identidad del caballero del cuadro de la escalera.

—Dean Stockton dirigió la plantación en su época más próspera hasta que a los setenta años tuvo que dejarla en manos de su hijo por motivos de salud. Dos años más tarde falleció reuniéndose así con su mujer, fallecida veinte años atrás de muerte repentina.

Diana le echó un vistazo a su biografía. Alice Stockton murió a los cuarenta y tres años, en 1888. Si Stockton se había vuelto a casar, allí al menos no constaba.

—Me pregunto si Stockton tuvo algo que ver con la muerte de su mujer —murmuró Grace casi para sí.

—¿Cómo ha llegado a esa conclusión, Holmes? —inquirió Jonathan.

—En las anotaciones de Grace hasta ahora solo he encontrado una fecha: el cuatro de octubre de 1887. Es posible que el mismísimo Stockton le estuviera haciendo la corte. A juzgar por el episodio del mirador, hacía tiempo que la tenía entre ceja y ceja.

—Pero de ahí a asesinar a su mujer…

—Cosas peores se han visto —afirmó Diana—. Grace sentía una evidente aversión por su hijo, aversión que él mismo compartía, si es que Grace estaba en lo cierto. No me parece tan extraño que Stockton deseara a una mujer joven y hermosa.

—Podía haberse divorciado.

—Menudo escándalo se habría formado.

Cuando pronunció esa palabra, a Grace le vino a la mente la carta de Victoria. ¿Estaría implicado Stockton? ¿Le habría pedido matrimonio a Grace? ¿Habría hecho algo que justificara el regreso de Grace a Inglaterra?

Un escalofrío le recorrió la piel a Diana al ver a Stockton más que capaz de tomar a Grace por la fuerza…

De pronto le entraron unas ganas terribles de seguir leyendo las anotaciones para aclarar el asunto. Pero el cuaderno estaba en el archivo de Vannattuppūcci.

—Puede que Henry no mandara a Grace a Inglaterra por sus diferencias, sino para protegerla de Stockton —aventuró Jonathan dando rienda suelta a sus pensamientos.

—¿Y entonces por qué la desheredó?

Diana se quedó callada mirando por la ventana. ¿Dónde estaría el mirador donde Stockton acosó a Grace?

Al comprobar el reloj constató que solo faltaba un cuarto de hora para que el trabajador volviera para invitarlos a marcharse.

—Busquemos el mirador —dijo siguiendo su repentina corazonada.

—¿No quiere inspeccionar el resto de la casa?

–No creo que vayamos a encontrar mucho más –respondió, y se metió el folleto en el bolsillo del pantalón; el retrato de familia ya era en sí un buen acicate para reflexionar–. Quiero ver el lugar donde estuvo a solas con Grace.

Desgraciadamente, el jardín de la mansión no estaba tan bien cuidado como debió de estarlo en el pasado. Solo el árbol de franchipán artificialmente entrelazado se conservaba como cuando Grace lo admiró.

Dado que la descripción del camino al mirador no era muy precisa en las anotaciones de Grace por concentrarse más en los sentimientos que le provocaba Stockton, Jonathan optó por preguntarle al trabajador, que en ese momento estaba detrás de un seto fumando un cigarrillo que tiró al suelo nada más ver que se acercaba.

Los desproporcionados gestos de aquel hombre se dirigían más bien a alguien que no conociera su idioma, lo que provocó cierto estupor en Jonathan, que a pesar de todo logró enterarse de las indicaciones.

–Sígame, es por aquí.

La parte del jardín que ahora recorrían era casi más agreste que la maleza que rodeaba la escuela de lucha de Vannattuppūcci. Hacía años que la naturaleza campaba a sus anchas en aquel lugar. Los peldaños que Grace subió agarrada a Stockton casi habían desaparecido bajo la hierba. Ahora apenas quedaba un sendero empinado.

Pero aún se podían vislumbrar los campos de té; solo hacía falta mirar a través de la espesa maleza.

A mitad de trayecto el camino se cortaba. El cartel que colgaba de la oxidada cadena estaba escrito en tamil y en cingalés.

–No pasar –tradujo Jonathan–. Peligro de desprendimientos.

Diana estaba dispuesta a ignorarlo, pero justo cuando iba a echar a andar Jonathan la agarró del brazo.

—Será mejor que no continúe. El secreto de su familia quedará sin resolver si por un mal paso usted se despeña. Es muy probable que ahí arriba ya no haya nada.

Por un instante, Diana sintió ganas de zafarse, pero luego recordó que Grace mencionaba que el mirador estaba construido sobre un saliente.

Así que claudicó y se detuvo.

—Tenía tantas ganas de ver ese lugar… —murmuró como una niña caprichosa.

—Quién sabe, puede que aún pulule por ahí arriba el fantasma de Stockton —dijo Jonathan con una sonrisa reconciliadora—. Al verla, podría cometer alguna fechoría, y por desgracia no he traído mi equipamiento de cazafantasmas.

Ahora era Diana quien sonreía, y de pronto el tiempo del paseo no le pareció perdido.

Cuando volvieron a la casa, Jonathan le metió en la mano un par de billetes al impaciente trabajador y le pidió disculpas por haberse pasado de la hora estipulada. Luego se despidió y se volvió hacia Diana.

—Dice que podemos volver cuando queramos —le dijo a Diana mientras dejaban atrás la verja parcialmente cubierta por la hiedra de la casa señorial.

—No me extraña, con la propina que le ha dado…

—Se me da bien hacer amigos.

Diana se lo quedó mirando un momento, para luego decir:

—¿Le he dado alguna vez las gracias por todo lo que ha hecho por mí?

—Ahórreselas por el momento —repuso Jonathan—. Todavía nos faltan algunas piezas del puzle.

Diana sonrió para sus adentros. Si Philipp fuera la mitad de adorable que él, haría un intento por reconciliarse. Pero cuanto más tiempo pasaba con Jonathan más claro tenía que a su regreso a Alemania no habría ninguna reconciliación.

¿Y qué vas a hacer entonces?, le dijo una vocecilla. ¿Buscar un hombre que te guste?

Ya lo he encontrado, respondió Diana sin abrir la boca. Lo encontré hace unos días.

De vuelta en Vannattuppūcci Diana estaba exhausta, y al mismo tiempo como electrizada. Parecía tener el secreto al alcance de la mano, pero a la vez le resultaba inaccesible.

Después de una frugal cena volvieron al sótano.

—Si encuentra algo jugoso me lo dirá, ¿verdad? —preguntó Jonathan cómodamente sentado en su silla y con los ojos cerrados por un instante.

—Por supuesto —dijo escuetamente Diana antes de alcanzar la lupa y zambullirse en su lectura.

15

Dos noches después de visitar a los Stockton, Grace decidió ir en busca de Vikrama. Si no le contaba a alguien lo sucedido en la plantación vecina estallaría. En esa situación requería el consejo de un amigo; y no el de una hermana que aún no tenía edad para comprender esas cosas ni el de una amiga tan distante que probablemente su respuesta llegaría después de que se hubiera celebrado la boda.

Tras asegurarse de que Victoria dormía profundamente se enfundó en su bata azul y abrió la ventana con el mayor sigilo posible.

Un pudor fruto de su educación la hizo dudar —no era propio de una señorita pasearse por ahí en camisón—, pero finalmente se remangó los faldones y se descolgó por la ventana.

Hasta entonces nunca había salido a la plantación sola de noche. Mientras que en Tremayne House jamás se había atrevido a pasear sola por el jardín por temor a encontrarse con los fantasmas que, según decían, pululaban de madrugada, se sorprendió de no sentir miedo en ese lugar, aunque a oscuras tampoco resultara demasiado acogedor. ¿Con quién iba a encontrarse a esas horas intempestivas?

Ya en los límites del jardín reparó en que ni siquiera sabía dónde encontrar a Vikrama. Suponía que vivía en la aldea con los demás nativos, pero no estaba segura. Quizá dispusiera de una habitación en el edificio de la administración. Qué raro que nunca se lo hubiera preguntado.

Finalmente decidió ir a la aldea y una vez allí preguntar si fuera preciso, si es que el instinto no la guiaba antes hasta él.

Apelando a su memoria, ya que apenas podía ver nada en la oscuridad, optó por el camino que atravesaba los arbustos.

De pronto oyó voces. Aún había gente despierta en la aldea. ¿O serían los amigos de Vikrama de camino al lugar donde se ejercitaban?

Como salida de la nada, se le apareció una figura vestida de blanco. Grace se armó de valor y dijo: «Vikrama teedureen», que venía a significar:

—¿Dónde puedo encontrar a Vikrama?

—¿Qué hace aquí, señorita Grace? —preguntó la figura volviéndose hacia ella.

Asustada, Diana comprobó que era Vikrama camino del lugar donde practicaba la lucha prohibida.

—Le… le estaba buscando —musitó tirando del trozo de manga del camisón que asomaba por debajo de la bata—. Solo quería… hablar con usted.

Vikrama ladeó la cabeza, relajó el cuerpo y dejó en el suelo un paquete envuelto en un paño blanco.

—¿Es por las clases? Su padre me da tanto trabajo que apenas tengo tiempo para respirar.

Grace negó con la cabeza.

—No, no es por las clases…

Entonces dudó. ¿Era buena idea contárselo? Quizá estuviera de acuerdo con que lo mejor que puede hacer una mujer es casarse. En la aldea también había un par de chicas a punto de contraer matrimonio… Grace se había enterado en una de sus visitas.

—¿Entonces? —preguntó Vikrama mirándola de tal manera que Grace tuvo la impresión de que quería abrazarla, gesto que habría sido bien recibido.

—Todo indica que mi madre quiere casarme. Con George Stockton.

Aunque el gesto de Vikrama no transmitía ninguna emoción, Grace notó que su cuerpo se había puesto rígido.

—Ah, es eso…

No dijo más. El pensamiento que hizo ademán de expresar se lo llevó la brisa nocturna.

—Lo malo es que yo no quiero casarme con él. No lo amo.

Entre los ojos de Vikrama apareció una arruga que, a pesar de no ser muy pronunciada, dotó a su rostro de unos cuantos años más.

—La gente no siempre se casa por amor —dijo con una voz cargada de tristeza. Entonces dio un paso atrás, como si una daga se hubiera interpuesto entre ellos, y luego la miró—. También en mi pueblo las mujeres son entregadas a hombres que eligen sus familias. Aquí las mujeres solo pueden casarse con hombres de su casta.

—¿Tiene usted… mujer?

Vikrama negó con la cabeza.

—No. Al ser mestizo no pertenezco a ninguna casta. Todos me abren las puertas de sus casas, pero nadie me ofrece a su hija. Los hindúes solo se pueden casar con otro de su misma casta. Es la ley. Así que solo puedo aspirar a conocer a una mestiza descastada como yo.

Grace lo miró fijamente. Conocía tan bien sus facciones que podría dibujarlo con los ojos cerrados. Mientras lo miraba, un inesperado calor le subió por el cuerpo. Sus palabras habían supuesto para ella un gran alivio. Era libre, libre para amarla como ella lo amaba a él.

Por un momento, la profecía resonó en su cerebro: con sus actos podía atraer la desgracia sobre su familia. Pero decidió ignorarla. ¿Por qué tomarse tan a pecho las jerigonzas de un anciano? Además, mayor desgracia sería acceder a casarse con un hombre por el que no sentía nada salvo aversión.

De repente se dio cuenta de que estaban muy cerca, apenas un pelo separaba sus rostros y tenía su mano posada en la espalda de él. Vikrama la miró un instante y buscó en sus ojos siquiera un atisbo de resistencia, y al no encontrarla la besó. Al principio notó la sequedad de sus labios, pero en cuanto se abrieron descubrió la cálida humedad que encerraban. No pudo hacer otra cosa que dejarle entrar: su lengua se enroscó en la suya, y luego recorrió cada rincón de su boca. Todo su cuerpo se estremeció, el pulso se le aceleró y los oídos empezaron a zumbarle.

Cuando él se apartó, Grace sintió la caricia de una brisa helada en la cara, y enseguida deseó otra vez su cercanía.

—Yo… —empezó a decir, pero él le dio la mano y ella enmudeció.

—Busquemos un lugar donde poder hablar —dijo él suavemente.

Grace asintió y se dejó arrastrar a través de la oscuridad. Mientras caminaban miles de cosas se agolparon en su cabeza, ideas que resonaban con tal ímpetu en su interior que creyó estar diciéndolas en alto.

Grace entró en la cabaña de madera con el corazón en la garganta. ¿Qué iba a pasar ahí dentro? ¿Hablarían durante toda la noche o harían otra cosa?

Daba igual, lo amaba con todo su corazón. Anhelaba el tacto de su piel y el roce de sus labios. Quería volver a sentir el calor que la abrasó durante su abrazo.

—Yo… —comenzó de nuevo, pero las palabras se le secaban en la boca solo con mirarlo. Sus labios volvieron a encontrarse, esta vez más suavemente, y sus manos exploraron sus respectivos cuerpos con la delicadeza de quien toca algo frágil.

Cuando volvieron a separarse, él cerró la puerta. El hecho de que ahora estuvieran completamente solos excitó a Grace de tal forma que casi se olvidó de ver cómo era su casa. Pero como Vikrama no fue directamente hacia ella, sino que se acercó a la mesa para dejar el paquete envuelto en la tela blanca, se vio obligada a mirar alrededor. La luz de la luna permitía ver solo contornos, y hasta que él encendió los candiles que había sobre el alféizar de la ventana, aquellas formas no se volvieron objetos.

El mobiliario era muy humilde. Pegado a la pared había un camastro con la ropa limpia, y junto a la puerta, una cómoda que probablemente desecharan por vieja en la casa señorial. Frente a la puerta había un ajado armarito de estilo oriental, y en vez de sillas había cojines para sentarse en el suelo. Las paredes estaban pintadas de rojo y tenían desconchones. La tarima del suelo crujía cada vez que él daba un paso.

¿Podría vivir en un sitio así?, se preguntó Grace.

Claro que podía. Con el hombre adecuado podía vivir en cualquier parte. Ahora lo sabía. No necesitaba una casa de campo en Inglaterra, ni bailar delante de la reina. Solo necesitaba al hombre adecuado.

—No es ni mucho menos tan elegante como vuestra casa —confesó Vikrama un poco avergonzado. Su voz sonó rara al romper el silencio—. Pero es mi hogar, y lo he levantado con mis propias manos.

—Es la casa más bonita que he visto nunca —repuso Grace sin saber muy bien dónde mirar. Bajo aquella luz cálida, el rostro de Vikrama le pareció aún más hermoso, como el de un príncipe de cuento.

—Siéntate aquí —dijo él, y señaló un cojín. La idea de sentarse a su lado la hizo ponerse colorada y optó por quedarse de pie.

—No, creo que estoy mejor así. Yo...—Tenía el corazón en un puño. De pronto se dio cuenta del peligro que corría; al menos así lo llamaban su madre y la señorita Giles—. He de irme —murmuró finalmente. No sabía nada de ese asunto salvo lo que en alguna ocasión les había oído susurrar a los criados de Tremayne House, pero eso ya bastaba para alimentar sus miedos.

—La puerta está abierta —repuso Vikrama al verla titubear—. Tranquila, no voy a hacerte nada.

Pero su cuerpo clamaba porque él le hiciera algo. Algo que ella nunca olvidaría. Algo que la excluiría del círculo en que sus padres pretendían meterla a toda costa.

No quería ser la prometida de George Stockton, quería ser la prometida de ese hombre, de ese desconocido que desde el primer día le había atraído.

Así que no abrió la puerta, ni tampoco fue hacia él, sino que se quedó donde estaba mirándolo vacilante.

Vikrama se le acercó nuevamente quedándose a dos palmos de ella. Entonces pudo oler de nuevo el aroma de su piel y sentir su calor...

Cuando la estrechó entre sus brazos no opuso resistencia. Su cuerpo se fundió con el de él, y entonces fue ella quien lo besó apasionadamente y venciendo sus miedos le acarició el pecho y los hombros.

Entonces fue él quien se detuvo y se separó, y cuando Grace se acercó la apartó delicadamente.

—¡No podemos hacerlo!

—¿Por qué no?

—No quiero arruinarte la vida. Podrías quedarte embarazada. No puedo hacerte eso.

Grace se quedó de piedra sin poder hacer otra cosa que mirarlo. Esas palabras no habrían salido fácilmente de la boca de un lord inglés. Pero tenía razón. A pesar de suspirar por su cuerpo y de querer mandarlo todo a paseo, su sentido común le decía que Vikrama tenía razón. Si se quedaba embarazada estaría perdida. Sin embargo, a su corazón le daban igual las consecuencias. ¿A quién debía escuchar?

Finalmente se separaron. No volvieron a besarse, ni a tocarse, pero prometieron volver a verse a solas. Cuando abandonó la cabaña, Grace fue consciente de que al fin había obtenido lo que andaba buscando: ahora sabía que Vikrama la amaba tanto como ella a él. Y eso bastaba para alejar siquiera por un breve lapso de tiempo el terrible fantasma de la boda con George Stockton.

De camino a casa tuvo la impresión de que la observaban. No sabía de dónde provenía esa extraña sensación, pero cada vez que daba un paso era como si sonara doble, como si alguien estuviera intentando acompasar sus pisadas con las de ella.

De pronto sonó un crujido a sus espaldas. Entonces se echó a un lado soltando un chillido, pero enseguida se dio cuenta de que el ruido no venía de atrás sino de arriba, así que supuso que sería un mono. Siguió caminando y el ruido desapareció, y con él la sensación de que alguien le estaba clavando la mirada en la espalda. Habrán sido imaginaciones mías, se dijo cuando apareció ante ella la casa de su familia.

Desde entonces Grace hizo todo lo que estaba en su mano para escaparse de casa y ver a Vikrama. Se besaban, caminaban de la mano por la jungla, respiraban el aire limpio de polvo, contemplaban la belleza de la noche y se hacían confidencias que cambiaban sus respectivas visiones del mundo.

A veces se sentaban sobre una roca y Vikrama le echaba su chaqueta por encima de los hombros. Su calor y sus besos la hacían ansiar ir más allá, pero a pesar de que él también ardía en deseos de continuar, y de que los ojos le brillaban como tizones, nunca lo hacía. Se besaban apasionadamente, pero sus cuerpos no llegaban a tocarse.

Y luego, cuando se separaban, Grace se pasaba el resto de la noche mirando al techo, embargada por una pulsión que no conocía bien y que no sabía cómo mitigar.

Durante esa época, gozaba de un humor inmejorable. Tanto que hasta su hermana pequeña notó el cambio.

—¿Duermes ya mejor? Yo diría que sí. ¡Estás resplandeciente!

—Sí, ahora duermo fenomenal —mentía Grace para no tener que contarle nada a Victoria, incluso a sabiendas de que su hermana sabía guardar un secreto.

Su alegría duró hasta el día en que Stockton amenazó de improviso con ir de nuevo a su casa a tomar el té. El anuncio llegó a sus oídos tan de repente que no le dio tiempo a pretextar una enfermedad. No tendría más remedio que soportar sus repugnantes lisonjas y que la amenaza no expresada de querer casarla con su hijo volviera a flotar en el ambiente.

Pero en esa ocasión no le hizo falta inventar ninguna excusa. Fue su propia madre quien las mandó a dar un paseo a ella y a su hermana para poder hablar a solas con Stockton.

Seguramente estén ultimando mi compromiso con George, pensó Grace con amargura al tiempo que ponía todo su empeño en que no se reflejase su pesar en la cara.

—¿Vamos al jardín a jugar al escondite? —le propuso su hermana, y pese a no estar de humor para juegos aceptó.

—¡Yo la ligo! ¡Escóndete! —exclamó Victoria corriendo hacia el franchipán.

De quien he de esconderme la próxima vez es de Stockton, pensó Grace para sus adentros al tiempo que buscaba un escondite. Mientras oía contar a su hermana a sus espaldas, reparó en un pequeño sendero frondoso que no había visto hasta entonces. Seguro que si se metía allí Victoria tardaría en encontrarla. Quizá para entonces se habría repuesto del trance en que la sumía Stockton.

Se asomó a la arboleda flanqueada por nudosos árboles de Bodhi, y de pronto se sintió como en Tremayne House, donde también había parajes parecidos a aquel, aunque de árboles frutales. Al oír de nuevo a su hermana se metió rápidamente en ese caminito sombrío. La luz del sol se colaba entre las ramas dibujando manchas claras en la arena que tenía a sus pies. A mitad del sendero todos los ruidos se silenciaron. Entonces se detuvo, echó la cabeza hacia atrás y cerró los ojos. Debería venir aquí más a menudo…

—¿Disfruta de esta paz, señorita Grace?

De repente Stockton apareció a su lado. ¡Ni el diablo sabía cómo había llegado allí!

Aterrorizada, Grace soltó una bocanada de aire y se alejó.

Ahora se arrepentía de haberse metido en ese lugar tan apartado. Stockton debió de verla entrar desde el patio y en cuanto pudo la siguió.

—Señor Stockton, ¿no venía a hablar con mi madre?

Stockton sonrió acercándose a ella con las manos entrelazadas en la espalda.

—No me ha llevado mucho tiempo, y no quería irme sin despedirme de usted.

Tal y como le brillaban los ojos era evidente que no estaba pensando en despedirse. Grace ya conocía la expresión de su rostro: era la misma que puso Vikrama la noche de la cabaña.

Como si hubiera leído sus pensamientos, Stockton se abalanzó sobre ella y la aplastó contra el tronco de un árbol. El lujurioso fulgor de sus ojos aterrorizó a Grace.

—Al fin estoy a solas con mi princesita…

—¡Suélteme!

Grace retorció las muñecas, pero no logró zafarse de sus fuertes manos. El jadeante aliento de Stockton le abofeteó la cara mientras le susurraba:

—Te deseo desde el día en que tu hermana y tú os cruzasteis en mi camino. Desde entonces no ha habido un minuto en que no pensara en ti. Por las noches, cuando me acuesto al lado de mi mujer, sueño con poseerte y hacerte mía. ¡Te habría tomado en el mirador si no llegas a montar esa escenita!

—¡Señor Stockton! —le espetó indignada Grace—. ¡No puede estar hablando en serio!

—¡Ya lo creo que sí! Te deseo, dulce Grace, ¡llevo meses deseándote! Sé que tu padre me mataría si se enterase. De ahí que quiera casarte con mi hijo… ¡Con ese engendro afeminado que solo tiene ojos para los animales muertos! Quién sabe, puede que algún día llegue a darme descendencia, pero hasta entonces seré yo quien se encargue de plantar la semilla.

—¡Suélteme, señor Stockton! —Grace se revolvía como una anguila, pero aun así no lograba soltarse—. ¡Deje de decir tonterías!

De pronto Stockton se detuvo, y sus ojos adquirieron una expresión rayana con la locura.

—¿Tonterías? Pues ha llegado un rumor a mis oídos que quizá tu padre quiera conocer. ¡Ya veremos si él también opina que son tonterías!

—¡No sé a qué se refiere!

Grace estaba ciega de ira, y también asustada. ¿Lo sabría? ¿Quién la había visto y le había ido con el cuento?

De pronto recordó que volviendo de una de sus citas se había cruzado con Petersen. Ella creyó que fue una casualidad, pero ahora, pensándolo mejor…

—Hablo de tu mestizo, de Vikrama. Un tipo muy apuesto, he de admitir. ¡Y es evidente que sabe lo que hay que hacer para llevarte al huerto!

Grace quiso que se la tragara la tierra.

Ya no le quedaban fuerzas para luchar contra la mano que le subía la falda hasta las caderas para deslizarse entre sus piernas.

—¡Eso no son más que falacias! —intentó defenderse al tiempo que no dejaba de preguntarse quién los había descubierto. Fuera quien fuese tenía una mente calenturienta si pensaba que se entregaba a Vikrama como una ramera.

—¡Quiero que me prestes los mismos servicios que a ese salvaje! —farfulló Stockton entre jadeos sin escuchar lo que Grace decía—. En cualquier caso, si él ya te ha desflorado no se iba a notar…

Cuando le metió la mano por debajo de las bragas, Grace se desfondó. El miedo y el asco le atenazaban la garganta impidiéndole gritar. Su aliento le recorrió cara, y luego sus labios le taparon la boca y su lengua ahogó definitivamente cualquier posible lamento. Al mismo tiempo, uno de sus gruesos dedos dio con el camino a su sexo. Cuando los oídos empezaron a zumbarle, Grace creyó que se iba a desmayar.

Atónito, Stockton se detuvo y apartó los labios.

—Pero si aún no…

Grace rompió a sollozar, dividida entre la repulsión y la ira, pero enseguida halló fuerzas para pelear.

Stockton también reaccionó rápidamente; su rostro pasó del pasmo a la sonrisa.

—Pues tendré que ser yo quien…

—¿Grace?

La voz de su hermana resonó en sus oídos como las campanas de la libertad. Stockton se quedó quieto y el rojo de su cara subió de intensidad. Grace gimoteó. ¿La soltaría de una vez o tendría la desfachatez de seguir a lo suyo delante de Victoria?

Cuando su hermana volvió a llamarla, Stockton se apartó. Pero en lugar de soltarla, le retorció un brazo.

—Ni una palabra a tu padre de esto, ¿entendido? —le susurró entre gruñidos—. Como se te ocurra hablarle de nuestro breve encuentro tendré que contarle lo tuyo con el mestizo.

—¡Es usted un cerdo, Stockton! —le espetó Grace.

—¡Puede, pero un cerdo que consigue lo que se propone! A cambio de mi silencio tendrás que ser mía en la víspera de tu boda. Mi hijo no se enterará de que ya no eres virgen. Para serte sincero, no me atrevo a confiarle el futuro de la plantación. Seré yo quien te dé un heredero. Y te prometo que vas a gozar como nunca...

Grace logró zafarse en cuanto su férrea mano aflojó. Entonces, en lugar de volver a agarrarla, le apartó el pelo de la cara y la miró como un lobo a su presa.

—Piensa en lo que te he dicho, princesa. Si no le dices nada a tu padre, guardaré tu secreto. Y si vienes a verme la noche antes de tu boda, todo lo que sé estará olvidado. ¡Tienes mi palabra de caballero!

Grace habría deseado escupirle a la cara, pero su hermana ya estaba allí. Al verla en compañía de Stockton se quedó de piedra.

—¡Pero si estás aquí! ¿Por qué no has dicho nada?

Grace casi se desmaya de la vergüenza, pero en cuanto logró reponerse dijo:

—Estaba charlando animadamente con el señor Stockton y no he debido de oírte.

—Iba a llamar al señor Vikrama para que me ayudara a buscarte.

Al oír ese nombre, los ojos de Stockton desprendieron un siniestro brillo, pero frunció los labios. Sus palabras aún resonaban en los oídos de Grace, que sabía que sus amenazas iban en serio.

—Ya voy, querida —dijo Grace, y acto seguido corrió junto a Victoria sin siquiera mirar a Stockton.

Le costó horrores disimular delante de su hermana. Estuvo a punto de echarse a llorar un par de veces, pero la certeza de que Victoria le preguntaría qué había pasado la obligó a contenerse.

De camino a su cuarto, la señorita Giles llamó a Victoria y Grace entró sola en la habitación y se desplomó en su cama. ¿Qué iba a hacer ahora? ¿Cómo iba a hacer públicas las intenciones de Stockton sin que se le cayera la cara de vergüenza? No podía contárselo a sus padres. Además, seguro que él lo negaría, o incluso lo tergiversaría todo para hacerles ver que fue ella quien intentó seducirlo.

¡No, esa no era una opción!

Movida por un impulso que ni ella misma podía precisar, clavó la mirada en la cómoda. Entonces se levantó como un resorte y fue corriendo hasta el mueble.

Abrió uno de los cajones y se quedó mirando la transcripción de la hoja de palma que celosamente había guardado ahí. Las palabras de Stockton le retumbaban en el cráneo. Era muy consciente de las consecuencias de lo que se proponía hacer, pero no tenía otra opción. Stockton tenía que perder su interés por ella, como mujer y como nuera. Escucha a tu corazón, le repetía machaconamente la voz del anciano. El problema era que en esos momentos el corazón le decía una cosa y la razón justo la contraria…

Esa noche no se escapó de casa. Se sentó delante de la ventana abrazada a sus rodillas e intentó expulsar de sí la tremenda sensación de asco que la inundaba. Aún podía sentir la mano de Stockton hurgando en sus partes más íntimas. ¿Podría algún día tocarla ahí Vikrama sin que a ella se le apareciera el rostro brutal de aquel hombre?

Un ligero crujido la hizo levantar la cabeza. Vikrama estaba delante de la ventana, enfundado en su exótica ropa blanca.

Grace se volvió hacia Victoria, que dormía profundamente. Luego abrió la ventana y el rostro de Vikrama se iluminó.

—Ven conmigo —susurró—. ¿No querías verme luchar?

Lo deseaba con todas sus fuerzas. Pero no era el momento de festejar ese gesto de confianza y de amor.

—¿Qué te pasa? —preguntó Vikrama preocupado por no obtener respuesta—. ¿No quieres venir? ¿Te ha venido el período?

La libertad con que Vikrama hablaba de ciertos temas la hizo sonreír de nuevo.

—No, todo está en orden. Me encontraba un poco mal, pero al verte se me ha pasado. —Grace se estiró para darle un beso—. Ahora mismo estoy contigo.

A la velocidad del rayo se enfundó en el vestido que aún estaba colgado de la silla y, tras cerciorarse de que Victoria dormía como un tronco, se deslizó por la ventana con ayuda de Vikrama. Para ello tuvo que lanzarse sobre su pecho, y por un instante casi eléctrico rozó con el hombro su torso desnudo. Tras el pequeño susto inicial se quedó absorta mirándolo. Conocía el tacto de sus manos y de sus brazos, y también el de sus labios, pero no se imaginaba que su pecho fuera tan confortable y mullido. Grace sintió un ardor que le nació en el pecho, fue bajando hasta el bajo vientre y acabó dejándole un extraño latido en esa zona tan delicada.

Vikrama pareció adivinar todo lo que Grace estaba experimentando en su interior, ya que la estrechó entre sus brazos y la besó con más pasión que nunca. Pero enseguida recuperó el autocontrol.

—Hemos de irnos —la apremió jadeante—. Nos están esperando. Además, no querrás que tu hermana nos vea.

Grace negó con la cabeza y se deslizó tras Vikrama por el hueco de la cerca.

De camino, hablaron entre susurros de que ninguno de los dos lograba quitarse al otro de la cabeza, y de las fatales consecuencias que podría tener si, por ir ensimismado, Vikrama diera un mal paso en los campos de té y cayera rodando por la ladera.

—Al menos moriría pensando en ti —dijo sonriendo.

—Con eso no se bromea —le reprendió Grace, y luego acarició su pelo suave—. Si es preciso no pienses en mí, pero no te despeñes.

Vikrama se echó a reír y le dio un beso.

En ese momento, el incidente con Stockton ya estaba olvidado. De todos modos Grace no se atrevía a contárselo, pues sabía que se enfrentaría a él y que sería castigado por ello, cosa que no quería que sucediese. Tenía un plan mejor, y estaba segura de que la llevaría a estar junto al hombre al que amaba.

En cuanto vio la cabaña iluminada con unas cuantas antorchas, Grace se quedó de una pieza. Unas dos docenas de hombres jóvenes de distintas edades estaban sentados en una especie de grada que daba a una tarima de madera en la que yacían varios objetos.

—¿Qué es esto? —le susurró al oído a Vikrama.

—Nuestra escuela de lucha.

—¿Os reunís detrás de nuestra casa?

Vikrama volvió a besarla.

—Así es. Y confío en que sepas guardar nuestro secreto.

—Por supuesto, pero no logro entender cómo mi padre no se ha enterado. ¿Os dejaba mi tío practicar aquí?

—Sí —asintió Vikrama—. A condición de que nunca empleásemos este arte marcial contra su gente. Puede ser letal para los no iniciados. Tu tío era querido y respetado entre mi gente, así que juramos que solo la emplearíamos en caso de que nuestra vida corriera peligro.

—Y habéis mantenido el juramento con mi familia.

Vikrama asintió casi ceremonioso.

—He de admitir que sentí ganas de romperlo cuando Petersen azotó a Naala, pero supe contenerme. Además, salta a la vista que tu padre no es ni la mitad de tolerante que tu tío con nosotros. Por eso, solo nos reunimos de noche y al terminar dejamos este lugar como si llevase abandonado muchos años. Si alguien viniera aquí de día no encontraría más que una cabaña destartalada.

Siguieron caminando hasta llegar a la grada que había delante de la cabaña. Al ver aparecer a Grace, los muchachos se asombraron tanto como ella de que la escuela estuviera tan cerca de la plantación. Vikrama explicó brevemente a sus compañeros y al anciano que oficiaba de maestro por qué la había llevado.

Grace lamentó no entender lo que decían, y se propuso pedirle a Vikrama que continuara dándole clases en sus encuentros furtivos.

—El maestro te acepta —le dijo al fin Vikrama—. Le he explicado que eres digna de confianza y que no nos delatarás.

—¿Y también le has dicho que…?

Vikrama negó con la cabeza.

—Le he dicho que eres una amiga, y también que fuiste tú quien salvó a Naala.

—¿Y con eso es suficiente?

—Para el maestro sí. Siéntate en una de estas rocas y observa.

Grace siguió sus indicaciones y lo vio dirigirse hacia el maestro. Si sus ojos no la engañaban, Vikrama parecía ser la mano derecha de ese anciano que, dada su avanzada edad, ya no luchaba, sino que se limitaba a enseñar aquellos movimientos complejos a los jóvenes discípulos.

En primer lugar lucharon los alumnos más jóvenes, lo que ya de por sí fue todo un espectáculo. Pero cuando Vikrama se enfrentó a uno de los mayores, Grace se quedó sin habla. Nunca había imaginado que un hombre pudiera moverse con semejante rapidez y elasticidad. Como dos tigres armados con espadas cortas de madera, los contendientes se enzarzaron en una lucha casi coreográfica. Cada dos por tres sus miembros parecían fundirse formando un ovillo que a Grace le recordó al Shiva danzante que había en su recibidor.

Finalizado el combate, Vikrama y su oponente se saludaron y luego hicieron una reverencia al maestro.

La escena se repitió varias veces cambiando de contendientes. Cuando Vikrama no entraba en acción, permanecía sentado con gesto serio junto al anciano y, sin abandonar esa ceremoniosa solemnidad, le dedicaba a Grace alguna que otra mirada. Ningún alumno despegó los labios para proferir un grito. Lo único que rompía el silencio de la noche era el chocar de las espadas, lo que hizo preguntarse a Grace cómo nunca había oído nada.

Finalizó la ronda de ejercicios, los alumnos se dispersaron en la noche y Vikrama acompañó a Grace a casa. De entre la maleza el grito de un pájaro se elevó por la ladera, bañada por la pálida luz de la luna.

—¿Te casarías conmigo? —dijo de pronto Grace sorprendiéndose a sí misma de su osadía, sin duda fortalecida tras su encuentro con Stockton.

Vikrama la miró desencajado.

—¿Casarme contigo? No creo que tu padre lo consintiera.

—Es posible. ¿Pero y si lo hiciéramos sin su bendición? ¡Que sean testigos tus dioses! ¿No fueron ellos quienes me concedieron que Victoria se curara?

Al ver a Vikrama tan turbado, a Grace se le encogió el corazón. ¿Acaso no la amaba?

—Solo nos traería desdichas —dijo al fin—. Atraería la desgracia sobre tu familia. ¿No ves que no soy más que un mestizo? No pertenezco ni a tu mundo ni al de los tamiles.

—¿Pero me amas? —Grace buscó la verdad en sus ojos, y la encontró en el brillo húmedo que la luna les confería.

—Te amo —afirmó él—. Más que a mi vida. ¡Más que a nada en el mundo!

Entonces, la estrechó entre sus brazos.

Sin dejar de besarse apasionadamente se dejaron caer en la mullida hierba. La mano de Vikrama se deslizó por su cuerpo y recorrió sus muslos, y a Grace no le sorprendió comprobar que su tacto no la incomodaba. Solícita, le dejó meter su mano por debajo de la falda, y también le permitió acariciarle la parte interior de los muslos. Pero Vikrama no fue más allá; como si le hubieran vertido un jarro de agua fría encima, se retiró meneando la cabeza.

—No —susurró a pesar de saber que ya era demasiado tarde.

—No pares, por favor —le imploró Grace alargando las manos hacia él—. No sé qué va a pasar a partir de ahora, pero no pares.

—Te va a doler —la previno un jadeante Vikrama en plena lucha consigo mismo.

—Lo sé —alcanzó a decir Grace rebosante de deseo, como un cuenco de cristal al que acabaran de echarle agua hirviendo.

Vikrama pareció dudar un momento, como si temiera dar rienda suelta a su deseo. Luego se bajó los pantalones y se echó sobre ella.

Mientras la penetraba con suma delicadeza, Grace cerró los ojos. Creía que soportaría el dolor, pero era muy intenso. Al notar la presión de sus muslos en las caderas Vikrama se detuvo. Por un instante la tórrida pasión de sus ojos se tornó en preocupación.

—Espero no haberte…

Grace lo silenció a besos, y a pesar de que le ardía la entrepierna ese instante fue para ella el más hermoso de su vida.

Permanecieron un rato así, piel contra piel, y cuando el dolor remitió Grace sintió una sublime oleada de placer jamás experimentada hasta entonces. Luego, Vikrama empezó a moverse y Grace abrió los ojos. Quería presenciarlo todo, verlo aplacar su deseo mientras ella saciaba el suyo.

Cuando intuyó que ya no iba a poder aguantar más, Vikrama se apartó jadeando, y al poco Grace notó que un líquido viscoso le reptaba por la rodilla. Vikrama se tumbó a su lado exhausto.

Aún en una nube, Grace tuvo claro que su plan no había funcionado. Si algo sabía sobre sexo era que el hombre debía eyacular dentro de la mujer, y Vikrama, por consideración a ella, no había permitido que sucediera.

Durante un rato yacieron en silencio el uno junto al otro escuchando el sonido de su respiración.

—¿Cuál es tu nombre verdadero? —preguntó Grace con la cabeza apoyada en su pecho. Aún le tiritaba el cuerpo tras esa explosión de placer. Que su plan no hubiera resultado era lo de menos.

—Mi nombre es Vikrama, nada más. Nosotros no nos escondemos tras un apellido.

¿Entonces qué significa esa «R» que a veces precede a tu nombre?

—Es la inicial de mi madre. En realidad debería ser la de mi padre la que ocupara ese lugar, pero ella nunca quiso decirme su nombre, y como se llamaba Rani, me puso su inicial conforme a nuestra costumbre.

—¿Así que la única referencia a vuestra familia es la inicial de uno de vuestros progenitores?

—Esa es la tradición.

—¿Y no resulta algo lioso?

—Un poco sí, pero la gente procura que sus hijos no se llamen igual que los que llevan su misma inicial.

Volvieron a quedarse callados y Grace supo que pronto tendría que regresar.

—¿Quieres que repitamos? —le propuso Vikrama acariciándole las mejillas y el pelo.

—Sí —dijo ella loca de deseo—. ¿Sabes? Creo que no podría hacerlo con ningún otro hombre.

Se besaron apasionadamente, y luego Vikrama dijo:

—Voy a pedirle a Kisah unas hierbas que tiene.

—¿Para qué? —exclamó Grace sorprendida al ver a Vikrama acariciarle el vientre.

—Me encantaría quedarme dentro de ti hasta el final, pero no quiero hacerte un niño.

Grace su puso colorada como un tomate. ¿Acaso se creía que era una cría? ¡Sabía perfectamente que podía quedarse embarazada al acostarse con un hombre! Que Vikrama se hubiera salido justo a tiempo y que ahora le propusiera tomar unas hierbas solo indicaba que no quería causarle ningún mal. Lo que él no sabía era que ella no quería que su simiente se desperdiciara por el suelo...

—¿Crees que esas hierbas funcionarán?

—Ninguna de nuestras mujeres se queda embarazada sin desearlo. Hasta que no se casan, toman esas hierbas y no pasa nada. Después de la boda dejan de tomarlas y tienen hijos.

Mientras hablaba no paraba de acariciarla, lo que hacía crecer aún más el deseo.

—Tendré que tener cuidado hasta que las hierbas surtan su efecto.

—¿Y cuánto tardan en funcionar?

—Un par de días. Luego ya no hay nada que temer.

16

Ya era medianoche y Jonathan seguía enfrascado en los libros de contabilidad mientras Diana estaba reclinada masajeándose con los dedos el ángulo de los ojos. Tenía la mente embotada, pero su cuerpo rebosaba una extraña energía. El hallazgo de Jonathan era sencillamente increíble; era tal su poder de atracción que resultaba imposible dejar de leer.

Ni en la mejor novela romántica había un despliegue de fuerza como el que atesoraban las descripciones de Grace sobre su incipiente pasión y sobre la tremenda desgracia a la que parecía abocada por culpa de Dean Stockton.

En realidad, debería haberle resultado chocante que, a pesar de los años y la espesa bruma que las separaba, pudiera ver en su tatarabuela a una muchacha locamente enamorada dispuesta a no renunciar por nada a ese amor, cosa impensable en aquellos tiempos.

—Debería irse a la cama —le sugirió Jonathan, que en cambio parecía muy despierto. En ese momento, Diana se dio cuenta de lo tarde que era—. El cuaderno seguirá aquí mañana.

—No creo que pudiera dormir después de leer lo que dice.

—¿Tan terrible es?

—No, en realidad no es terrible, pero sí sorprendente. Y, sin duda, escandaloso para su época. Y además voy sacando algo en claro, aunque a su vez se me van amontonando los interrogantes.

—¿Le apetece dar un paseíto nocturno? —propuso Jonathan señalando la ventana por la que se veía la fachada del edificio vecino bañada por la luz de la luna–. Puede que la suave brisa de la noche le ayude a ordenar sus pensamientos.

Sin duda Diana lo necesitaba, las sienes le latían desde hacía un rato, signo inequívoco de que había realizado un esfuerzo excesivo.

El sensor de movimiento se disparó en cuanto salieron de la casa y activó una luz que iluminó la escalinata. En un cielo violeta donde las palmeras parecían siluetas negras recortadas a tijera brillaba una luna color plata con forma de hoz sobre un telón de incontables estrellas. Un suave murmullo se extendía por todas partes.

–Venga conmigo –dijo Diana a Jonathan y lo agarró de la mano.

A tirones, lo llevó hasta la arboleda donde Stockton acosó a Grace. ¿Qué habría sucedido si no la hubiese amenazado?

–Mi tatarabuela tuvo un romance con el administrador –dijo Diana en cuanto se adentraron en el oscuro sendero.

–¿Con ese Cahill? –se extrañó Jonathan–. Vi su nombre en varios documentos.

–No, con un tal R. Vikrama. Un nativo.

Jonathan abrió los ojos como platos.

–Eso sí que es una sorpresa.

–Y además creo saber cuál fue la manzana de la discordia, qué motivó el famoso escándalo. Henry no quería protegerla de Stockton. Ella y Vikrama debieron de huir juntos.

–Quizá alguien encontró el cuaderno. Si no, no estaría metido entre esos libros de cuentas. Alguien debió de darse el morboso placer de leerlo.

–¿Pero cómo llegó a manos de ese alguien? Seguro que Grace lo tenía bien escondido. Incluso amenazó con quemarlo. De haber tenido la oportunidad lo habría hecho, estoy segura. Los Tremayne eran unos expertos en ocultar cosas…

De pronto sus rostros se acercaron más de lo que lo habían hecho hasta entonces. El aroma de la piel de Jonathan mezclado con su loción de afeitar la envolvió, y entonces, sin saber por qué, se puso a pensar en qué sentiría Grace la primera vez que se besó con Vikrama. Era como volver hacia atrás en el tiempo y vivir otra vida. Lo siguiente que notó fueron unos labios cálidos que se pegaron a los suyos como si no hubiera mejor lugar donde posarse.

Cuando volvió a abrir los ojos vio a Jonathan plantado frente a ella con gesto de extrañeza.

—¿Qué sucede? ¿Tan mal beso?

Diana negó con la cabeza esbozando una sonrisa.

—Me he sentido como si viajara en el tiempo y me metiera en la piel de Grace.

Ahora era Jonathan quien sonreía.

—Pues espero que al besarme hayas pensado en mí y no en Vikrama.

—Te he besado a ti —dijo Grace acariciándole la mejilla—. Pero antes que nada has de saber que soy una persona muy complicada. Y que tengo un marido del que aún no me he divorciado.

—¿Acaso estás pensando en volver a casarte? —preguntó con sorna Jonathan.

Diana se puso roja como un tomate.

—Tienes razón, ni siquiera sabemos si nos llevaríamos bien. Pero he de confesar que estoy un poco enamorada de ti.

—¿Solo un poco? —dijo Jonathan sin abandonar el tono jocoso para luego darle la mano.

Diana vio en sus ojos el mismo deseo que bullía en su interior. Por un momento le habló la voz de la conciencia recordándole que aún era una mujer casada y que no estaba bien hacer eso para vengarse de Philipp. No lo hago por eso, se corrigió enseguida, sino porque en este instante no hay nada en el mundo que me apetezca más.

Acostarse con Jonathan no tuvo nada que ver con hacerlo con Philipp. Y no porque su marido fuera rudo o torpe. Cuando aún eran una pareja feliz, Diana no podía imaginar que hubiera un amante mejor, pero Jonathan acababa de demostrar que era mucho más delicado. Sus besos y sus movimientos eran tan tiernos y certeros que en sus brazos se olvidó por completo de Philipp y creyó levitar. El ridículo cliché de que al ser del país del Kamasutra estaba obligado a ello pronto fue barrido de su mente por una intensa ola de sensaciones que culminó en un clímax que la hizo perder el sentido.

Después se abrazaron y se quedaron mirando el techo, donde danzaban unas juguetonas manchas de luz.

—Este instante es perfecto —susurró Diana y se acurrucó en su pecho.

—¿De veras? —le preguntó Jonathan acariciándole el pelo—. Pues aún no has visto nada.

—Resérvate para los días que nos esperan. No quiero que vuelvas a Colombo hecho un guiñapo.

—Creo que mis fuerzas dan para eso y para más —dijo abrazándola y besándola.

Tras quedarse un rato entre sus brazos, Diana se levantó de golpe y se puso su albornoz.

—¿Qué sucede? —preguntó extrañado Jonathan.

—Voy a por una cosa.

—¿A la cocina a por un tentempié?

—A por el cuaderno —confesó Diana.

—No me lo puedo creer —refunfuñó Jonathan—. ¿Tan aburrido te resulto que necesitas lectura?

—Por supuesto que no, pero tengo que saber qué sucedió. Se me han quitado las ganas de dormir. No me digas que no quieres saber qué fue de Grace y de Vikrama…

Diana se inclinó sobre él, le dio un beso y luego abandonó la habitación.

Cuando volvió con el cuaderno se sentó junto a Jonathan, se apoyó sobre su pecho como si se tratara del respaldo de un sofá, y a la luz del flexo comenzó a leer en voz alta.

Desde entonces ya nada fue como antes. Por las noches me escapaba de casa, me reunía con Vikrama y hacíamos el amor. Por el día fingía ser la hija obediente y decorosa que soportaba estoicamente las alabanzas que su madre le dedicaba a George Stockton, desoía los consejos de la señorita Giles y paseaba por la finca con su hermana.

Afortunadamente, no hubo más encuentros con Dean Stockton.

Admito que en mi fuero interno disfrutaba fantaseando con la idea de que estuviera aterrorizado ante la posibilidad de que le contara a mi padre nuestro incidente. Pero ese pequeño placer era de doble filo, pues me hacía recordar que me había amenazado con delatarme.

De noche, cuando me sentaba en la ventana a esperar a Vikrama, me sometía a mí misma a un examen de conciencia. Después de la primera noche, me trajo un saquito con hierbas que aún no me he dignado a tocar.

Odio engañarlo de ese modo, pero mi corazón me dice que hago lo correcto. ¿No era eso lo que me pedía la profecía de la hoja de palma?

Hace tres semanas que venimos acostándonos, así que es posible que ya esté embarazada. Por un lado, esa idea me inquieta, pues no alcanzo a imaginar cómo reaccionarían mis padres. Pero por otro, me hace sentir libre, ya que es seguro que el horrible George Stockton no querría verme ni en pintura...

Diana comprobó decepcionada que las notas se interrumpían en ese punto.

—¿Crees que la dejó embarazada? —preguntó Jonathan, que le masajeaba amorosamente los hombros.

—Es posible —repuso Diana—. Aquí confiesa que no tomó las hierbas. —Entonces se miró el brazo y luego se agarró uno de los oscuros rizos que le caían por encima del hombro para someterlo a observación—. ¿Puedes creerte que Victoria y Grace eran rubias y de tez clara?

—Siendo inglesas serían blancas como la leche en el té. Mira si no lo blanco que he salido yo.

—Como la leche en el té... bonita expresión. Si Vikrama fuera realmente el padre del niño que luego Grace tuvo en Alemania, su sangre aún correría por mis venas.

—La sangre de un guerrero *kalarippayatt*. —Jonathan la besó en el cuello—. A juzgar por el color de tu piel, apostaría a que su sangre se mezcló con la de tu familia.

Diana extendió el brazo y le acarició la cadera.

—Me pregunto cómo fue.

—¿Vikrama? Puede que un poco parecido a mí.

—No, no me refiero a él, sino al momento en que Grace tuvo que confesarle a su padre que esperaba un niño. ¿Le diría también quién era el padre?

—Probablemente no. Lo amaba, así que no creo que se arriesgara a meterlo en apuros. Si su padre se hubiera enterado habría convertido su vida en un infierno.

—¿Pero por qué Vikrama nunca llegó a reunirse con ella? —Siguió razonando Diana con la mente puesta en la carta que llevaba en el bolso. ¿Sería esa la evidencia definitiva?— En una carta que encontré en el panteón familiar de los Tremayne, Victoria le dice a Grace que su amado tiene la intención de ir a verla… Supongo que se refiere a Vikrama.

—Bueno, puede que a última hora se lo pensara mejor. O que el padre le diera tal paliza que se le quitaran las ganas de huir.

—¿Una paliza a un guerrero *kalarippayatt*? —Diana arqueó escéptica las cejas y se dio la vuelta—. Me temo que no hemos llegado al final. Hemos desvelado parte del misterio, pero creo que todavía nos faltan cosas. Aún no sabemos qué sucedió después, ni por qué esta especie de diario íntimo se quedó entre los libros de contabilidad.

—Aún nos queda tiempo. Mientras mi editor no empiece a atosigarme…

—Eres un auténtico golpe de suerte, ¿lo sabías? —Diana volvió a buscar el cobijo de su pecho—. Aún no sé cómo darle las gracias a Michael.

—Ya se te ocurrirá algo. —Jonathan la estrechó entre sus brazos y le besó la coronilla.

—En la carta, Victoria le pregunta a Grace si ya había podido perdonarla… —dijo Diana después de haber estado un rato mirando por la ventana refugiada en su abrazo. Una sospecha atravesó su mente, pero aún era demasiado pronto para expresarla en palabras–. Hasta ahora no te lo he dicho, pero encontré una carta, justo ahí, metida entre el marco de la ventana y la pared.

Diana se liberó y saltó de la cama en busca de su bolso.

–¿Que has encontrado qué? –Jonathan arqueó las cejas sorprendido.

–Creo que podría ser de Victoria.

Diana le entregó el abultado sobre.

–¿Y aún no la has leído?

Diana negó con la cabeza.

–No, algo me dijo que podía tratarse de la última pieza del puzle. No he querido abrirla hasta que no llegáramos a un callejón sin salida.

–Bien, pues ahora que has terminado de leer el cuaderno quizá sea el momento. –Jonathan le devolvió la carta, y Diana la alcanzó casi con devoción y pasó los dedos por los trazos del lomo del sobre donde ponía: «A modo de despedida».

–Preferiría abrirla cuando tengamos que despedirnos de este lugar.

Jonathan la estrechó entre sus brazos y la besó.

–Como prefieras. Pero estoy casi seguro de que esa carta te permitiría casar todas las piezas.

Diana sonrió meditabunda y, sintiendo un cosquilleo que le subía por el pecho, dejó la carta en la mesilla de noche y se hundió en el pecho de Jonathan.

Aunque apenas habían pegado ojo, a primera hora de la mañana ya estaban en el archivo. Optaron por bajarse el té, pues sabían que tendrían que llevar a cabo un meticuloso trabajo detectivesco para averiguar qué había sido finalmente de Grace y de Vikrama.

–Qué curioso –dijo Jonathan mientras se levantaba para darle a Diana el libro que acababa de hojear–. No se trata de un libro de contabilidad al uso, sino de un listado de las nóminas de los empleados. Entre ellos se encuentra R. Vikrama, que para esos tiempos ganaba un buen salario como administrador. Pero a partir de diciembre de 1887 desaparece de la lista.

—Quizá porque en esas fechas Henry Tremayne descubrió quién había dejado embarazada a su hija.

—¿Crees que llegó a decírselo? Podía haber culpado a Stockton.

A Diana esa hipótesis le resultó inverosímil. Ardía en deseos de saber qué había pasado. ¿Por qué no habría seguido escribiendo Grace? ¡Como si el final de la historia careciera de importancia! Diana se enfureció por no encontrar las piezas fundamentales del puzle.

De pronto tuvo una idea.

—Quizá encontraron el diario antes de que ella se quedase embarazada. Te aseguro que sus descripciones son motivo más que suficiente para echar a Vikrama.

—Suena plausible —admitió Jonathan—. Pero hay algo que no acaba de cuadrarme. ¿Por qué Grace no hace alusión alguna a su embarazo? Lo más probable es que su padre descubriera su secreto cuando ya no pudo ocultarlo. Y si fue entonces cuando echó a Vikrama, no sé qué pudo impedirle irse con ella. ¿No decía la carta que mencionaste que planeaba reunirse con ella en Inglaterra? ¿Por qué nunca llegó a hacerlo?

—Puede que nunca tuviera la ocasión.

A Diana estuvo a punto de caérsele la lupa del susto.

Sin que se hubieran dado cuenta, Manderley había entrado en el archivo, así que seguramente había escuchado su conversación.

—¡Señor Manderley! ¿De dónde ha salido?

El director de la plantación vestía en esta ocasión un traje beis combinado con una corbata roja, y tenía las manos metidas en los bolsillos.

—No es casualidad que algunos crean que este lugar está maldito. Y lo peor es que la maldición la trajeron mis antepasados y los suyos.

—¿Cómo dice? —preguntó atónito Jonathan.

—Sabía que algún día todo saldría a la luz. Uno puede guardar un secreto u ocultarlo tras el pesado telón de la historia, pero tarde o temprano aparece alguien que se empeña en desvelarlo.

A Diana le temblaron las piernas. Las palabras del director la habían dejado perpleja.

—Será mejor que hablemos tomando una buena taza de té. Acompáñenme.

Cuando el agua empezó a hervir, Diana y Jonathan ya estaban sentados en la mesa de la sala de descanso. Aún no estaba claro qué se proponía Manderley, pero aunque solo fuera porque gracias a él estaban a punto de avanzar en sus pesquisas, Diana decidió armarse de paciencia.

—Antes que nada quisiera pedirle disculpas por no haber podido resistir la tentación de echarle un vistazo al cuaderno que estaba leyendo.

—Estaba entre los libros de contabilidad antiguos —dijo Diana—. Lo raro es que nadie lo haya encontrado antes.

—Será porque hasta llegar usted nunca lo había buscado la persona indicada —repuso Manderley mientras vertía el agua en la tetera, donde empezaron a formarse unos hilillos rojizos que recordaban a la sangre diluida en agua—. Preparar el té de Ceilán es todo un arte, pero el sabor recompensa todos los esmeros. El que vamos a degustar es de la variedad *autumn flush*.

Una vez servido el té en los vasos Manderley prosiguió.

—Al ver los resultados de su investigación me llamó la atención un nombre al que se hacía mención: Cahill. El señor Cahill fue el abogado del señor Tremayne.

Ha estado fisgando en mis notas, pensó Diana, que digirió aquella información como si se tratara de agua hirviendo. La incomodó tanto como si la hubiera sorprendido haciendo el amor.

—Y también era antepasado mío —añadió Manderley—. Desde hace décadas el destino de mi familia va unido al de la plantación. Incluso los descendientes que han intentado irse de aquí para empezar una nueva vida en otro lugar han acabado regresando. Es como si una maldición pendiera sobre mi familia.

—Parece que tenemos algo en común.

—Sí, eso mismo pienso yo. Al menos en lo que respecta al señor Cahill.

Manderley se levantó, desapareció tras la puerta y poco después volvió con un librito en las manos.

—Gracias a esto puede que dé por concluida su investigación.

—¿De qué se trata?

—Es obra de un antepasado mío. Terminó de escribirlo en el manicomio de Colombo.

—¿En el manicomio?

—Increíble, ¿verdad? Su sentido del deber acabó volviéndolo loco.

—¿Lo ha leído?

—No —se apresuró a responder Manderley—, este librito ha sido durante años un tema de conversación recurrente en mi familia. Solían referirse a él como «la deshonra». Cuando salió a la luz ya era demasiado tarde para castigar al incriminado. Mis abuelos lo guardaron en la caja fuerte que había en nuestra casa y nos advirtieron a todos de que leerlo podía causarnos un daño irreparable. Con el tiempo, acabamos perdiendo el interés por él, pero ahora ver ese nombre en sus notas me hizo recordarlo.

Diana observó con detenimiento aquel cuaderno con pastas de cuero; estaba arañado por algunas partes y tenía los bordes llenos de manchas de tinta.

—Su autor es el Cahill que trabajó para su antepasado. Estoy seguro de que encontrará pasajes espeluznantes, pero también otros que le serán de gran ayuda. Si da con algo que yo deba saber, le ruego que me lo comunique.

Por un momento sus miradas se cruzaron. Luego Manderley se concentró en su té.

Diana se pasó el resto de la mañana mirando fijamente el libro de Cahill. Jonathan, para sentirse útil, siguió revisando la documentación en busca de más referencias al abogado. De hecho, el nombre de Cahill aparecía en la lista de asalariados, y también en la hoja de guarda de un contrato comercial.

—Esta firma podría valernos para compararla con la letra del libro —dijo y le mostró la hoja a Diana. A ella le bastó un rápido vistazo para saber que era la misma.

Esa noche se retiraron pronto. Diana había dejado a un lado el librito y se había centrado en otros papeles, pues sabía que para leer las anotaciones de Cahill necesitaría tranquilidad. Y tener cerca a Jonathan.

Aquel librito fino y negro desprendía un aura maligna; Diana no quiso pensar de qué eran las manchas secas y algo difuminadas que había en las tapas.

Cuando estiró la mano dispuesta a abrirlo empezó a sentirse incómoda en la habitación, y eso que Jonathan estaba a su lado y le acariciaba la espalda para tranquilizarla.

Con un nudo en el estómago, Diana se abalanzó sobre el librito. ¿Encontraría allí la última pieza del puzle? ¿Sabría al fin por qué Vikrama nunca llegó a reunirse con Grace? ¿Descubriría por qué su padre había tachado su nombre del libro de familia?

—No sé si debo leerlo.

—¿Tienes miedo de lo que haya escrito un loco?

—Quién sabe lo que voy a encontrar.

—No lo sabrás hasta que no lo leas. —Jonathan le rodeó la cintura y con el otro brazo, los hombros, y luego apoyó la mejilla en su cuello—. Me tienes aquí por si la cosa se pone fea. Los pensamientos de un loco pueden ser como un torbellino que lo arrasa todo a su paso.

—Eso es lo que me temo —repuso Diana—. ¿Crees que de verdad no lo ha leído?

—¿Por qué iba a mentirnos? Algunas personas no tienen las agallas suficientes como para airear los oscuros secretos que el pasado esconde. Especialmente tratándose de un secreto como el que supongo que encierran estas páginas.

Diana dio un suspiro y miró el librito. Luego hizo de tripas corazón y lo abrió.

17

La sorprendente historia de John Cahill, Vannattuppūcci, 1887

La llegada de los nuevos señores de Vannattuppūcci llenó de inquietud a Lucy Cahill. «Ni que viniera la mismísima reina Victoria», se burlaba de ella Megan, su hija mayor, con su otra hermana en la esperanza de que su madre no las oyera. Y claro que Lucy las oyó, pero no quiso hacerse mala sangre. La llegada de una nueva señora abría toda una plétora de posibilidades.

—He oído que los Tremayne tienen dos hijas preciosas. ¿Te encargarás de que algún día las conozca? —le pidió a su marido. Quizá lograra que Megan se introdujera en el círculo de amistades de las dos muchachas, lo que aumentaría sus posibilidades de casarse con un hombre de posibles.

—Algún día —gruñó para sí Cahill con la mirada fija en el periódico al tiempo que levantaba del platito su taza de café.

Ningún artículo le llamó la atención. Como tan a menudo en las últimas semanas, el periódico le sirvió de mera excusa para perderse en sus propios pensamientos. ¿Qué le diría a Henry Tremayne? Seguro que la muerte de su hermano le habría afectado profundamente. Quizá quisiera vender la plantación. O incluso dejar en sus manos la dirección de la misma.

—¿Cuándo? —irrumpió en sus meditaciones la voz de Lucy—. ¿Cuándo vas a empezar a preocuparte por el futuro de las niñas?

—No sabía que su futuro dependiera de los Tremayne.

—¡Y tanto que depende! —le insistió su mujer—. Si pusieras más empeño en ello, Megan y Sophia tendrían la posibilidad de ascender de círculo social.

Como vio aproximarse una riña como una tormenta del monzón, y sabía que se pusiera como se pusiera iba a descargar, Cahill decidió dejar el periódico y acabarse el café, que ya se le había quedado frío.

—Querida —dijo zalamero a sabiendas de que era mejor no enfrentarse a su mujer. Además, no tenía ganas de ir enfurruñado a Colombo a recibir a los nuevos señores—. Si surge la posibilidad, por supuesto que haré lo que esté en mi mano por presentarlas a los Tremayne. ¿Pero no sería mejor que esperáramos a ver de qué pie cojea esa gente? Si veo que son amables y campechanos, y con esto también me refiero a sus hijas, entonces llevaré a las niñas para que las conozcan.

Lucy se mordió la lengua y asintió satisfecha. Y no porque la respuesta la hubiera dejado tranquila, sino porque sabía que no tenía sentido forzar las cosas. Al menos no con Cahill.

De camino a Colombo, Cahill se preguntó por enésima vez cuántos secretos debía revelar sobre su anterior señor. Decir toda la verdad carecía de sentido, pues él era el único que la conocía. No, a veces es mejor no despertar a un perro que duerme. Tremayne tenía que concentrarse en mantener en pie la plantación. Los trapos sucios de su hermano estaban enterrados con él, y no había por qué hurgar en su tumba.

El hombre al que se enfrentó en la capitanía del puerto era el perfecto opuesto de Richard Tremayne. Rubio, regordete, con los ojos azules y una barba incipiente y clara. Aun así, un caballero de los pies a la cabeza.

—Bienvenido, señor Tremayne, me alegro de que usted y su familia hayan llegado sanos y salvos a Ceilán.

Ambos señores se estrecharon la mano y se dirigieron al despacho. Durante todo el tiempo, Cahill no pudo evitar sentirse incómodo. Hablar del fallecido Richard Tremayne lo sacaba de sus casillas. Llevaba semanas intentando olvidar el rostro del difunto. Pero, como era natural, Henry Tremayne quiso que le contara el incidente. Mientras hablaba, Cahill revivió el momento en que llevaron a Vannattuppūcci el cuerpo desmembrado del señor de la plantación... Con qué respeto trasportaban en parihuelas a su amado señor.

Cahill, que, como todo el mundo sabía, era un hombre muy sensible, se descompuso al ver tanta sangre, lo que no impidió que volviera a contemplar los restos de *sir* Richard, pues era así como lo llamaban a pesar de no tener ningún título nobiliario, una vez adecentados.

A pesar de ser cristiano, Tremayne solicitó expresamente que quemaran su cuerpo, tal y como reza la tradición hindú, y que luego sus cenizas fueran esparcidas en el mar. A Cahill todo aquello acabó pareciéndole hasta práctico, ya que así se ahorraron transportar el cadáver a Inglaterra, un trámite gravoso que habría durado semanas. En lugar de eso, telegrafió a Tremayne House e informó a Henry de lo sucedido, y poco después le envió una carta explicándole por qué a su llegada no podría visitar la tumba de su hermano.

A la pregunta de cómo iba la investigación policial no supo qué contestar, aunque era evidente que nadie iba a ocuparse de un cadáver cuyas cenizas descansaban en el fondo del mar. Finalizada la conversación, Tremayne lo invitó a comer, gesto que supo apreciar ya que las tripas le sonaban y la cocina de su señora quedaba lejos.

Todo iba a pedir de boca. Los peones terminaron las reformas más importantes, y en poco tiempo Cahill pudo anunciarle a su nuevo señor que ya no había obstáculos para que se mudara a Vannattuppūcci.

Esa fue la primera vez que vio a las hijas del señor Tremayne. Qué hermosura de chicas, pensó; especialmente la mayor, todo un encanto. Un día sería la dueña de la plantación, y aunque hacía apenas un par de días las palabras de su señora le habían parecido un disparate, ahora volvían a resonar en su cabeza.

Quizá no era tan descabellado tratar de que sus hijas se acercaran a esas muchachas...

Por un momento la presencia de Vikrama lo desconcertó un poco. ¿Qué pintaba allí ese chico? No obstante, no le quedó otra que ponerle buena cara. A fin de cuentas, el mestizo —así lo llamaba él en secreto— no era más que un pobre ignorante inofensivo. Así que dejó que su señor le echara flores; ya se encargaría él de poner las cosas en su lugar.

Finalmente el muchacho se fue y una vez le hubo enseñado la casa a Henry Tremayne, Cahill dio por finalizada su jornada.

De camino a casa se topó con un jinete. Era Dean Stockton, de quien cabía afirmar sin miedo a equivocarse que era el terrateniente más rico de la zona. Durante un tiempo dio la sensación de que Richard Tremayne podría disputarle ese puesto, pero por culpa del accidente Stockton había conservado el trono.

—Buenos días, señor Cahill. ¿Qué le trae por aquí?

Stockton refrenó a su caballo. Era evidente que iba de camino a Nuwara Eliya, a reunirse con sus amigos del Hills Club. En vano había intentado Cahill hacerse socio, tal y como su esposa le había sugerido. Los terratenientes y los hombres de negocios no deseaban codearse con abogados que ni siquiera tenían bufete propio; preferían que trabajaran para ellos.

A pesar de ese tachón en su hoja de servicio, Dean Stockton se mostró respetuoso, como cabía esperar de un hombre de su condición.

—Acabo de acompañar a su hacienda al nuevo amo de Vannattuppūcci, el señor Henry Tremayne.

—¿El hermano de Richard?

Las cejas de Stockton se arquearon. Por un momento pareció sopesar si el nuevo propietario sería tan testarudo como su hermano. En vida, Richard Tremayne le había hecho la competencia. En no pocas ocasiones habían discutido por un pedazo de tierra.

—Así es. Acaba de mudarse a la casa señorial con su mujer y sus dos hijas. Y he de decirle que son preciosas.

Stockton, a quien su fama de donjuán le precedía, sonrió y se irguió en su montura.

—Pues entonces tendré que ir a presentarles mis respetos.

—Buena idea, *sir*. Por el momento reina cierto caos en Vannattuppūcci, pero estoy seguro de que todo volverá a ser como antes en un par de días. El señor Vikrama se ha brindado a ofrecer su ayuda al nuevo señor para instalarse.

La mención al medio tamil dejó consternado a Stockton. En ausencia de un señor en Vannattuppūcci, el tal R. Vikrama se había comportado como si fuera el dueño de la plantación. Al menos esa era su opinión, y estaba dispuesto a compartirla con quien quisiera escucharla, al tiempo que se callaba el verdadero motivo de su animadversión hacia el mestizo: el haberse opuesto a que adquiriera la casa y la plantación, que era lo que planeaba hacer.

Cahill lo sabía, y aunque estaba seguro de que Stockton no intentaría quedarse con la casa de los Tremayne, no tenía tan claro que no procurara hacerse con sus campos de té.

—Y dice que tiene dos hijas —prosiguió Stockton superado el mal trago de haber oído pronunciar el nombre de Vikrama—. ¿Ningún varón?

—No, de momento. Quién sabe si más adelante. La señora Tremayne aún es joven, así que no sería de extrañar que le diera un heredero.

Stockton puso cara de rogarle a Dios que no fuera el caso. Luego volvió a sentarse en su montura y tomó las riendas.

—Muchas gracias por la información, señor Cahill. Hasta la próxima.

—¡Adiós, señor Stockton! ¡Que tenga usted un buen día! —exclamó Cahill mientras Stockton se alejaba al galope.

De la visita de Stockton, Cahill tuvo noticia la siguiente vez que fue al despacho de Tremayne. Entre tanto, Vikrama le había puesto al corriente sobre la actividad que se desarrollaba en la plantación y Cahill abrigaba esperanzas de que el nuevo señor se adaptara sin problema. Las conversaciones con él así lo hacían prever, y además la plantación volvía a funcionar como una máquina bien engrasada.

Una tarde que atravesaba con prisas el recibidor vio a la joven señorita Grace hablando con Vikrama. En realidad no había nada reprochable en ello, pero Cahill se quedó absorto mirándolos desde la ventana. Una oscura preocupación le oprimió el pecho al ver algo en lo que ya se había fijado pero que había preferido ignorar. ¡Cómo le sonreía la muchacha! ¡Y cómo se la comía él con los ojos! Dos jóvenes, el uno frente al otro, con la sangre caliente y llenos de deseos que aún no han podido aplacar.

No tiene importancia, se dijo para clamarse. Es lógico que una muchacha tan encantadora como Grace quiera conocer a la gente de la plantación. A pesar de no parecerse en nada a su tío Richard, parecía haber heredado su carácter: amable, extrovertida y afectuosa.

Y en el fondo eso era bueno, pues en tanto que futura señora de Vannattuppūcci tendría que gozar de la simpatía de los trabajadores, pues estos eran mucho más dados a matarse a trabajar por un dueño al que amaban que por uno que solo les infundiera respeto.

Las semanas posteriores al baile no solo trajeron múltiples cambios, sino que además sus problemas en casa se acentuaron.

Por un lado, las tareas de gerencia que Cahill realizaba para Tremayne fueron transferidas a Vikrama, lo que le dejó como único consuelo cobrar el mismo sueldo por la mitad de trabajo y poder centrarse en las cuestiones jurídicas, ámbito en el que se sentía bien valorado. Y por el otro, tenía a su mujer pegada a la oreja repitiéndole machaconamente que el baile distaba mucho de haber sido un éxito.

—Apenas se han dignado a mirar a mis hijas, en especial la mayor —se lamentaba—. La pequeña ha estado charlando un ratito con nuestra Sophie, pero eso ha sido todo.

—Pertenecen a otra clase social, querida —intentó apaciguarla Cahill—. Además, había tanta gente que no podían dedicarle mucho tiempo a cada invitado. Te prometo que nuestras chicas tendrán su oportunidad.

La señora Cahill suspiró y pareció rebuscar algo que reprocharle a las hijas de Tremayne.

—Por cierto, ¿qué se trae entre manos la mayor con ese mestizo?

—Esas son cosas que no nos incumben, querida —volvió a tranquilizarla Cahill, aunque él mismo empezó a alarmarse. No era la primera vez que la muchacha había sido vista en compañía de Vikrama. Parecían llevarse sospechosamente bien.

En los días que siguieron al baile, se extrañó de ver a menudo a Vikrama con ella y con la adusta gobernanta.

—Va a aprender la lengua de los nativos para saber qué dicen de nosotros.

Las palabras de Tremayne dejaron traslucir cierta preocupación, como si barruntara algún mal. ¿Temería realmente una sublevación por parte de sus trabajadores? ¿O más bien empezaba a sospechar que la relación de Vikrama con su hija no se limitaba a la del profesor-alumna?

Quizá debería decirle lo que he visto, pensó por un momento Cahill, pero enseguida desechó la idea. Seguro que no hay de qué preocuparse. Es normal que la señorita Grace quiera hablar con gente de su edad. Y aprender esa lengua le vendrá muy bien en el futuro, cuando dirija Vannattuppūcci. El propio Richard Tremayne también la hablaba.

Después, Cahill estuvo condenado casi al total ostracismo. Tremayne ya solo le encomendaba estúpidas tareas administrativas y la redacción de documentos que luego tenía que llevar en persona a donde fuera.

—Te has quedado para chico de los recados —lo zahería Lucy con su estridente voz—. Ese muchacho tamil va a acabar desbancándote.

—Eso no va a pasar, querida, no te preocupes —procuraba aplacarla Cahill, pero la semilla de la desconfianza ya había prendido. ¿Le estaría quitando el puesto Vikrama? ¿Sabría Tremayne que…?

No, eso era imposible. Nadie lo sabía.

Un día, volviendo de Colombo de compulsar unos documentos para el señor Tremayne, se encontró con Dean Stockton. A pesar de estar ahí como por casualidad, daba la sensación de que lo estaba esperando.

Me habrá visto con su catalejo, pensó azorado Cahill. Todo el mundo sabía que Stockton podía ver con ese artefacto todo lo que sucedía alrededor y que no se le escapaba una.

—¡Buenas tardes, señor Cahill!

Stockton estaba plantado en mitad del camino cortando el paso al coche de caballos. Como un salteador, se le ocurrió a Cahill.

—Buenas tardes, señor Stockton. ¿Qué puedo hacer por usted?

—A decir verdad un montón de cosas.

Las palabras de Stockton sorprendieron a Cahill, sorpresa que fue en aumento cuando levantó la liebre.

—Uno de los hombres que cedí a Tremayne me ha informado de que la señorita Grace pasa mucho tiempo con ese Vikrama.

—Está aprendiendo la lengua de los nativos —repuso Cahill sintiendo cómo un escalofrío le recorría todo el cuerpo.

—¿La lengua, eh? El señor Petersen dice otra cosa. Según él, suelen quedar de noche para besuquearse. No creo que esa sea la forma de aprender un idioma.

Por un momento Cahill se quedó sin habla.

—¿Los ha visto usted hacerlo? —preguntó Stockton.

—No, *sir,* yo solo estoy allí hasta la tarde.

—Pues no estaría de más que alguien lo vigilara de cerca. De hecho, ella es la prometida que deseo para mi hijo, y no queremos que un cuco nos robe el nido.

Cahill notó que la cabeza le daba vueltas. ¡Inconcebible! Cómo iba a ser posible que…

—Mantendré los ojos bien abiertos, señor Stockton. —De pronto una alerta se disparó en la mente del abogado—. ¿Debo informar al señor Tremayne de lo que observe?

Stockton negó con la cabeza.

—No, de momento no. Bastantes preocupaciones tendrá ya con la plantación, ¿no le parece? Cuando obtenga alguna prueba, será el momento de informar a su jefe, mientras, téngame solo a mí al tanto. —El terrateniente se sacó una bolsa llena de monedas del bolsillo del chaleco—. Esto es para usted. Por las molestias.

Antes de que Cahill pudiera darle las gracias, Stockton se giró y se marchó al galope.

A partir de entonces, Cahill hizo cuanto estuvo en su mano por espiar a Grace Tremayne. Lo hago por la plantación, se decía. Y por el bien de la joven dama. A su edad las mujeres son presa fácil. Durante el día, de cuando en cuando metía la cabeza por su ventana. En otras ocasiones la observaba a una distancia prudencial. Pero no obtenía pruebas, ya que no sabía cómo ni cuándo se encontraban.

Periódicamente informaba a Stockton de que todo estaba en orden y de que no había de qué preocuparse. A saber qué habría visto Petersen.

—Podría ser que incluso pretendiera desacreditar a la muchacha. Como ya sabrá, la señorita Grace se enfrentó a él por azotar a una recolectora.

—Sí, esa historia ha llegado a mis oídos.

A juzgar por su gesto daba la sensación de que no había tenido en cuenta dicha posibilidad.

—Estoy seguro de que a su hombre solo le mueve la venganza. La señorita Grace es toda una dama que sabe lo que se espera de ella. Nunca se dejaría embaucar por ese salvaje.

Que Stockton pareció dar por buenas sus explicaciones fue algo que se evidenció en los siguientes días, ya que, como si hubiera recabado más pruebas de su inocencia, dejó de preguntarle por el asunto.

Pero un par de semanas más tarde, Cahill salió de su engaño. Un día, cuando se disponía a mantener una reunión rutinaria con el señor Tremayne, se encontró con que en la casa se había formado un tumulto. Al pasar por el recibidor, se llevó a una doncella aparte y le preguntó qué había sucedido para que incluso hubiera tenido que venir el doctor Desmond.

—La señorita Grace ha sufrido un desmayo. Será mejor que espere al señor Tremayne en su despacho.

¿La señorita Grace un desmayo? ¡Imposible! ¡Pero si era una mujer sana, joven y robusta!

Cuando a las dos horas Henry Tremayne entró en el despacho estaba pálido como un cadáver.

—Ah, Cahill, ya ni me acordaba de usted.

—¿Puedo preguntarle qué ha sucedido, *sir*?

Tremayne suspiró y se desplomó en su silla. Su cara era un poema.

—Mi hija…

—Espero que no haya tenido una recaída. La malaria es muy traicionera —dijo Cahill haciéndose el tonto, pues no quería admitir que ya sabía que no se trataba de Victoria.

—No, no es Victoria, sino Grace… —Tremayne se detuvo y midió sus palabras—. Lo mejor será dejar esta reunión para otro momento. Me encuentro muy cansado.

A Cahill le habría gustado desearle que la señorita Grace no tuviera nada grave, pero se contuvo. Ya se enteraría por otras fuentes.

Cuando le contó a Lucy lo del desmayo de la señorita Grace, ella le dijo enseguida:

—¿No habrá tenido algún descuido en materia de moral?

—No te entiendo —dijo Cahill, que volvió a sentir esos desagradables escalofríos.

—Hasta donde yo sé, las chicas jóvenes y sanas solo se desmayan cuando están embarazadas. A mí me pasó lo mismo con Megan, ¿o es que ya no te acuerdas?

Lo cierto era que Cahill nunca había hecho demasiado caso de las quejas de Lucy durante sus embarazos. Un día llegaba a casa, le daban la buena nueva y listo.

—Te digo yo que algún granuja la ha dejado preñada.

Esas palabras hicieron que Cahill se fuera a la cama sin cenar.

Al día siguiente todo eran murmullos en la plantación. La señorita Grace estaba embarazada, y el amo fuera de sí, ya que ella no quería decir de quién.

Cahill daba vueltas en su despacho presa de los nervios. ¡Lo sabía! Seguro que era de Vikrama. ¿Cómo no se había dado cuenta? ¿Por qué le habría endilgado la historia de la venganza a Stockton, que obviamente solo velaba por los intereses de su hijo? Petersen podía ser un canalla, pero tenía buen ojo, y era evidente que seguía siendo fiel a su antiguo señor.

¡Menuda catástrofe! Si no supiera tantas cosas sobre el amo Richard, quizá le hubiese dado igual que Grace flirteara con Vikrama. La unión de ambos era extremadamente peligrosa, y por el bien de Vannattuppūcci tendría que haber intervenido. Pero ya era demasiado tarde.

Cahill no sabía muy bien cómo se había enterado Henry Tremayne de que Vikrama era el padre del niño. Se rumoreaba que su hermana Victoria había encontrado un cuaderno de lo más delator. La muchachita curiosa había aprovechado una escapada de su hermana para leer una especie de diario que esta escribía, y la señorita Giles la había pillado in fraganti.

La reacción de Henry Tremayne fue drástica. Nada más saberlo ordenó a Petersen y a sus secuaces que fueran en busca de Vikrama y le dieran un escarmiento.

No contaba con que su hija lo presenciara, pero la muchacha se enteró y se escapó de su habitación antes de que Tremayne pudiera impedirlo.

Cahill nunca olvidaría los alaridos de la joven al ver cómo se lo llevaban a rastras.

—¡Por favor, dejad que se vaya! —suplicaba sollozando mientras intentaba zafarse de los hombres que la sujetaban.

—¡Ni lo sueñe, señorita! —exclamó Petersen con sarcasmo—. ¡Su padre nos ha ordenado que le demos una lección y vive Dios que se la vamos a dar! ¡Atadlo a ese árbol, que voy a hacer que se le caiga la piel a tiras!

—¡No! —chilló Grace con tal estridencia que Cahill casi se tapa los oídos—. ¡Defiéndete! —le increpó afligida—. ¡Defiéndete! ¡No dejes que te maten! ¡Piensa en nuestro hijo!

Sus palabras hicieron que Vikrama se resistiera a los tirones de los hombres que lo tenían sujeto. Entonces giró la cabeza sobre el hombro y cruzó la mirada con Grace, una mirada con la que quiso decirle que lo que estaba a punto de pasar los separaría para siempre.

Vikrama explotó. Con unos movimientos que Cahill no había visto hasta entonces, se liberó de las garras de los secuaces de Petersen y la emprendió a golpes con ellos. Antes de que pudieran reaccionar ya había dos sangrando por las narices; el tercero retrocedió. Petersen desenrolló el látigo a toda velocidad, pero solo pudo darle un latigazo, ya que a mitad del segundo Vikrama ya se había abalanzado contra su cuerpo.

—¡Maldita sea! ¿Es que nadie tiene un arma? —rugió el capataz, pero entonces Vikrama echó a correr y, tras mirar de nuevo a Grace, desapareció entre la maleza.

Los hombres que la retenían la soltaron y corrieron tras él, desapareciendo también en la floresta. La muchacha se derrumbó en mitad de la escalinata. Como lanzando un conjuro miró hacia la oscuridad; seguramente rogaba porque su amado lo consiguiera.

Cuando el señor Tremayne salió, los hombres de Petersen aún se estaban recuperando. El capataz le informó con los labios hinchados de que Vikrama había huido. Cuando le dijo que el mestizo había entrado en una especie de trance y, como poseído, los había reducido a todos, Grace exclamó con una extraña sonrisa en los labios:

—¡No ha sido el diablo, idiota! ¡Ha sido el *kalarippayatt!*

Cahill pensó que se trataba del nombre de un demonio, mientras que Henry Tremayne, sin prestar a tención a lo que decía su hija, la levantó del suelo de un tirón.

—¿Qué haces tú aquí? ¿No te prohibí que salieras de tu cuarto?

La muchacha se tambaleó como si estuviera a punto de desmayarse, lo que, en su estado, no habría sorprendido a nadie. Pero permaneció en pie y miró a su padre con una expresión que habría hecho llorar al más pintado.

—No lo atraparán, padre. Sus dioses lo protegen.

Henry la fulminó con la mirada durante un rato que se hizo eterno, como si quisiera cruzarle la cara a bofetadas, pero en lugar de eso se la llevó a casa a rastras.

Cahill, en quien nadie había reparado durante todo ese tiempo, se apoyó en la barandilla de la escalinata.

¡Vaya nochecita! Menudo follón. Y todo por no haber hablado a tiempo. ¡Por no haber visto venir la desgracia!

Tenía que haberle contado al amo Henry el secreto de su hermano. Se habría liado una buena, pero quizá ahora no estaríamos en esta situación desesperada y sin salida…

Agotado, se sacó el pañuelo de la manga de la camisa y se secó la frente. Hablar ahora con el señor Tremayne carecía de sentido. Mañana sería otro día.

La noche siguiente, Dean Stockton irrumpió en el patio. Entre tanto, la búsqueda de Vikrama se había extendido por ambas plantaciones. Nada más saber lo sucedido y quién era el causante, Stockton se había prestado a ayudar. Ahora su gente también perseguía al antiguo administrador, aunque hasta ese momento sus esfuerzos no habían dado resultado. Airado, detuvo su caballo y subió corriendo las escaleras. Cahill, que esperaba en el recibidor, ni siquiera le mereció una mirada, aunque probablemente la ira cegaba sus ojos.

—¡Yo le habría pegado un tiro como a un perro! —rugió Stockton en el salón de los Tremayne haciendo casi las veces de padre de la señorita Grace.

Al fin y al cabo, habría sido su suegro si Vikrama no llega a dejarla preñada, pensó para sí Cahill. Entonces volvió a bullir en su interior el oscuro secreto que guardaba. En algún momento tendrá que saberlo el señor Tremayne. Pero no ahora.

Cahill pensó que lo mejor era dar la vuelta y marcharse, y entonces reparó en una silueta en la escalera. ¡La señorita Grace! Rápidamente retrocedió hasta un rincón sombrío y se ocultó tras una puerta entreabierta.

La muchacha estaba tan inmersa en sus pensamientos que no advirtió su presencia.

—Hay una solución —dijo Stockton una vez se hubo tranquilizado.

—¿Cuál? —preguntó Henry mientras su mujer no dejaba de llorar como una Magdalena.

—En las aldeas hay mujeres que saben cómo evitar que una mujer tenga el crío.

Sus palabras cayeron sobre los Tremayne como un jarro de agua fría.

—¿Nos está sugiriendo que mandemos a nuestra hija a abortar a una choza?

—No sería preciso mandarla a ninguna parte. Podrían traer aquí a la curandera. Así, sin salir de casa y a salvo de las miradas indiscretas, todo volvería a ser como antes.

—¡Pero eso es pecado! —le espetó Tremayne.

—¡Pecado es lo que ha hecho su hija con ese bastardo! ¡No querrá que nadie vuelva a mirarlo a la cara! —lo acogotó a berridos Stockton—. Yo estaría dispuesto a pasar por alto este incidente permitiendo que se case con mi hijo, pero antes ha de deshacerse de la criatura.

Cahill se mordió el labio mientras vio pasar a Grace con la cabeza bien alta y la dignidad de una reina. Era evidente que había escuchado la oferta de Stockton. Al llegar a la puerta titubeó, pero pasado un instante, abrió la puerta. Y antes de que su vecino pudiera soltar una nueva amenaza, dijo con voz serena y templada:

—Voy a tener el niño, señor Stockton. No va a obligarme a atentar contra una vida.

Un silencio sepulcral siguió a sus palabras. Cahill habría dado lo que fuera por ver las caras de los presentes. Ya ni siquiera se oían los sollozos de la señora Tremayne. Su irrupción los había dejado pasmados.

—Padre, madre, para protegeros de la ignominia he decidido marcharme a Inglaterra y tener allí a mi bebé.

Nadie abrió la boca.

—¿El vástago de un salvaje? —gruñó al fin Stockton—. ¡Señorita Tremayne, haga el favor de entrar en razón! Sus preocupaciones podrían desaparecer de golpe.

—¿A costa de un asesinato? ¿Y para qué? ¿Para darle a usted un heredero? ¿Un heredero que usted mismo se encargaría de hacerme? ¿O es que ha cambiado de opinión desde nuestro último encuentro?

—Eso es una…

—¿Una mentira? ¿Eso quiere hacernos creer, señor Stockton? —Tras una breve pausa Grace continuó—. ¡Tú mismo has leído mis notas, padre! ¡Estás tan empeñado en encontrar un culpable que no puedes ver que no es Vikrama! ¡El único culpable es este hombre! ¡Lee mis notas otra vez si no me crees!

Stockton profirió un rugido animal.

—No irá a creer a esta mocosa…

—¡Cállese, señor Stockton! Esta es mi casa y aquí mando yo. Le sugiero que se vaya, ¡no vaya a ser que no responda de mí!

—¡Se arrepentirá de esto, Tremayne! ¡Me encargaré personalmente de que todo Ceilán sepa qué clase de persona es su hija!

Tras lo cual se fue dando grandes zancadas sin dejar de soltar imprecaciones. Seguidamente se oyeron unos murmullos incomprensibles y finalmente un portazo.

Luego se hizo un silencio sepulcral.

—¿Padre? —susurró Grace.

—Partirás a Inglaterra en cuanto sea posible —dijo Tremayne con la voz temblorosa—. Allí tendrás a tu hijo, que será dado en adopción a una familia que nada tenga que ver con nosotros.

—No, padre, yo…

—¡Cierra la boca! —rugió Tremayne—. Y ahora vete a tu cuarto y no salgas de ahí hasta que yo te lo diga.

Grace no dijo nada más. Lentamente se volvió y abandonó la estancia. Desde su escondite, Cahill pudo ver cómo las lágrimas le corrían por las mejillas.

En los siguientes días no requirieron sus servicios. Las lluvias enfriaron el aire anunciando que el invierno se acercaba a esas latitudes. En un mes estarían celebrando la Resurrección del Señor.

Cahill se encerró en su despacho para no tener que hablar con su mujer ni con sus hijas. ¿Qué sería de la plantación? Los Tremayne tenían otra hija que ahora pasaría a ser la heredera de Vannattuppūcci. El problema era el nombre de la familia. Seguro que Stockton no descansaría hasta ver a Tremayne arruinado. Aunque si la señorita Grace rectificara…

Una semana después un coche de caballos se detuvo delante de la hacienda de los Tremayne. La señorita Grace no llevaba demasiado equipaje. La señorita Giles viajaba con ella, seguramente para asegurarse de que no cometiera alguna locura.

Cahill no pudo presenciar cómo fue la despedida familiar. Salvo la señorita Victoria, no vio a nadie más salir a la escalinata para decirle adiós. El carruaje abandonó la plantación sin más ceremonias. Luego, Cahill supo que la hija de Tremayne regresó a Inglaterra en un barco llamado *Calypso*.

Tras la marcha de su hija Henry Tremayne no fue el mismo. Se pasaba las horas encerrado en su despacho dividido entre el desencanto, la ira y la frustración.

No obstante, un día Cahill se armó de valor. No contaba con que las noticias que traía fueran a animarlo, sino todo lo contrario. Pero antes de que sucedieran más cosas quería contarle todo lo que sabía.

—No necesito nada, Wilkes —exclamó Tremayne pensando que era su mayordomo.

—¡Soy Cahill! —susurró el abogado por detrás de la puerta—. He de hablar con usted inmediatamente.

Un silencio siguió a sus palabras. ¿Habría decidido Tremayne ignorarlo del todo?

—¡Pase! —dijo al fin.

Nada más abrir se le cayó el alma a los pies al ver a su señor.

No solo era su atuendo, Cahill ya contaba con que no lo recibiera en chaqueta. Pero su rostro… Llevaba días sin afeitarse, su boca no era más que una línea blanca fruncida y sus ojos estaban enterrados en unas profundas fosas negras.

—¿Qué desea, Cahill? —dijo con una voz que no era la suya. Era como si en unos días hubiera envejecido unos cuantos lustros.

—Creo que tengo algo que puede interesarle.

Henry arqueó las cejas.

—¿Y bien?

—Hay algo que debe usted saber ahora que…

La mirada perdida de su señor lo dejó sin habla. Tremayne se levantó de su escritorio como si fuera a abalanzarse sobre él, pero no hizo otra cosa que adecentarse un poco y decir:

—No se quede ahí, pase.

Nada más cerrar la puerta a Cahill le entraron las dudas. ¿Agravarían sus palabras más aún la situación? Pero ya había cruzado el Rubicón, así que no había vuelta atrás. Su señor tenía derecho a saber la verdad, solo así se borrarían de una vez las huellas del pasado.

—No tengo todo el día, Cahill —dijo Tremayne sentándose en su silla e indicándole a su abogado que hiciera lo propio—. Haga el favor de ir al grano.

Al ver el libro de cuentas desportillado pero sin nuevas entradas, Cahill comprendió que no era el trabajo lo que le quitaba el tiempo a Tremayne.

—Hay una serie de cuestiones que preferí no mencionarle a su llegada por no considerarlas de demasiada importancia. —El rostro de Henry se oscureció, pero siguió escuchando atentamente—. Dados los recientes acontecimientos seguro que no le costará ningún trabajo recordar al señor Vikrama.

A juzgar por el bufido que soltó Tremayne era evidente que se acordaba de él.

—¿Qué pasa con él? ¿Me ha liado otra aparte de seducir a mi hija?

—Me temo que sí, pero esta vez no es culpa suya, sino de su hermano.

—¿Richard? ¿Qué tiene que ver Richard en todo esto?

Cahill vaciló y sintió una excitación rayana en lo perverso. Al fin podría soltar lo que tanto tiempo venía callando.

—Nada más llegar a Vannattuppūcci su hermano se sintió atraído por una joven recolectora. ¡Vive Dios que era hermosa! Piel dorada, pelo azabache y unos ojos verdes de los que solo se ven en Egipto. Como su hermano era el amo, no encontró gran dificultad en satisfacer sus deseos cuantas veces quiso. La pobre diabla creyó que la haría su mujer; siempre se han dado por estas tierras matrimonios mixtos entre holandeses y nativas, y sus descendientes gozan de cierto reconocimiento. Pero su hermano estaba hecho de otra pasta. Tras un tiempo perdió el interés por ella. Aunque tarde, pues ya estaba embarazada. Cuando la mujer se lo hizo saber se enfureció y la expulsó de la plantación, por lo que tuvo que volver a su aldea deshonrada. Pero luego le entró mala conciencia, y poco antes de que la criatura naciera la trajo de vuelta, a condición de mantenerlo todo en secreto, como podrá comprender. Cuando ella murió, el señor Tremayne se vio en la obligación de cuidar del chaval. Y así fue como, sin saber que Richard era su padre, creció Vikrama y llegó a convertirse en alguien importante dentro de la plantación.

—¿Y cómo lo sabe usted?

—Su hermano me lo contó poco antes de morir. —Cahill se mordió el labio. La cosa no había sido exactamente así, pero nadie iba a venir a desdecirle—. Richard planeaba nombrar heredero legal a su hijo ilegítimo, ya que su mujer murió sin darle descendencia y no volvió a casarse. Pero, alabado sea Dios, la muerte le sorprendió antes de que pudiera hacerlo. Por mi parte, no vi ningún motivo para poner al corriente a Vikrama, ya que usted es hermano de Richard y por tanto tiene más derecho a la plantación que ese individuo. ¿Qué sería de nosotros si los salvajes empezaran a dirigir sus plantaciones?

Henry lo miraba atónito. Por un momento, pareció que las palabras de Cahill habían rebotado en él como la lluvia en la capota de un coche de caballos. Aunque en realidad habían calado hondo en su alma.

—El muchacho es hijo de Richard —musitó Tremayne como si no acabara de creerse que Dios pudiera haberle hecho esa jugarreta.

—Debí contárselo antes, pero como siempre está tan ocupado...

Tremayne profirió tal rugido de ira que lo dejó mudo. De un manotazo barrió el tintero de la mesa y fue a parar al suelo, donde la tinta se derramó por el parqué.

—¿Intenta decirme que a mi hija la ha dejado preñada su primo?

—Podría decirse así —dijo Cahill encogiéndose como si esperara recibir un golpe.

Henry volvió a mirar fijamente a su abogado. Movía la boca, pero no salía ningún sonido de ella.

Cada vez que miraba a su señor, a Cahill le entraba uno de sus ya habituales escalofríos. Los ojos de Tremayne eran como dos pozos sin fondo que amenazaban con tragárselo.

—¡Debió decirme antes que mi hermano tenía un bastardo!

Cahill no supo qué contestar, pues su señor tenía razón.

—¿Sabe él quién es? —preguntó Henry apretando los puños.

Cahill negó con la cabeza.

—No, creo que no. De ser así ni siquiera se habría acercado a su hija. Son primos carnales, y eso para los nativos es tabú.

Henry, que al fin parecía ser consciente de la gravedad de lo sucedido, volvió a desplomarse en su silla.

Verlo tan débil dotó de ánimos renovados a Cahill.

—Jamás pensé que él y su hija… La señorita Grace es toda una dama, y además, teniendo al joven Stockton bebiendo los vientos por ella, nada hacía indicar que…

Pero lo cierto era que había muchos indicios. Las miradas, la sonrisa de Vikrama al verla asomarse a la ventana…

Todos esos detalles tampoco habían pasado inadvertidos para el padre de Grace.

De pronto saltó como un resorte sobre el escritorio y agarró a Cahill de la pechera.

—Podía haber tenido más cuidado con ese tipo. Qué digo cuidado, tendría que haberlo echado a patadas, y más sabiendo quién era…

—Pero su hermano…

—¡Mi hermano era un granuja de mucho cuidado! ¡Nunca debió liarse con esa mujer! ¡Menos mal que no le dijo quién era su padre!

Por un momento asomó la sombra de la duda en su rostro. ¿Y si se lo había contado? Pero al instante desechó ese pensamiento sacudiendo violentamente la cabeza por parecerle demasiado nefasto.

Tras pensarlo un rato solo encontró una solución al problema.

—¡Si ese tipo tiene el rostro de dejarse ver por aquí, tendrá que encargarse de que desaparezca para siempre!

—Insinúa que debo… —Cahill se quedó sin aliento.

—¡No lo insinúo, se lo ordeno! —le espetó Henry antes de esbozar una sonrisa maligna—. ¡Es lo menos que puede hacer después de habérmelo ocultado todo este tiempo! Se encargará de borrar las huellas de lo sucedido. Quizá entonces pase por alto lo que me ha hecho y lo deje seguir trabajando en la plantación. ¡De lo contrario ya puede ir haciendo las maletas!

Cuando Tremayne soltó aquello fue como si un rayo le atravesara el pecho. Tardó minutos en dejar de temblar, y también en apartar la vista de ese hombre de rostro desencajado a quien habían arrebatado lo que más quería en este mundo.

¿Qué harías tú si se tratara de Megan?, se dijo para sus adentros. La respuesta no se hizo esperar: mataría a ese canalla. Y entonces vio claro lo que tenía que hacer.

Noche y día Cahill le daba vueltas a cómo tenderle una emboscada a Vikrama. Haber presenciado lo que hizo con Petersen y sus secuaces le hacía ser precavido. El muchacho es un luchador experto, se decía, así que cara a cara no tienes ninguna posibilidad contra él. Para matarte se sobra con sus manos desnudas.

Pero antes que nada Vikrama debía aparecer. Los hombres de Tremayne y los de Stockton seguían buscándolo infructuosamente.

Sin embargo, por primera vez en muchas semanas, el destino se dignó a sonreírle. Una noche en la que estaba asomado a la ventana de su despacho sin poder pegar ojo como ya venía siendo costumbre, vio deslizarse una sombra por el jardín. Sus movimientos felinos hicieron que lo reconociera al instante. ¿Qué hacía Vikrama allí? Grace había partido hacía un mes, y el amo le había prohibido poner un pie en sus tierras. ¿Habría venido a cortejar a otra inocente muchacha?

Ni corto ni perezoso se puso los pantalones sobre el camisón y abrió el cajón de su escritorio. El frío acero del revólver desprendió un destello maligno. Un disparo se oiría a millas a la redonda. Pero la posibilidad de sorprenderlo era más que remota. Incluso armado con un cuchillo estaría en clara inferioridad. Tras meterse el arma en la cintura del pantalón salió. ¡Qué tranquila estaba la plantación! Solo el crujir del bambú y de las copas de los árboles flotaba en el aire como el susurro de las hadas de la noche.

Entonces pudo ver perfectamente a Vikrama, pues caminaba con calma por el camino que desembocaba en la casa señorial. El muchacho tiene agallas, reconoció Cahill con algo cercano a la admiración. Él jamás se habría atrevido sabiendo la que lo esperaba.

Buscando el cobijo de los árboles y los setos, el abogado lo siguió. No había luz en las ventanas de la casa, que como ojos muertos miraban la explanada y la fuente; al no funcionar esta última, ofrecía un calmo reflejo de la fachada.

A pesar de su testado valor, Vikrama no osó dirigirse a la puerta principal; se refugió en las sombras y rodeó la casa saliéndose del ángulo de visión de Cahill.

¿Qué se traería entre manos?

Cuando Cahill se asomó desde una esquina lo vio plantado delante de una ventana abierta. Una delicada mano de niña alcanzó lo que él le entregaba. Era un paquete alargado envuelto en un trapo blanco. Intercambiaron unas palabras que Cahill no alcanzó a oír y luego Vikrama se retiró. La mano del abogado se posó sobre el revólver. Aún no era el momento. Cuando Vikrama se giró, Cahill se ocultó rápidamente. Venía hacia él. Mientras los pasos se acercaban, Cahill se ocultó tras los rododendros y aguardó. ¿Adónde iba? ¿A su cabaña? Cahill miró hacia la casa. ¿Qué probabilidades había de que un disparo despertara a sus habitantes y a todos los que vivían en la plantación?

Antes de que encontrara una respuesta, Vikrama desapareció tras un seto. Ese no era el camino de su choza. ¿Adónde diablos se dirigía?

Una vez estuvo seguro de que no podía verlo, el abogado salió de detrás del arbusto y siguió sus pisadas.

Ya inmerso en la maleza oyó sus pasos, y entonces tuvo claro adónde iba el muchacho. Se dirigía a los campos de té, quizá al lugar donde yació por primera vez con Grace.

La imagen del cuerpo desnudo de la muchacha con el de ese salvaje jadeante encaramado a ella hizo que a Cahill se le secara la boca. ¡Cómo le habría gustado ocupar el lugar de ese bastardo!

Enseguida volvió en sí. Necesitaba tener la mente despejada para llevar a cabo su plan. Así que dejó a un lado esos pensamientos pecaminosos y se concentró en hacer el menor ruido posible. Vikrama, en cambio, no parecía tener la más mínima desconfianza. Parecía sentirse como en casa. De hecho se había criado en la plantación. Cahill estuvo a punto de echar a reír amargamente. El infeliz ni se olía que la muerte seguía sus pasos. ¿O sí? ¿Sospecharía algo?

Lo invadió una repentina ola de calor y todo su cuerpo se puso a sudar. Igual que cuando siguió a su señor hasta la cima de la montaña con la firme convicción de salvar Vannattuppūcci. Si el amo Richard no se hubiera empeñado en reconocer a su hijo ilegítimo y hacerle heredero de la plantación —a un maldito mestizo, pensó un Cahill envenenado—, aún estaría vivo.

Cahill había asumido como su deber que la plantación no cayera en manos de un tamil. De nada sirvieron las palabras: tras alcanzarlo en el Pico de Adán entablaron una discusión que solo terminó cuando el amo Richard se precipitó por el abismo.

Cahill pudo ver su cuerpo maltrecho, pero la convicción de que solo la muerte apartaría al amo Richard de cometer una estupidez hizo que se abstuviera de intentar salvar al herido. Luego, se convenció de que había sido una suerte para la plantación, y en el fondo su salvación, ¿pues qué habría sido de ella en manos de un indígena?

Ahora se encontraba en una situación parecida; otra vez tenía que erigirse en salvador eliminando la prueba viva de la infidelidad de Richard Tremayne así como a su legítimo heredero. A Grace ya no podía ayudarle, pero a Vannattuppūcci sí.

Apretó la empuñadura lentamente. ¿Y si le digo al mestizo que ha dejado embarazada a su prima? ¿No es hora de que se entere de que es el bastardo de Richard Tremayne?

No, no serviría de nada. Me daría la misma medicina que a los hombres de Tremayne.

Respiró profundamente y retiró el seguro.

El chasquido retumbó en las montañas como un trueno. ¿Oiría alguien el disparo? En un instante de incertidumbre,

Cahill se imaginó metido en un gran aprieto, pero luego reparó en que no estaba haciendo otra cosa que acatar las órdenes de su señor, y en que este le estaría agradecido por encargarse del trabajo sucio que sus hombres no eran capaces de hacer.

El disparo derribó a Vikrama como a un árbol. Con un gemido apenas perceptible por el eco de la detonación se despidió de este mundo.

Cahill lo miró incrédulo, al borde del *shock*. Una vez volvió en sí, tomó conciencia de que tenía que deshacerse del cadáver. Había que esconderlo bien, donde nadie pudiera encontrarlo... La desesperación y el miedo al castigo le hicieron encontrar una solución rápida.

Necesitaba una pala, y sabía dónde encontrarla.

Con el corazón fuera de sí, regresó a la casa. El disparo no había despertado a nadie. Seguía sin haber luz en las ventanas.

Pero de pronto los campos de té empezaron a resultarle hostiles. De las sombras le llegaban susurrantes reproches, y el viento entonaba un canto fúnebre por la vida que acababa de extinguir. El arbusto de té recién arrancado le pareció un guardián remiso a custodiar lo que se le encomendaba.

Una cosa era matar a un hombre, pero otra bien distinta era deshacerse de su cadáver. A pesar de haberlo tapado con una sábana, tenía la sensación de que sus ojos seguían mirándolo.

Y no solo se sentía observado por el muerto, sino que también creyó oír su voz. Me has arrebatado a mi padre, a mi amor y la vida. ¿Te imaginas el castigo que te espera?

—No habrá ningún castigo —respondió a pesar de estar solo—. Nadie lo sabrá. Todos creerán la historia que divulgue tu señor.

Cavó un hoyo lo bastante profundo y se tomó un respiro para despegarse el sudoroso camisón del cuerpo. Una agradable brisa fresca le acarició la espalda.

Ya casi está. Deja de preocuparte. Mañana tu señor te recompensará por lo que has hecho.

Agarró el cadáver por las piernas y lo arrastró hasta el borde del hoyo. Entonces levantó la sábana que lo cubría. ¡Sus ojos muertos estaban abiertos! Por un momento fue como tener delante a Richard Tremayne con el cuerpo desmembrado entre los riscos. Presa del pánico, le propinó al muchacho una patada que lo precipitó al hoyo. Además del golpe sordo en la tierra, creyó oír un gemido. ¿Estaría vivo aún?

El terror se apoderó de Cahill. Era demasiado arriesgado pegarle otro tiro.

Cuando la tierra lo cubriera nadie podría oír sus lamentos. Rápidamente agarró la pala y con una actividad febril cubrió el agujero de tierra.

Esa misma noche empezó todo. Las voces de los muertos, sus lamentos y amenazas, volvieron a acosarlo cuando ya estaba metido en la cama junto a su mujer. Ella llevaba tiempo dormida, y por miedo a que al despertarla le hiciera preguntas inoportunas se abstuvo de preguntarle si también las oía.

Cuando Cahill probó a cerrar los ojos se encontró de frente con el rostro de Vikrama. Revivió su gesto de sorpresa al recibir el tiro y vio otra vez cómo se apagaba la vida en sus ojos. Y luego vio también a Richard Tremayne, con su gesto de incredulidad antes de que lo empujara al vacío.

Tuve que hacerlo, se dijo entre susurros. ¿Es que no lo entendéis? No había más remedio…

Pero las voces no desaparecieron. Siguieron susurrándole cosas que no quería oír, anhelos ocultos, zonas oscuras de su alma, recuerdos tenebrosos. Las voces no lo dejaron dormir en toda la noche, hasta que al fin llegó la mañana y fue hora de informar a su señor de lo sucedido. Seguramente había oído el disparo en mitad de la noche, así que quizá ya barruntara que el problema estaba resuelto.

Horas más tarde, sentado en el despacho de su señor, las voces remitieron un poco, como si quisieran escuchar lo que Tremayne iba a decir. Subliminalmente le obligaron a reconocer también el asesinato de Richard, un asesinato perpetrado con la profunda convicción de que no podía ser bueno que un día el hijo de Richard tomara las riendas. La plantación debía seguir en manos inglesas. En la concepción del mundo de Cahill no había otra alternativa.

—Supongo entonces que la cuestión está zanjada —dijo Henry sin siquiera volverse y con la mirada clavada en la ventana. Ese día parecía mucho más tranquilo, relajado incluso. Era como si se hubiese quitado un peso insoportable de los hombros. Ahora que el amante de su hija había sido borrado del mapa podía decirse que las aguas habían vuelto a su cauce. Grace tendría el niño en Inglaterra, lejos de los ojos de la gente. Quizá ahora podría darle la criatura en custodia a un aya y ocultar que en realidad era de su hija. Con Grace en Inglaterra cualquier cosa era posible.

—Así es —dijo Cahill mientras se sacaba un pañuelo del bolsillo de la chaqueta para secarse el sudor de la frente—. Lo he enterrado en el nuevo campo de té. Resultó más fácil de lo esperado.

Cahill profirió una extraña e insegura carcajada que hizo que le retumbara el cráneo.

—¿Y nadie lo vio?

—Nadie, *sir.* Pensé que el disparo despertaría a alguien, pero no fue así.

Tremayne asintió satisfecho.

—Buen trabajo, señor Cahill. Mi hija ya está en Inglaterra. Ya encontraremos una solución para lo suyo. En cuanto a usted, volverá a desempeñar el cargo de administrador.

—Muchas gracias, *sir.* Es usted muy generoso.

Cahill no contaba con que no iba a disfrutar demasiado tiempo de su recién recuperado cargo. Sin embargo, a las dos semanas, acabó perdiendo la batalla que libraba en su interior contra esas voces. Tampoco le sirvió de mucho aplacar su mala conciencia poniéndolo todo por escrito; los espíritus de los muertos no se dieron por satisfechos con tan nimio gesto.

Tras correr desnudo dando voces por el patio aterrorizando tanto a la señora de la casa como a las recolectoras, el doctor Desmond concluyó que lo mejor para todos era ingresarlo en el manicomio de Colombo. Encerrado en una oscura celda en la que apenas entraba luz y luciendo una camisa de fuerza, Cahill quedó a merced de los escarnios e imprecaciones de sus víctimas. Ni siquiera las muchas inyecciones de morfina que le recetaron lograron acallar esas voces que cada vez gritaban con más fuerza, hasta que no le quedó más remedio que claudicar y renunciar a habitar su cuerpo y su alma.

18

Aún adormilada Diana se miró al espejo. Las notas de Cahill la habían tenido casi toda la noche en vela, y a pesar de haber logrado dormir un par de horas se sentía abrumada por haber descubierto un crimen que ya nadie podía expiar.

Durante la lectura, más de una vez rompió a llorar por la clamorosa injusticia perpetrada; menos mal que estaba ahí Jonathan para apoyarla y animarla a seguir leyendo.

Llegó incluso a parecerle bien que Cahill acabara loco perdido por su mala conciencia. Y lo mismo le deseó a Henry Tremayne, aunque al menos este recibió su peculiar castigo. Con el tiempo, su preciado árbol genealógico, mimado durante siglos, se fue secando; su apellido desapareció con sus dos hijas, y además la única línea de descendencia que perduró fue precisamente la que él quiso erradicar. No podía haber más pruebas de que en este mundo existe el karma.

Al ir a desayunar se encontraron con Manderley. Parecía impaciente, pero era demasiado correcto como para preguntarles directamente lo que lo inquietaba.

—¿Ha dormido bien?

Diana negó con la cabeza sin perder la sonrisa.

—No, pero no es para tanto. Nada que su desayuno no pueda resolver, y además ahora ya sé qué le sucedió a mi tatarabuela.

—¿Ah, sí? —Nervioso, el director se frotó las manos. En esos momentos ese hombre hecho y derecho le pareció a Diana un muchacho a la espera de recibir un castigo.

—Las tapas de ese librito esconden dinamita…

Al ver que no se decidía a preguntar, pero que ardía en deseos de saber qué papel había jugado su tatarabuelo en la historia de la plantación, Diana se lanzó a decírselo sin más preámbulos.

—Mató a mi tatarabuelo y lo enterró bajo los campos de té. Luego empezó a oír voces, por lo que acabó siendo ingresado en un asilo de Colombo, un manicomio que mi vieja guía de viaje señala que merece la pena visitar.

—Antes la gente pensaba de otra manera —dijo Manderley confuso aunque también aliviado—. Suponía que mi tatarabuelo había cometido un crimen. Si no, no lo habrían silenciado todo. Imagínese que incluso se tachó su nombre en nuestro viejo libro de familia... Alguien debió de leer sus confesiones, puede que incluso su propia mujer, pero ya era tarde para exigir responsabilidades. Si no recuerdo mal, Cahill murió dos meses después de ser ingresado. El pobre infeliz se tragó su propia lengua.

—Qué horror —murmuró Diana mientras intentaba imaginar cómo fueron las últimas horas de aquel hombre. Con lo bondadosa que era Grace seguro que jamás le habría deseado semejante destino. ¿O quizá sí?

—Siento lo de su antepasado —dijo Manderley algo turbado—. Siempre supe que había algo oscuro en la historia de nuestra familia, una sombra negra, una razón ignota que nos impide dejar este lugar.

—No diga eso. Hace mucho que su familia no tiene nada que ver con los crímenes cometidos por su tatarabuelo. Y si había una sombra negra, ya se fue, pues usted acaba de sacar a la luz esos penosos hechos del pasado.

Manderley asintió. Luego se volvió para retirar el agua hirviendo del fuego.

Con el presentimiento de no precisar más información para reconstruir los hechos, pasado el mediodía Diana echó mano de su bolso y sacó la carta. En realidad no esperaba grandes sorpresas, pero aun así se fue con ella a la habitación de Jonathan para poner junto a él la última tesela del mosaico.

—Veo que ya lo tienes todo listo —le dijo al verlo frente a su equipaje—. Hemos de despedirnos de Vannattuppūcci, así que ya es hora de abrir la carta.

Jonathan le ofreció su mano y la ayudó a sentarse en el borde de la cama.

Diana inspiró, rompió el sello y sacó los dos pliegos.

Amada casa:

Han pasado veinte años desde que mi familia se mudara a Vannattuppūcci, renovara tus estancias e intentara llenarte de vida. Ahora me dispongo a dejarte para siempre, convertida en una mujer feliz y madre de mi pequeña Deidre, que casi sin darnos cuenta ya ha cumplido doce años. Alguien tiene que ocuparse de Tremayne House antes de que se caiga a pedazos. Como mi padre desheredó a mi hermana Grace, soy yo quien se ve obligada a volver a Inglaterra con Noel y Deidre para hacerme cargo de la vieja hacienda.

Pero antes de irme hay algo en mi alma que quiero poner por escrito. Algo que nadie debería saber y que por tanto solo puedo confiarte a ti. No quiero llevármelo conmigo a Inglaterra, sino dejarlo aquí, en el lugar donde cargué con esa terrible culpa.

De cuando en cuando me persiguen imágenes de entonces, como si hubieran sucedido ayer mismo. A veces creo oír la voz de Grace, o verla pasear por el jardín. Y entonces se me saltan las lágrimas, pues el recuerdo de esos días tan felices me produce un dolor insufrible.

Todo cambió el día en que Grace se desmayó y el médico confirmó que estaba embarazada. La identidad del padre le dio grandes quebraderos de cabeza a mis padres, ya que cuando le preguntaban a Grace, ella se quedaba callada mirando al techo.

Pero la verdad siempre termina sabiéndose.

Corrió el rumor de que la señorita Giles le dio a mi padre el diario secreto de Grace después de haberme pillado a mí leyéndolo. Pero no fue así. Para descarga de su pobre alma, he de admitir que fui yo personalmente quien le dio el cuaderno a mi padre. Con ello no quería perjudicar a Grace, sino más bien mostrarle a papá el motivo por el que había dado ese paso; un amor que yo llevaba tiempo notando.

Pensé que una vez hubiera entendido el silencio de Grace su ira se suavizaría. Pero al final mi acto bienintencionado fue el desencadenante de la tragedia. Por mi culpa todo se hizo añicos, y yo perdí a mi hermana quizá para siempre.

La carta en que le decía que Vikrama pretendía reunirse con ella no obtuvo respuesta alguna, al igual que las otras cartas en las que le pedí perdón mil veces y me brindé a ayudarle otras tantas. Ahora sé que vive en una pequeña ciudad alemana y que se ha casado y tiene una hija. Pero sigue sin contestarme. Si supiera que Vikrama realmente quería ir junto a ella...

Qué fue de él es algo a lo que no puedo contestar, ya que aquel hermoso hombre tamil desapareció de un día para otro sin dejar rastro. Supongo que murió, ya que la búsqueda se interrumpió bruscamente y la calma volvió a instaurarse en Nuwara Eliya. Probablemente uno de los perros sanguinarios de Stockton le dio caza y se deshizo de su cuerpo. Ni el mayor de los optimismos podría darme una explicación más plausible.

Bien, ha llegado el momento, el carruaje espera. Dejo esta carta donde mejor recuerdo a Grace, y marco el lugar exacto con el símbolo de nuestra plantación, la mariposa. La magnífica cortina que decoraba nuestra habitación está ya muy gastada. Guardo aquí un trocito de ella. Creo que aún me dará para hacerme un chal que me servirá para recordar el tiempo aquí vivido.

¡Que te vaya bien, Vannattuppūcci, te echaré mucho de menos!

Con cariño,
Victoria Princeton Tremayne

El silencio los rodeó cuando Diana terminó de leer la carta. Ni ella ni Jonathan pudieron decir nada. Se quedaron sentados el uno junto al otro en el borde de la cama y escucharon el crujido de las ramas de los árboles, que les pareció un lejano susurro proveniente del pasado.

—De modo que Victoria traicionó a su hermana —dijo al fin Jonathan.

Diana asintió.

—Podría decirse así. Esa fue la deuda que contrajo con su hermana y que tanto se afanó en saldar. Una deuda de la que Grace no quiso saber nada.

Jonathan la rodeó con el brazo.

—Con esto ya tienes todas las piezas. El misterio está resuelto.

—No tan rápido —repuso Diana—. Aún nos queda la hoja de palma. Aunque no estoy segura de querer conocer su contenido. Por lo que he podido saber de la historia de mi familia, parece tratarse de una profecía…

—Podrías comprobar si está en lo cierto. Podrías dejar que te leyeran el futuro a ti y compararlos.

Diana se apretó el brazo.

—¿Quiero realmente conocer mi futuro? ¿Deseo saber cuándo fracasaré y cuándo saldré airosa? ¿Hay algo que pueda sorprenderme aún?

—Creo que lo que te dan más bien son consejos sobre cómo vivir —repuso Jonathan—. Pistas que pueden hacer cambiar a las personas. Especialmente si ya saben en qué se han equivocado.

—¿Pero no crees que nuestros intentos por cambiarlo son precisamente los que hacen que se cumpla nuestro destino?

—No es un mal argumento —reconoció Jonathan apoyando la mejilla en su pelo—. ¿Sabes qué? Me gusta ver que tenemos mucho más en común de lo que en principio pensábamos.

—Nuestra herencia tamil.

—Por ejemplo. Puede que mis antepasados y los tuyos se conocieran. A fin de cuentas, todos los tamiles indios que los ingleses trajeron consigo vienen de la misma región. Puede que incluso vinieran en el mismo barco.

—No, si a este paso seremos parientes, como Grace y Vikrama.

Esa conclusión despertó cierta incomodidad en ambos. En las casas reales es bastante común que primos del mismo grado acaben casándose, lo cual siempre le había dado bastante grima a Diana.

—No, seguro que no —Jonathan tomó su mano y la besó.

Una hora más tarde, Diana y Jonathan abandonaron Vannattuppūcci, no sin antes darle las gracias a Manderley y prometerle que le enviarían un resumen de los hitos históricos para su crónica.

El conductor estaba puntual como un clavo frente a la entrada y los llevó a toda pastilla a través de la jungla hasta la pequeña estación de ferrocarril donde habían llegado hacía poco más de una semana.

Mientras el abarrotado tren se arrastraba traqueteante en dirección a Colombo, Diana contempló con nostalgia las montañas de Nuwara Eliya. Ahora que sabía que ahí estaban parte de sus raíces le costaba irse sin más. Volveré, se prometió. Algún día.

En el pueblo no se celebraba ninguna fiesta esta vez. La calma reinaba en esas chozas alineadas frente a la playa. Solo un par de niños correteaban en círculos sobre la arena detrás de un perrillo marrón claro que, con la lengua fuera, intentaba despistar a sus perseguidores.

—¿Habrá vuelto ya el señor Vijita? —preguntó ansiosa Diana mientras sacaba de la mochila el portaplanos. Al abrirlo, le entró un cosquilleo en las palmas de las manos. ¿Qué puede decirme esta hoja de palma que ya no sepa?

Por ejemplo, si es una predicción para Grace o para Vikrama. Y si su encuentro ya fue pronosticado miles de años atrás.

Jonathan, que había ido a preguntar al pueblo, volvió corriendo.

—Hemos tenido suerte, ya está aquí. No está recuperado del todo, pero su hijo cree que podrá atendernos.

La choza del anciano estaba muy limpia, pero a ojos de un occidental no dejaba de ser un cuchitril. No había más que un camastro, una pequeña mesa con las patas torcidas, dos sillas sin mejor aspecto y una cómoda en la que probablemente el viejo guardaba todas sus pertenencias, que debían de consistir en un poco de ropa y unos cuantos recuerdos.

Lo encontraron sentado en su cama, vestía una camisa, el tradicional *sarong* y unas sandalias. Saludó a sus invitados con una sonrisa desdentada, miró a Diana de pies a cabeza y les rogó que se sentaran.

Como solo hablaba tamil y singalés fue Jonathan quien llevó las riendas de la conversación, que en un momento dado se interrumpió para enseñarle la hoja de palma. El anciano la observó con el ceño fruncido y luego farfulló rápidamente unas pocas palabras.

—¿Qué opina? —susurró Diana—. ¿Podrá leerla?

—Creo que sí —dijo Jonathan en voz baja—. Según él, tu hoja de palma no pertenece a una biblioteca.

—¿No? —Diana arqueó las cejas—. Pero si...

—Dice que se trata de un horóscopo de boda. Es costumbre comparar los horóscopos del novio y de la novia antes de la boda. Para evitar los matrimonios desdichados.

El anciano volvió a decir algo con su peculiar soniquete. Jonathan le contestó y luego parecieron enzarzarse en una pequeña discusión. Quizá debía dejarle un par de cosas claras, como hizo en su día Grace, se le pasó por la cabeza a Diana.

Finalmente, Jonathan le explicó de qué hablaban:

—Está completamente seguro de que es un horóscopo de boda.

—Pero Grace menciona una hoja de palma que profetizaba desgracias para su familia.

—De ser así, se trataría de una copia. Los tamiles siguieron usando las hojas de palma como nosotros el papel de escribir, y esta concretamente fue utilizada para anotar la predicción de R. Vikrama.

—¿Es el horóscopo de boda de Vikrama?

—Así es. Probablemente se lo hiciera pensando en irse a Inglaterra y casarse con Grace. Si el señor Vijita está en lo cierto, esta hoja de palma no tiene más de ciento veinte años.

Lo primero que le vino a la mente a Diana fue el chasco que se habría llevado Michael al conocer los resultados de las pruebas de antigüedad del documento. Entonces se acordó de que desde sus días de ardua investigación en el archivo de Vannattuppūcci no había vuelto a abrir el correo.

444

—Qué lástima —se lamentó Diana, con gesto de consternación—. Qué lástima que Vikrama no llegara a casarse con ella.

—Pues sí —aseguró Jonathan, y tras pensárselo dos veces esbozó una sonrisa—. Aunque por otro lado me alegro de que así fuera.

—¿Por qué?

—¿Qué habría sido de nuestras vidas si Vikrama y Grace se hubiesen casado? Seguramente nuestros caminos no se habrían cruzado, porque tú no habrías emprendido una investigación de la historia de tu familia. Y eso sí que hubiera sido una lástima.

Solo un día después, tras una breve estancia en casa de Jonathan, salía el avión de Diana. Jonathan se empeñó en acompañarla para pasar un par de horas más con ella. La noche anterior habían hablado largo y tendido sobre el pasado, el presente y el futuro.

Diana se sentía aturdida, pero también feliz. Por fin había resuelto el enigma de los Tremayne. La voluntad de Emmely se había cumplido, y ahora podría seguir ahondando en sus inciertos orígenes.

A la hora de despedirse casi se le rompe el corazón.

—Voy a echarte mucho de menos. A ti y a Sri Lanka.

—Tu patria, en cierto modo.

—Sí, mi patria, al menos en parte.

—Volveremos a vernos —dijo Jonathan antes de besarla apasionadamente—. Tú pon orden en tu vida, que yo me las arreglaré para acabar mi libro. Entonces veremos qué será de nosotros.

Por un instante el tiempo se detuvo y permanecieron abrazados. Luego llegó el momento de que Diana partiera. Se despidió con la mano desde detrás de la barrera de la zona de embarque. Luego se volvió para que no la viera llorar.

Durante el vuelo Diana revisó toda la documentación recopilada, de la que gracias a Manderley había podido llevarse una copia. ¡El señor Green no se lo va a creer!

Mientras el avión aterrizaba en Berlín, Diana tomó una decisión. Pasaría una temporada en Inglaterra no solo para reconstruir los hitos de su saga familiar, sino también para especializarse en Derecho inglés. Que Eva era perfectamente capaz de llevar el bufete de Berlín había quedado demostrado durante su breve ausencia. Una vez desvelado el misterio había llegado el momento de emprender una nueva vida.

Al llegar se alegró de que Philipp no estuviera en casa. Antes de entrar observó pensativa la fachada del edifico, la misma que había estado ocultando durante años la decadencia de su matrimonio. Pero ahora todo había acabado. Aunque había puesto mucho de sí misma en esa casa, no quiso perder ni un segundo más en contemplarla. En las dos últimas semanas había arrojado tanta luz sobre las sombras de su familia que no quería permanecer más tiempo en la oscuridad.

Telefoneó a un colega especialista en derecho de familia y le pidió una cita que, por suerte, le concedió para el día siguiente. Luego llamó a Eva para avisarla de que ya había vuelto.

Al cruzar la puerta del dormitorio para cambiarse algo la hizo detenerse. Sobre la colcha había unas braguitas. Nada del otro mundo: unas bragas de color verde claro con puntillas; de la talla S, pensó Diana. Como era poco probable que Philipp se hubiera aficionado de pronto a llevar ropa interior de mujer, debía de tratarse de un trofeo arrebatado a su nueva conquista.

Si unas semanas antes se hubiera encontrado eso encima de su cama le habría hervido la sangre. Pero ahora se limitó a sonreír, se reafirmó en sus planes y empezó a vaciar el armario separando unas cuantas cosas que luego metió en una maleta. El resto lo metió en una enorme bolsa de basura que planeaba dejar en un contenedor de la Cruz Roja de camino al hotel.

Después de meter la maleta y la bolsa llena de ropa en el maletero del Mini se dirigió a su escritorio. Philipp había dejado unas cuantas cartas en su mesa. Un par de facturas, folletos, una postal y la oferta de un viaje a la India. Sin siquiera revisarlo Diana, lo tiró todo a la papelera.

Feliz por no haber desarrollado una inclinación hacia las baratijas sacó dos cajas grandes de cartón que había guardado sin saber muy bien para qué y empezó a llenarlas de cuadernos, libros y material de oficina. A última hora decidió llevarse todas las facturas; no quería darle la oportunidad a Philipp de quejarse por haber pagado algo que no era suyo.

Finalmente se sentó en el escritorio y le escribió una carta a Philipp explicándole que ya era hora de que cada uno siguiera su camino. Tanto ella como él. De la historia de su familia prefirió no contarle nada, aunque mencionó haber descubierto un secreto que la había animado a empezar de nuevo. Tras desearle mucha suerte en su nueva vida, firmó y metió la carta en un sobre que dejó en el despacho de Philipp.

El teléfono sonó justo cuando se disponía a arrastrar la primera caja escaleras abajo.

En un primer momento quiso ignorarlo, pero al oírlo sonar con insistencia corrió a descolgarlo. Cuando oyó la voz del señor Green supo que había hecho lo correcto.

—Espero que haya llegado bien a Alemania, señorita Diana.

—Muchas gracias, señor Green, he llegado perfectamente. Cuando nos volvamos a ver le contaré un montón de cosas, y usted también tendrá que explicarme alguna.

Aunque no podía verlo supo que en esos momentos estaba sonriendo.

—¿Estaba usted al tanto, verdad? Mi tía le pidió que pusiera las pistas donde yo pudiera encontrarlas.

—¿Cómo descubrió nuestra pequeña intriga?

—Durante mi estancia en el Hotel Hills Club usted me envió por correo electrónico una foto que nadie de mi familia había visto nunca, ya que jamás supimos dónde estaba enterrada Grace. Alguien tuvo que hacérsela llegar a Emmely; o bien mi abuela se negó a enseñárnosla. Sea como fuere, mi madre nunca supo en qué cementerio está enterrada Grace, así que Emmely guardó esa pista hasta el final. Por tanto, resulta evidente que usted lo sabía todo.

Al otro lado de la línea no se oyó nada. Seguro que seguía sonriendo.

—He de decirle que lo de colocar la carta debajo del sarcófago estuvo muy bien. Sin embargo, desde entonces empecé a sospechar. Nadie deja una carta en un panteón.

—¡La felicito, señorita Diana! Ni el mismísimo Sherlock Holmes lo habría hecho mejor.

Diana sonrió al recordar que Jonathan la había llamado así. ¿Qué estaría haciendo ahora? ¿Pensaría en ella? ¿La echaría de menos?

—No solo la llamo para saber qué tal ha llegado. Ha venido un caballero que desea hablar con usted. Le he dicho que no se encontraba aquí, pero ha insistido en que la llame. Al parecer tiene algo importante que decirle.

Un presentimiento hizo a Diana estremecerse en lo más profundo.

—Muchas gracias, señor Green. Páseme con él, por favor.

Al oír la voz de Jonathan le entró un escalofrío. ¿Qué hacía él en Inglaterra? ¡Pero si tenía que estar terminando su libro!

—Tengo que decir que la casa es impresionante. Con un par de retoques se podría vivir aquí de maravilla. ¿Tú qué opinas?

Por un instante, Diana creyó quedarse sin aire.

—De hecho tengo pensando pasar una temporada en Inglaterra. El bufete funciona solo, y no tengo ganas de volver a discutir con Philipp. Él se queda con nuestra casa y yo me mudo a Tremayne House.

—¿Entonces el divorcio ya es cosa hecha?

—Por mi parte, sí. Hoy mismo firmo los papeles. —Lo de las braguitas prefirió no contárselo—. Tengo que hablar con mi socia. No sé si venderle mi parte o continuar como socio pasivo. En cualquier caso, voy a apuntarme a un máster en Inglaterra.

—Quieres empezar de nuevo.

Diana observó pensativa la cinta blanca que rodeaba su muñeca, la misma que le habían dado en la boda tamil a modo de amuleto. Había resistido todas las peripecias vividas y unas cuantas duchas, pero había encogido un poco; ahora se le clavaba en la piel.

—Durante el viaje en Sri Lanka tuve la sensación de que no solo estaba descubriendo el secreto de mi familia, sino también a mí misma. Ahora creo saber quién soy. Además, los comienzos siempre son emocionantes, ¿no te parece?

—¿Entra en tus nuevos planes tener un inquilino en Tremayne House?

El corazón de Diana latía a tal velocidad que temió que fuera a darle un infarto.

—¿Cómo dices?

—Digamos que estoy planteándome pasar una temporada en Inglaterra. A fin de cuentas, también puedo terminar el libro aquí, y así podría intentar vendérselo a alguna editorial inglesa. ¿Podrás acogerme un tiempo?

Diana se contuvo para no dar un chillido de entusiasmo como una adolescente. Se mordió el dorso de la mano hasta entrar en razón.

—Creo que tenemos una habitación libre. Le diré al señor Green que haga los preparativos —dijo.

Tres días después Jonathan fue a recogerla al aeropuerto de Heathrow. En ese espacio de tiempo Diana había dado los pasos más importantes para emprender su nueva vida.

—No sabes cuánto te he echado de menos —le susurró al oído a Jonathan después de besarlo apasionadamente.

—Pero si han sido unos días de nada —dijo él con un brillo pícaro en los ojos.

—¡Pues me ha parecido una eternidad! —repuso ella agarrándolo de la cintura.

Más tarde, sentados en la larga mesa de madera llena de cortes de la cocina, sin poder evitar que el señor Green los mimara con un buen té y unos bollitos, repasaron juntos los resultados de la investigación.

—Haga el favor de sentarse, señor Green —dijo Diana al ver al mayordomo trajinar inquieto por la cocina. Naturalmente no iba a admitir que ardía en deseos de saberlo todo—. Aunque conoce una parte nada desdeñable de la historia no le vendrá mal escuchar lo que hemos descubierto.

El mayordomo aceptó la invitación y Diana y Jonathan lo pusieron al tanto de sus pesquisas con pelos y señales. El señor Green los escuchó con gesto impasible, como si nada le resultara nuevo, pero cuando la conversación derivó hacia el diario del desquiciado señor Cahill, una arruga de extrañeza se dibujó en su frente.

—Me pregunto hasta qué punto conocía la historia la señora Woodhouse. Sabía que su madre había vivido en la plantación hasta los doce años, pero de su tía abuela Grace apenas pudo decirme que protagonizó un incidente en Ceilán que había permanecido en secreto a lo largo de los años —el señor Green le dio un trago a su taza de té—. Puede que lady Deidre se llevara a la tumba gran parte de ese secreto, ya que me cuesta creer que lady Victoria no le hablara a su hija de la hija ilegítima de Grace.

—Hay personas que no dicen todo lo que saben ni siquiera en su lecho de muerte —señaló pensativo Jonathan—. Quizá porque no quieren que salgan a la luz determinadas cuestiones que podrían hacer daño a su familia o incluso a ellos mismos.

—De todos modos no era tarea de Emmely descubrir la verdad. Al fin y al cabo ella no era la última descendiente de la familia Tremayne —añadió Diana—. Aunque estoy segura de que la habría hecho más fuerte. Emmely era todo un temperamento.

—No lo sabe usted bien.

Un rayo de sol proveniente del recuerdo de Emmely hizo que el rostro de Diana esbozara una sonrisa.

—Un momento, aún falta algo.

El señor Green se levantó y abandonó la cocina. Diana miró a Jonathan con gesto interrogante.

—¿Tendrá todavía algún conejo que sacar de la chistera?

–No me extrañaría. Ha sabido dosificar muy bien las pistas.

El señor Green regresó con un sobre marrón.

–La foto que le envié forma parte de un tríptico. Como no me respondió deduje que estaba muy ocupada con otros asuntos.

–También podían habernos secuestrado...

–Algo así habría salido en la televisión, así que decidí no preocuparme. Por otra parte, usted siempre ha demostrado apañárselas muy bien sola.

Sin dejar de sonreír, el señor Green abrió el sobre y sacó dos fotos en blanco y negro.

Una mostraba una tumba, la otra el retrato de Victoria y Grace de niñas.

Diana miró al mayordomo expectante.

–¿Sabe qué significado pueden tener?

El señor Green negó con la cabeza.

–No. ¿Cómo iba a saberlo? Su tía no me reveló el trasfondo de la trama, se limitó a darme las pistas y me ordenó que se las administrara con diligencia. Pero si me permite una observación, dado que la tumba no parece estar en Inglaterra podría empezar por el cuadro.

–¿Quiere que lo descuelgue? –Diana miró a Jonathan esperando una respuesta que él no le supo dar.

–¿Por qué no? No creo que pase nada porque le dé un poco de luz al trozo de pared que cubre.

Con el corazón acelerado, Diana abandonó la cocina seguida de Jonathan y del señor Green. Cuando estuvo frente al cuadro, que captaba magistralmente un momento de intimidad entre dos hermanas y su madre, las manos empezaron a temblarle con tal fuerza que no se creyó capaz de descolgarlo. ¿Qué habría detrás? ¿Alguna anotación quizá? Vaciló. ¿Qué saldría a la luz?

No hay nada que temer, Diana, lo único que te espera ahí detrás es la verdad, fue como si le susurrara su tía. Luego, como ayudada por manos ajenas, levantó las suyas; eran las manos de

Grace, Victoria y Emmely. Deslizó con cuidado los dedos por el pesado marco y finalmente levantó el cuadro.

Nada más hacerlo se topó con un recorte de periódico que el cuadro había aplastado tanto que cayó al suelo como una pluma. Jonathan lo recogió y lo leyó en alto:

—«El *Calypso* corre fortuna. Un buque mercante alemán rescata a los tripulantes del navío inglés.»

—¿*Calypso?* —repitió Diana. El nombre le sonaba de algo. ¿No era ese el barco que Cahill mencionaba en sus notas? Tendría que comprobarlo.

Con la ayuda de Jonathan le dio la vuelta al cuadro y descubrió entre las cuñas del bastidor una hoja blanca, una cartulina como las que aún hoy se utilizan para los aguafuertes y las pinturas al pastel.

Con la sensación de notar los latidos de su pulso por todo el cuerpo, Diana le dio la vuelta a la cartulina, y al ver lo que ocultaba tuvo que taparse la boca con la mano.

—¡El rostro del ángel!

El dibujo, de una perfección y naturalismo envidiables, estaba firmado con la misma mariposa que había descubierto en Vannattuppūcci en el marco de la ventana, aquella con la que Victoria había señalado el escondite de su confesión. Al lado había escritas unas iniciales: «V. T.»

—Victoria debió de dibujarlo antes de…

De pronto tuvo una revelación: no había sido el ángel el modelo del retrato, sino el retrato el modelo del ángel.

—¿Es posible que este hombre sea… Vikrama?

Diana se giró hacia Jonathan, que ahora examinaba minuciosamente el dibujo.

—Podría ser. Es evidente que este hombre tiene rasgos hindúes.

—Pero aquí lleva barba, y el ángel no.

—¡Nunca he visto un ángel con barba! —objetó el señor Green—. Aunque es muy probable que la señora Woodhouse se tomara la licencia artística de afeitarlo.

—¿Significa eso que Vikrama vela el sueño eterno de Beatrice?

—Es un hermoso pensamiento.

—Sí, muy hermoso.

—Y en cierto modo, repara el hecho de que Beatrice no pueda descansar en paz junto a sus antepasados por orden de Deidre, que evidentemente era del parecer de su abuelo y consideraba a Grace una proscrita, al igual que él.

Epílogo

Les llevó un buen rato localizar el cementerio que albergaba la tumba. La foto del señor Green, la última pista, no les fue de gran ayuda, ya que la guerra y seis décadas le habían cambiado el aspecto al lugar. El pequeño cementerio de pueblo casi había caído en el olvido. Cuando los alemanes se fueron de esas tierras, los polacos, en pago a lo que las tropas alemanas les hicieron, dieron rienda suelta a su ira arrasando el lugar. El pueblo había desaparecido, pero por suerte las tumbas estaban intactas; quizá por superstición, o por la simple certeza de que los muertos no iban a reclamarles nada.

Diana dejó que su mirada recorriera la puerta de entrada, cuya verja había desaparecido hacía años, como confirmaba el óxido de las bisagras. Los pilares de roca parecían los dedos de un gigante emergiendo del suelo.

Como nadie se ocupaba de podar los setos, los arbustos habían crecido salvajes convirtiendo el lugar en el escenario perfecto de un cuento de los hermanos Grimm.

La cruz estaba algo escorada, y la tumba se había hundido un poco en la tierra, seguramente porque la madera del ataúd había cedido con los años.

Diana se quedó parada en mitad del pasillo rodeado de maleza y buscó con la mano a Jonathan. Cuando sus manos se estrecharon recobró el calor y las fuerzas.

La segunda foto del señor Green mostraba la lápida, pero estaba tan borrosa que no se apreciaban los detalles. Solamente se adivinaba uno: en el centro había un medallón.

Este, a pesar del tiempo transcurrido, seguía brillando misteriosamente entre la hierba, como si pidiera a gritos ser encontrado.

Tras apartar los matojos arrancándolos de cuajo, Diana se inclinó, ladeó la cabeza y leyó:

«Aquí descansan en paz

Capitán de marina
Friedrich Södermann
1 de julio de 1860 – 4 de mayo de 1918

V. Grace Södermann Tremayne
25 de diciembre de 1868 – 19 de diciembre de 1931.»

—¿V? —se sorprendió Diana.
—V —repitió perplejo Jonathan—. Ver para creer...
—¿A qué te refieres?
—En Sri Lanka es costumbre anteponer la inicial del nombre del padre al propio nombre. Cuando una mujer se casa, sustituye la inicial del padre por la de su marido en señal de pertenencia.

De pronto, Diana creyó escuchar el rugido de su torrente sanguíneo; su corazón se desbocó y se le secó la boca mientras su cerebro procesaba las palabras de Jonathan.

—¿Llegó a casarse con Vikrama?
—Según reza la tumba, sí —aseveró Jonathan—. Al menos debía de sentirse suya, y por eso acató la costumbre.

Diana se sentó en el suelo y durante unos minutos se quedó mirando al vacío.

Grace se llegó a casar con Vikrama, según la costumbre y el derecho tamiles.

¿Lo sabría su marido? Y si lo sabía, ¿cómo pudo vivir interpretando un perenne papel secundario? ¿Cómo pudo soportar que Grace no dejara de esperar que un día apareciera Vikrama?

¿Cómo debió sentirse Victoria al descubrir que Vikrama había muerto? ¿Por eso había escondido en el compartimento secreto el cofre con sus recuerdos? ¿Por eso había hecho desaparecer la guía de viajes, la piedra azul, la foto y el horóscopo de boda?

Cuando Diana pasó la mano por el medallón de la tumba, bastante castigado por el paso del tiempo, notó que estaba un poco suelto.

—¿Tienes una navaja? —le preguntó a Jonathan sin saber muy bien qué buscaba.

No, no creo que Grace quisiera llevárselo consigo a la tumba, más bien quería conservarlo para que algún día sus descendientes pudieran llevárselo, pensó.

—Aquí tienes —dijo Jonathan sacándose una navaja multiusos del bolsillo.

Con ayuda de la navaja, le resultó fácil desprenderlo de la roca. ¿Cómo es que nadie se lo había llevado? ¿Acaso la guerra había cubierto ese lugar con la bruma del olvido?

En cuanto tuvo en las manos el medallón vio sobresalir un trozo de papel enrollado. Con las manos temblorosas lo extrajo y lo desenrolló. ¡Símbolos! Símbolos similares a los que había visto en la hoja de palma que le dio a Michael creyendo que se trataba de la profecía.

Además, había una anotación diminuta, con los trazos de una mano delicada. Diana reconoció al instante la letra de Grace.

—¡Debe de ser la copia de la hoja de palma que mencionaba en su cuaderno! —exclamó dando un salto.

—También puede ser su horóscopo de boda —sugirió Jonathan para intentar aplacar su entusiasmo.

—No, estoy segura de que es una copia de la hoja de palma… Si fuera su horóscopo tendría el original.

Diana intentó en vano ordenar sus pensamientos, que se le arremolinaban en el cerebro formando un huracán. Entonces volvió a reparar en el medallón.

—Quizá haya dentro una foto de ambos.

Diana parecía haber perdido la razón, pero Jonathan observaba su locura transitoria con una sonrisa. Cuando al fin lograron abrir el medallón con la navajita, encontraron el rostro de una hermosa mujer hindú con unos rasgos parecidos a los del retrato de Vikrama.

—Debe de ser su madre.

—La amante de Richard —refrendó Diana. De pronto notó que estaba mareada. Con el medallón que probablemente escondía el retrato de la madre de Vikrama y la supuesta copia de la hoja de palma que Grace mencionaba en sus notas tenía ya todas las piezas del puzle. Tenía en su mano todo lo necesario para reconstruir la historia.

Diana decidió guardar esos dos tesoros para las generaciones venideras; contando con que fuera a haberlas. Con todo, se sentía llena de esperanza. El divorcio estaba en marcha, era tremendamente feliz con Jonathan y lo demás ya se vería, con profecía o sin ella.

OCÉANO ÍNDICO, 1887

En alta mar Grace no alcanzaba a discernir si su malestar se debía al embarazo o al mareo que casi todos padecían. El invierno no era buena época para viajar, abundaban las tormentas, pero en cuanto cruzaran el Canal de Suez el clima mejoraría e Inglaterra ya no estaría lejos.

A Grace le daba igual. Le daba igual helarse que sudar a chorros, vivir que morir. Por momentos su mente se llenaba de oscuros pensamientos. Pero luego recordaba que albergaba un niño en sus entrañas, y entonces un rayo de sol asomaba entre las densas nubes instándola a seguir viviendo. Vivir para su hijo, vivir con la esperanza de volver a ver a su amado.

En esos momentos se aferraba al papel que le dio el anciano en la biblioteca de hojas de palma.

Escucha a tu corazón, le dijo. ¿Había logrado ahuyentar la desgracia siguiendo sus dictados? Su embarazo había supuesto la mayor desgracia que sus padres podían imaginar. Pero a cambio había conocido el verdadero amor…

—Creo que se acerca otra tormenta —dijo alterada la señorita Giles. Todo ese tiempo en el mar la había convertido en un manojo de nervios. Pasaba la mayor parte del día metida en su lado del camarote, y apenas hablaba con su protegida; y no porque le guardara rencor, sino por mala conciencia, de eso estaba segura Grace.

Le estaba bien empleado haber tenido que separarse del señor Norris, pensaba Grace rabiosa, sobre todo al principio. Al fin y al cabo, ella había sido la que había sacado a la luz que Vikrama era el padre de la criatura al sorprender a Victoria leyendo sus notas y entregárselas a su padre. Cuando subieron al barco, de buena gana habría tirado a la gobernanta por la borda.

Pero pasar días y días contemplando el mar la volvió más reflexiva. Nadie mejor que ella sabía cómo se sentía la señorita Giles. La esperanza de que su señor la ordenara regresar para encargarse de la educación de Victoria era el clavo ardiendo al que se aferraba. Una esperanza exigua, pues la necesitaba más el bebé que iba a nacer. El bebé que desataría un escándalo. Un bebé que quizá habría que apartar de su madre para guardar las apariencias.

Con el temple adquirido, Grace intentaba olvidar el rencor, y cuando veía a la señorita Giles suspirar por su maestro, la consolaba diciéndole que algún día vendría a por ella y la haría su esposa.

Del mismo modo que ella esperaba regresar algún día a Ceilán. Aunque en realidad esa esperanza menguaba un poco con cada milla recorrida, al mismo ritmo que aumentaba el miedo a perder a su amado. La vida de Vikrama dependía de que no pusiera un pie en Vannattuppūcci. Por eso ella rezaba todo el tiempo, para que su indómito corazón no lo indujera a cometer una tontería de la que arrepentirse eternamente, y también porque el destino de alguna otra manera volviera a reunirlos.

Cuando el temporal se cernió sobre el barco, Grace dudó del poder de la hoja de palma. Quizá se había equivocado al augurarle cuarenta y tres años más de vida. ¿Qué sabían los brahmanes de las inclemencias del tiempo? La tempestad, mucho más fuerte que las anteriores, estuvo a punto de hundir el barco. El pánico estalló y se armó un alboroto de mil demonios. Cuando salieron a la cubierta una ola enorme casi se las llevó por delante. Grace oyó un grito y la señorita Giles desapareció al instante. Antes de que pudiera ir en su busca, unas manos tiraron de ella arrastrándola hacia un bote salvavidas.

Le pusieron una manta sobre los hombros y se vio rodeada por un batiburrillo de voces y quejidos. Ráfagas de viento helado le cortaban las mejillas, pero ella ni siquiera lo notaba.

460

Sus pensamientos estaban en aquel papel, convencida de que sucedería lo que ahí estaba escrito.

—¿Se encuentra bien, señorita? —dijo el joven oficial que la ayudó a salir del bote. Grace asintió con los dientes castañete-ándole y dejó que la llevara a cubierto. No se percató de cómo el joven miraba su pelo y su rostro; en esos momentos se habría echado a reír si alguien le dijera que ese oficial rubio de ojos azules acabaría siendo su marido.

Pero durante el viaje las cosas cambiaron. El joven oficial la cuidó, él personalmente se encargaba de traerle raciones extra de comida, pues era de la opinión de que tenía que comer por dos. Y cuando llegaron a tierra y Grace se instaló en una modesta pensión de Hamburgo —a Tremayne House no la harían volver ni con amenazas—, siguieron viéndose regularmente, ya que él se preocupó de hacerle regalos y de llevarla a dar paseos. Alguna gente se sorprendía al ver a Grace en estado. Otros pensaban que el hombre que la llevaba del brazo era su esposo. A los amigos que bromeaban diciéndole que se había comido el pastel antes de la boda, Friedrich los amenazaba con abofetearlos, pero Grace sabía que en el fondo le llenaba de orgullo que lo tomaran por el padre de la criatura.

Quizá fueron todas esas atenciones, y también la convicción de que necesitaba un hombre en quien apoyarse hasta que su príncipe viniera a por ella, lo que hizo que volviera a abrir si-quiera un poco su corazón. Al principio no era más que simpa-tía, pero después se convirtió en afecto, y en su séptimo mes de embarazo se casó con ese hombre en una pequeña iglesia de Pru-sia Oriental, su patria.

Con una agridulce sensación de dicha y dolor avanzó hasta el altar y le dio el sí al oficial, haciéndole con ello el hombre más feliz del mundo; llevaba clavada en el corazón la carta de su hermana fechada el 15 de febrero de 1888 que una sirvienta de Tremayne House le había hecho llegar.

Ya te he perdonado, Victoria, pensaba para sí mientras los invitados la jaleaban al salir de la iglesia. Pero es bueno saber que va a haber alguien que cuide de mi retoño.

Su retoño nació el año que se conoce en la historia alemana como el Año de los Tres Emperadores. A esa hija que tanto se parecía a su padre, Grace le dio el nombre de Helena. En un principio, pensó en ponerle la inicial de su padre, pero prefirió evitar las preguntas inoportunas.

Tenía más que suficiente con que Helena la mirara con los ojos de Vikrama.